小牧昭一郎
機械式時計講座

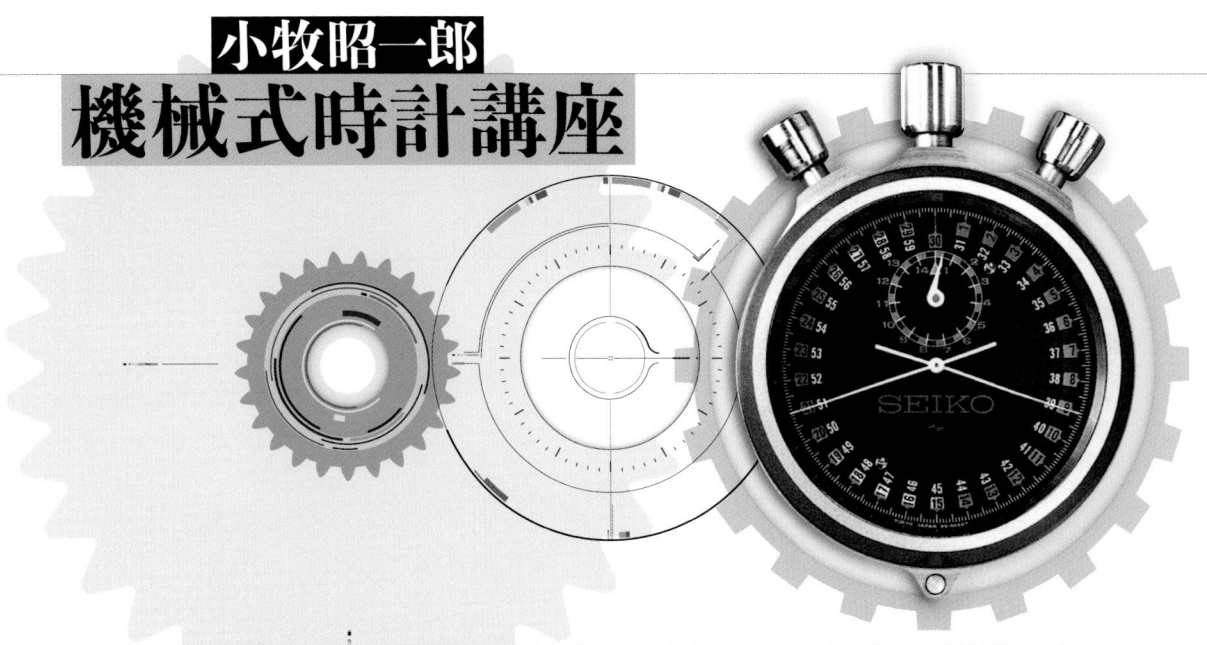

東京大学出版会

Lectures on Mechanical Watch
Shoichiro KOMAKI
University of Tokyo Press, 2014
ISBN978-4-13-068800-0

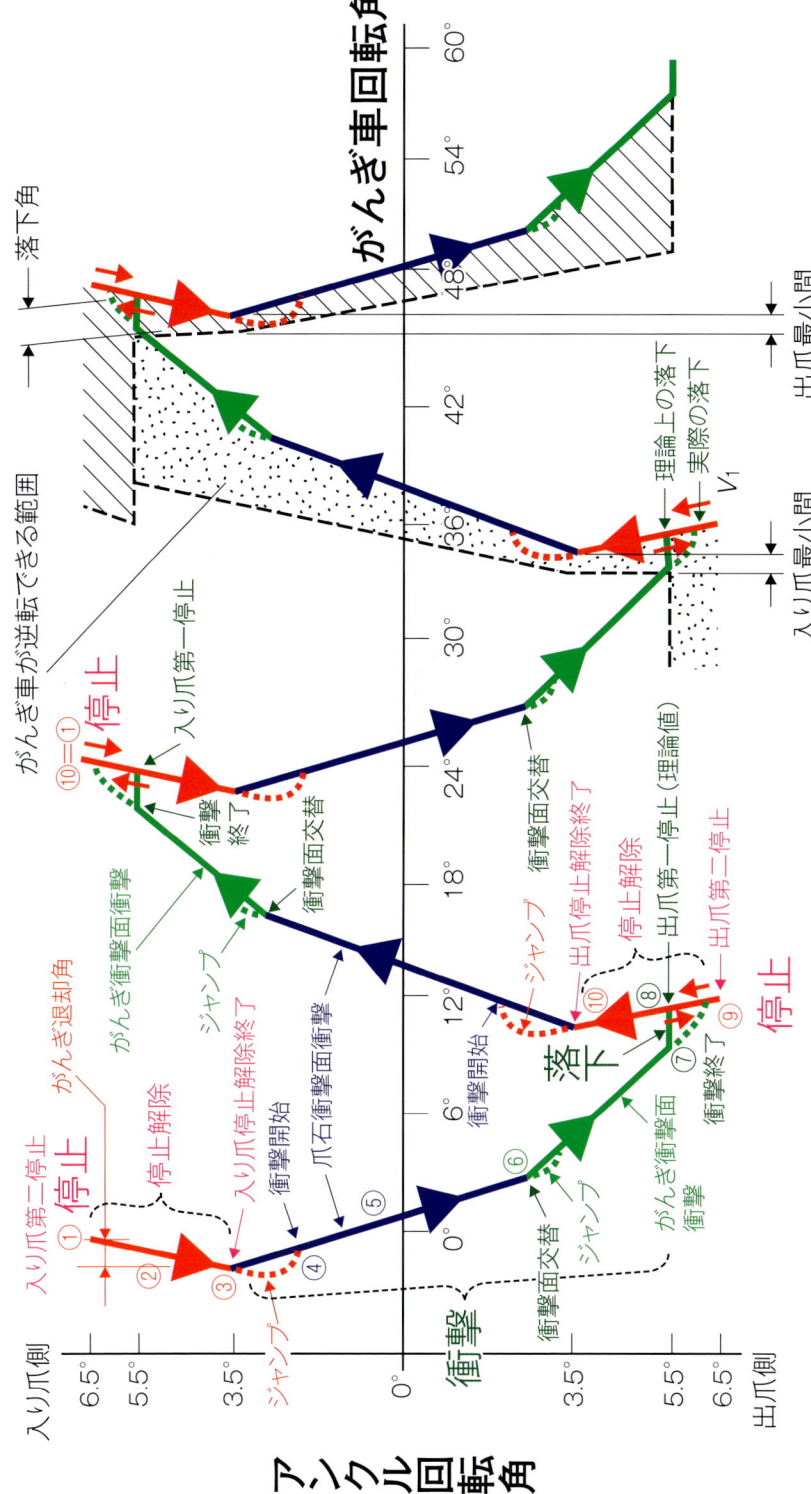

口絵1　がんぎ・アンクル動作線図A

本書の最大の特長がこの動作線図A、Bと考え、最重要視して、カラー、口絵とした。がんぎ・アンクルの動作が一目でわかるように工夫してある。この図Aは縦軸にアンクルの回転角、横軸にがんぎの回転角をとり、がんぎとアンクルの動作が大きな矢印が示すように**停止解除、衝撃、落下、停止**の順に動作する様子が示される。矢印は左から右へ移動するのに対して、**停止解除**（赤色）は左へ向いている。がんぎ車は必ずしも後退しないなどこれは⑦の状態から水平に右へずらした⑧の位置のことであって、これなどもアンクルが停止したまま、がんぎだけが回転しなければこの状態は発生しない、つまり、**第一停止**はこうした**理論上の状態**であることがこの図では明瞭に示されている。など、この図から読み取れるもっとも貴重な知識である。参照本文1.7節36ページに図1.77Aとして再掲。

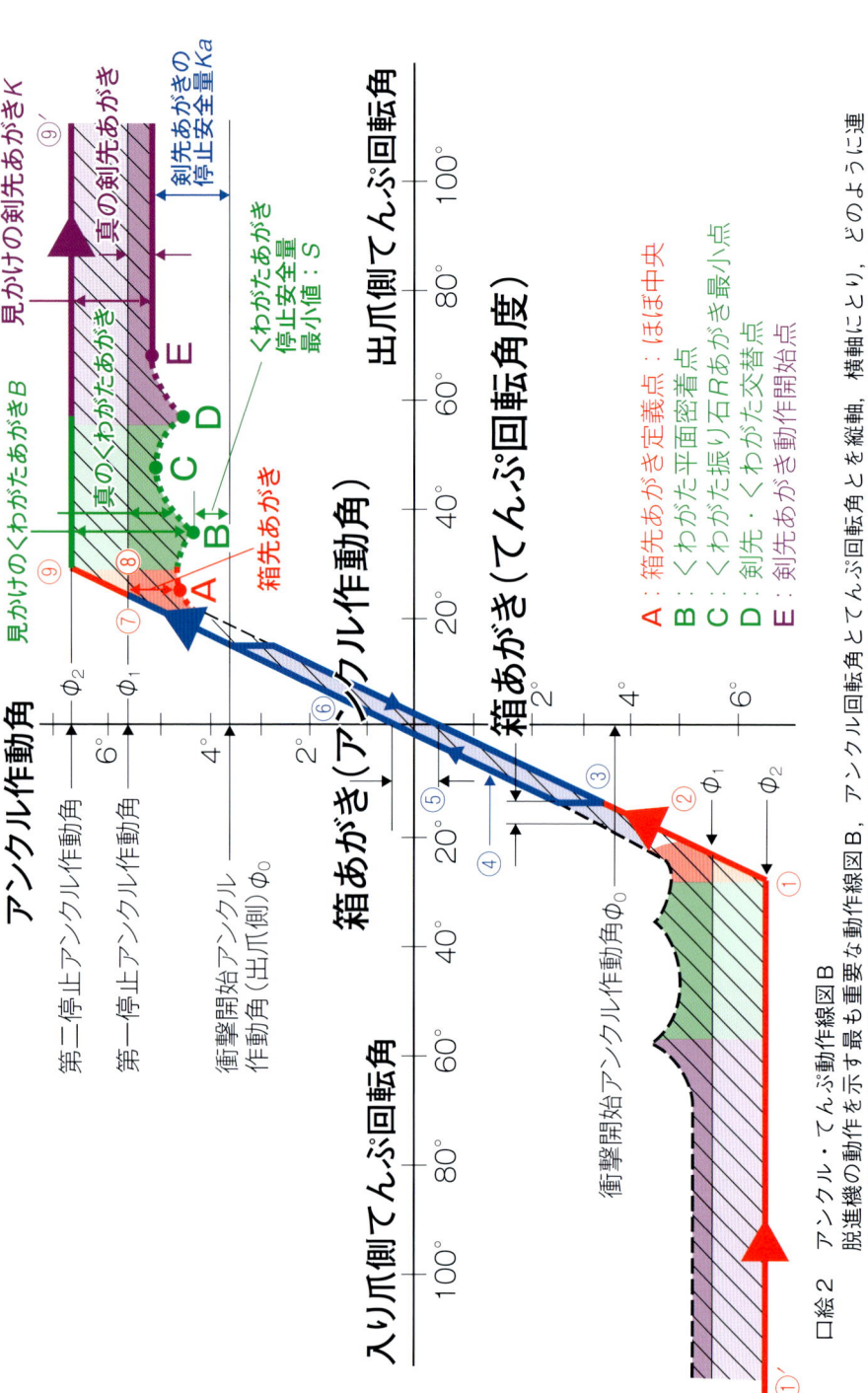

口絵2 アンクル・てんぷ動作線図B

脱進機の動作を示す最も重要な動作線図B。アンクル回転角とてんぷ回転角とを縦軸、横軸にとり、脱進機して動くかを示す。停止、停止解除、衝撃、落下、停止安全量はてんぷの回転角度でどのように変化するかなど、この間に安全作用がどの範囲で行われているか、停止安全量はどう変化するか、あがき量はてんぷの回転角度でどのように変化するかなど、詳細に示されている。てんぷの回転角がどの範囲であっても安全作用が接続して動作し、安全作用は全く漏れがない。これがクラブツースレバー脱進機が200年も利用されてきた理由であるが、その詳細がこの図で読み取ることができる。たとえば爪石の食い合いをへらすと、衝撃開始角度φ₀が大きくなって……図中のφ₀の水平線が上へ移動し、各停止安全量（爪石停止面上の食い合い量）が減る。見かけと真のあがき量の関係、その様子も明瞭に理解できよう。参照本文1.7節37ページに図1.77Bとして再掲。

はじめに

　本書は雑誌『世界の腕時計』に2002（平成14）年から2010（平成22）年までの8年間，連載が継続された「機械式時計入門講座」を編集し書籍としてまとめたものである．
　全体の名前は「機械式時計入門」となっているが，読者や関係者の間では入門ではなく，上級講座だ，と評されることが多かったが，時計に興味のある読者には広く楽しめる内容になっていると思う．筆者は1960年代にコンクール時計のスタッフを担当したことがあり，その際に機械時計の調整を徹底的に研究する立場にあった．また，機械時計会社の組立部門に対して同様にその調整方法をスタッフする立場にあったので，そのための研究をした．また最近は，といってもほとんど10年前になるが，都内の時計学校で教鞭を執り，それを約13年間続けた．
　特にこの長期間の教鞭は学生を教える立場でありながら，自分をも教育する結果となった．いわば，自分で研究しながら教鞭を執る，という結果となり，それが本書を生んだと言える．機械時計の調整の難しい部分は時計会社にいたときよりもかなり深いところまで理解を進めたと言ってよい．そのほぼ全貌をこの連載講座には取り入れてある．
　1967（昭和42）年には『腕時計の調整』（H・イェンドリッツキー著，村木時計店）を翻訳して出版したことがあるが，この本も絶版となっており，再版したらという声もある．これにも応えなければならない．このような気持ちから，機械時計の調整に関わる部分はしつこく追求するという姿勢をとり続け，その結果を教壇でも披露してきた．一昨年はそのもっとも中心的な部分に関して調整理論を一歩進め，日本時計学会への研究論文*としてまとめた．
　著者の技術的な知識の基盤には1960年代に日本が参加したことが影響して収束させてしまったと思われる，スイスの天文台クロノメーターコンクールがある．その時代にしっかり研究することができなかった，いわば，やり残した技術の追求が40年も経てここに結集したとも言える．この経過の中で，これまでの機械時計の精度に関する反省が生まれ，結果としてその将来をも予見するレベルまで展望することができたように思っている．機械時計の調整方法の研究は，この本の制作に関わった後も実は研究が進んでおり，これらに関してはページ数の関係からほとんど収録ができていない．たとえば，内端カーブや重り付けの技術に関しては紙数の関係で解説をあまり付け加えていない．
　現代の時計技術の動向に比較して本書の範囲は古い構造とその技術にこだわっている感がぬぐえない．逆にその見地から読者には機械時計の調整方法に関する歴史的な見方が獲得できるであろう．その意味で，本書が，より優れた調整方法を会得したい方々のための基盤となるのではないかと考える．

　以下，本書の構成を概括しておこう．
第1章　基本的な機械時計の構造を歴史ととも解説，特に脱進機に関しては冒頭の挿絵のように，日本の時計技術らしい，かなり精密な解説が特徴と言えよう．
第2章　日本の時計技術の最大のポイントである等時性の解説，ひげの重心移動や重り付けまで最新の技術を紹介してある．欧米の参考書にはほとんど見られない領域である．

第3章　てんぷの消費エネルギーと振り角に関する基本的な振動系の解説．
第4章　刻音など時計の状態を知る技術．
第5章　ハイブリッドなど今後の時計の進展に関する展望．

　冒頭にも述べたが，本書は『世界の腕時計』での連載を下敷きにしている．書籍として出版することを快くご了承いただいたワールドフォトプレス社に，また，筆者が長年勤務したセイコーインスツル（現セイコーホールディングス（株））からは貴重な資料をいただいた．また，本書の企画から校正には，中山貴文氏，藤田耕介氏に大変尽力をいただいた．皆さまに厚く御礼申し上げる次第である．

2014 年 6 月

小牧　昭一郎

＊日本時計学会　研究論文：ひげぜんまい重心移動の理論と実際
副題：内端カーブの効果の最適化

目次

はじめに

第1章 どのように機械時計は動くか … 1

§1.1 表輪列 1
1.1.1 腕時計の基本／1.1.2 香箱車まで：巻き上げ機構／1.1.3 脱進機の動き方：がんぎ車とアンクル／1.1.4 脱進機の動き方：アンクルとてんぷ／1.1.5 てんぷ

§1.2 裏輪列 7
1.2.1 指示（針回し）・巻き上げ・切換え機構／1.2.2 りゅうず・巻真の歴史／1.2.3 まとめ

§1.3 香箱とぜんまい 14
1.3.1 香箱車と巻き上げ輪列／1.3.2 持続時間，トルク／1.3.3 自動巻用の香箱車／1.3.4 その他の香箱

§1.4 脱進機の働き 19
1.4.1 脱進機の動作の詳細

§1.5 安全作用 24
1.5.1 脱進機の安全作用／1.5.2 停止安全量

§1.6 脱進機の動作に関する用語解説 30

§1.7 動作線図の見方 35
1.7.1 脱進機の動作全体の図示／1.7.2 がんぎ車とアンクルの動作／1.7.3 アンクルとてんぷの動作／1.7.4 脱進機の動作の今回の見方

§1.8 安全作用と時計の信頼性 43
1.8.1 脱進機の歴史が時計の歴史／1.8.2 電子時計でも脱進機が時計の歴史

§1.9 てんぷと振動数 48
1.9.1 調速機の構造と働き／1.9.2 てんぷに要求される振動周期の精度／1.9.3 振動周期は何で決まるか／1.9.4 振動数と時計のよさの関係／1.9.5 機械時計の振動数と共振のよさ Q との関係

§1.10 よい時計とは 54
1.10.1 時計の良し悪しとてんぷ／1.10.2 振り／1.10.3 振りむら

第2章 どのように歩度は決まるか ……………………………………………… 59

§2.1 時計における等時性とは　59
2.1.1 てんぷの等時性／2.1.2 てんぷは回転往復運動系である

§2.2 等時性の実際　65
2.2.1 時計の分解掃除と振り／2.2.2 等時性は歩度の振り角特性／2.2.3 等時性曲線のデータのとり方，描き方／2.2.4 等時性曲線の利用

§2.3 等時性を乱す要因　70
2.3.1 等時性の諸要因／2.3.2 姿勢差／2.3.3 いろいろな等時性要因

§2.4 てんわの片重り　76
2.4.1 てんわの片重り／2.4.2 てんわの片重りの理論／2.4.3 てんわの重り取りの実際（姿勢差の調整）／2.4.4 等時性曲線の実際

§2.5 ひげぜんまいの重心移動　80
2.5.1 ひげぜんまいの歴史／2.5.2 ひげぜんまいの役割／2.5.3 ひげぜんまいのなすべきこと／2.5.4 諸悪の根源はひげ玉／2.5.5 ひげぜんまいの重心移動による姿勢差の分析例／2.5.6 ひげぜんまいの重心点は絶対にてん真上には来ない

§2.6 ひげぜんまいの重心点とは　86
2.6.1 時計理論の中での「ひげ重心移動」の位置／2.6.2 日本の時計理論の特徴／2.6.3 重心点とは

§2.7 切り取られたひげぜんまいの重心点　91
2.7.1 ひげぜんまい全体の重心点は動かない／2.7.2 くりぬかれたひげぜんまいの重心点／2.7.3 くりぬく方のひげぜんまいの重心点の影響

§2.8 重り付けによる等時性の調整　96
2.8.1 重り付けの経過／2.8.2 重り付けの実際／2.8.3 重り付けの理論／2.8.4 まとめ

§2.9 脱進機誤差　102
2.9.1 脱進機誤差とは／2.9.2 エアリーの定理／2.9.3 脱進機誤差の実際／2.9.4 ジャンプの影響／2.9.5 脱進機誤差の全体像

§2.10 平立差の原因　107
2.10.1 平立差／2.10.2 平立差のメカニズム／2.10.3 てんぷ振動系における平立差／2.10.4 実は脱進機に原因あり

§2.11 楕円ほぞによる平均値違い　113
2.11.1 機械時計の教科書の経過／2.11.2 平均値違い，その1／2.11.3 実際の等時性への影響／2.11.4 その他の平均値違いの原因

§2.12 平均値違いの感度と最大値　119
2.12.1 平均値違い，その2／2.12.2 角度の感度が2倍になるとこんなに変わる——ほぞが楕円の場

合／2.12.3　ほぞの真円度に対する感度

§2.13　ほぞびつによる平均値違い　125

2.13.1　平均値違い，その3／2.13.2　てん真のほぞの傷はどう影響するか／2.13.3　てん真のほぞの傷はどのくらい影響するか

§2.14　理想のひげぜんまい　131

2.14.1　ひげぜんまい／2.14.2　アルキメデス曲線／2.14.3　時計の進み遅れ／2.14.4　ひげぜんまいの復元力の誤差／2.14.5　理想のひげぜんまい／2.14.6　理想ひげの条件／2.14.7　まとめ

§2.15　ひげぜんまいの実際の動き　135

2.15.1　ひげ内端の固定がいつも問題／2.15.2　ひげ形状の変形ルール／2.15.3　ひげ形状の変形の実際／2.15.4　まとめ

§2.16　温度補正の歴史　140

2.16.1　最近の話題から／2.16.2　温度係数の歴史／2.16.3　現代の温度補正

§2.17　温度補正と金属材料　147

2.17.1　補正てんぷ——時計学の古典から／2.17.2　温度補正——研究の歴史／2.17.3　まとめ

§2.18　日欧のひげぜんまい理論の比較　152

2.18.1　ひげぜんまいについて／2.18.2　ひげぜんまいの理論の歴史／2.18.3　日本の時計理論の歴史／2.18.4　巻込角，等時性と脱進機誤差

第3章　どのように振り角は決まるか　161

§3.1　機械時計のエネルギー　161

3.1.1　機械時計のエネルギーの使い方／3.1.2　力の表現を正確にすると…／3.1.3　回転力（トルク）・仕事・パワー／3.1.4　まとめ

§3.2　てんぷでのエネルギー消費　166

3.2.1　てんぷの振動の様子

§3.3　てんぷのエネルギーと Q の関係　172

3.3.1　てんぷのエネルギー消費の実際／3.3.2　共振系の良さ；Q／3.3.3　てんぷの保有エネルギーと振り角との関係／3.3.4　てんぷの運動と粘性摩擦，静止摩擦との関係／3.3.5　Qと静止摩擦，粘性摩擦の関係／3.3.6　まとめ

第4章　どのように歩度は測られるか　179

§4.1　刻音　179

4.1.1　美しい時計の刻音／4.1.2　刻音の性質／4.1.3　刻音の利用

§4.2　刻音によるコーアクシャル（同軸）脱進機の分析　184

4.2.1　刻音による分析1／4.2.2　刻音による分析2／4.2.3　刻音による分析3／4.2.4　クラブツースレバー脱進機の刻音波形と分析

§4.3　刻音と歩度の測定　190

4.3.1　調速機の動的な特性／4.3.2　刻音波形と脱進機の動作／4.3.3　歩度の測定

§4.4　歩度と振り角の実際　197

4.4.1　振り角と歩度の新しい測定と表示／4.4.2　歩度変動の本当の原因

§4.5　歩度・振り角変動の原因　202

4.5.1　測定器が測定する歩度はいつも大きく変動する／4.5.2　てんぷの振り角がトルク変動に追いつかない／4.5.3　てんぷの振動周期は外力によって影響を受ける／4.5.4　不平衡状態ではそれが原因で歩度が変化する／4.5.5　速い嚙み合いの方が瞬間速度を変動させる／4.5.6　表輪列の嚙み合いの交替は大きな歩度変動をもたらす／4.5.7　まとめ

第5章　これからの機械時計　209

§5.1　近年のイギリス時計事情　209

5.1.1　旅行の経緯／5.1.2　グラスホッパー脱進機の歴史／5.1.3　グラスホッパー脱進機の動作

§5.2　クロノグラフと発停誤差　214

5.2.1　クロノグラフ機構／5.2.2　針飛び／5.2.3　発停誤差ゼロの時計／5.2.4　今後のクロノグラフ

§5.3　スプリングドライブ　219

5.3.1　新しい時計の正確な理解／5.3.2　スプリングドライブの特徴／5.3.3　スプリングドライブのメカニズム／5.3.4　スプリングドライブの歴史的な意味／5.3.5　スプリングドライブの脱進機誤差／5.3.6　スプリングドライブの安全作用

§5.4　機械時計の今後の課題　226

5.4.1　機械腕時計の精度，その進展の様子／5.4.2　アンクルほぞがたに関しては／5.4.3　これからの機械時計の開発

§5.5　コンクール時計にみる機械時計の可能性　230

5.5.1　これまでの機械時計の精度とその事例／5.5.2　これからの機械時計精度の進展

図表一覧　237

索引　243

第1章
どのように機械時計は動くか

§1.1 表輪列

　時計の針はいったいどのようにして正確に時刻を表示するのであろうか．ここでは機械式時計が作動する仕組みをやさしく解説するとともに，クリスチャン・ホイヘンス（Christiaan Huygens：1629-1695）の功績について述べてみたい．17世紀の脱進機とはどのような構造だったのか．現在との違いを見る．

1.1.1 腕時計の基本

　図1.1-1に腕時計の基本構造を示す．香箱車からてんぷまで[1] 一直線に描き並べた．図1.1-1を斜めから見たのが図1.1-2．りゅうずからの部分[2] も描き入れた．歯車が何段も連結されている．図1.1-2では一番左にりゅうずがあるので，りゅうずを巻いてやると，この図の中では力が丸穴車[3]，角穴車，その下にある香箱車[4]，それから二番車，三番車と，左から右へと順に回転力が伝わっていくことになる．実際は全体を丸い地面：地板に配置しなくてはならないので，実際の配置はこの図のようにはならない．図1.2のように折れ曲がって配置される[5] が，図1.2ではどの車からどの車へ

---

[1] この部分を表輪列，脱進機，調速機という．機械時計のもっとも基本となる部分である．なお各種の資料図はSII時計設計，およびWOSTEPの提供による．

[2] りゅうずから角穴車までの部分，巻き上げ機能を持っている部分を**巻き上げ機構**という．実際はりゅうずの機能は巻き上げだけでなく，針の位置を調節する針回しという機能も持たせているのが普通であるから図1.1-2に見える分だけではない．また，以上の2つの機能，巻き上げと針回しのどちらもできるように切り換える部分（これを切換え機構という）もある．

[3] 丸穴車は部品として単体で眺めてみると中央の穴が丸い．普通歯車はそんな形状が当たり前かもしれないが，丸い穴が開いている．それでそのようにいうが，その隣の角穴車は中央の穴の形状が四角い穴になっている．四角くしたのはその部分に香箱真の四角柱の部分が入って，回転するときに香箱真と角穴車とが常に一体となるようにするためである．時計部品としてはその角穴が特徴であるので，角穴車というようになったのだろう．角穴車は香箱真と一体になって動く，外に見える部品である．いわば時計の動力としての象徴をしているように時計技術者たちは想いを持って見る部品である．

[4] 図1.3のように分解して見える部分をきちんと一体化させた部品，組み立て済みの状態の部品を香箱車という．これに対して入れ物となる，外側に歯車が付いている単体部品を香箱という．しかし，慣れてくるとこの香箱という単体部品の名前で全体の香箱車を呼ぶ風習があるようである．いわば用語として組み立て体の香箱車を香箱ということもあるのである．確かにその方が簡単でいい．コウバコグルマよりはコウバコの方が音は7音と4音であるから簡単で便利である．しかし，それではきっと取引などでははっきりしない．それでJIS用語としては香箱車というように統一したのであろう．また，「番車」に対しても同様な呼び名の区分をする．たとえば二番車とは全体をいい，大きい歯車の黄銅の部分を「二番歯車」という．中心の鉄の部分，これを「二番かな」という．**JIS用語**（JIS B 7010-2003）ではその全体を「二番車」というように決められている．さらにこの鉄部品の歯車の部分も「かな」というから「かな」だけの部分と中心軸の全体をいうときとでは区分がつかない．したがって，二番車軸とか，二番軸，二番かな軸などというのだろうか．このように時計用語も時代が変わると呼び名も変化していきそうであるから，呼び名にも気を遣おう．

[5] 図1.2は秒針軸である四番車が地板の中心にいる配置例ではない．本中三針，つまり四番車が地板の中心にあるような例が実際には多く，この場合の方が現物を見てもどこに三番車があるのかなど，はるかにわかりにくい．

回転が伝わっていくのか，おわかりになるだろうか．

図1.1-1に戻ろう．図1.1-1の一番左端の車：香箱車の中にはぜんまいが入っている．このぜんまいの力で二番車，三番車，四番車へと[6]，いつも大きい歯車から小さい歯車（かなという）へと動力が伝わっていくので回転の速さはどんどん速くなっていく．ただし，速くなる分そこを伝わる力はどんどん弱くなる．最後には四番車の次の，歯の形がとんがっているがんぎ車がある．がんぎ車はアンクルに引っ掛かり，アンクルはさらにてんぷへとつながっている．がんぎ車は引っ掛かっているアンクルが動かなければ回転できない．アンクルはてんぷが動いてくれないと動けないようになっている．てんぷにはひげぜんまいという髪の毛ぐらいの細くて薄いばねがあり，このばねの力で回転往復運動をする[7]．てんぷが動くと，つまり往復運動をすると，それにつれて[8]アンクル，がんぎ車，その他の車がいっせいに動く．動くといってもアンクルが右，左，1往復するとがんぎの歯が1歯分進む．がんぎ車はたいがい1回転が6秒くらいであるが，その前段の四番車は1回転60秒となり，そこには普通秒針がつく．

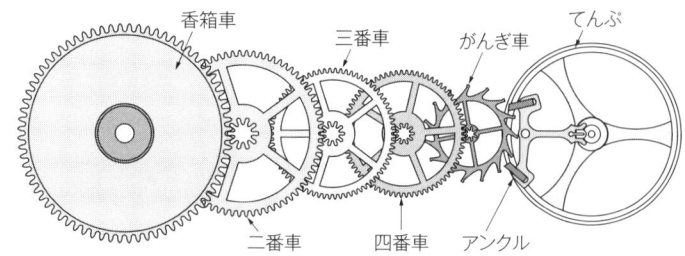

図1.1-1　腕時計の基本構造①
香箱車：中にぜんまいが入っている，二番車：分針がつく（1時間で1回転），三番車：二番車の次として噛み合っている．四番車：秒針がつく（1分間に1回転），がんぎ車：アンクルに往復運動をさせる，アンクル：がんぎ車が回転するのを往復運動に変更する，てんぷ：一定スピードで行ったり来たりする．全体の動きの速さを決める．

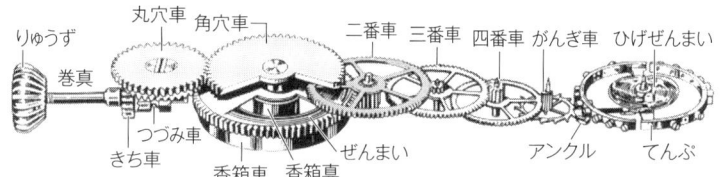

図1.1-2　腕時計の基本構造②
図1.1-1を斜めに見た図．香箱を巻き上げる機構を書き加えた．巻き上げ機構：りゅうずから角穴車まで，丸穴車：角穴車と噛み合い，角穴車を巻く，角穴車：香箱真と一体になって回る．香箱真はぜんまいの内端に引っ掛かっている．香箱真を回すとぜんまいを内端で巻き上げることになる．図1.5-1，図1.5-2参照．

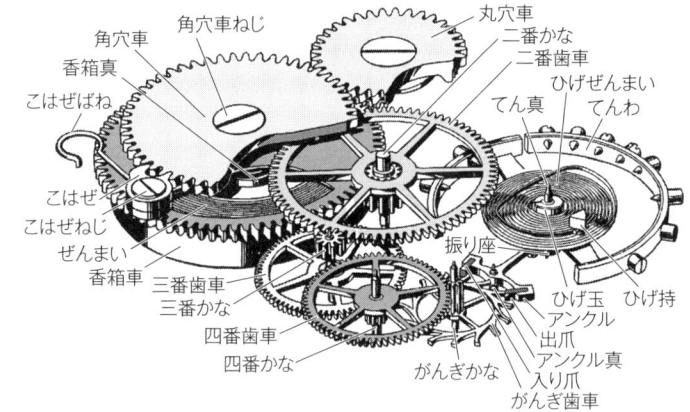

図1.2　表輪列
車が狭いスペースに重なって，このように曲がって配置される．

---

[6] 二番車と四番車とは同じ回転方向としなくてはならない．分針と秒針とが取り付けられるのであるからこれは重大なことである．また二番車から四番車までの増速比は1：60になる．力は二番車に比べて四番車ではその逆数，1：1/60となり，大変力が弱くなる．これを2段の噛み合いで実現しようとすると二番車〜三番かなの歯数比を6とすれば三番車〜四番かなは10になる．作りやすい歯数比の構成はこのあたりしかない．

同様にその前前段，二番車は1時間に1回転でそこには分針がつく．このように左の方へ目を移していけばいわば減速していく，どんどんゆっくりになっていくが，ともかくてんぷの動きにつれてすべての針がいっせいに動くのである．これらの車[9]の回転方向はぜんまいがほどける方向で一方向に回転するが，アンクルとてんぷだけは行ったり来たりの往復運動[10]である．

1.1.2 香箱車まで：巻き上げ機構

香箱車の中を覗いてみよう．香箱車の中にはぜんまいが入っている．分解すると図1.3のようになっている．真ん中にはころっとした部品：香箱真があり，この香箱真が芯棒となって香箱車全体が回るが，

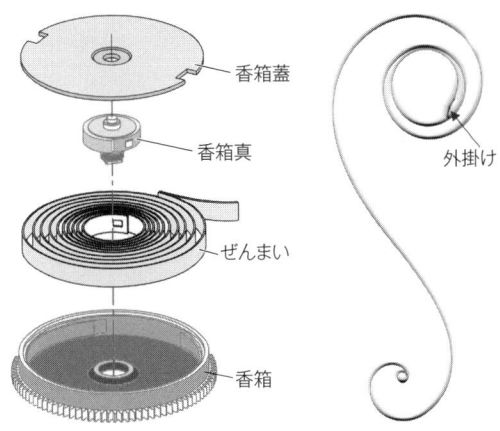

図1.3 香箱の中にぜんまいが入っている様子 取り出すと図1.4のように広がる．

図1.4 ぜんまいの自然の姿 S字形状という．

この香箱真の引っ掛けにぜんまいの内掛けが掛かる（図1.5-1）．香箱真には四角い角柱の部分があり（図1.6：香箱真角），この角柱の部分が角穴車の角穴の中に入り，香箱真と角穴車とが一体になって回転する．図1.6でわかるように，りゅうずを回すとつづみ車がきち車を回し，きち車が丸穴車を回転させ，丸穴車が角穴車を回す．したがって，りゅうずを回すことで香箱真によってぜんまいが巻き上げられる．図1.6では角穴車の隣にこはぜがついていて，この働きで角穴車は逆転しない．りゅうずから手を放しても巻き戻らないのは，このこはぜの働きによる．

1.1.3 脱進機の動き方：がんぎ車とアンクル

さて，がんぎ車からてんぷまではどのように動くのか．がんぎ車までは回転するものが，アンクルからは回転運動ではなくて往復運動になる．この様子を詳しく見よう．図1.7，図1.8，図1.9にその様子を示す．がんぎの歯はアンクルの爪石に引っ掛かっている．爪石は入り爪と出爪の2つがあり，このどちらかに引っ掛かる．図1.9がわかりやすい．図1.9-1では入り爪が引っ掛かっている．てんぷの動きにつれてこの状態からアンクルが動くと，入り爪ががんぎ車からの力を受け取るようになって（図1.9-2の状態），アンクルの箱が今度は振り石を動かすのである．そしてアンクルは反対

---

7) てんぷには「ひげぜんまい」なるばねが取り付けられているので，その静止位置が決められている．てんぷはその静止位置を中心として回転往復運動をする．このときの回転角度，一番遠くに行ってちょうど止まった瞬間の静止位置までの回転角度を「振り角」という．この角度は時計にとっていわば元気さを表す指標でもある．

8) この「それにつれて」ということが，それはそれは時計にとって大事なことになる．1回でもやりそこなう，それにつれて動くというのではなく，1回休んでしまったというような出来事が発生しては時計にならない．時計は1日86,400秒，てんぷは1秒間に5回以上動かされているから1日でも43万回動く．1ヵ月ではその30倍，1,200万回くらい動くが，これが1%でもやりそこなったら時計としては不良品と見なされる．現在の時計のシステムではこの故障率はほとんどゼロ，指数で正確にいえば1×10^{-12}くらいの数でなければ通用する時計とはいえない．これほど時計というものに対する要求品質水準が高い，そのような社会的な性質を持たされている．

9) 表輪列の車をいう．

10) 一方向回転運動を回転往復運動に直すには「脱進する」という用語で理解できる機能がそこに必要である．それでその部分を脱進機というようになったのであろう．英語ではescapement，仏語でもéchappement，ドイツ語はHemmung（抑制する，ブレーキをかけるという意味）という．なるほどこれがなければ歯車はどんどん回ってしまう．脱進機は時計の重要な機構であり，この歴史が時計の歴史といえるほど肝心な部分である．

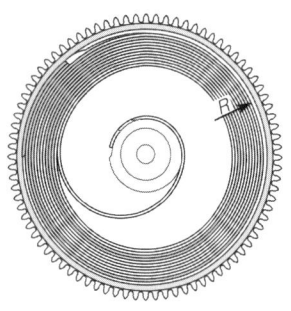

図 1.5-1 香箱の中のぜんまい ①
香箱の中でほどけた状態．ぜんまいの内端は香箱真の引っ掛けに掛かっている．

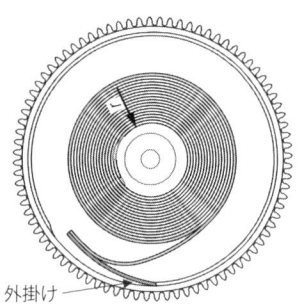

図 1.5-2 香箱の中のぜんまい ②
巻き締められた状態．ぜんまいの外掛けは香箱の内壁のくぼみに引っ掛かっている．

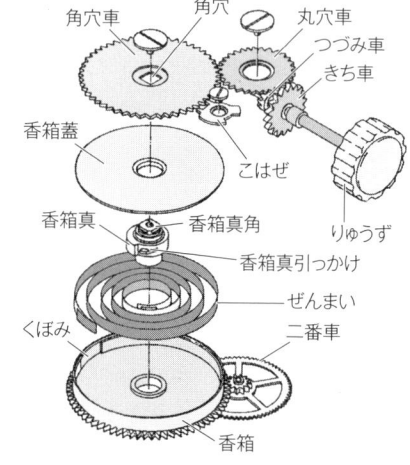

図 1.6 りゅうずから香箱車まで：巻き上げ機構
りゅうずを回すとつづみ車がまわり，きち車，丸穴車，角穴車へと回転が伝わる．角穴車の角穴が香箱真の角に嵌っているので，香箱真が回転してぜんまいが巻き上げられる．

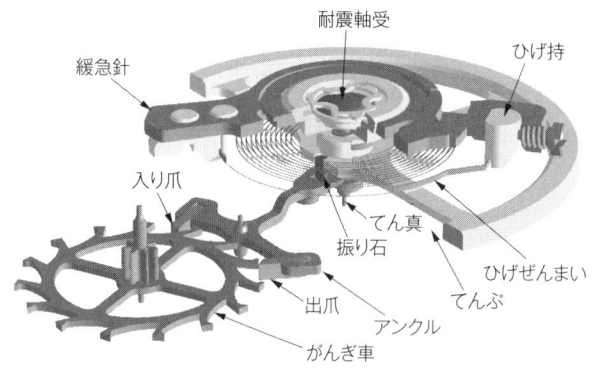

図 1.7 脱進機とてんぷの全体の様子
がんぎの歯はアンクルの爪石に引っ掛かっている．アンクルの先端がてんぷの振り石に図 1.8，図 1.9 のようにつながる．

側へ倒れ，**図 1.9-3** の状態になって止まる．図 1.9-3 の状態は出爪にがんぎの歯が引っ掛かって止まっている状態である．この状態からまたアンクルがてんぷによって動かされると今度は出爪がかんぎの歯から力を受けるようになり，アンクルがてんぷに「蹴り」を入れる．動く方向は入り爪の場合と反対の方向である．入り爪側のどてピンに接触してそこで終了する（**図 1.9-1** の状態へ戻る）．このような往復運動になる．

1.1.4 脱進機の動き方：アンクルとてんぷ

さて，アンクルとてんぷのやりとりはどうなっているだろうか．

図 1.8-1，**図 1.8-2** に振り石まわりの立体図を示した．図では振り石がアンクルの先端の箱の中に入っている．最初は振り石が箱に接触する．**図 1.9-2** の振り石まわりの様子はその結果を示したもので，アンクルがわずかに右回転（時計回り）してがんぎ車の歯が爪石の衝撃面に接触してこれを押す．するとアンクルの箱が振り石を押して，てんぷが力をもらう．

アンクルは図 1.9-3 のように反対側へ倒れ，そこで停止する．以上が脱進機の停止から衝撃，そし

§1.1 表輪列

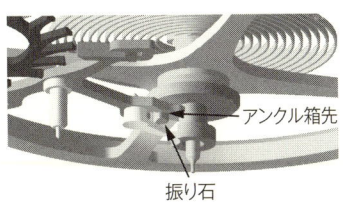

図 1.8-1 振り石と箱先付近の立体図①
てんぷの下側にアンクルが伸びてきていて，振り石とつながる．

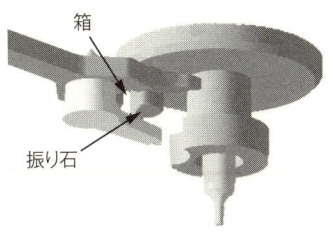

図 1.8-2 振り石と箱先付近の立体図②
振り石と箱が接触する様子．このあたりの平面図が図 1.9 である．

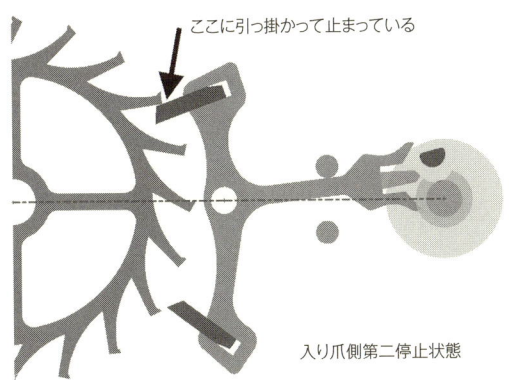

図 1.9-1 脱進機の動作① 停止
がんぎの歯はアンクルの爪石に引っ掛かっている．アンクルが左右に動くたびに 1 歯分だけがんぎが動けるようになっている．

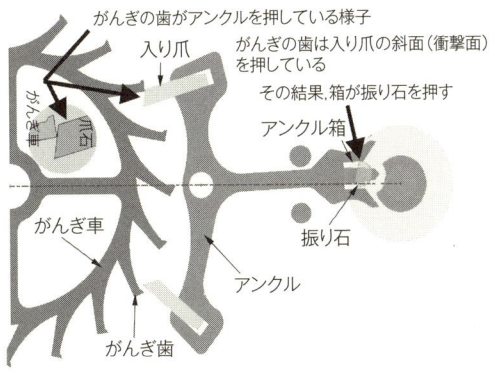

図 1.9-2 脱進機の動作② 衝撃
がんぎの歯がアンクルの入り爪の斜面（衝撃面）を押している．それで箱が振り石を押す．

てふたたび停止へという動作の概略である．アンクルは行ったり来たりするが，がんぎ車はその 1 往復ごとに 1 歯進んで回転していくことになる．

1.1.5 てんぷ

てんぷとは何か．**図 1.10** を見よう．真ん中に真棒があって，弾み車とばねでできている．ばねの外端はこの図には描いていないが，受などに固定されているのでこの弾み車：てんわはその静止位置へばねの力で常に戻ろうとする．ばねはひげぜんまいというほど，腕時計の場合は猫のひげよ

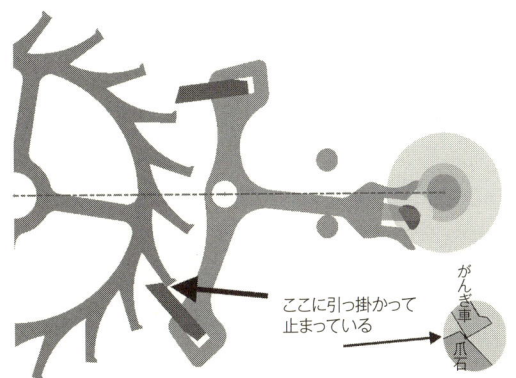

図 1.9-3 脱進機の動作③ 停止
アンクルが反対方向へ倒れているとき．がんぎの歯は出爪に引っ掛かってがんぎ車は回転できない．

りももっと細いといってもよい．人間の髪の毛くらいだろうか．英語で hair spring というから，まさに髪の毛ほどである．

もしこのばねの静止位置へ戻そうとする力の強さがてんわの回転角度に比例していれば，その振動の速さ：振動周期は一定になるだろう．この想定は今から約 350 年前に**ホイヘンス**によってなされた

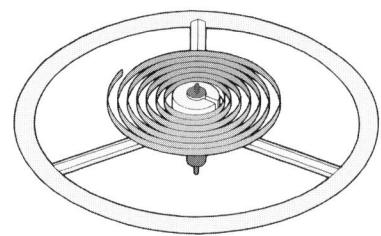

図 1.10 てんわとひげぜんまい 基本的な調速機，てんぷの構成．このシステムは何と今から約 350 年前とほとんど同じである．

としている．ホイヘンスは，当時のヨーロッパの科学雑誌 *Journal des Scavans* に 1675 年，**図 1.11A** のイラストを載せた．しかし掲載する前に，すでにこれを**チュレ**（Jacques Thuret）という当時有名な皇帝時計師に製作を依頼したとの記録[11]がある．これが 350 年経った今日でもずっと使われており，ほぼ形もよく似ているとは，この発明が大変将来性のあるものであったことになる．ホイヘンスのイラストでは回転軸の下部の部分はバージ脱進機といって，それまでの携帯時計[12]に使われていた脱進機である．それはともかくその部分から力をもらって回転往復運動をさせる．回転する物体の重心点を回転軸上に持ってくると物体の姿勢をどのような位置にしても静止位置は変わらない．これがこの発明の重要なポイントになるわけである．てんわとひげぜんまい，これを英語では balance-and-hairspring system[13] という．てんわのことを **balance wheel** という．理由は上に述べたとおりで，姿勢に関係なく静止位置が変わらない．バランスが取れていて位置がいつも一定になる．そして**振動周期**も一定となる．**図 1.11** ではばねそのものが渦巻ばねにもなっているので大きく振動しても，現代の言葉でいえば振り角が大きくても問題がない．

弾み車の様子，回転軸から離れた外周部分に大部分の質量を置くやり方も現代とまったく同じである．というより現代のてんわもこの 350 年前のホイヘンスのてんぷとほとんど違わない．

ここで弾みの仕組みを知っておこう．回転する物体はその回転軸から離れれば離れるほどその弾みの度合いが強くなる．質量 M の物体が回転軸から R だけ離れればその弾みの大きさは MR^2 で計算され，半径の 2 乗に比例する．つまりてんわの外径が 2 倍になれば弾みの大きさは 4 倍になる．この弾みの大きさを**慣性能率（慣性モーメント）**という．弾みの大きさが大きいほど，振動周期は大きくなる．したがって，振動の回数を計数して時刻を表示する時計では進み方は遅れとなって表れる．

---

11) "The Watch from its origines to the XIXth century", Catherine Cardinal 著，published by Wellfleet Press, NJ 07094 USA, 1985 刊，p.79 には，「ヨーロッパ 17 世紀の科学雑誌：Journal des Scavans の 1675 年のものには，ホイヘンスはこの時計の製作をその年の 1 月 22 日に依頼したという記録がある」とある．また "It's about Time", Paul M. Chamberlain 著，Richard Smith NewYork, 1941 刊，p.293 付近には，このホイヘンスの発明と特許申請の前後のことを詳細に文献から引用して**ロバート・フック**（Robert Hooke：1635–1703）や，最初の依頼先イザック・チュレ（Isaac Thuret），実際の製作者のジャック・チュレ（Jacques Thuret），その後を引き継ぐ**トーマス・トンピオン**（Thomas Tompion：1639–1713，シリンダー脱進機の発明者）などとの関係について論じており，今から 350 年前のこうした科学的な発明の取り扱いが大変複雑にその世間の影響を受けていたことがわかる．この時代はこのホイヘンスの発明に象徴されるような携帯時計の構造の発展の洪水のような時代であった．**図 1.11B** はバージ脱進機であり，当時はこの脱進機の改善に関しても約 100 年近い年月にわたってたくさんの発明，改善が行われていたのである．

12) このホイヘンスの発明の前には約 100 年間の携帯時計の歴史がある．15 世紀の終わりに描かれたある絵画（脚注 11）に紹介した資料 Cardinal 著の p.14：「携帯時計の誕生」の章から）には携帯可能と見られる大きさの時計の絵が描かれてあり，その内部にはフゼー車と見られる車が覗いている．16 世紀にはイタリア，ドイツ，フランスには王侯貴族のための携帯可能な時計がかなりの量作られていた．したがって，ホイヘンスのこのイラストのポイントは，てんわという弾み車ではなく，渦巻き状のばねを取り付けて，てんわの静止位置を決めてそこを中心として往復運動をさせるようにしたこと，ここにホイヘンスの発明の重要なポイントがある．脚注 11）にも書いたように，当時の携帯時計の進展はめまぐるしく，特許を申請しても他の人が同様な構造をすぐに真似をして作ってしまうなどの混乱があり，ホイヘンスは 1676 年の 7 月にはパリから故郷のオランダへ病を得て帰る際に，こうした事情から多忙となることを避けて，彼の発明になるてんわとひげぜんまいの構造を誰でも使っていいと宣言したのである．こうした事情とイギリスの当時の優れた時計師の多数の群像（トーマス・トンピオンから**トーマス・マッジ**（Thomas Mudge：1715–1794）などへ）によって携帯時計の技術はめまぐるしく発展していく結果となった．まさにイギリスが時計の技術王国の時代になっていくきっかけを作った．

13) balance and balance-spring system ともいう．

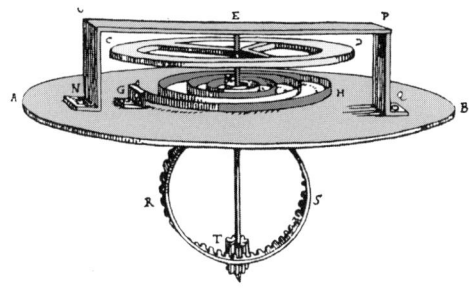

図 1.11A ホイヘンスのてんぷのイラスト①
1675 年にクリスチャン・ホイヘンスが科学雑誌に載せたてんぷのイラスト．てんぷ自体の形状は図 1.10 とそれほど変わっていない．

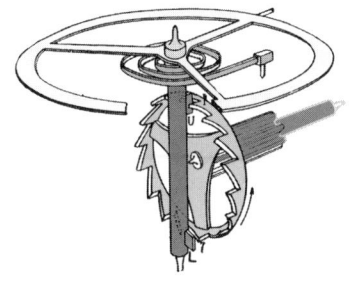

図 1.11B ホイヘンスのてんぷのイラスト②
下部の歯車はバージ脱進機という当時の携帯時計（懐中時計）用の脱進機．しかしこの構造もわずか数年でシリンダー脱進機などの発明により，大きく変化していった．

§1.2 裏輪列

ここでは，19 世紀後半から 20 世紀初頭に製造されたと思われる懐中時計を分解し，それぞれの部品の働きを解説していくことにする．「おしどり」や「かんぬき」の動き，ぜんまいを巻き上げる「巻真」や「切換え機構」の構造と歴史はどうなっているのだろうか．

1.2.1 指示（針回し）・巻き上げ・切換え機構

通常の腕・懐中時計はりゅうずを回すと，ぜんまいの巻き上げができ，りゅうずを引き出して回すと時分針の針回しができるようになっている．その付近の構造は通常，時計修理師にとってはよく見かける仕組みになっていて，当然のように理解されている方が多いと思う．ここではそれを実際の構造を見ながら理解していこう．

図 1.12 はあるムーブメントの裏側（文字板側），**切換え機構**と針回し機構のあるあたりの全景を示したものである．図の左側には巻真が伸びている．中央には裏押さえがあるので，裏輪列の一部は見えていない．

図 1.13 は図 1.12 から裏押さえを取りはずしたところ．すると，**小鉄車**，**小鉄中間車**，**日の裏車**

図 1.12　ムーブメント裏全景

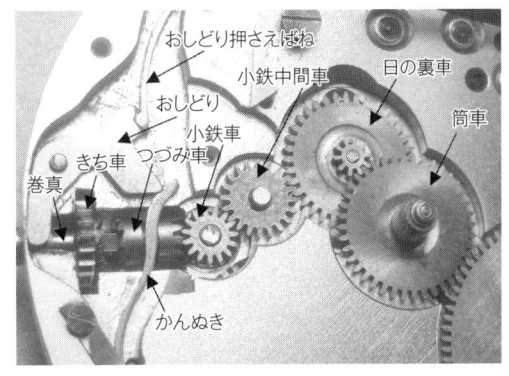

図 1.13　ムーブメント裏
裏押さえをはずしたところ．

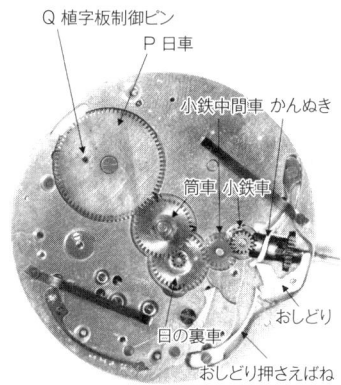

図 1.14-1, 図 1.14-2　資料とした懐中時計：表示時刻切換え付き
　右の図 1.14-2 の歯車 P は筒車と 1：2 で嚙み合い，1 回転が 24 時間になっている．文字板の植字表示を制御する，いわば日車である．

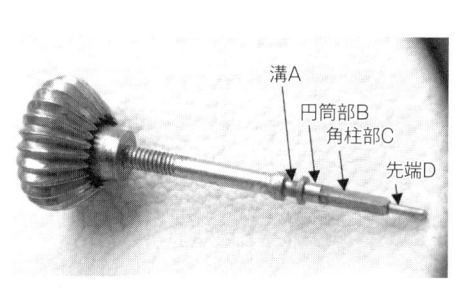

図 1.15　巻真の全景　　　　　　　図 1.16　巻真にきち車を通して見た図

が見えるようになり，また小鉄車にはつづみ車が嚙み合う様子も見える．これで切換え機構と**針回し機構**のほとんど全部が見えるようになった．左から部品名称をいうと，巻真，きち車，つづみ車，小鉄車，小鉄中間車，日の裏車，とつながり，巻真の溝にはまるおしどり，つづみ車の溝にはまる**かんぬき**も見える．

　この時計は筆者のジャンクボックスにあった懐中時計で，**図 1.14** に全体を示す．文字板の植字の部分には穴があり，12 時，24 時の**表示切換え**ができるもので，おそらく 100 年くらいは経ったもの[14]だろう．とりあえず今回の説明や撮影に使わせてもらった．

　図 1.15 には巻真単体を示した．おしどりを動かすための溝 A，きち車の正常の位置となる円筒部 B，つづみ車のスライドする角柱部 C，それと地板の穴に入って，巻真の保護と位置決めをする細い先端 D からなる．典型的な構造である．この巻真を回転軸としてきち車とつづみ車が組み込まれる．**図 1.16** にはきち車が巻真に[15]，図 1.15 の円筒部 B 付近に乗っている様子を示す．きち車には甲歯

---

14) ここに紹介した懐中時計は，1880 年ないし 1930 年ごろまでのアメリカ製の懐中時計ということである．てんぷ，アンクルも紛失してしまった．文字板の植字部分に窓を設け，13 時から 12 時間表示を 24 時間表示へと自動的に変更するシステムを備えている．

15) 図 1.16 のような組み立て状態は撮影のために行っただけで，普通このような組み立て状態は行わない．通常のムーブメントの組み立ての際は**図 1.12** のようにすべて裏物を組み込み，完成しているムーブメントの状態で一番最後に巻真を差し込む．そのとき初めてきち車とつづみ車が巻真によって貫通される．反対に，コンプリートヘッドを分解していく際は何よりも最初に巻真をはずすことを最初に行う．そうしなければ普通，ムーブメントをケースから単体として取りはずすことができない．

と乙歯がある．普通の歯の形状をした歯を**甲歯**，ラチェット風に刻んである部分を**乙歯**[16]という．このきち車は巻真のBの部分，円筒の部分に緩くはまる．したがって巻真ときち車は回転は必ずしも一緒には回転しない．きち車の乙歯は**図1.17**のようにつづみ車の乙歯と連結できるようになっており，このときはつづみ車の回転で，きち車は一方向のみに回転させられる．ぜんまいを巻き上げる方向にのみ噛み合うのである．**図1.18**にはつづみ車の角穴を示した．四角形[17]になっている．そして巻真の四角柱の部分Cと一緒になって，いつも巻真と一緒に回転する．巻真の角柱の部分は，このつづみ車が巻真の軸方向に多少動けるように長くなっている．またつづみ車のその軸上の位置は，つづみ車の背中の溝にかんぬきがはまって（図1.17参照），かんぬきの位置によって制御される．図1.18のつづみ車の正面側の歯形はラチェット形状（三角形の歯）で，いま説明したきち車の乙歯と噛み合う．この乙歯同士が噛み合うとき，巻真を回せばつづみ車を経てこのきち車が一緒に回転し，ぜんまいを巻き上げるわけである．巻真を反対方向に回すと，図1.18の乙歯同士がかちかちとはずれ，回転は伝わらない．巻真操作の感触として，きちきちと音を出す構造はこの部分である．図1.18のつづみ車の背景側の歯車は甲歯で，いわば通常の歯車と同様の形状と考えてよい．そしてそこがその奥にある小鉄車と噛み合う．その様子を**図1.19**にズームアップしてみた．小鉄車の歯も，つづみ車の歯もどちらも直歯だが，歯車の軸が互いに直角になっているから噛み合いは完全とはいえないが，小鉄車の歯の下の方に適当量噛み合い，これで一応役割を果たしている．傘歯車を作って使う手間を省いているとみてよいだろう．これで回転軸が互いに直角であっても回転が伝わる．

図1.20は，実は**丸穴車**と**きち車**とが噛み合っている部分をハイライトさせたものである．

ムーブメント表側，**巻き上げ機構**の全景を**図1.21**に示した．ここでの特徴である丸穴ねじ（左ねじ）のことを説明しておこう．この図でぜんまいを巻き上げるときは，二番車を反時計回りに回す方向に巻き上げることになるから，丸穴車も反時計回りに回して巻上げを行うことになり，丸穴車を押さえている丸穴ねじも反時計回りに摩擦によって回転させられる可能性がある．巻真にかかる力は結構大きいから，丸穴車付近の摩擦力は結構大きい．したがって，もし丸穴ねじを右ねじで作るとその摩擦力でねじをゆるませる方向になる．それで通常，丸穴ねじは**左ねじ**にしてある．図1.21の構造では丸穴ねじと丸穴車の間にブッシュが介在して，丸穴ねじと丸穴車の直接の接触はまったくないようにしてある．それで丸穴ねじのゆるみは解消できるのであるが，安全を期してなお，丸穴ねじを左ねじで構成する[18]．これと対照的なのは角穴ねじで，これは**右ねじ**である．角穴車を回す方向は図

さらにムーブメントを取り出してからその動作や状態を調べようとするときは，再び巻真を挿入してその動作をチェックする．巻真はこのようにムーブメントを持つ際にも通常きわめて有用である．機械台に乗せるときもこの巻真を頼りにして乗せるのが普通である．ムーブメント全体の取っ手の役割もする．**図1.14-1**がその一例である．

16) 甲歯乙歯の名称はJISには記載がない．筆者が時計設計に所属していた頃，図面にはこのような記載があったので紹介した．乙歯という名称は乙という字と実際のラチェット歯形とが似ているのでつけたのだろう．それに甲という名称を取り入れたのではないかと思う．このあたりには日本語の美しさがただよっているようである．

17) この四角形の穴はまったく完全な四角形ではなく，ドリルで開けた円筒形の穴に四角形状のブローチを差し込んで，このブローチによって切り取られた四角形状の部分を頼りにして巻真の角柱部分がはまるのである．これが通常の量産製品の場合であるが，**図1.18**はすっかり四角形に見える．円形の旋削の部分が見えないので，手作りでドリルの穴から四角い穴へヤスリで削り出したものと思われる．

18) 二番かなと香箱とが直接噛み合い，角穴車と丸穴車とが直接噛み合う通常のムーブメントではここで説明するような事情が必ず発生するから，丸穴ねじは必ず左ねじである．この場合，丸穴ねじの溝を3本としてこのねじが左ねじであることを表示する．それが普通であるが，**図1.21**の場合は丸穴ねじの溝は1本となっていた．これもコストダウンのためだろう．香箱車と二番かなが直接噛み合わない，ここに中間車があって持続時間を長くするような時計では丸穴ねじが左ねじという事情は変わる．

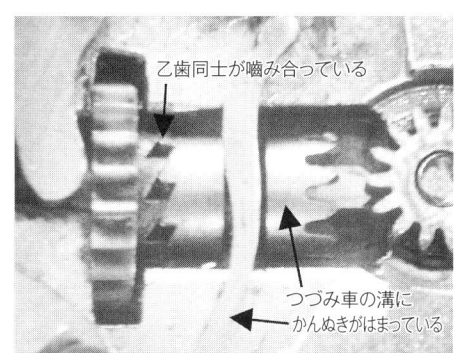

図 1.17 きち車の乙歯とつづみ車の乙歯とが噛み合う様子

図 1.18 つづみ車の角穴
ここが巻真の角柱部分にはまって，つづみ車は巻真と一緒に回転する．

図 1.19 つづみ車の甲歯と小鉄車とが噛み合う様子

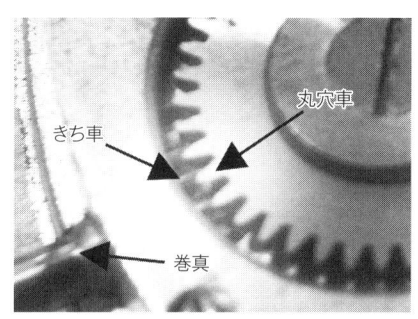

図 1.20 きち車と丸穴車とが噛み合う様子

図 1.21 ムーブメント表
丸穴車と角穴車．丸穴車の左下にかすかにきち車が見えるだろうか．

1.21 では右回り，角穴ねじを締めつける方向である．これで都合がいいことは丸穴ねじでの説明でわかるであろう[19]．

図 1.22-1 はムーブメント裏側のほぼ全景である．ここで**おしどり**，**かんぬき**の働きを説明しよう．図 1.22-1 では**つづみ車**が右側へ寄って**小鉄車**と噛み合っている．それはおしどりのお尻 B がかんぬきの先端 D を右へ押したからである．巻真を引っ張ると，図 1.22-2 で読み取れると思うがおしどりの頭 H に下向きに実はだぼがあり，だぼが巻真の溝 A にはまっていて，図 1.22-1 の位置までおしどりの頭 H が左へ動かされる．もし巻真を反対に押し込むとおしどりの頭 H は図 1.22-2 の位置まで右方向へ動き，おしどりのお尻 B 付

---

19) 脚注 18) で説明したように，もし香箱歯車と二番かなが直接噛み合うならば，つねに角穴ねじは右ねじである．この理由は時計の針の回転する方向を右ねじとする習慣が基本にあるからである．もし地球文明が南半球側で興されてきたならばこうはならない．太陽が落とす影は左回り（反時計回り）になり，時計の針は左回りに作られていたであろう．こうでない限り，そして香箱歯車と二番かなとが直接噛み合っているならば，角穴ねじは右ねじである．

図1.22-1 ムーブメント裏ほぼ全景①
かんぬきがおしどりによって押されて，つづみ車が小鉄車と噛み合う．

図1.22-2 ムーブメント裏ほぼ全景②
おしどりが逃げてくれたので，かんぬきは左へ寄ってきち車と噛み合う．

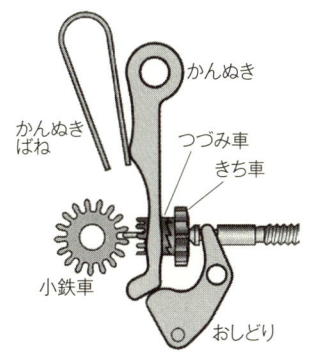
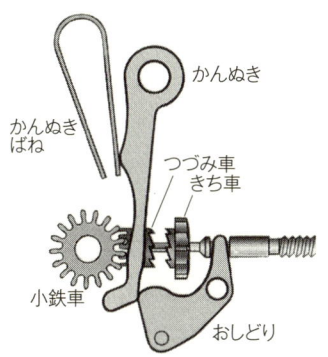
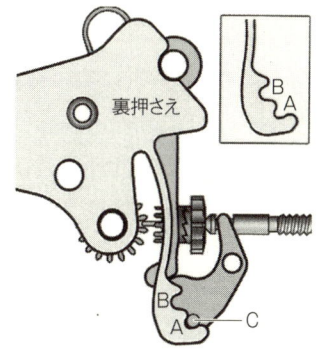

図1.23-1 ぜんまい巻き上げ状態①
巻真が通常の位置．

図1.23-2 針回し状態
巻真が引っ張られた位置．

図1.23-3 ぜんまい巻き上げ状態②
裏押さえのばね部がおしどりの位置決めをする．おしどりのだぼが裏押さえのくぼみAに入っている．

近が**かんぬき**から離れて，かんぬきはかんぬきばねの力で左方向へ動かされ，結局**図1.22-2**のようにきち車とつづみ車とが噛み合う位置までつづみ車が移動する．したがってこの場合は巻真を回転させるときち車が回り，きち車の甲歯がムーブメントの表側で丸穴車と噛み合い（**図1.20**）角穴車まで回転を伝える．

以上の仕組みでりゅうずを引っ張れば**図1.21**の状態へ，りゅうずを押し込むと図1.22-2の状態へ至るわけで，りゅうずを押し込んでぜんまい巻上げ，りゅうずを引っ張って針回し，という切換え機構となった．

図1.23は以上の機構をイラスト図面[20]で説明したものである．このイラストは大変わかりやすい．機能的には**図1.12**，**図1.13**と同じである．切換え機構はほとんど例外なくこの通りの構造である．それほど理解容易な構造なのである．

---

20) 『世界の腕時計』89号，p.141，ウオッチムーブメントハンドブック第3回，中村清尚氏著から引用させていただいた．

1.2.2　りゅうず[21]・巻真の歴史

　この，巻真を回転させてぜんまいを巻き上げ，引き出して針回しをするという，大変に天才的な考案のシステムはいつ頃から出現したのであろうか．その歴史を調べてみよう．そのものズバリの特許公報（図1.24）が出たのは1866年である．携帯可能な最初の時計，ウォッチと名付けられるものはすでに16世紀にスタートしている．その頃は時計外装の頭の部分は単に携帯するためのフックであった．このような構成の時間はかなり長く，約200年間は単なる携帯のためのフックであった．1866年の特許の直前ではぜんまいは専用の**巻き上げ鍵**を用意して香箱真を直接外部から巻き上げるという形式（鍵巻き，図1.26）であった．一方，懐中時計の頂点にはリングを設けて，紐などを引っ掛けたりした．しかしそのリングの中にりゅうずとなる部分を作り，時計のぜんまいの巻き上げ機能[22]を持たせるというアイデアが出現したのは19世紀であった．ドイツの有名な時計会社 A. Lange & Söhne の創始者**フェルディナント・アドルフ・ランゲ**（Ferdinand Adolph Lange）となっている（図1.24）．ランゲはその3年後，**針回しに兼用させることも特許**[23]とした．りゅうずを引っ張って針回しにすることは特許文面上には直接指定はしていないが，図1.25にもあるように，すでにきち車とつづみ車が最初から構想されており，つづみ車の位置の制御は別の操作端で行うことが描かれている．この形式はその後の懐中時計の構造として，約50年以上持続していたとみてよい．1890年以降の時計の多くは（米国産も含めて）ほとんどこの方式になっている．

図1.24　1866年の特許公報
　丸穴車の下面にクラウンギアが切ってあり（図1.25参照），これにもきち車が噛み合い，かんぬきによって外部からつづみ車の位置を制御する．3年後にはこのつづみ車の下部にクラウンギア（日本語では甲歯）が作られて，小鉄車と噛み合うことが記されている．つまりほとんど創始者の構造がいまだに使用されているということになる．

---

21) 形状がおそらく江戸，明治の時代の方々には竜の頭をイメージさせたのであろう．外国語では王冠をイメージしていて，Krone（独：王冠），crown（英：同意），couronne（仏：同意）である．
22) ドイツ語では直接 Aufzug mit Krone（りゅうずによるぜんまい巻き上げ）の言葉が特許に記載されている．
23) 特許の対象国は米国であった．当時，1840年頃から米国では多くの時計会社が出現して庶民のための懐中時計の製造，販売が行われるようになっていた．また特許権はヨーロッパでは，たとえばスイスでは特許制度が確立していなかった．したがって，1860年代は米国へ出願していた．

§1.2 裏輪列

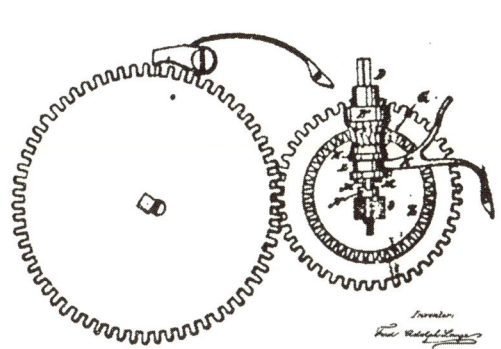

図 1.25 特許公報に掲載されている切換え機構
現在の機構とほとんど変わらない．むしろ
傘歯車を使ったりして精密に考案されている．

図 1.26 鍵巻き，鍵針回しの時計
1860 年ドレスデンで製作されたクロノメーター脱進機を搭載した懐中時計．グロスマン作．鍵巻き鍵針合わせ．

Patente und Gebrauchs-Muster

(Die nachfolgenden Patente und Gebrauchs-Muster sowie einige Patente anderer Erfinder sind nach Jahreszahlen ge

Jahr	Datum	Nummer	Land	Inhaber	Bemerkungen	Jahr	Datum	Nummer	Land	Inhaber
1863	20.01.	37499	USA	A.L.	Lünette auf Werk	1902	07.04.	171327	D.R.G.M.	R.L.
1866	15.05.	54831	USA	A.L.	Aufzug mit Krone	1902	16.05.	179074	D.R.G.M.	R.L.
1866	14.08.	57266	USA	A.L.	Viertelrepetition	1902	24.05.	26279	CH	R.L.
1869	04.05.	89667	USA	A.L.	Zeigerstell-mechanismus	1903	30.11.	216876	D.R.G.M.	ALS
1873	25.10.	139678	USA	A.L.	Aluminium-Spirale	1904	27.02.	220629	D.R.G.M.	R.L.
1875	02.02.	161244	USA	A.L.	Dreiviertelplatine, Federhaus	1904	21.03.	29599	CH	R.L.
1877	03.08.	182	D.R.P.	ALS	springende Sekunde	1909	04.10.	411776	D.R.G.M.	R.L.
1879	14.05.	9343	D.R.P.	ALS	Auf- und Abwerk	1909	05.10.	223636	D.R.P.	R.L.
1883	15.06.	25267	D.R.P.	Fleischhauer	Uhr mit Kalender	1910	05.02.	49000	CH	R.L.
						1910	01.07.	429325	D.R.G.M.	R.L.
1883	15.09.	26639	D.R.P.	ALS	fed. Scharnierstift	1910	18.07.	53290	CH	R.L.
1885	02.01.	32233	D.R.P.	Osborne	Neuerung an Uhren	1918	04.09.	691895	D.R.G.M.	O.L.
1885	29.12.	39996	D.R.P.	Dürrstein	spr. Zahlenwerk	1920	24.07.	748971	D.R.G.M.	ALS
1888	05.02.	46987	D.R.P.	R.L.	springende Sekunde	1920	24.07.	748972	D.R.G.M.	ALS
1891	17.05.	60071	D.R.P.	R.L.	Chronometer-hemmung	1920	08.10.	90340	CH	ALS
						1920	08.10.	90342	CH	ALS

図 1.27 当時の特許公報一覧表
関係する特許は 1866 年と 1869 年．1869 年には時刻表示修正機構が申請されている．

図 1.27[24] を見てみよう．1866 年にりゅうずによるぜんまい**巻き上げ機構**が申請され，1869 年にはりゅうずによる針回しが出願されている．発明人はいずれも Adolph Lange となっている．この年代ではりゅうずの機能は最初はぜんまいの巻上げのみ，近くに押しボタンあるいは引きボタンがあって，これを作動させると針回しができる，というものがかなり出回っている．

---

24) "A. Lange und Söhne Eine Uhrmacher-dynastie aus Dresden", Reinhard Meis 著，1989, p. 1863 から．この他，一般参照した文献は以下のとおり．
　"The History of Clocks and Watches", Eric Bruton 著，Crown Publishers, Inc NY. 1989.
　"Two hundreds years of American Clocks and Watches", Chris Bailey 著，Prentice-Hall Inc. N. J. 1989.
　"The Watch from its origins to the XIXth century", Catherine Cardinal 著，The Wellfleet Press. N. J. 1989.

1.2.3 まとめ

以上，簡単に歴史について触れたが，ほとんどすべての人がよく知るこの巻真付近の切換え機構はドイツから生まれたのであった．現在は巻真付近での切換え機構にはかなり複雑なものもあって活用されており，クオーツなどの場合はさらに複数の機能を持たせることも行われている．

§1.3 香箱とぜんまい

ここまで，時計の時・分・秒針を作動させる基本を，表輪列と裏輪列に分けて解説してきた．ここではさらに動力機構をクローズアップして，香箱とぜんまいの作動の仕組みについて詳しく説明したい．またいくつかの香箱の種類についても紹介しよう．

1.3.1 香箱車と巻き上げ輪列

機械時計の動力はその主体がぜんまいである．図1.28のような形[25]をしたぜんまいが香箱の中に押し込まれ，図1.29のように渦巻き状になっており，内端は図1.30のように香箱真に引っ掛けられ，外端は香箱内壁のくぼみの部分に引っ掛けられる．香箱車は図1.29でわかるように**香箱**，**ぜんまい**，**香箱真**，**香箱蓋**からなる[26]．香箱は表輪列につながり，表輪列の歯車を駆動して，時計が動くにつれてぜんまいがほどけて回転していく．一方，香箱真は巻き上げる方の軸であって図1.29では上の方で角穴車をねじ止めして一体となって回転する．この**角穴車**，**丸穴車**，**つづみ車**，**きち車**，さらに**巻真**，**りゅうず**を**巻き上げ輪列**という．図1.29を見ればりゅうずを巻けばぜんまいを巻き上げられることがわかるであろう．りゅうずの真（巻真）は直接きち車を回転させるのではない．仲介役としてつづみ車が入り，りゅうずを回してもきち車が回らないようにすることもできる．この付近を**切換え機構**といい，その様子を図1.31に示した．この巻き上げ機構の途中の「きちとつづみ」は図1.31-1では噛み合って連結しているが図1.31-2では連結していないで，つづみ車の**甲歯**[27]が小鉄車と噛み合って針回し（時計の表示時刻の修正）を行う．その仕掛けを説明すると，まずりゅうずを引っ張ると巻真の溝に入ったおしどりのだぼが動き，おしどりが時計回りに回転し，おしどりの出っ張りがかんぬきを下へ押す．す

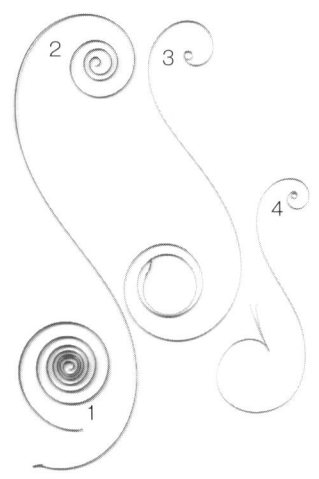

図1.28 ぜんまいの自然な姿 多元合金からなる高弾性材で，S字型をしている．1は鋼鉄の古いものでS字形になっていない．3は典型的なS字で逆方向の巻数が多い，優れたトルク特性を示すもの．4は自動巻き用のぜんまい．外端にスリッピングアタッチメントが2枚重ねて溶接されている．

---

25) この姿は香箱の中で巻き締めた後，放置すると得られるもので，ぜんまいの至るところで最大応力が発生する形となっている．つまり巻き締めたとき出力トルクが理論上得られる最大値となる形になっている．最近のぜんまい材料は弾性限界値が大きく，香箱の中で外側の方に位置する部分では，もとの姿が曲げられる方向と反対方向に曲がっているようにしなければ，最大応力が得られないほど大きな弾性限界となっているため，このように反転した姿となった．昔よく使われたピアノ線などの鋼鉄ではこのようなことはなかった．ほどけてもただ渦巻きがゆるんだ形である．

26) 図1.29の香箱（種類としては回転香箱という）が今は主として使われているがいろいろな種類がある．本文では今の用語では香箱車というべき語も古い言葉，香箱のまま記載する．本文内でも香箱と通称させてもらった．

27) つづみ車の小鉄車と噛み合う歯車はクラウンギア，きち車と噛み合う方はラチェット歯車でそれぞれを甲歯，乙歯とこの部品の製造現場では言い習わした．きち車のラチェット歯車は乙歯，丸穴車と噛み合う平歯車は甲歯ということになる．

§1.3 香箱とぜんまい

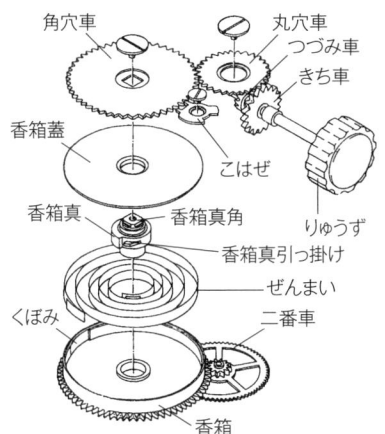

図 1.29 巻き上げ機構と香箱内部までの全景（再掲 図 1.6）
りゅうずから香箱真までが巻き上げ機構．ぜんまいの内端は香箱真の突起に引っ掛かっている．詳細は図 1.34 のとおり．角穴車の歯にはこはぜが取り付けてあり，角穴車が逆転しないようにしてある．

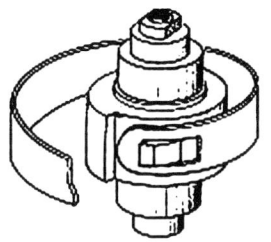

図 1.30 ぜんまいの内端と香箱真の突起

るとおしどりの先端がつづみ車の溝にはまっているからつづみ車を下に押すことになり，これできち車とつづみ車との連結は絶たれる．

巻き上げ機構の途中，角穴車には「こはぜ」がついていて巻き上げ輪列がぜんまいの力で逆転しないようになっている．こはぜのタイプにはいろいろあり（図 1.32），ぜんまいを巻き締めきった状態から少し戻して使うように配慮をしたものが多い．これは，手巻用の香箱ではぜんまいを巻き締めきったところではぜんまいのトルクが極端に大きくなって安定しない．てんぷが振り当たる危険もあるためである．

巻き上げ機構の中には巻き止め装置がついていることがある．図 1.33 にその例を示す．ぜんまいの巻きすぎによる破損の防止となるべく，トルクの安定した部分を使用したいと

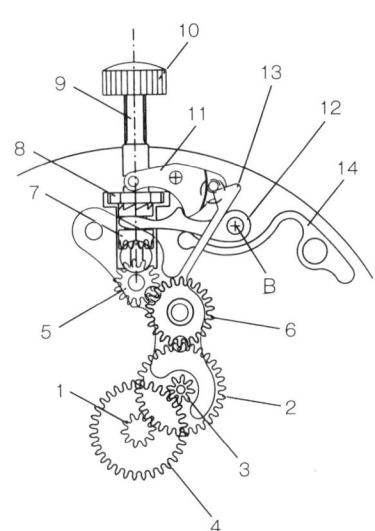
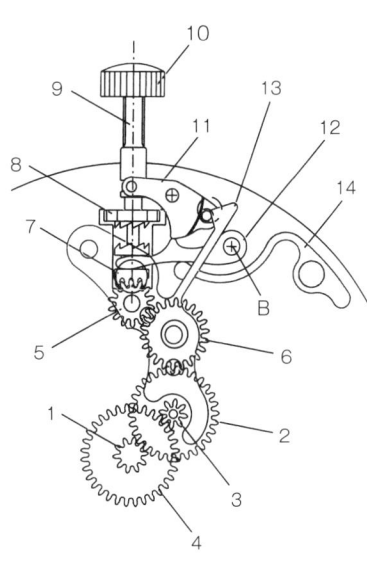

1：筒かな　2：日の裏歯車　3：日の裏かな　4：筒車　5：小鉄車　6：小鉄中間車　7：つづみ車　8：きち車　9：巻真　10：りゅうず　11：おしどり　12：かんぬき　13：裏押さえ　14：かんぬきばね（図 1.31-1，1.31-2 共通）

図 1.31-1　切換え機構（巻き上げ状態）
りゅうず 10 を回転させると巻真 9 の角部（この図では見えない）と一体になって回転するつづみ車 7 が回る．つづみ車 7 のラチェット歯（乙歯）がきち車 8 のラチェット歯（乙歯）と噛み合っているからきち車 8 が回りきち車 8 の甲歯と噛み合う丸穴車（この図にはない．図 1.29 参照）が回り，さらに角穴車を経てぜんまいが巻き上げられる．

図 1.31-2　切換え機構（針回し状態）
りゅうず 10 を回転させると巻真 9 の角部と一体になってまずつづみ車 7 が回る．この図ではつづみ車 7 の甲歯が小鉄車 5 と噛み合っているから小鉄車 5 が回り，小鉄中間車 6，日の裏歯車 2，筒車 4 と筒かな 1 の順に伝わり針回しができる．

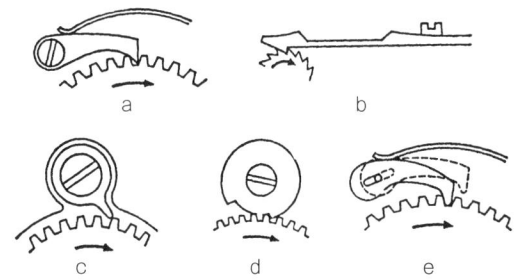

図1.32 こはぜのいろいろ
a, b は巻き締め時の戻り量が少ないが c, d, e では結構な戻り量がある.

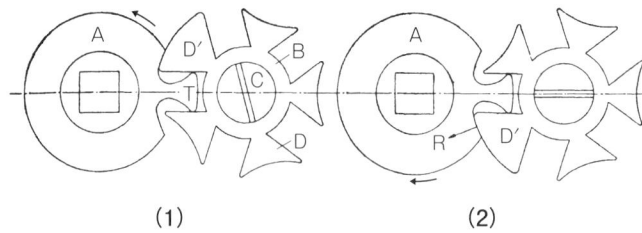

図1.33 マルテーズ・クロス（巻き止め装置）
(1) では香箱軸 A はこれ以上時計回りには回転しない．
(2) では A 軸は反時計回りにはこれ以上回転しない．(1) と (2) の間，B の溝の数，図では 4 回分のみ A 軸は回転ができる．

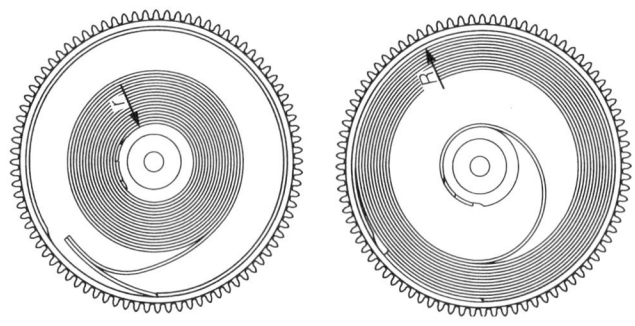

左：巻き締めたとき　　　右：ゆるんだとき

図1.34 香箱の中のぜんまい（再掲 図1.5）
ぜんまいの面積が香箱内スペースの半分のときがもっとも持続時間が長い．ぜんまいの長さを L，厚さを t とすればその断面積は Lt であるからぜんまいの長さは式 (1.1) で与えられる．

いうニーズから考案された機構で，**図1.33**はマルテーズ・クロス（croix de Malte）またはジェネバ・ストップ（Geneva stop）といわれる．図1.33で左の車（雄止め）A は香箱真に取り付けられ，右の車（雌止めまたは星車（star wheel））は香箱に取り付けられて自由に回転ができる．ぜんまいを巻くと香箱真が回り，車 A の指 T が 1 回転するごとに十字架 B の 1 歯を送り，最後に歯車 B の平歯 D' が指 T の肩と出会い(1)の図のようになって，そこで回転は止められぜんまいはそれ以上巻けなくなる．時計の運転中は車 B が香箱真のまわりに遊星運動をする状態となり，1 回転ごとに十字架の歯が 1 歯送られる．そして合計 4 回転ののち指 T の肩 R が平歯 D' に出会って，(2)の図の状態となり時計は止まる．現在ではこのような**巻き止め装置**は使われなくなったが，その理由はぜんまい材料が優れたものとなり，大きい弾性限界値と大きい**弾性係数**によって非常に長い持続時間が設定できるようになった．結果としてトルク変動率も小さな値が設定できるようになったこと，現代の腕時計の設計にあっては香箱まわりの厚みはできるだけ薄くしたい．このような巻止め装置のために厚みを 0.3 mm 取られることは避けたい．使われない実際の理由はこのような事情にもある．

1.3.2 持続時間，トルク

香箱の中にぜんまいが巻き締められたときからほどけきるまで，もっとも長い持続時間を持たせるようにするには，**図1.34**で説明したように，ぜんまいが香箱内壁と香箱真との間の空間の半分を占めるようにしたときである．実際はぜんまい同士の摩擦があり，またすきまもできてしまうので，計算で得られるぜんまい長さよりも 10〜15% 長い方が良い結果が得られる．

ぜんまいの長さ L は式 (1.1) から与えられる．全巻き時のトルク M_{max} はぜんまいの回転数とは

関係がなく，厚み t，幅 b と材料のヤング率 E だけから決まり，式 (1.2) で与えられる．

$$L = \frac{\pi R^2 - \pi r^2}{2t} \tag{1.1}$$

$$M_{max} = \frac{bt^2}{6}\sigma_{max} \tag{1.2}$$

ここで，M_{max}：全巻き時のトルク [N mm]，b：ぜんまいの幅 [mm]，t：ぜんまいの厚さ [mm]，σ_{max}：ぜんまい材料の弾性限界（最大応力）[N mm^{-2}]．

　その理由は簡単で，巻き締めたときにぜんまいの表面のいたるところで最大応力を発生させると考えるからである．S字形の形状にさせる目的はここにある．また**図 1.34** の説明にあるようにぜんまいの有効巻数（巻き締めたときからほどけきるまでの香箱回転数）を最大にするにはぜんまいの体積が香箱内のスペースの半分となるようにすればよい．このようにすれば最大のエネルギーの蓄積と取り出しをすることになる．**図 1.35** にぜんまい形状と巻数の関係を示した．この図でわかるように，N_f が左の遠くにあるほどぜんまいのトルク変動率は少なくなり，良いことがわかる．**図 1.28** で例示したぜんまいのうち3番のぜんまいがその点で優れていることがわかるであろう．

　図 1.35 のような図をトルク曲線，またはトルク線図という．時計の修理の場面ではこのぜんまいトルク線図を見ることは，一般にトルクメーターが入手できないこともあってなかなかできない．振り角の変動状況をグラフにして見ることがあまり行われていないのと合わせて，このトルク線図をあまり見ることがないことは，現代の時計修理技術の改善しなくてはならない問題と筆者は考えている．

1.3.3　自動巻用の香箱車

　図 1.36 と**図 1.37** に自動巻用の香箱を示す．手巻用との違いは，ぜんまい外端が香箱内壁を滑るようになっている点である．ただ，そのときのスリップトルクが全巻き時のトルクを維持できるように補強してやる必要があり，スリッピングアタッチメント（滑りばね，スライディングブライドルなどともいう）をぜんまい外端に溶接してある．

　図 1.38 には自動巻香箱のトルク線図を示した．**スリップトルク**がこの図のように暴れるのであるが，どの場所でもしっかりと全巻き時のトルクよりも大きくなければならない．スリップトルクを安定に保つことが要求される．この部分に潤滑が必要になるわけである．

1.3.4　その他の香箱

・**固定香箱**

　図 1.39 のように地板に香箱が固定され，香箱真に一番ち車が固定されている．この一番ち車に錨止めされている

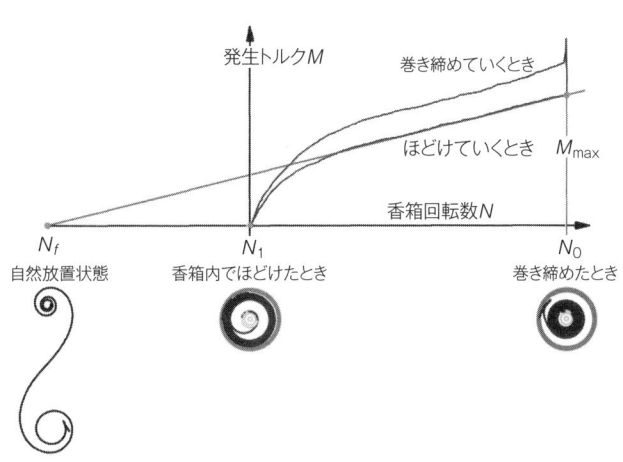

図 1.35　ぜんまいトルク線図（香箱回転数とトルクの関係）
ぜんまいから発生するトルクは自然放置状態からの回転角に比例する．巻き締め時にぜんまいのいたるところで最大応力が発生するようになっている．また香箱内でほどけたとき外側に出力するトルクは0となる．また，巻き上げ時とほどけるときでは図のように摩擦があって，トルクの値は約5〜10％低くなる．自然放置時のS字形状はこのような役割をしている．

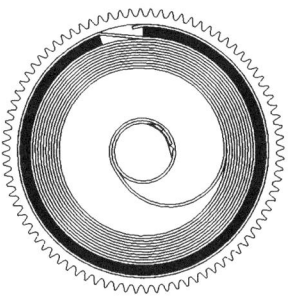 

図1.36 摺動手巻香箱（左）と自動巻香箱（右）
ぜんまいの一番外側に補強板（スリッピングアタッチメント）が取り付けてあるのはどちらも同じだが、左はスリッピングアタッチメントが厚くなっている。これで手巻であってもぜんまいを巻き締めたときに破壊することが回避でき、適当な感触で巻き締めすぎていることがわかるようになっている。

（左）ゆるんだとき　（右）巻き締めたとき

図1.37 自動巻香箱
ぜんまいの一番外側に対して補強板（スリッピングアタッチメント）が取り付けてあって、巻き締めたときでもある程度強いトルクがかかると滑って回る。このようにして巻き締めすぎてぜんまいを壊すことがないようにしてある。

こはぜと嚙み合って、一番車が同軸に遊合している。ぜんまいを巻くときは香箱真を回転させて巻き上げるが、このときラチェットになっている一番きち車がこはぜの先端から逃げるように回転するため、一番車は回転しない。このように巻き上げることができるが、この巻き上げるときには一番車と香箱真との間の摩擦によって逆トルクがかかり、一時的にではあるが表輪列に伝わる駆動トルクが極端に減ってしまう。このことで歩度にも影響が発生してしまうなどの欠点があった。固定香箱は主にクロックに使われた。

・安全香箱

図1.40に示すように、一般的な回転香箱と異なり香箱の方が巻き上げを行い、香箱真と同軸のぜんまい玉が輪列を駆動する。この構造では香箱真に角穴車が取り付けられ、香箱真は香箱と一体になって回転する。真ん中のぜんまい玉には一番車が固定され一緒に回る。巻き上げは角穴車→香箱真→香箱→ぜんまいの外側へという順序であり、駆動はぜんまいの内端→ぜんまい玉→一番車→表輪列という順序となる。このようにした理由はぜ

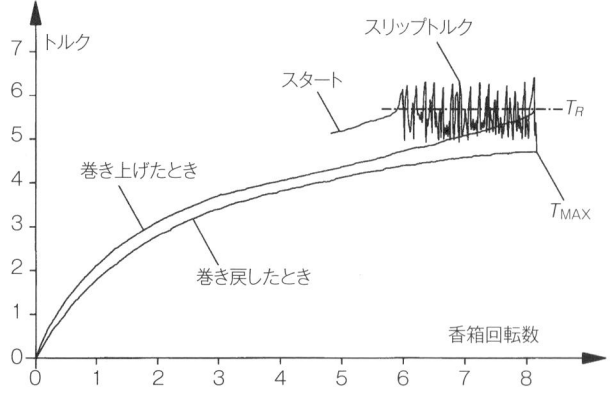

図1.38 自動巻香箱のトルク線図
スリップトルク T_R は全巻き時のトルク T_{MAX} に対して3〜5割大きくしないと全巻き時に滑ってしまい、持続時間が少なくなるなどの故障を起こす。

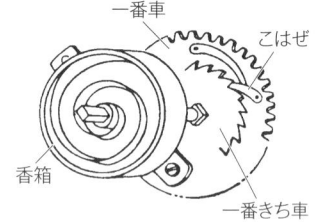

図1.39 固定香箱
香箱真で巻き上げと駆動の両方を行う。香箱は地板に固定され回転しない。表輪列は一番車につながっている。香箱真を巻き上げようとすると、一番車へはぜんまいのトルクはまったくなくなってしまうので時計が止まるという問題点があり、工夫をしなくてはならなかった。

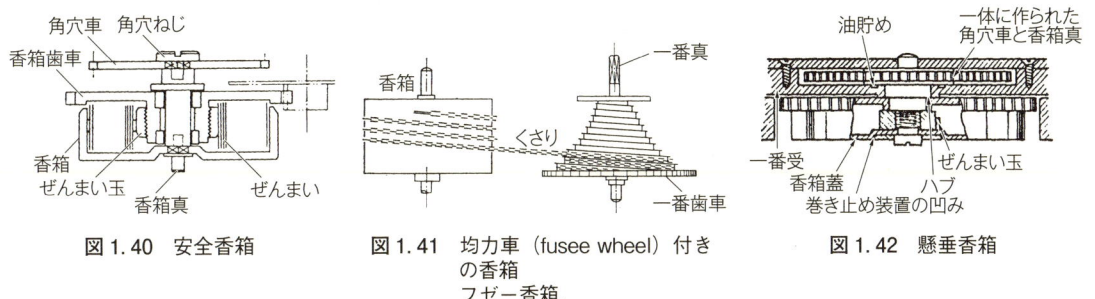

図 1.40 安全香箱　　図 1.41 均力車（fusee wheel）付きの香箱　フゼー香箱．　　図 1.42 懸垂香箱

んまいが切れた瞬間，切れたぜんまいが急に広がっても表輪列には力がかからず，歯が欠けてしまう事故が発生しないからである．ぜんまい切れに対する対策を考慮した仕掛けであるが，今はぜんまい材料が改善されて切れない，錆びない多元合金が使われるので安全香箱の必要がなくなった．

- **フゼー香箱（均力車付きの香箱）**

　図 1.41 のように均力車（フゼー車ともいう：fusee wheel）と香箱とが鎖でつながって，均力車の軸が一番真となるシステムである．このシステムは今でも複雑時計などの懐中時計の高級品には使われる．ぜんまいは発生するトルクが全巻きに比べ，24 時間戻しでは 10～30% 程度減少する．この減少はてんぷの振り角を変化させるから，この変化を少なくするために均力車を経て表輪列へ駆動トルクを伝えれば振り角の変動を非常に少なくすることができる．

- **懸垂香箱**

　懸垂香箱とは香箱（真）の支持を一番受のみで支えているところから出た名前で，機能的には現在の回転香箱とまったく変わらない．図 1.42 でわかるように一番受に香箱がつるされた形になっていて，地板には軸受けがなく，まったく穴あきになっている．その分ムーブメントを薄く作ることができる．これとは逆に香箱を地板に片持ち形式で固定し，一番受を持たないものもある．

§1.4　脱進機の働き

　ここでは，クラブツースレバー脱進機の動作を 15 の場面に分割し，アンクル－がんぎ車の停止状態から停止解除，停止解除終了，がんぎ退却，爪石衝撃面衝撃，がんぎ衝撃面衝撃，といった一連の動作の瞬間をイラストに取り入れ，それぞれの様子をわかりやすく解説していこう．

1.4.1　脱進機の動作の詳細

　まず図 1.43～1.46 でがんぎ車，アンクル，てんぷの部分の名前を覚え，これらから脱進機の動作と状態を理解しよう．

　図 1.47-1 は入り爪側第二停止の状態である．振り石が約 180° 離れている．この状態からてんぷが反時計回りの方向へ回転して，図 1.47-2 の状態になる．

　図 1.47-2 は振り角 90° くらい，まだ脱進機は何も動作していない．この状態で理解すべき大事なことは引きの力，アンクルがどてピンにきちんと当たったままとなる力が作用しているという点である．図の中に示したように，がんぎ車からの力 F はアンクルを反時計回りに回転させようとしている．この力を引きトルクという．この力でアンクルはどてピンへ引き寄せられている．

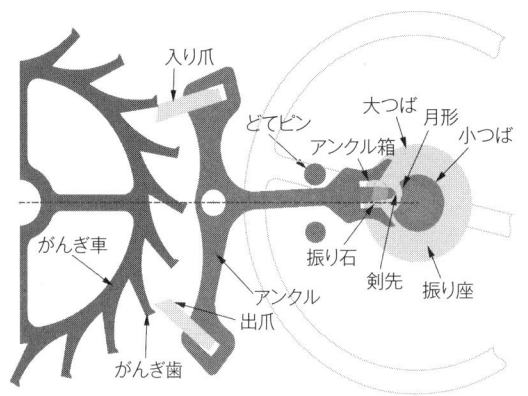
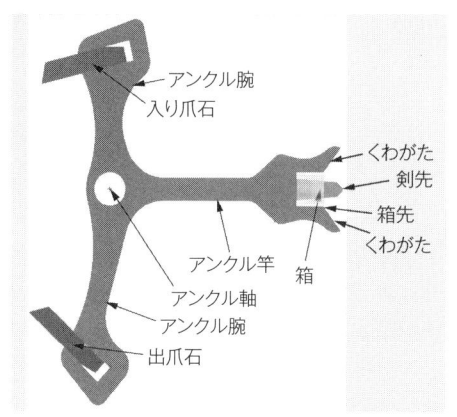

図 1.43　クラブツースレバー脱進機 各部名称　　　図 1.44　アンクル全景

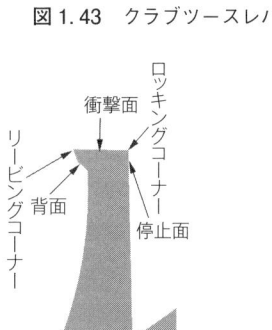
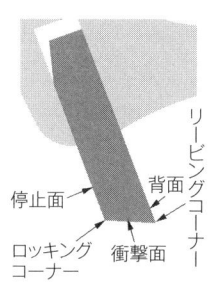

図 1.45　がんぎ歯各部名称　　図 1.46　爪石各部名称

図 1.48 はさらに振り石が回転して，箱先に入ってきて箱に接触したところ．振り石は箱の内側に接触した瞬間を示す．この状態を**停止解除開始**の状態という[28]．

図 1.49 は停止解除が進行して，爪石の停止面上でがんぎ車の歯先が約半分解除した状態を示す．振り石は相変わらず箱を押している．停止解除中途である．

図 1.50 は**停止解除**がさらに進行して爪石のロッキングコーナーとがんぎのロッキングコーナーとが接触した瞬間を示す．この状態が**停止解除の終了**[29]である．

図 1.51 ではがんぎ車が図 1.50 の状態からわずかに後退して浮いた状態[30]になっている．これを**停止解除終了・がんぎ退却**と称することにする．このようにがんぎ車は図 1.48 から図 1.51 までずっと後退しっぱなしである．がんぎ車は図 1.51 からやっと前進を始めることができる．

図 1.52 はがんぎ歯が爪石の衝撃面に到達して[31]実際の衝撃を開始した瞬間である．爪石幅の

---

28) この瞬間は脱進機が動作を始める本当の最初である．刻音も A 音と名前が付いているが，時計の音をマイクロフォンで拾って歩度や振り角を測定するときの最初のトリガーとしてもっとも重宝している音である．なお，刻音については第 4 章で述べたい．

29) この状態を今まで衝撃開始とも称していたが，正確に解説すれば衝撃開始にはならない．衝撃開始はがんぎ車の退却（図 1.51）の後，がんぎの歯が爪石の衝撃面に着地（図 1.52）したときである．

30) 図 1.50 から図 1.51 までがんぎ車には後退させるような力は何もかかっていない．爪石から離れたのであるから，それなのになぜさらに戻るのか．それはがんぎ車が慣性を持っているからである．図 1.48 から図 1.51 まで，がんぎ車は後退，つまり逆転しなくてはならなかった．この逆転の理由は引きを作るために爪石の停止面が傾いていて，がんぎ車の歯先，ロッキングコーナーが戻らなければ停止解除しないように設計してあるからである．しかし，その後退時の運動エネルギーはがんぎ車が軽くなればなるほど小さくなる．またこの後退する（退却ともいう）距離も小さくなる．また図 1.52 に示す着地もより早くなる．ジャンプ量が減るのである．

31) 実際のがんぎ車のジャンプは倍率の大きい（約 50 倍の）顕微鏡でもし眺めても，ほんとにわずかなジャンプ量である．がんぎ歯が爪石の衝撃面から離れている距離はわずかに 0.02 mm 以内の程度であって，いわば爪石が移動していく速度が一定である状況に対して，がんぎ車のロッキングコーナーがその爪石の衝撃面を追いかけるが追いつかない，という程度である．今までのこの脱進機動作の説明イラストではがんぎ車のジャンプが半円を描く程度にまで誇張されているが，それは初心者の理解のためにわかりやすくしたからである．実際はそれほど誇張される状況ではなく，本当にわずかにがんぎ車の歯先，ロッ

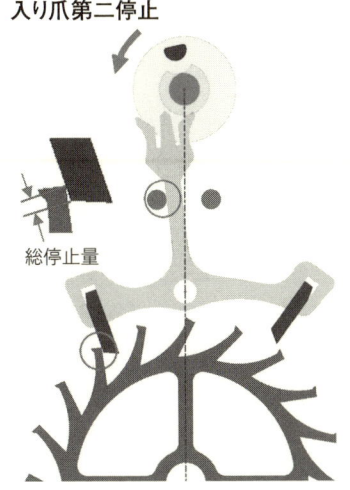 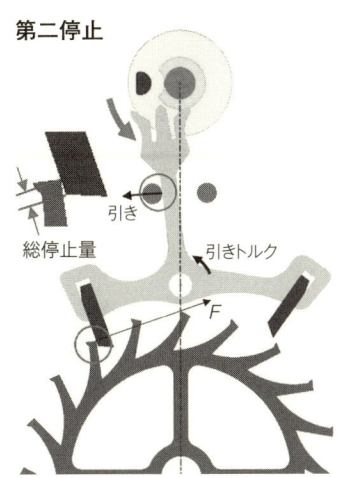 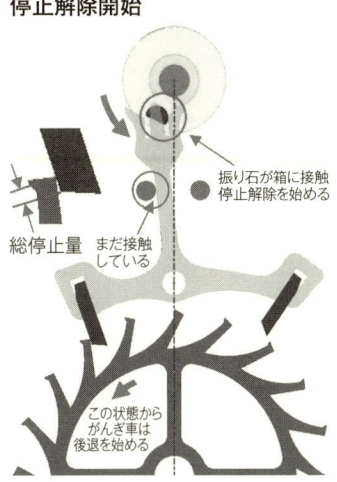

図 1.47-1　入り爪側第二停止①　　図 1.47-2　入り爪側第二停止②　　図 1.48　停止解除開始

1/10～1/4 くらい進行してしまったあたりに着地してそこから衝撃を行う．これが**真の衝撃開始**である．図 1.50 から図 1.52 までがんぎ車のロッキングコーナーは浮いていた．これをがんぎ車のジャンプという．爪石の方はほぼ等速で動いて[32]いたのに対して，がんぎ車は後退から前進へと回転方向を逆転しなければならなかったので，このように追いつかないのである．もう一つ知っておくべきことがある．図 1.51 では振り石が箱を押していた．図 1.52 では箱が振り石を押すことになる．押す方，押される方が交替する．したがって振り石と箱の接触する場所が図 1.51 から図 1.52 の間で違う．通常，箱の幅よりも振り石の幅はわずかに小さく設計してある．これを箱あがきというが（**図 1.55**），この分だけアンクルが空転しなければ箱が振り石に到達できない．この**箱あがき**[33]分だけアンクルからの力がてんぷに伝わるのが遅れる．その分だけ真の衝撃開始にならない[34]．

図 1.53 は**爪石衝撃面衝撃**の途中で，がんぎの歯が爪石の衝撃面の真ん中あたりに来た図である．このあたりから実質的にエネルギーがてんぷに供給されるといってもいいだろう．ここまでの過程は停止解除という重要なプロセスが主であった，そういっても許されるであろう．

図 1.54 はさらに衝撃が進行して，がんぎのロッキングコーナーと爪石のリービングコーナーとが

　　キングコーナーが爪石面に追いつかない，わずかにすきまがあってそれで衝撃にはならない状態と理解してほしい．がんぎ車もアンクルもこのような微視的な観察をする際にはどれもそれほど剛体とは思われない．それにアンクル軸，がんぎ軸のがたなどもあり，事情によってはひねりなどの動きが発生する可能性もある．

32)　爪石は振り石を介しててんぷによって動かされている．ここで述べている動作の時間は 5 ms 程度のわずかな時間であるから，てんぷと一緒にではあるが等速で動いていると理解した方がよい．また，この間がんぎの歯はこのように爪石を押し上げるのであるから，「アンクルが押し上げられる」ともいう．

33)　箱あがきは通常 0.02 mm 程度を予定してあるが，0.02 mm でも多い．これをさらに小さくすることが高級品では行われている．箱の側面を平行な面とはせず，オリーベ取り（olivage（仏）という）を行って，振り石と箱のすきまを 0.01 mm 以下にしてこの無駄振りを減らす．しかもこの部分は脱進機の衝撃の中で振動中心の手前側であり，脱進機誤差を小さくする重要部分でもある．

34)　ここで述べた 2 つの問題点，がんぎ車のジャンプ，箱あがき，この 2 つが相まって脱進機の振動中心の手前の衝撃が遅れ，かつ減るのである．それぞれが独立した要因であるが，どちらも脱進機の性能を悪化させる．どちらもわずか 0.02 mm 程度のすきまの話であるし，またこのあたりのチェックもしにくいであろう．忘れられやすい．しかしこれらの点検は中具合ともいわれ，きちんと脱進機の調整をする際の重要な項目なのである．箱あがきが 0.02 mm では大きい，と感じなくてはならない場合も高級な時計では多いであろう．

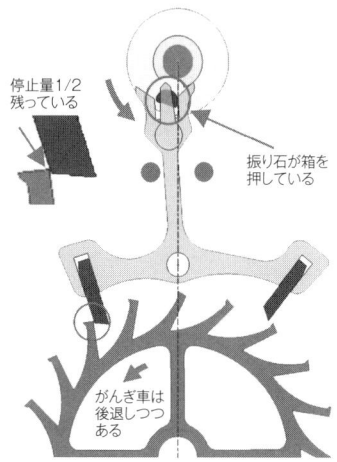
図 1.49 停止解除中途 1/2

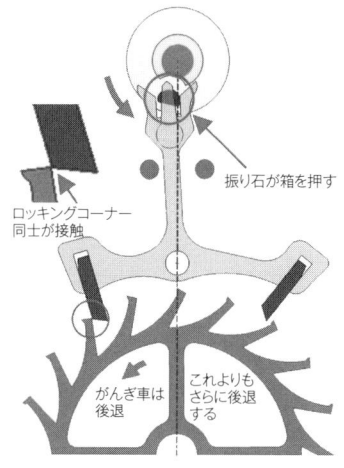
図 1.50 停止解除終了

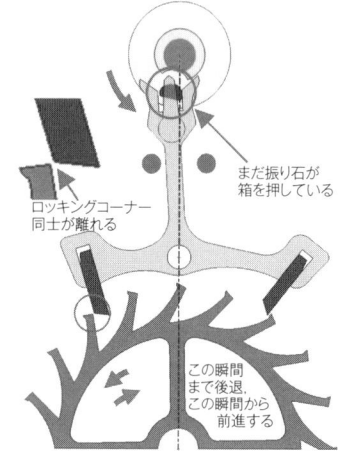
図 1.51 停止解除終了・がんぎ退却

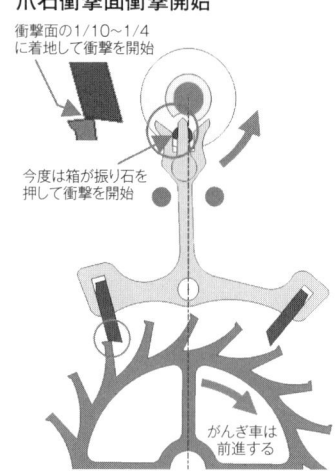
図 1.52 爪石衝撃面衝撃の開始

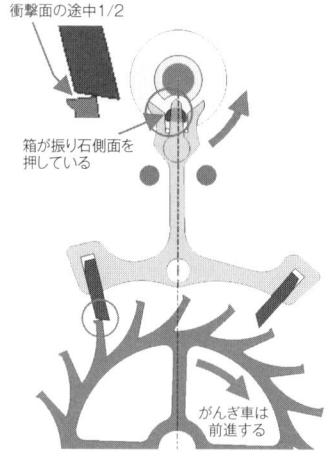
図 1.53 爪石衝撃面衝撃の途中

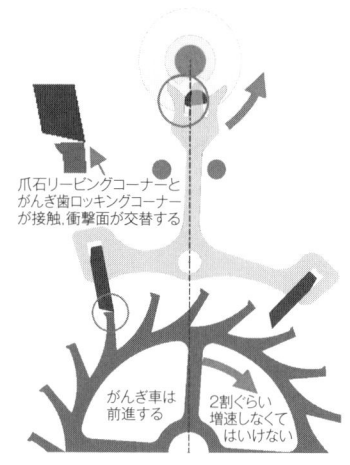
図 1.54 衝撃面交替

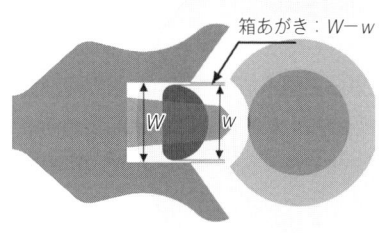
図 1.55 箱あがき

接触し**衝撃面が交替する瞬間**を示す.この瞬間から実はがんぎ車は突然,2割方速度を上げなければ爪石に接触し続けることができない.爪石の方はてんぷと一緒に回転して等速である.それで実はこの瞬間にもがんぎ車のロッキングコーナーは宙に浮く状態となるのである.ここにもわずかながらジャンプが実際はある.

図 1.56 は衝撃面が交替して爪石のリービングコーナーが**がんぎ衝撃面衝撃**の途中まで進行した状態を示す.

図 1.57 は**衝撃終了**である.がんぎ歯先,爪石それぞれのリービングコーナーが接触した瞬間を示す.入り爪側衝撃終了の瞬間である.この瞬間からがんぎ車は落下を開始する.

図 1.58 は図 1.57 の状態からがんぎ車のみ作図上で回転させて,出爪の停止面で止まるところま

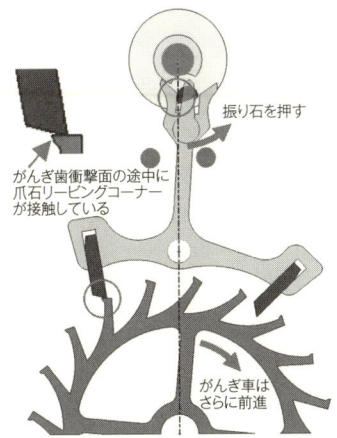

図 1.56 がんぎ衝撃面衝撃の途中

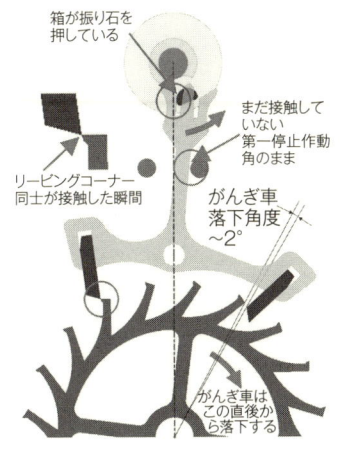

図 1.57 衝撃終了

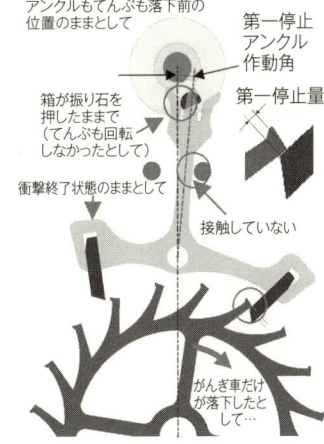

図 1.58 第一停止

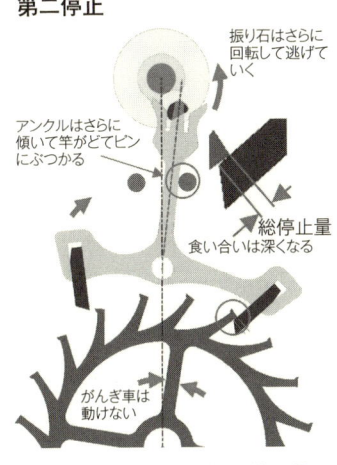

図 1.59-1 出爪側第二停止⑨

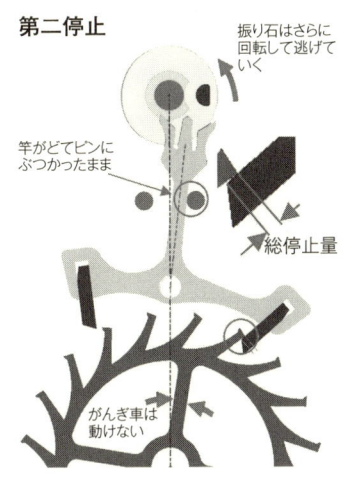

図 1.59-2 出爪側第二停止⑨′

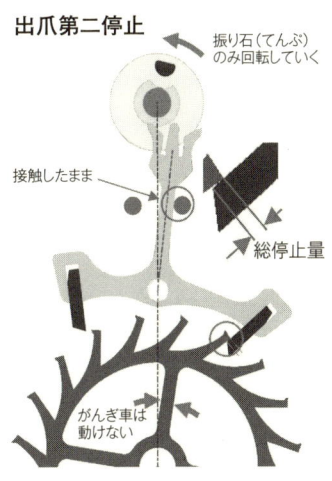

図 1.59-3 出爪側第二停止⑨″

でを描いたものである．この状態を**第一停止**という．入り爪側第一停止というべきか．図の中にも描いたようにアンクルもてんぷも衝撃終了（**図 1.57**）の状態から動かないとして描いてある．がんぎ車のみ回転させてあるが，実際にはこんな状態はありえない．がんぎが落下する間にはアンクルもてんぷもいずれも動いてしまっている．しかし，この第一停止の状態は脱進機の動作が確実に行われているかどうかを確認するもっとも重要な状態なのである．

図 1.59-1 は**第二停止**，**図 1.58** の状態からアンクルがさらに引きの力によってがんぎ車に押されてどてピンに接触したところ，脱進機の一連の動作の最後の状態である．がんぎ車は爪石の停止面に到達してこれをどてピンに向かって押し続ける．この力（**引きの力**）でアンクル竿はどてピンに押しつけられ，アンクルはこれ以上動かない．振り石は**図 1.59-1** ではまだ箱に接触した状態として描かれているが，アンクルの箱に制限されているわけではないからどんどん回転していってしまう．**図 1.59-2** は振り角が 90°くらい，**図 1.59-3** は 180°程度回転してしまった状態を載せた．いずれも第

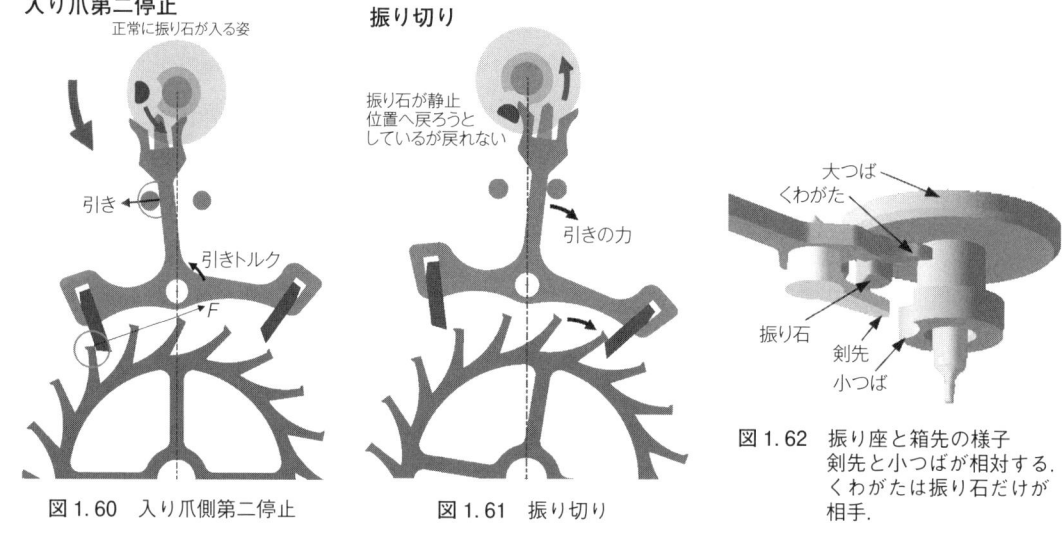

図 1.60 入り爪側第二停止

図 1.61 振り切り

図 1.62 振り座と箱先の様子
剣先と小つばが相対する.
くわがたは振り石だけが
相手.

二停止の状態である.

これで入り爪側の脱進機の動作の一連の様子を述べた. 次に脱進機は同様にして出爪側の動作に入る.

§1.5 安全作用

腕時計はさまざまな外力を受けるが, そうした力にもっともデリケートな部分が脱進機である. そのため脱進機には安全作用という工夫が施されている. 本節では**振り切り**, **引き**, **あがき**, といった用語を挙げながら脱進機の安全作用について考察する.

1.5.1 脱進機の安全作用

腕時計は携帯して使用されるとき, いろいろな外力を受ける. この外力は時計の動作を乱す. とくに脱進機の部分は外乱に対する工夫をしなければならないもっとも重要な部分である. この工夫効果を安全作用といい, 安全作用の確認が時計の組み立て修理の重要な部分である.

また, この安全作用が時計の歴史を作ってきたとさえいえる. 現在でもこの部分が最重要な脱進機選択理由といってよい. クラブツースレバー脱進機[35] が今は一般に使われて久しいがこの脱進機が現在ではもっとも優れている. 近年, 同軸脱進機や, その他の新しい脱進機が腕時計に採用されるようになったが, まだそれらの評価はこれからといってよい. さて, 脱進機が外乱を受けて不調になるとはどんな事態があるのだろう. ここでは用語の説明を主として安全作用に関する常識的な知識を挙げていこう.

- 振り切り

図 1.60 は振り石が反時計回りに回ってアンクルの箱に入ろうとしている. 入り爪側の第二停止状

---

[35] スイスではスイスレバー脱進機と教えている. 英国人のジョージ・ダニエルズ (George Daniels: 1926-2011) はクラブツースレバー脱進機といっている. 日本では古くからクラブツースレバーと呼んできた.

§1.5 安全作用

態である．このとき外力によってアンクルが右に倒れて図 1.61 のようになっていたら振り石はアンクルの箱の中に入れず，くわがた背面にぶつかって時計はもう動かない．この状態を振り切りという．

・剣先と小つば

こんな事態にならぬようアンクル先端に剣先，振り座に小つばがあって，この二つが協働して図 1.60 から図 1.61 には決して[36]ならないようになっている．図 1.61 には剣先があるから仮想図である．仰視図の図 1.62 で見るとわかるように剣先が小つばの円周にすぐぶつかり，それ以上はアンクルは回転できない．それで図 1.61 の状態が発生しない．

・引き

また，図 1.60 の状態で，いつもアンクルをどてピンへ引きつける力（引き）が働いている．がんぎの力でアンクルはどてピン側へ押しつけられている．この力があるため，剣先は小つばには通常触っておらず，てんぷは自由に振動できる．振り石は正常に箱の中に入ることができる．以下の各項のすべての場合にこの引きの力があるために異常状態が発生せず，脱進機が正常状態へ復帰し，てんぷがスムーズに回転を続けることができるのである．

・剣先あがき

図 1.63-1 は正常な剣先あがきがあり，剣先を小つばに接触させた場合を示した．

振り石が箱の中に入ってくる途中で外乱が働き，アンクルが反時計回りに回転させられることがあるかもしれない．つまり剣先が小つばに当たった状態（図 1.63）のまま，振り石は箱の中に入らなくてはならない．その程度にしかアンクルは回転を許されない[37]．図 1.63-2 では振り石がくわがたの前を通過できるのがわかるであろう．そして外力が働かなくなれば引きによって，アンクルはつねにどてピンに接触している正常な図 1.60 の状態（第二停止）へただちに戻される．図 1.63-1 は剣先

剣先あがき停止安全量

図 1.63-1 剣先あがき停止安全量
剣先が小つばに接触したときでも，なお爪石の停止面上にがんぎの歯がいること，停止量が確保されていること，が必要である．

剣先あがき＞くわがたあがき

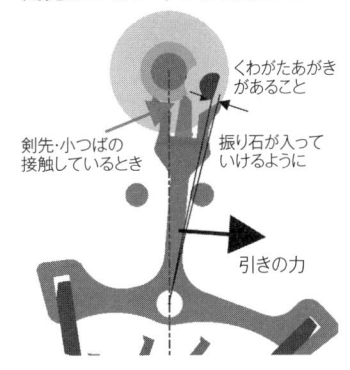

図 1.63-2 剣先あがき＞くわがたあがき
剣先が小つばに接触したときでも，なおくわがたあがきがあって，振り石が入っていけること．

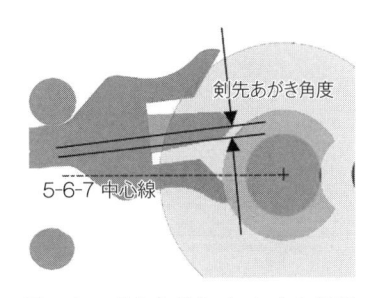

図 1.64 剣先あがき（アンクル角度）

36）「決して」とはどのくらいの意味か．その解釈でその重要性の理解がただされる．時計を1日動かしても1回も起こらない，このレベルでいいだろうか．1日とは脱進機動作にして，5振動で43万回動くから43万回に1回なら許せるであろうか？ だれもそうは言わないであろう．では1ヵ月なら1回許すか，多分，ベテランの時計師はやはりノーというだろう．ではどのくらい動作をして1回なら許すか？ これは，時計が動いている間に1回も起こってはだめだ．これが「決して」の意味である．つまり故障率という表現でいえば 1×10^{-8} ……1億回に1回……でも甘いのである．絶対に起こしてはならない，こういった方がわかりやすいだろうか．このくらいの意味と理解してほしい．実はこうしたほぼ絶対的なレベルが維持できるような脱進機が採用されているのである．これがクラブツースレバー脱進機が200年以上も腕時計に採用されている理由である．

37）つまりくわがたあがきは剣先あがきよりもこの図のように少し大きくしなくてはならない（図 1.73 参照）．

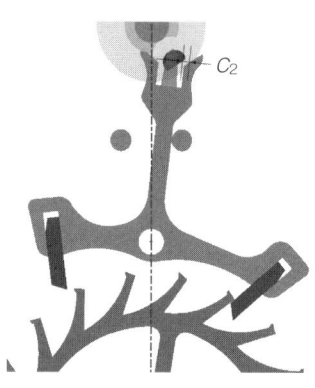

図1.65 くわがたあがき
図に示した C_2 をいう。この図では第二停止であるが，このような状態は停止解除の直前まで続く．

図1.66 くわがたあがき停止安全量
衝撃が加わって，すきま C_2 がなくなった瞬間でも，がんぎの歯はまだ停止面に残っていなくてはならない．

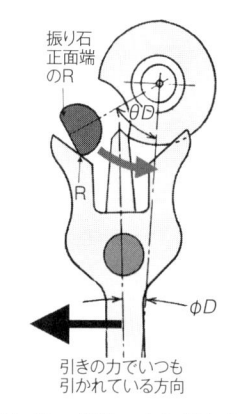

図1.67 剣先-くわがたあがき交替点
引きと反対方向に動かされたときの図．

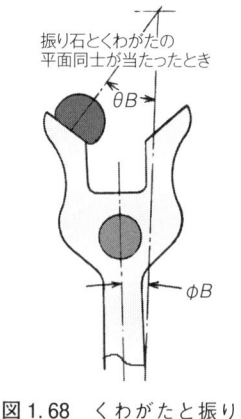

図1.68 くわがたと振り石の平面同士がぴったり当たる瞬間
このときがくわがたあがきが最大，アンクルがもっとも静止点へ近づける瞬間である．

が小つばに当たっていても爪石の方でなお，停止量が確保されていることを示している．これが正常な状態である．

アンクルがどてピンに当たっている第二停止の状態から，剣先が小つばに接触するまでにアンクルが回転した角度を**剣先あがき角度**（図1.64）といい，その大きさを爪石の停止面上で見た長さを**剣先あがき**[38]という．そして剣先が小つばに当たるところまでアンクルを動かした状態で，停止面上に残された距離を**剣先あがき停止安全量**（図1.63-1）という．

• くわがたあがき

振り石がさらに回転中心に近づいて，剣先が月形に入る領域に来たとき，剣先では振り石の正常な通過を保護することはできない．このとき役に立つのがくわがたである．くわがたは振り石に，図1.65のように向かい合って[39]いる．この状態のとき外乱があって，アンクルが倒されて振り石がくわがたに接触する様子を図1.66に示す．その状態でも同図に示したように，停止安全量がなお残っていなければならない．実は振り石の回転角度によってはくわがたが振り石にぶつかるか，剣先が小つばに当たるか，どちらかが先に起きる．図1.67はその交替を示す図で，これより同図の中の矢印方向に進んだ状態ではくわがたが先に振り石端

---

38) 「あがき」という用語に関する慣習を説明しよう．直前の「あがき角度」という表現は正確である．設計者には明確な意味となるが，どうも業界ではそのような正確な表現はしないようである．修理ベンチで測定できるもの，それがあがき，英語ではclearance，と言い習わしているようである．図1.64のように引き出し線を描けばアンクルの回転角度を意味する．しかし，修理ベンチ上で測ろうとするなら爪石の停止面上での距離，それも正確にいうなら「あがき量」であろうか．一般にはこうした区別をせずに「あがき」といっている．「あがきはどのくらいありますか？」「そうですね，爪石幅の5%くらいでしょうか」といった会話になる．安全作用全体をも，たとえば「剣先あがき」といっている．

39) 向かい合い方は，図1.63-2のように斜めに向かい合うことの方が多い．図1.66の場合は真っ正面になっているが，そのような場合は一瞬であって，ほとんどいつも斜めである．すると，衝撃などあってぶつかる場所はいつも振り石端部のRの部分（図1.67）である．この意味で振り石端部のRは重要な部分である．

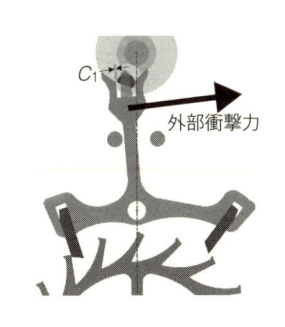

図 1.69　外力は大きい矢印のようにやってくるが C_1 しか動けない

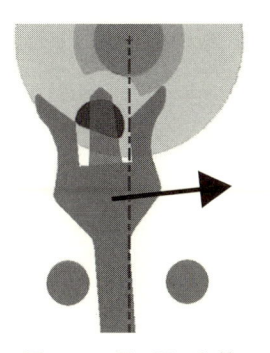

図 1.70　振り石の先端の R が接触する場所は，箱先の 1 点である

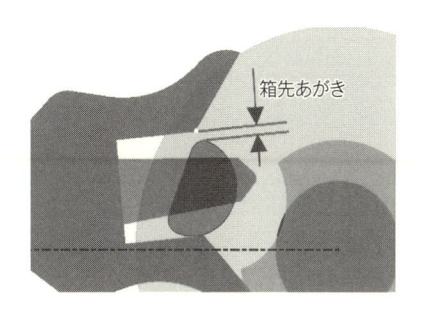

図 1.71　箱先あがき

部の R にぶつかり，くわがたが役立って振り石の正常進行が保護される．振り石はくわがたに対してはそのほとんどの領域で振り石端部の R が当たるが，触ったままでも振り石は進行することができるので脱進機の進行には差し支えない．当然ながら引きの力は常に働いていて，一瞬，図 1.66 や図 1.67 のように振り石がくわがたに接触してもすぐにそれを引き離すので，正常な進行へ引き戻される．**図 1.68 にはくわがたの平面と振り石の平面とがぴったり接触した瞬間**を示す．この瞬間はてんぷ，アンクルともに，ある回転角度のときだけで，このと

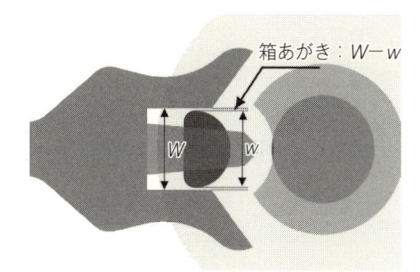

図 1.72　箱あがき（再掲 図 1.55）

きがくわがたあがきの最大になる一瞬，すなわちアンクル回転角度が静止位置にもっとも近づく場合である．探り棒でくわがたあがきを調べるとき，アンクルがもっとも静止点に近づいたとわかる場合である．通常は振り石端部の R が役立つのであって，振り石の平面の部分が役立つのはこの一瞬[40]でしかない．

- 箱先あがき

　さらに振り石が回転中心の方へ行ったとき，くわがたに接触する振り石端部の R は箱先に近づいていく．そして箱先にまで達するとくわがたの平面は関係がなくなる．すなわち，箱先の先端が振り石端部の R と接触する（図 1.69，図 1.70）ようになるので箱先が脱進機の動作を保護するといえる．ゆえに，ここからは「**箱先による安全作用が働く領域**」というべきである．てん真の回転角度にしてもわずか 10° もない．図 1.69 では振り石が少し右へ移動すると，もう箱の中に入り（箱あがきが有効になり），少し左にいくならば振り石はくわがたの平面に接触し始める．アンクル回転角度でいう

---

[40]　平面同士が接触するこの特殊な一瞬を中心として，それよりも振り角が回転中心から遠い場合は振り石の近寄り側の R がくわがたに接触し，近い場合は外側の R がくわがたに接触する．そしてこの外側の R が役立つ範囲は，てんぷの回転角度が 26° 付近から 35° 付近まで，アンクル回転角度は 5°30′ 付近だけのほんのわずかな角度範囲である．このわずかな範囲を振り石の外側の R が役立って安全作用を担当する．実にこまやかな，100% 安全作用を準備するクラブツースレバー脱進機というべきではないだろうか．発明者のトーマス・マッジはこんなところまで本当に理解していたのだろうか，知りたくなる．

と10′あるかないか．そんなわずかな領域[41]であるが，箱先がしっかり脱進機の動作を守る[42]のである．この領域でのあがきを**箱先あがき**（図1.71）という．安全作用として箱先による安全作用，というべきだが「箱先あがき」ですべてその効用を総称している．くわがたあがき，剣先あがきという言葉もまた同様である．

• 箱あがき

図1.72に箱あがきを示す．箱の幅よりも振り石の幅が小さくなければ入れない．そのすきまのことである．このすきまは脱進機効率，脱進機誤差ともに大きな影響がある．すきまの大きさは約20μ程度であるが，これを10μ程度に小さくすることで振り角が少なくとも5〜10°はアップするであろう．箱の内面にオリーベ取りをして箱あがきも減らす，これは高級時計では常套手段である．この箱あがきは安全作用という点でも基本的な部分を担当しているといえる．

1.5.2 停止安全量

• 爪石の停止面上での距離・停止量

図1.73でアンクルとがんぎのロッキングコーナー同士の距離を停止量という．停止状態の安全性はこの停止量の大きさで判断することができる．まず第二停止の正常状態（図1.74）にあるとき，この状態の停止量を総停止量という．これに対して，この状態からアンクルが外部の振動や衝撃で回転させられて，たとえば剣先が小つばに当たったとき（図1.63），この状態は異常な状態であるが，このときに残った停止量が**剣先あがき停止安全量**，総停止量からこの停止安全量まで減った距離が**剣先あがき量**である．

図1.73には剣先，くわがた，両方のあがき量を比較しておいた．図1.63-2で示したように剣先あがきの方が少なくなければならない．剣先あがきは図1.74から図1.63へ，くわがたあがきは図1.65から図1.66へ変化したときの停止量の変化である．

• 衝撃面停止・半振り切り

いずれの場合も残された停止量が停止安全量であるが，この安全量がなくなったとき，がんぎの歯が爪石の衝撃面上に乗ってしまうと（図1.75の状態），がんぎからの力は引きと反対になり，図1.63では剣先を小つばに擦れさせるように力を加えることになり，てんぷを自由に回転させなくなる．小つばに擦れっぱなしになる．結果として時計はがっちり止まりになる．この状態を**半振り切り**，または**衝撃面停止**という．これを避けるには剣先を小つばに接触させた状態でがんぎの歯先が爪石の停止面上にいること，停止安全量があることを確認する．くわがたあがきの場合もくわがたが有効な状態（図1.65の状態）のときに図1.66のようにアンクルを動かしてみてがんぎ歯先が爪石の停止面上にいるかどうか，停止安全量があることを確認する．

---

41) 停止解除寸前のわずかな範囲をこうして箱先が守るようになっている．この脱進機は実に芸が細かいというべきである．このことによって脱進機はどんな瞬間でも安全作用が完結しており，それで現在も使われるのである．この精密さを理解してほしい．

42) 図1.71は振り石が下の方へ移動しつつあるとしよう．そして外力によってアンクルが下へ押されたとき，図の箱先あがきがなくなるところまでアンクルが下方へ動く．その距離が箱先あがき分である．脱進機の動作とはこの振り石と箱先との結合が図でわかるように何も変化しない，というだけでなく，この図1.71では図示していないがんぎとアンクル爪石の食い合いの方に異常が起きないということが大切である．図1.71では振り石が下方へ動く状態と仮定したが，それは爪石−がんぎの方は停止解除状態であった．つまり停止を維持する停止量が図にあるようなアンクルの動きによって維持されていれば，脱進機の動作は乱されなかったということになる．

§1.5 安全作用

・のぞき穴

この「確認ができる」ということがクラブツースレバー脱進機の重要な特徴である．これを英語では maintainability（保全のしやすさ）というが，これが時計の場合も大変重要であろう．クラブツースレバー脱進機の場合は爪石の食い合いは表だけでなく，地板裏からものぞき穴があって，そこから爪石面上での食い合いの様子が見えるようになっている．この工夫も古くからあったのであろう．

・第一停止・第二停止・総停止

図 1.76 にて，第一停止の場合の停止量を第一停止量 a，そこから振り込んだ分を第二停止量 b，第二停止の状態での停止量の全体を総停止量 c という．このことを $a+b=c$ と覚えよう．正常な動作時の停止量はこのように呼ばれる．

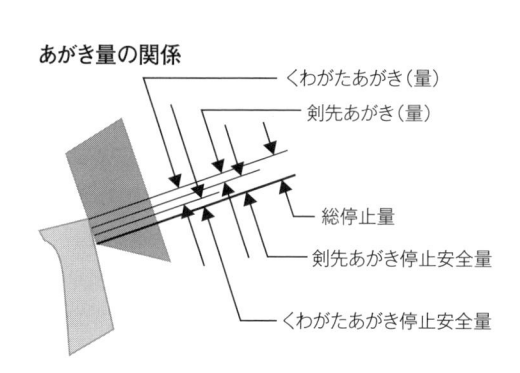

図 1.73 あがき量の関係
総停止＞くわがた＞剣先

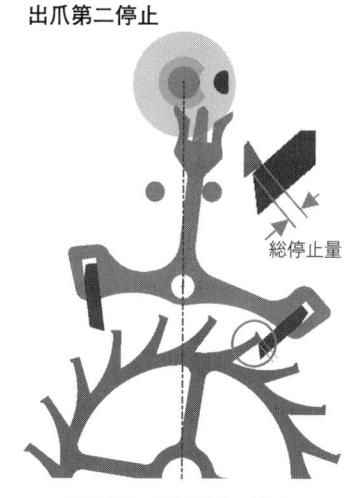

図 1.74 出爪側第二停止

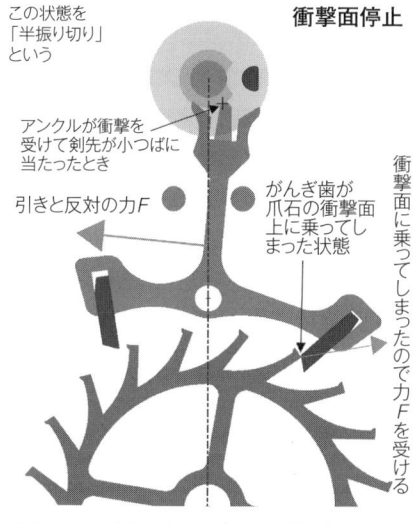

図 1.75 半振り切り（衝撃面停止）
がんぎの歯が爪石の衝撃面に乗ってしまった状態．

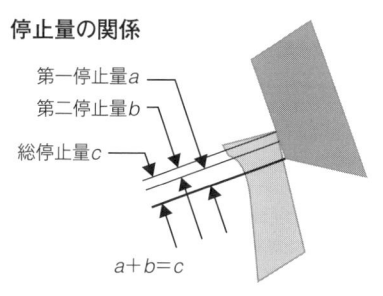

図 1.76 $a+b=c$ の関係

§1.6 脱進機の動作に関する用語解説

ここまで，脱進機動作，安全作用について解説をしてきたが，ここではその各種の用語について，定義と詳細な解説を表にまとめておいた．参考にしてもらいたい．

項　　目	定　　義	意　　味
第　一　停　止	衝撃を終了するとき，アンクルの回転角度を衝撃終了時のまま変更せずにがんぎのみを落下させた状態．	定義に述べた状態で，がんぎ車の歯が停止面上に接触するときの食い合い量がもっとも少ない状態となる．つまりアンクルにできるだけ無駄な回転をさせずに脱進機の動作を行わせる際の最小の動作角度となる．もちろん実際の携帯時計の動作としてはそのような動作は発生しない確率が高いのであるから，人工的にいわば脱進機の動きの悪い状態で動作をチェックした状態でもある．脱進機の動作の基本的なチェックとしてもっとも重要と理解されている状態である．
第　二　停　止	アンクルが動作を終了してどてピンに竿が接触している状態．	定義でわかるように脱進機が動作を終了している状態をいう．この状態では引きの力があってこの力でアンクルがどてピンなどに接触する状態を維持することができる．引きがなければアンクルはどてピンに接触することが強制されず，あるいはどてピンから離れてしまい，剣先が小つばに接触するなどの状態が出現することになる．静的な運転の際はこの引きがあって，てんぷはアンクルと関係なく，自由に運動ができる．このゆえにクラブツースレバー脱進機を自由式脱進機ということができる．逆に表現すれば第二停止があってこそ，てんぷは自由な振動が維持できることになる．
引　　　き	停止状態でアンクルがどてピンに引きつけられていること．	脱進機が停止状態のとき，アンクルを第二停止状態へと引きつけておく力をいう．この力は爪石の取り付けられた角度に依存し，いわゆる引き角によって発生するように構成される．上記第二停止の項で説明したように，引きがあってアンクル竿が常にどてピンへと引きつける力があるために，てんぷは脱進機の拘束を逃れて自由に振動することができる．引きの目的はこれである．
どてあがき	第二停止量のこと．脱進機が第一停止からどてピンへぶつかって第二停止にいたるまでの爪石の停止面上での移動量をいう．	第二停止量と理解してよい．しかし語感としては第一停止から第二停止への余裕があることをいうことが多い．一般に第二停止量は少ない方が望ましいのであるが，がんぎの歯むらやほぞ

§1.6 脱進機の動作に関する用語解説

項　目	定　　義	意　　味
	あるいはこの移動量があることをいう．	がたなどで停止安全量が維持できないことは問題がある．したがって脱進機の動作を安全に行わせる第一の行うべきことが，このどてあがきをきちんと持たせることである．この意味で脱進機の安全を確保する第一の必要な事項，といえる．
半振り切り	食い合いが浅すぎて第一停止状態でがんぎの歯が爪石の停止面に乗らない状態．この状態から発生する脱進機の動作の不具合をいう．	脱進機の動作が異常になる，そのような状態の中で爪石の食い合いが浅すぎて発生する第一の不具合である．このチェックは第一停止状態での食い合いが正常に維持できているかどうかによって行うことができる．第一停止状態でがんぎを落下させたとき，がんぎの歯が爪石の衝撃面へ落下するとき，これを半振り切りというが，剣先が機能しないでアンクルが反対側へ倒れて止まりとなる事故（振り切り）に比べれば，ある程度止まりが防げるなにがしかの余裕があるともいえる．たとえばアンクルのほぞがた，あるいは落下角とアンクルの慣性により第一停止が発生せず，ほとんど第二停止状態でがんぎの歯が爪石に到着する，などの実態を考えると"半"という言葉から想像できる余裕が多少はあると考えてもよい．実際の脱進機の動作では第一停止状態は起きないと考えてもよいから，このような名前がついたのであろう．
落　下	脱進機の衝撃動作が終了してがんぎ車が反対側の爪石まで空転することをいう．	たとえば，入り爪側の衝撃動作が終了して出爪の停止面にがんぎ車の歯が落下するとき，この落下量（がんぎ車の回転角度）を落下の実態と理解する．そしてがんぎ車はこの落下によって空転した角度だけエネルギーを無駄にしてしまう．この意味では落下はできるだけ小さくしたいが，実際はがんぎ車の歯の座標がばらついて落下量もばらつく．したがって，どのがんぎ車の歯の場合も落下するように落下量（以後落下角）をある程度作らなくてはならない．この意味でこの落下角の大小は脱進機の精度を表す目安と考えてもよい．よい脱進機では落下角を少なく設計することができる．その代わり，がんぎ車の製作精度はその分だけ上げなくてはならない．
退　却	停止解除の際にがんぎ車が戻されることをいう．	がんぎ車はぜんまいの力がほどける方向へ回転する力を受けているが，停止解除の際は毎回必ずアンクルによって逆転させられている．がんぎ車の回転位置が確実に毎回戻されている．し

項　　目	定　　義	意　　味
		かもこの動作は 1 回も省略されるなどということは発生しない．常に，必ず行われているはずの動作である．この退却があるのは引き角が存在するからであり，引き角がなければこの退却も発生しない．この意味で退却は引きの存在をも意味する．引きの発生する理由でもある．てんぷを自由に振動させるための代償として大変大きなものといえるであろう．
ジャンプ	停止解除を終了して衝撃動作に入る際，がんぎ車がただちに衝撃を行うことができないで，爪石の衝撃面上の途中で爪石に追いつくこと．この経過の中でがんぎ車がいわば空中に踊っている姿をいう．	停止解除中はがんぎ車は後退しているが，後退の理由，停止面との接触がなくなってもその瞬間に前進回転を行うことはできない．これは後退しつつある状態から前進する状態へと慣性を持った回転体が回転方向を反転しなければならないためである．この場合，当然のことながら回転方向を前進方向へと逆転させるときにがんぎ車にかかっているトルクとがんぎ車という回転体の慣性モーメントで構成される運動として速度が徐々に変化していくであろう．この速度が一般には遅くて爪石の衝撃面上でただちにがんぎ車が追いついて衝撃面の最初の部分で追いつくとは考えられていない．爪石の幅を 10 とすれば，1 や 2 程度では追いつかずに 3 あるいは 4 あたりでやっとがんぎの歯が追いつくと理解されている．当然のことながら脱進機効率を悪くし，また脱進機誤差をも大きくさせる理由ともなる．ここでの決め手はがんぎ車の慣性モーメントである．がんぎ車が軽いほど，このジャンプは少なくなる．がんぎ車の材料にカーボンなど，今までの金属材料に変えて軽い材料が検討されるわけである．
押し上げ角	停止解除のためにアンクルが回転した角度（停止解除角度）と衝撃のためにアンクルが回転する角度（衝撃角度）の和．	第二停止状態から停止解除・衝撃を終了するまでに，アンクルが動かされる角度であるから，これはがんぎ車によってアンクルが継続的に強制的に動かされる角度，ということができる．つねにがんぎ車によって押し上げられた角度であるからこのような名前がついたのであろう．これに対して押し上げられないでアンクルの回転する角度とは第一停止状態から第二停止状態までの回転角度である．通常の運転では，この間はがんぎ車からの力と関係なく，自分の慣性で回転していると見ることができる．つまりアンクルの回転角度のうち，がんぎ車からのトルクによって強制的に動かされる角度と，アンク

項　　目	定　　義	意　　味
		ルの回転エネルギーによっていわば自主的に回転する角度との違いを意識させる表現ともいえるであろう．またてんぷの停止解除からの角度であるから，押し上げ角が大きければ大きいほど，てんぷをも拘束している角度が大きい，ということでもある．さらに押し上げ角のうち，衝撃角はいわば爪石幅とがんぎの衝撃面で決まるのであるから，停止解除に要する角度が残りとなり，押し上げ角が小さいほど脱進機効率や脱進機誤差を良くすることになる．
停 止 安 全 量	爪石の停止面上でのがんぎ歯のロッキングコーナーと爪石のロッキングコーナーとの距離を停止量といい，剣先，くわがた，あるいは箱先あがきなどを故意になくすようにアンクルを動かした際に，爪石の停止面上に残される停止量をいう．	アンクルの回転角度をわざわざあがきをなくす方向へ動かして爪石の停止面上で見た停止量であるから，これらの安全作用要素による安全作用が実際に行われる際に，いかに脱進機が安全に動作し続けるかどうかを知る目安となる．がんぎの歯の位置のばらつきなどは当然このような安全量をばらつかせる．脱進機の組み立て調整の際に確認しなければならないものの一つであり，いかに安全作用が確実に行われるかの目安である．
箱 先 あ が き	振り石と箱が接触して駆動を行う経過の中で，駆動を行っていない反対側の振り石端部のRが，相対する箱先と協働して作るあがきをいう．	定義に述べたあがきは衝撃を開始するごく一部の期間で有効となり，外部の振動や衝撃によって定義のあがきがなくなる方向に力を受けたとき，そのあがきの分のみしかアンクルの回転を許さない．その結果，脱進機の動作状態に異常を起こさせないようになっている．名称そのものはあがきの存在を述べているが，このあがきによって行われる安全作用全体をもこの名称「箱先あがき」でいうことが多い．箱先あがきは振り石が完全に箱の中に入って，どちらの側も箱と振り石の側面で対峙する状況（箱あがきが有効な状態）からわずかにずれて，振り石端部のRの部分が箱先と相対して示すあがきである．これが出現するアンクルの動作角度はわずか（てんぷの回転角度で5°以内）であるが，くわがたと振り石とで行う安全作用がなくなってしまう振動中心寄りの角度の領域で，駆動を行っていない，反対側の箱先が振り石端部のR部分とで構成するわずかなあがきが，脱進機の動作を乱させない効果を生む．脱進機の安全作用がてんぷとアンクルの回転角度のどんな範囲でも確実に行われることが必要であり，たとえ担当する角度範囲がわずかであっても，確実に

項　　目	定　　義	意　　味
		安全作用が保証される一領域として、箱先あがきはなくてはならないものの一つである．
くわがたあがき	停止状態（第一停止，または第二停止）からくわがたが振り石側面と接触するまでアンクルが回転する角度，または爪石停止面上で観察できる移動距離．	第一停止からの回転角度を真のくわがたあがき，第二停止からの回転角度を見かけのくわがたあがきという．くわがたは振り石とは通常は接触しないで，ただ向き合ってお互い回転していくのであるが，外部からの振動衝撃を受けてこの両者が接触しても脱進機としての動作が乱されないようになっていなくてはならない．したがってこの両者が接触するまでの回転角度は爪石側の動作状態を変えない程度になっていなくてはならない．すなわち，くわがたを振り石に接触させたときに爪石の停止面上で残される食い合い量（これを停止安全量という）が存在していることを確認しなくてはならない．くわがたあがきが正常に動作することを確認するためには以上のことを確認する．また，くわがたと接触する振り石の部分とは端部のＲの部分と振り石の平面部分のどちらかであるが，ほとんどの回転範囲で端部のＲの部分である．停止解除を始めるあたりは振り石進行方向の逆側の端部のＲ，衝撃を開始してからは振り石進行方向側のＲの部分がくわがたと接触してアンクルに余計な回転をさせない．このあがき量はそのように外部振動衝撃時であっても振り石が確実にくわがた内部へ入れるように剣先あがきより大きくなければならない．
剣先あがき	剣先と小つばとが接触するまでアンクルを動かしたとき，回転する角度，または爪石の停止面上で観察できる移動距離．	脱進機が動作を終了しててんぷが自由に振動する範囲では剣先は小つばの外周と相対している．その距離をアンクルの回転角度で表現して，あるいは爪石の停止面上で観察して剣先あがきという．またその状態，小つばと剣先とが接触した状態で爪石の停止面上に残された食い合い量を剣先あがき停止安全量という．これがもちろん存在しなければならない．なくなってしまってがんぎ歯先が衝撃面上に落ちてしまう，などということがあってはならない．なお剣先と小つばが接触するまでの回転角度は第二停止状態からだけでなく，第一停止状態からも観察することが望ましい．この場合の移動距離を真の剣先あがき，第二停止状態からの移動距離を見かけの剣先あがきという．どちらもすぐ隣のくわがたあがきより大きくてはならない．てんぷの

項　　目	定　　義	意　　味
		振動する角度の範囲のほとんどはこの剣先と小つばが働いているのであるから，脱進機の安全作用の実際の効果的な部分は実は剣先あがきである．これが正常であれば脱進機はほとんど安全であるが，クラブツースレバー脱進機がこうして長く使われた理由はすべての範囲で100%の安全作用が保証されているゆえであるということは，銘記すべき点である．

§1.7　動作線図の見方

　本節では「がんぎ・アンクル動作線図」と「アンクル・てんぷ動作線図」という2つの図を中心に，アンクルの入り爪・出爪の状態を見ていく．それぞれが各動作においてどんな状態になるのか，安全作用との関係は，また爪石の衝撃面交替時についても詳細な解説を加えた．

1.7.1　脱進機の動作全体の図示

　脱進機の動作は「がんぎ車とアンクルの動作」，「アンクルとてんぷの動作」という2つの場面が理解できればよい．**図 1.77A** と**図 1.77B** がそれである（口絵にカラーで掲載．以降色の記載は口絵を参照）．ここには**停止解除・衝撃・落下・停止**の詳細な名称，関連副図番号などを記入してある．図にはたくさんの書き込みがあり，初めて目にする読者の方には理解しにくいかもしれないが，もしこの図を座右においてその意味するところを熟知するようになったときは，動作の詳細[43]がより深く理解できるだけでなく，いかにクラブツースレバー脱進機が優れた脱進機であるかがわかるであろ

---

43) 図 1.77A は次のように理解してほしい．
　1. 大きな活字で停止解除・衝撃・落下・停止とある．がんぎ車とアンクルの動作はこの順序で行われる．
　2. 停止解除は赤色で示され，副図①から副図③にその詳細が示される．赤矢印は斜め左下方向を向いている．つまり，がんぎ車の回転は戻る方向，その大きさは①と③の横座標の差であるから，約1°，これだけ逆転する．また①と③の縦座標の差は3°，停止解除でアンクルの進行する角度は3°あることがわかる．
　3. 赤の矢印と青の矢印との向きが違う．③の時点でがんぎ車の回転方向が戻る方向から進む方向へ反転しなくてはならないが，がんぎ車の慣性モーメントが邪魔になり，瞬時には行われない．③から④へは点線で示したジャンプが発生する．
　4. 衝撃は2つに分かれる．青色が爪石衝撃面衝撃，緑色ががんぎ衝撃面衝撃を表す．この青と緑の大きな矢印の向きが少し異なる．がんぎ車の回転が緑の方が速い．このことによって⑥の時点でがんぎ車の歯が爪石から離れてしまう．ここでもジャンプが発生する可能性がある．
　5. ⑦でがんぎ車は爪石から離れる．負荷がなくなるのであるから，がんぎ車は急に速度を上げて回転していく．これを落下といい，がんぎ車の歯は（アンクル，てんぷが回転しないとして）⑧に至る．⑧では爪石の停止面に衝突して停止するはずである．副図⑧に示したようにこれを第一停止という．しかしこれはてんぷもアンクルも⑦の状態のまま，がんぎ車のみ回転させた仮想の状態であって，実際はそのような状態は発生しないのであるが，図 1.77B に示すように，この動作の途中で外部から衝撃があっても箱先あがきによってアンクルは余計な運動ができない．
　6. 図 1.77B の⑦から⑨は一直線で示されているが，図 1.77A では点線で示され，⑦→⑧→⑨と経過するのではなく点線上で⑦→⑨へと直接進んでいく．この場合を通常と理解した方がよい．なお，この経過する部分は実際の脱進機の整備状況によって一様ではなく，⑧に近いところへ着地するとか，ほとんどまっすぐ⑨へ向かっていくなど，さまざまである．
　7. 停止は⑨の地点で長く経過する．①から⑨までの脱進機の動作時間は，たとえば5振動で270°振っているとすればその経過時間は 15 ms 程度であり，⑨に留まって停止する時間は 190 ms 程度と長い間のものになる．図 1.77B で脱進機の動作は①から⑨までであり，拘束される角度は図 1.77B で 52°，この間はほぼ等速で経過すると理解してよい．

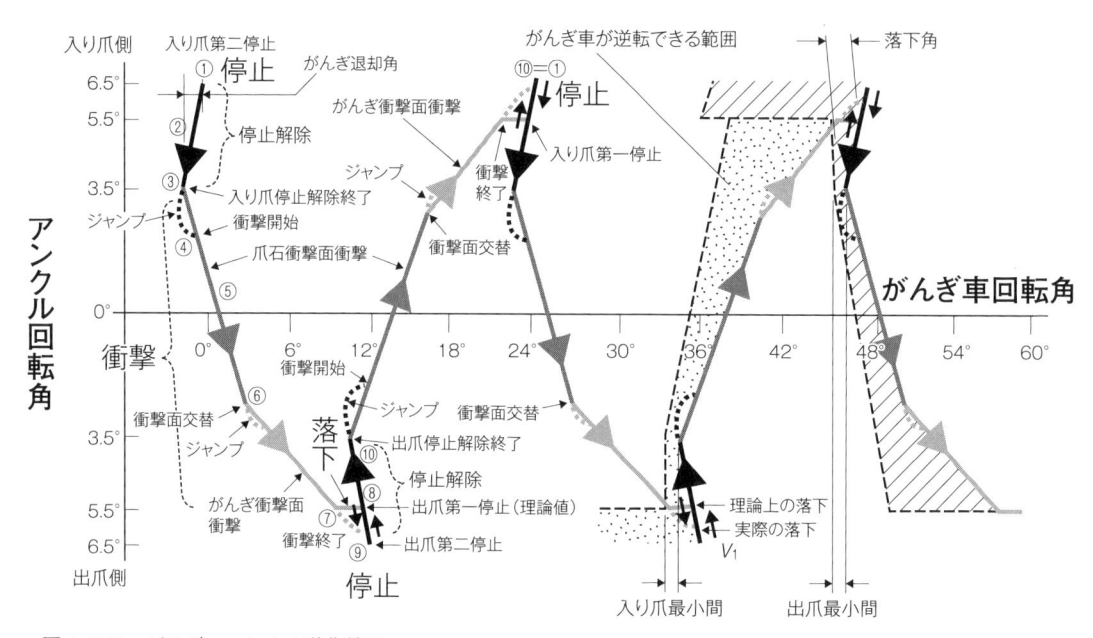

図 1.77A がんぎ・アンクル動作線図
太い実線がアンクルとがんぎの回転状況を示す（大きな矢印のように進む）．①から③が停止解除，青，緑が衝撃，落下部分も緑，ただし細い実線が理論上の停止，点線が実際の落下．

う[44]．図1.77Bでわかるように，てんぷ回転角度のすべての範囲で安全作用が有効であることが明瞭である．まずはこれだけでも理解しておいてほしい．

1.7.2 がんぎ車とアンクルの動作

図1.77A（口絵1）はがんぎ車の回転角度を横軸に，アンクルの回転角度を縦軸にとって表示した折れ線グラフである．がんぎ車，アンクルの動作はこの折れ線の左端①からスタートして右の方へ進む．矢印の下向きが入り爪側の動作，上向きの部分が出爪側の動作となる．以下は①から⑨までの入り爪側の動作についての説明である．**図1.77B**はアンクルとてんぷとの動作の説明図で，関連した事項にも触れていこう．

まず図1.77Aで①の座標点が，**入り爪側第二停止**の状態であり，これから**停止解除**が始まる．副図①の状態である．図1.77Aの①は図1.77Bの①にも対応している．図1.77Bでは①'から①へ動作が進行し，図1.77Aの①に至る．①'から①までは振り石だけが回転するから図1.77Aには変化がない．これが停止という状態である[45]．

図1.77A（口絵）では大きな赤矢印のようにがんぎ車とアンクルとの両方が関係しながら回転していく．入り爪側の動作全体が①から⑨までであって，それぞれの状態の名称をつけた．またがんぎ車，アンクルと振り石の実際の姿は副図①から副図⑨までにそれぞれ示した．副図①〜⑨はそれぞれの瞬

---

[44] 「優れた」とは携帯時計の現在までの脱進機の主流であるという意味であって，将来的にも理想的であるとは筆者は考えない．脱進機効率はたかだか40％程度であるし，また，脱進機誤差があり，これが原因で機械時計の精度の限界を作っているからである．

[45] この停止の状態から外部衝撃を受けて，アンクルが図1.77Bの紫の領域へと動いたときは爪石の食い合い量は変化する．そのことは図1.77Aでは触れていない．衝撃を受けても図1.77Aでの①から③までの直線上のどこかに存在しているはずである．もちろん衝撃がなくなれば①へ戻る．

§1.7 動作線図の見方

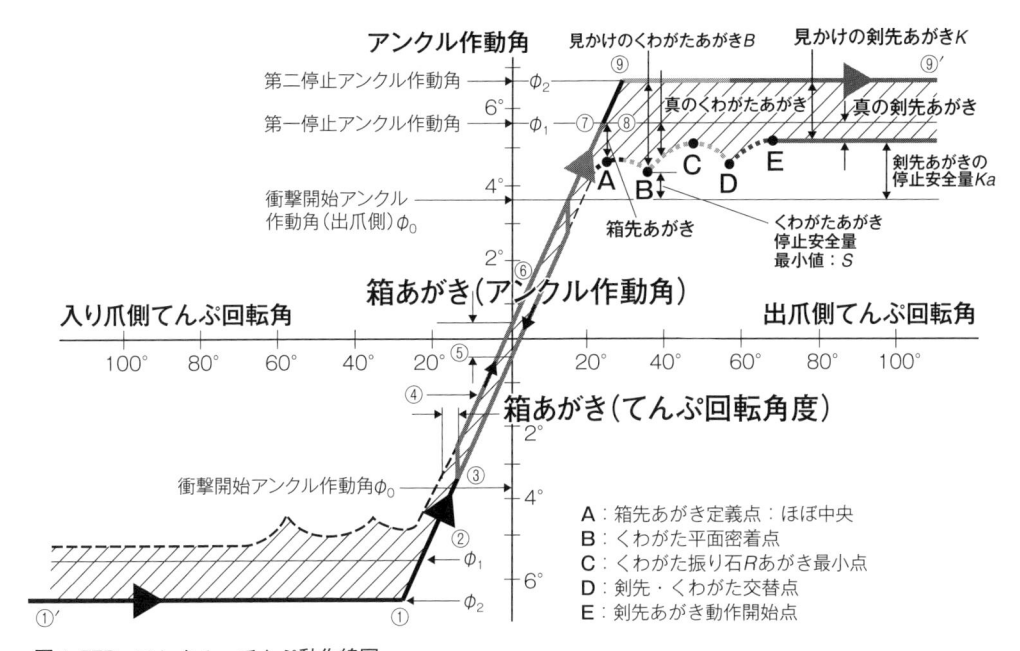

図 1.77B　アンクル・てんぷ動作線図
横軸にはてんぷの回転角度をとり，縦軸は図 1.77A と同様にアンクル回転角を示す．動作全体は大きな矢印に沿って行われる．この図では安全作用が ABCDE（箱先，くわがた，剣先あがき）としてそのすべてが示される．ABCDE の各状態も図示した．

A：箱先あがき定義点：ほぼ中央
B：くわがた平面密着点
C：くわがた振り石 R あがき最小点
D：剣先・くわがた交替点
E：剣先あがき動作開始点

間での状態を示すのに対して，図 1.77A, 図 1.77B は脱進機の動作の全体を 1 枚のグラフで示すから，時間的に連続した状態として集約されている．この図 1.77A を**がんぎ・アンクル動作線図**，図 1.77B を**アンクル・てんぷ動作線図**と名づけよう．以下は図 1.77A から導かれる理解である．

• 後退・引き

図 1.77A, ①から③までは**停止解除**である．赤矢印は左下へ向いているから進行につれてがんぎ車は後退[46]をする．なぜ後退するのか，その構造を副図①に示す[47]．がんぎ歯先のロッキングコーナーとがんぎ車中心とを結ぶ線 gg は，**爪石のロッキングコーナー**とがんぎ車中心とを結ぶ線 $g'g'$ より Δg だけ前進している．つまりがんぎ歯と爪石との接触地点が爪石のロッキングコーナーに近づけば（停止解除が進行すれば），がんぎ車は Δg だけ**後退**しなくてはならない．そうなるように爪石の停止面の角度を設計してある．これで**引き**が発生する．Δg だけ，がんぎ車は後退して①から③へ移動する．図 1.77A 上では，この矢印の勾配が正確な引きの強さを表している．

• ジャンプ

③でグラフは折れ，赤の線は左下向きから右下向になる．つまりがんぎ車は逆転から正転へと変化しなくてはならないが，がんぎ車には慣性があり[48]，瞬間にはその速度が変更できない．爪石の方

---

[46] 後退する角度は約 1°．一方アンクルはその後退区間，停止解除区間で約 3° 前進回転する．アンクルとがんぎ車の回転速度比はしたがって，3:1 である．①から③の矢印の勾配は左下向きに勾配 3 となっている．

[47] 副図①で爪石の停止面とがんぎ車のロッキングコーナーの接触点と爪石のロッキングコーナーとの引き出し線，その間隔 Δg ががんぎ車の回転中心から臨んだ角度である．

[48] がんぎ車を回転体として眺めたとき，その慣性，回転のしにくさを慣性モーメントという．これが小さければ小さいほど，かかった力に対応して回転する．逆転させられているがんぎ車が正転へ移ろうというときはこの慣性モーメントが小さいほど速く対応できることになる．

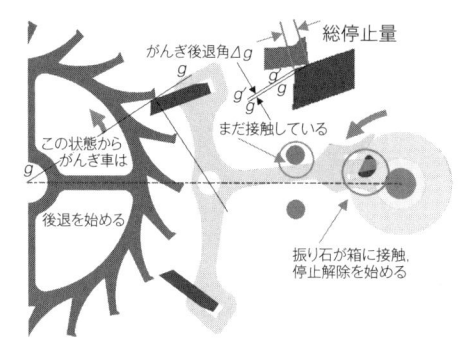

副図① 入り爪第二停止：解除の開始.

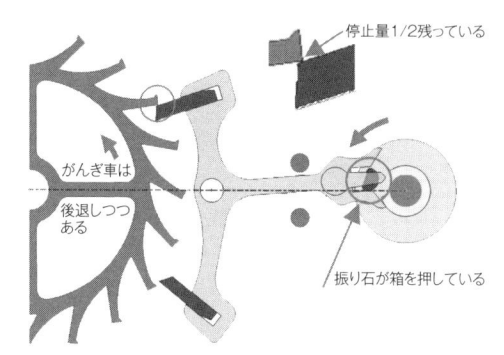

副図② 停止解除途中：約半分解除状態.

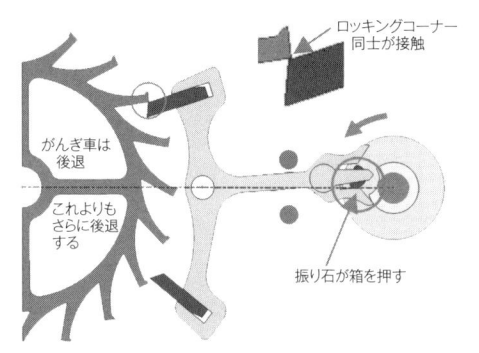

副図③ 入り爪停止解除終了

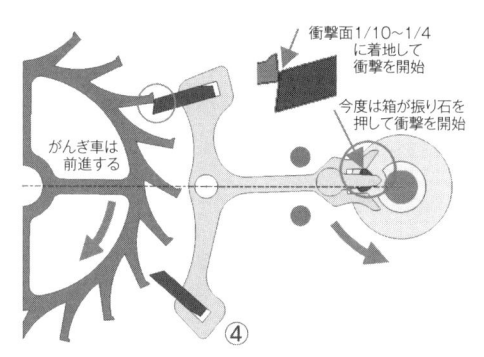

副図④ 実際の爪石衝撃面衝撃の開始：がんぎ歯先がジャンプして爪石衝撃面に着地した瞬間.

はまったく速度を変化せずに動いていってしまっているからそれに追いつくまではがんぎ歯先はいわば空中を飛んでいって追いつくのである．それを③から④までの点線[49]で示した．

・衝撃面交替時のジャンプ

この部分を今まで正確に示していた参考書はあまりなかったであろう．③から⑥への青矢印の方向，つまり爪石衝撃面衝撃でのがんぎ車のスピードと，緑の矢印の方向，⑥から⑦で示されるがんぎ衝撃面衝撃でのがんぎ車のスピードは違う．後者の方が速い．がんぎ車のスピードがさらに増加しなくてはならない．ここでもがんぎ歯先は爪石に追いつかなくなる．それで若干浮いてしまい，ジャンプが発生するのである．この部分の実際の状況は刻音の観察から，ジャンプが発生する場合としない場合があることが知られている．これは脱進機の各部品が完全剛体として動作しているのではなく，どこかに弾性的な動きがあるからであろう．衝撃開始時③のときは逆転から正転への変化であったのに対して，⑥では正転同士でがんぎ車がスピードを上げる場合であるからジャンプ発生はより少なくなる．

・衝撃の全体像

以上に説明したように衝撃は爪石の衝撃面をがんぎ歯のロッキングコーナーがすべる場合④～⑥

---

[49] もっともこの点線の方向は最初は①から③への方向に等しく，次第に右側へと方向を変えていく．図 1.77A にはこれを比較的正確に描いておいた．一部の教科書などではこの点線のジャンプに相当する部分が誇張されて示されていることがあり，正確なジャンプ状態がどのようなものかは理解できなかった．しかし図 1.77A では正確に描いてあり，ジャンプといってもその飛び上がる状態はわずかであることがこの図から想定されるはずである．また，この状況を目で確かめたいが，速すぎて肉眼ではまったく不可能である．高速度カメラで工夫すれば見ることができるが，ジャンプの時間の長さは約 1 ms 程度である．

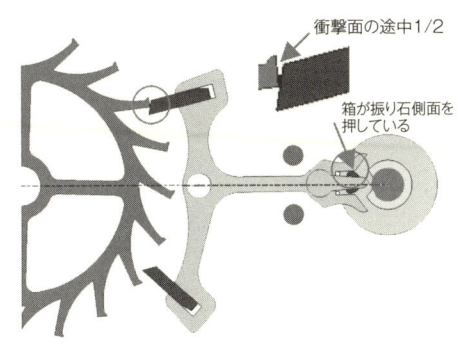

§1.7 動作線図の見方

副図⑤ 爪石衝撃面衝撃の途中
- 衝撃面の途中1/2
- 箱が振り石側面を押している

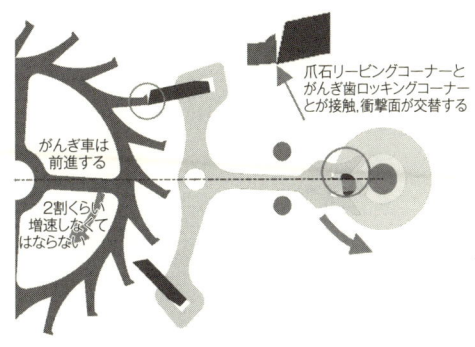

副図⑥ 衝撃面の交替
- 爪石リービングコーナーとがんぎ歯ロッキングコーナーとが接触，衝撃面が交替する
- がんぎ車は前進する
- 2割くらい増速しなくてはならない

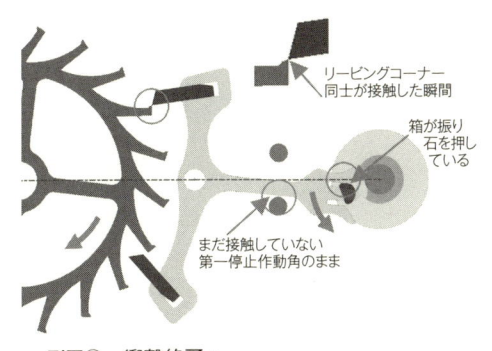

副図⑦ 衝撃終了：まだリービングコーナー同士が接触している状態．
- リービングコーナー同士が接触した瞬間
- 箱が振り石を押している
- まだ接触していない
- 第一停止作動角のまま

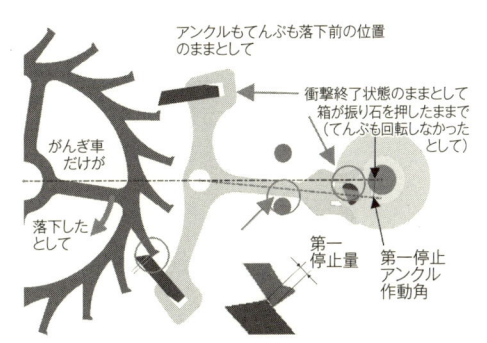

副図⑧ 出爪第一停止（理論上の状態）：がんぎ車のみ落下させた．アンクル，てんぷは⑦から回転していない状態のまま．
- アンクルもてんぷも落下前の位置のままとして
- 衝撃終了状態のままとして箱が振り石を押したままで（てんぷも回転しなかったとして）
- がんぎ車だけが
- 落下したとして
- 第一停止量
- 第一停止アンクル作動角

（青）と，がんぎ歯の衝撃面上を爪石のリービングコーナーがすべる場合⑥〜⑦（緑）とに分かれた．前者を**爪石衝撃面衝撃**，後者を**がんぎ衝撃面衝撃**という．**図 1.77A** ではさらにがんぎ・アンクルの速度の様子が示されている点に注意しよう．⑥の点でさらに右向きに勾配が変化して，がんぎ車のスピードが増加しなくてはならないことを意味した．それで点線で示すようにジャンプすることを説明した．衝撃の終了は⑦であり，副図⑦に示すようにがんぎ歯とアンクルのリービングコーナー同士が接触している瞬間である．⑦を**衝撃終了**という．以上が入り爪による衝撃であるが，出爪による衝撃もまたまったく同様である．出爪側の動作の説明は省略するが，図 1.77A では⑨からスタートして⑩まで，矢印はすべて上向きになる．入り爪側動作と同じ経過を踏む．以上が繰り返される．

• 第一停止

衝撃の終了⑦から⑧への移行は図 1.77A では水平に移動するよう描かれているが，もしそうだとすればアンクルの回転（縦座標の変化）なしにがんぎ車だけが回転するということになるから，それは通常はありえない[50]．衝撃終了時点ではアンクルは動き続けていたのであるから．しかし，副図⑧

---

[50] アンクルが衝撃終了直後からほとんど動かないほど，よごれやきしみなどで動きにくくなっているという修理の実際を想像してみよう．終了後はアンクルを動かすものは自分の慣性エネルギーだけである．その力は弱い．がんぎ車から力はまだ及んでいない．そのときはアンクルの回転速度はすぐ遅くなってしまい，途中でがんぎ車の歯が爪石の停止面にぶつかってきて，そこから一緒になって第二停止⑨へ到達する，ということもあるわけである．爪石の停止面にがんぎ車の歯が到達したときからは回転速度は違う．速い．がんぎ車からの強い力で強制的に動かされる．ほぼ⑧から⑨までの直線上を移動して⑨（第二停止）に至るはずである．この様子は刻音を観察すると結構よくわかるのであるが，修理場面で刻音の利用が現在あまり行われていない．刻音の見える測定器が普及するとこのあたりの分析が発展するであろう．

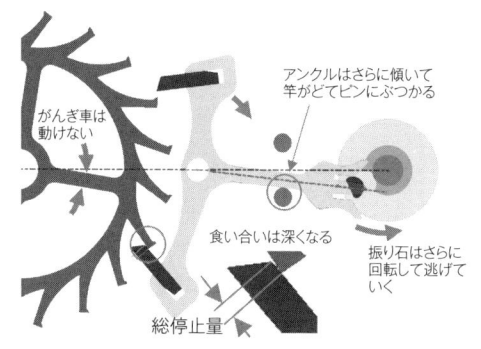

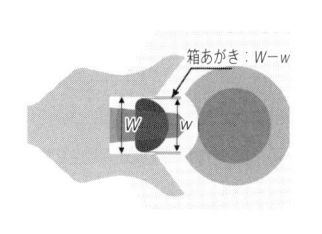

副図⑨ 出爪第二停止：実際は⑦からこの状態へジャンプしてくる．図1.77A点線経由．

副図⑩ 箱あがき：$W-w=\varDelta w$ は必要だが，それだけ脱進機効率は下がる．

でわかるように⑧は第一停止として知られる．図中にも書いたが，これは理論上の第一停止であって，衝撃終了⑦の状態のまま，がんぎ車のみ回転させて反対側の爪石の停止面に衝突，接触させた状態である．このがんぎ車が動いた回転角度を**落下角**[51]，動くこと自体は**落下**という．この落下の大きさが実際に点検可能なことはご存じであろう．てんぷを手で静止させながらわずかずつ回転させて衝撃過程を経過させ，最後に落下させる．そしてその落下したときの爪石の停止面上での食い合い量：**第一停止量**（副図⑧参照）を確認することが正常な，もっともやりやすい確認である．このやり方がいわば誰でもやれる爪石の食い合い状況の確認である．この意味で第一停止は脱進機の基本的な重要な点検事項である．脱進機の実際の動作には発生しない状態を使って脱進機の基本的な点検をするわけである．

1.7.3 アンクルとてんぷの動作

• 停止

さて，脱進機の動作の残りの半面，**図1.77B**（口絵2）アンクル・てんぷ動作線図を見よう．この図も左から右へ動作が行われていく．赤線①′から①までは，てんぷ振り石だけが回転し，アンクルは回転しない．入り爪側にアンクルは倒れたままの状態なので，停止状態である．①からは停止解除が始まる．しかしこの状態で脱進機の動作として重要なことは安全作用が働くこと，ABCDEの領域があること，つまりすべてのてんぷの回転領域で安全作用が有効であることである．

• 停止解除，箱あがき

まず振り石が箱の中に入って箱を動かし始める．図1.77Bでは赤色の矢印①から③まで，アンクルの動作角度では ϕ_2 から ϕ_1 を過ぎて**衝撃開始角度** ϕ_0 までが停止解除である．ここは図1.77Aとまったく同様で，詳細図は副図①から副図③にある．図1.77Bの③では太い線は垂直に立ち上がり，2本の青い斜め線のうちの上側の太い線へと移動する．③での2つの斜線の縦方向の距離，この遊び部分

---

[51] 落下角は落下した停止状態が第一停止か第二停止か，で大きさが異なる．図1.77Aには第一停止までの落下を落下と書いてあるが，実際は第二停止までの落下を観察することになる．ここで観察とは爪石停止面上でのがんぎ歯のロッキングコーナーの移動量で測る．つまり第二停止量の分だけ大きい落下を通常は観察しているのである．第二停止量は振り込みあがきともいって，たとえばどてピンで「二停」が決まる場合はどてピン次第であがきはどうにでもなってしまう．落下角は第二停止までなら約 2° である．つまりこのうちの 20′ は振り込みあがき，第二停止量である．図1.77Bで説明すると第一アンクル作動角 ϕ_1 と第二停止アンクル作動角 ϕ_2 の差，これは通常アンクル作動角で 1〜1.5°である．図1.77Aでは⑦と⑧の横座標の距離が正確な増加量，すなわち第一停止から第二停止までに増加するがんぎ歯の落下角度である．

§1.7 動作線図の見方　　41

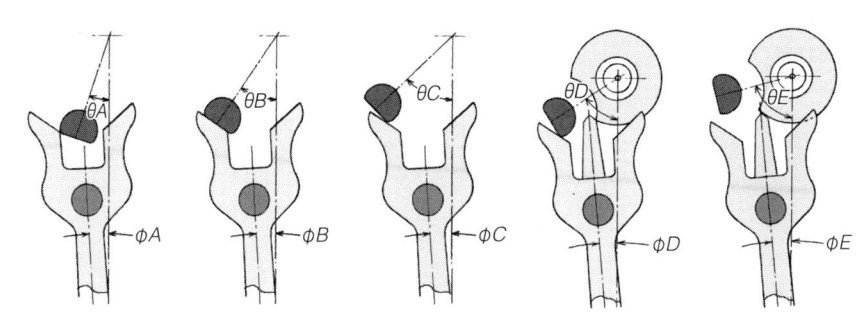

図 1.78 てんぷ回転角と各安全作用
A：箱先あがき，B：くわがたあがき大，C：くわがたあがき小，D：くわがた–剣先交替，E：剣先あがき
アンクルの回転が許された角度は，てんぷの位置によって増減する．

が**箱あがき**である．③までは振り石が箱を押していたのに対して，③から今度は箱が振り石を押す．副図④にも説明した．**図 1.77B** で縦方向に動いた分だけ，無駄になったのである．図の中央付近では青色の線，上行きは上側の太い線，下行きは下側の細い線，これに沿って衝撃が行われる．この2本の線の間隔，縦方向距離は**アンクル作動角で見た箱あがき量**，横方向で見た距離が**てんぷ（振り石）回転角度でみた箱あがき量**（副図⑩の $W-w$ 相当）となる．この箱あがきは必要なものではあるが，あがき分だけ毎回つねにエネルギーを損失しているのである．

・**安全作用**

図 1.77B で ABCDE をつなぐ曲線を ABCDE 曲線とここでは仮称しておこう．アンクルは引きによってつねに⑨～⑨′に落ち着いているのであるが，探り棒でアンクルを中心へ倒したときに戻る位置，それがこの ABCDE 曲線で表されている．そしてそれを決める部分が，剣先・くわがた・箱先である．紫は**剣先あがき**（剣先と小つばが接触するまでのアンクルの動ける領域），緑はくわがたと振り石が接触して行う**くわがたあがき**，橙色は箱先と振り石が行う**箱先あがき**の領域として示されている．まず剣先は副図⑪-1のように剣先が小つばにあたるところまで動く．これは第二停止からの見かけの剣先あがき[52]である．さらに振り石位置を図 1.77B の緑のところまで動かしてやると，くわがたあがき（副図⑫-1）をチェックできる．同様に停止解除付近まで振り石をさらに回転させてやれば箱先あがき[53]（副図⑬）を観察することができる．このようにして紫，緑，橙の領域全体を確認する．この際，ABCDE 曲線と衝撃開始の ϕ_1 の線までの距離が停止安全量，第一停止 ϕ_1 までの距離が**真のあがき量**である．見かけのあがき量は上記の真のあがき量に振り込みあがき分を加えることとなるから，真のあがきのチェックこそが正しいことを知っておこう．したがって，安全作用の確認とはこの ABCDE 曲線がきちんと ϕ_1 と ϕ_0 の平行線の間に入っているかどうかのチェックをいう．この際，あがきの大きさが振り石の位置でどう変化していくか，グラフで連続的に示されている点が図

---

[52] 第二停止を英語では run to the banking という．「見かけの」とはよく内容を表していると思われるが，組立調整においては一般にはこの第二停止からのあがきしか見ないのかもしれない．古い参考書では形容詞なしの「剣先あがき」と表している．

[53] 箱先あがきに関しては，佐藤政弘著『時計学教科書』（全時連技術指導委員会，1965，p.104）が参考書の中ではもっとも詳しい説明をしている．佐藤先生もいわれているとおり，箱先あがきに関する理解と点検はかなり修理技術に上達したレベルでないとできないといっている．佐藤先生自身も箱先とくわがたとの区分領域は明瞭にはされていない．本書では箱先あがきの定義を箱先と振り石とが接触する間のみとしており，くわがたの面に接触する領域はくわがたあがきと定義している．1999年発行の WOSTEP 教科書にはこのあたりに関しては正確な表現はほとんど何もない．一般的な修理技術上の原則「あがき量が箱先<剣先<くわがたであることを確認せよ」と述べているだけである．

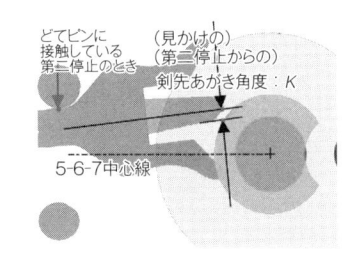

副図⑪-1 剣先あがき：この図では第二停止からの見かけのあがき．

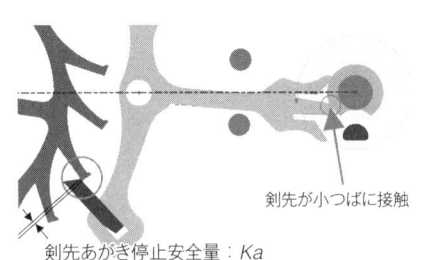

副図⑪-2 剣先あがき停止安全量

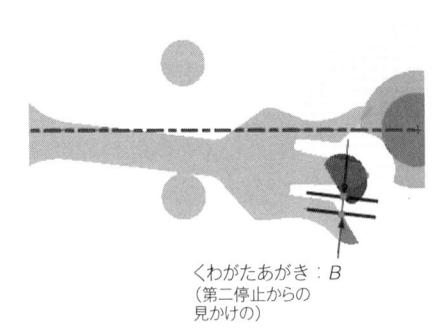

副図⑫-1 くわがたあがき：この図では第二停止からの見かけのあがき．

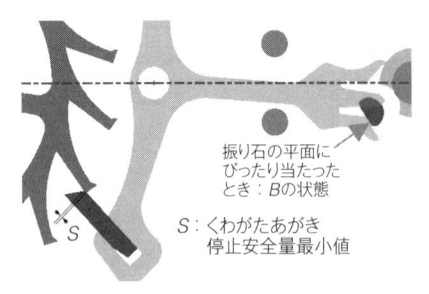

副図⑫-2 くわがたあがき停止安全量最小値：図1.77BにもSと記載してある．

1.77Bの特徴である．たとえば**図1.77B**でBと書かれているあたりは振り石の平面がくわがたとぴったり接触するところ（副図⑫-2）であり，ここがもっともあがき量Bが大きくなり，**停止安全量**S（副図⑫-2参照）が最小となる．

• 剣先あがきとくわがたあがき

副図⑭は剣先が小つばに接触した状態で，振り石がくわがたにぶつからないで箱の方へ入っていく様子を示した．この状態が達成できていなければならない．このためには剣先あがきKがくわがたあがきBよりも必ず小さくなければならない．$B>K$であることを確認することが必要である．なお，これらのあがきの入り爪側，出爪側の違いに注意しよう．中心出しが偏っているとこれらの剣先，くわがた，箱あがきが入り爪側と出爪側で偏ってしまう．

• 爪の出し入れと安全作用

最近，爪石の食い合いを極端に少なくして振りを上げようとする調整の仕方が高級品で流行っているようであるが，剣先あがきなどの安全作用との関係を次のように知っていなくてはならない．図1.77Bにおける安全作用を意味するABCDE曲線の位置（縦座標）は爪の出し入れをしても変わらない．上に述べたように，爪石の食い合いを浅くすると，**衝撃開始角度**が前進し，つまりϕ_0の値が大きくなり，逆に第一停止ϕ_1の値が小さくなる．**図1.77B**の中で縦座標ϕ_0とϕ_1の距離が小さくなっていく．したがってABCDE曲線をこのϕ_0とϕ_1の間に入れることが難しくなっていく．これに対してABCDE曲線の最小値と最大値との差は小さくはならない．この意味で爪石の食い合いを減らすことには限度がある．さらにここへ中心出しの問題が加わる．入り爪と出爪で食い合いのバランスがとれていないと，この振り石側のあがきがアンバランスになっているのに気づかないままとなり，実際の時計の携帯時の動作では問題が起きる．歩度が不安定になるとか，極端な遅れが発生する，などを引き起こすことになる．

1.7.4 脱進機の動作の今回の見方

図1.77A，図1.77Bは欧米の資料から引用したものではなく，約40年ほど前に日本の時計設計者が独創したものであり，ここにはどこまでも正確に理解しようという不屈の精神が息づいていることを知ってほしかった．特に安

全作用の部分には欧米には見られない精密さが感じられる．図 1.77A，図 1.77B には関係部品の動きを連続的に眺めて問題がないか，チェックする方法がここには提案されているのである．この方法で脱進機[54]の問題点を正確に理解することができ，今後の新しい脱進機に対しても正しい評価・分析ができるのである．なお，本節では脱進機の動的な動作については③と⑥でのジャンプに言及しただけであるが，エネルギーの授受という面ではさらに検討すべき部分がある．

§1.8 安全作用と時計の信頼性

現在，**クラブツースレバー脱進機**が機械式時計の脱進機としてもっとも広く採用されている．その理由は安全作用の信頼性が他の脱進機に比べて群を抜いているからである．では，この性質はいったいどこに起因しているのか．クラブツースレバーとともに，アナログクオーツの脱進機（ステップモーター）を見ながらそれぞれの特質を解説する．時計の歴史は脱進機の進化の歴史といわれる所以がここにあった．

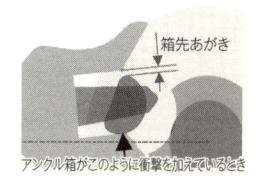

副図⑬　箱先あがき：この領域はきわめて狭いが，なおそのわずかな領域にも安全作用を準備した点がすばらしい．

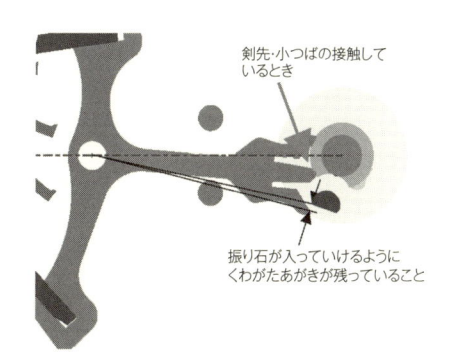

副図⑭　くわがたあがきと剣先あがき：くわがたあがきが剣先あがきよりも大きくなっていなければならない．

1.8.1 脱進機の歴史が時計の歴史

ここでは安全作用の重要性を論じてみよう．この完璧な安全作用のある時計はイギリス人によって発明された．

現在の携帯時計のほとんどにクラブツースレバー脱進機が搭載されている．このクラブツースが主流となってどのくらいの時間が経過しただろうか．ご存じのとおり，すでに 200 年[55]を超えている．クラブツースレバー脱進機一色といってもいい．最近，同軸脱進機が実用に供されるようになった．しかし**同軸脱進機**も安全作用の機構はクラブツースレバー脱進機と同じなのである．なぜクラブツースレバーなのか，このあたりをまず論じてみよう．

結論は上にも述べたとおり，クラブツースレバー脱進機はその安全作用の信頼性が抜群に優れているからである．安全作用とはすでに解説をしたとおり，脱進機の動作が外部からの振動や衝撃によって乱されないような動作をすることをいう．そのように工夫がされている．剣先と小つばが共働して，また，くわがた，箱先と振り石が共働して[56]安全作用を行う．この動作を確実に行う確率がどの程

---

[54] クラブツースレバー脱進機．これが機械時計では 200 年以上君臨している．この脱進機の安全作用を果たす部品構成（剣先，くわがた，箱先）は，その他の最近の新しい脱進機にもほぼ同様に採用されている．これらの新しい脱進機にもここで述べたこうした分析と考案が当然，必要であろう．

[55] 世界で初めて作られ使われたレバー脱進機はイギリス人のトーマス・マッジによって 1754 年に発明された．それから 250 年以上が経過している．

[56] このことを簡単に「剣先あがき」「くわがたあがき」「箱先あがき」という．あがきとは距離をいうのであるが，安全作用そのものも「あがき」で表現するのは簡単で便利である．

図 1.79 かけがね脱進機
経度委員会がアーンショウのクロノメーター脱進機として出版した脱進機モデルの主要部品.

図 1.80 トーマス・アーンショウ (1749-1829)
かけがね脱進機 (図 1.79) を発明した. 同時にバイメタル切りてんぷ方式の温度補正を行った. この 2 つを備えるクロノメーターはアーンショウが始めたものである.

度か, これを信頼度という. 時計が 1 日運転されると脱進機は 86,400 回の振動数倍, たとえば 8 振動であれば, 86400 × 8 = 691200 回, 1 年では約 2 億 5,000 万回動作する. このうち, 外部衝撃によって動作が乱された, 1 回動作しそこなった, という出来事が発生するかどうか. こう考えたとき, 現在の時計の正常な品質ではそのような動作不良の回数は 1 回も発生しない, 絶無と考えてもよいだろう. このことは時計師にとっては当然達成すべきことであり, またそのようにできている, 脱進機の安全作用は確実なのだと理解しているであろう. これを信頼性という評価で眺めると, 信頼性工学では故障の頻度が目安であるから, 時計の 1 年間に動作する回数, 約 2 億 5,000 万回の中で一度も起きない. これは故障率が 2 億 5,000 万分の 1 以下という表現になる. 時計は 1 年間だけ動けばよいわけではない. 信頼性という評価メジャーで時計の一生を眺めれば, 動作不良の発生確率は 2 億 5,000 万 × 時計の生涯年数 (約 50 年), 126 億分の 1 以下といえて, それでも脱進機は動作しそこなうことがなければ, 要するに完璧なのである. このような完璧な信頼性が単純な時計師のベンチで達成できてしまう, そのようにそもそも時計構造ができている. 剣先と小つば, くわがたと振り石, 箱先と振り石, これらの部品が適当に配置され動作していれば[57], 前述のような高信頼度の動作が期待できるメカニズムなのである. そもそも時計は自分の動作不良が発生すればそれを累積して表示する仕組みになっている. いわば故障しては時計にならないから, そのようなことが発生しないように, 時計として使えるようにしたわけであり, 実際, 信頼性を年中確認しているようなものである[58].

大変くどくどと脱進機の動作の信頼性について述べたが, このようなレベルの動作が得られる機械は実はなかなかないのである[59]. 時計の場合はあまりにも単純な構造かもしれない. しかし, 時計

---

57) ここに掲げた部品だけが安全作用を行うのではない. これらの部品は安全作用を主目的とした部分である. がんぎと爪石の食い合い, どてあがき, これらがすべて協働して安全作用を達成する. たとえば食い合いを浅くしすぎたとしよう. すると, 箱先あがきが少なくなりすぎて振り石が箱先から出るときにかなりの確率で箱先と衝突し, その結果, 振り角が少なくなるという現象が起きるかもしれない. 脱進機の動作としては, これは正常ではない. 振り石まわりの設計がそのような浅い食い合いを前提とした設計となっていないのに, 浅くしすぎた例である. これも脱進機の故障ではあるが, 衝撃面停止と同様な現象として捉えられている可能性がある.

58) 脚注 57) に述べたような出来事は実際あって, この場合時計はいわば不自然な進み遅れを呈し, 時計師にとってどこが不良なのか簡単にはわからない出来事となる. この意味では時計にも明瞭な信頼性測定器となる性質が必ずしもあるとはいえない. 脱進機の動作チェックとしてはかなり難しい領域である. やさしい修理手順としてはその時計修理マニュアルにあるであろう脱進機の動作仕様, たとえば爪石の食い合い, 第一停止量, 第二停止量などを規定のものとしていく, また剣先, くわがた, 箱先各あがきに関してもその大きさが適当であるかどうか検査していくことでそうした不良を防ぐ結果となる.

59) 携帯電話の接続, という動作を考えてみよう. A さんの電話へ誰かが呼び出しをしたとして, A さんの電話が確実に応答

であっても他の脱進機では実はこうではなかった．クロノメーター脱進機を考えてみよう．

図1.81Aは，**ばね掛けがね脱進機**[60]（クロノメーター脱進機）である．ここにはばね掛けがね（デテント）といわれる部品Cがあり，これが動いてはならないときに衝撃によって動いてしまう危険がある．矢印のように外部から衝撃F

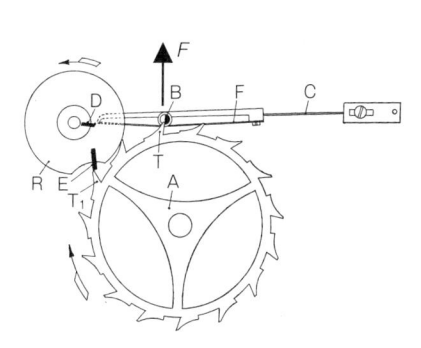

図1.81A ばね掛けがね脱進機
Fのような外部衝撃力を受けるとがんぎ車がはずれて回転してしまう．

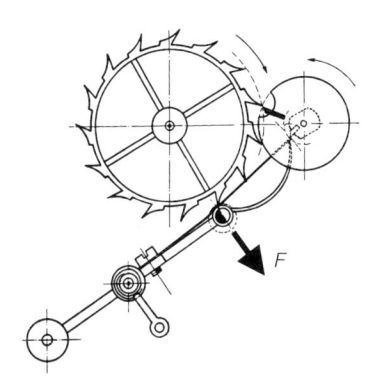

図1.81B 軸式掛けがね脱進機
これも同じで，Fの力を受けるとがんぎ車がはずれて回転してしまう．

が加わり，その衝撃によって**デテント**が一瞬上方へ動いてしまったときは，がんぎ車が勝手に回りだしてしまう．構造上，そのようなことが起こりうることは図を見ればわかると思う．掛けがねが「動いてはならないときには動けない」ようになっていないからである[61]．クラブツースレバー脱進機では停止状態，アンクルがどてピンに倒れているとき（図1.82-1）では仮に動いても剣先が小つばに当たるところまで（図1.82-1）しか動けない．それ以上は絶対に動けない．この「絶対に」ということが大変重要なのである．図1.81Aでは，もし掛けがねがはずれてしまえばがんぎ車がその間に回転してしまい，その分時計の表示は狂う．これが1回でも起きれば時計の表示はその分だけずれたままとなる．そのような出来事が何回も発生すれば狂いが累積していく．いわば故障であるから先ほどの安全作用が完全ではなかったことになる．クラブツースレバーではこのような故障がまったく起きない．アンクルは第二停止状態（図1.82-2）ではどてピンによって食い合いが深くなる方向へは動くことはできず，浅くなる方向へも小つばがあって，それ以上は動けない（図1.82-1）．小つば

して呼び出し音を発生するかどうか，これを考えよう．現在はこのような動作はもっとも確実に行われるよう，そのシステムは相当に高度な技術を使ってできあがっているが，この呼び出し最中に宇宙線が降ってきて，電話機の中の半導体集積回路にそれが命中し，それがその肝心の時刻であったため電子回路の動作がきちんと行われず，呼び出しが行われなかった，などという防ぎようのない故障を考えてみる．このような確率は1年間に1回は起こるかもしれない．また起こってもどこにもそれが発生したという証拠を残さないかもしれない．そのようなシステムにはなっていないのである．発生したらそれっきりである．発生しても発信者はもちろんそのようなことが起きたかどうかも知らないし，起きたとしても再度かけ直しをすればすむであろう．ところが時計の場合は使っている人にとっては故障によって時刻表示が狂うのであるから，必ず時計は狂ったと認識をし，そんな時計では問題になるわけである．時計の表示が狂えばその結果は累積をしていく．このように時計の場合は一度でも故障があるとそれが誰にでもわかるのである．時計自体がいわば信頼性の検出の道具，測定器の役割をする．つまり機械にとってはもっとも過酷な評価をそれ自体がするという性格を持っている．

60) イギリス人トーマス・アーンショウ（Thomas Earnshaw：1749-1829）によって発明された（**図1.80**）．
61) 掛けがねCがはずれなければならいときとは，がんぎ車の歯T_1が振り爪Eの直前に来たとき，ちょうど図1.81Aのように配置されたときだけである．他のときは掛けがねCは止め石Bががんぎの歯からはずれない程度にしか後退してはならない．はずれるべき場合はてんぷの回転位置が図1.81Aのときだけである．これを検出して，そのときだけは掛けがねが動けるようにし，そうでないときは動かさせない仕組みがこの図1.81Aにはない．この掛けがね脱進機にそのようないわば剣先があるとよいのだが．時計が静かに置かれている分にはこの脱進機は正常に動作する．この脱進機は経線儀や懐中時計（懐中の場合は静止状態とばかりはいえないが）で使われた．この脱進機は片側駆動であるからてんぷが静止したときには必ず自起動するわけではない．これが致命傷で腕時計には向かず，使われなくなった．掛けがね本体がばねでできているという点でも本文にあるとおり，振動衝撃に対する耐性に問題がある．

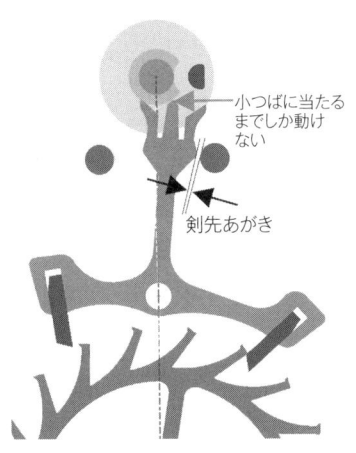

図 1.82-1 剣先あがき
剣先が小つばに当たった状態.

図 1.82-2 第二停止
剣先と小つばの間にはすきまがある.

側は**剣先あがき**があって（**図 1.82-2**），てんぷを自由に運動させている．引きがあるからで，仮に小つばに擦れる程度までアンクルが動いたとしてもすぐにアンクルをどてピン側へ引き戻す．この動作は実は携帯されているときには年中起きているかもしれない出来事なのである．いや，実際にはこの剣先による安全作用[62]の実行がつねに行われていて，それで時計の表示が狂わない結果に落ち着いていると見なくてはならない．これがクラブツースレバーを100年間以上も腕時計用の脱進機として君臨させている理由なのである．

このような堅牢な性質の原因はいったいどこにあるのか，それは安全作用関係部品がどれも剛体だからである．どの部品も剛体でできていて，どれほど大きな外部衝撃や振動を受けても安全作用関係部品のどこかが摩耗したり変形したりすることがない．その可能性がない[63]．これは時計を扱う方々にはほぼ自明であろう．剣先が曲がったとしよう．もしこのことが起きたとすればそれは分解掃除でピンセットを滑らせ変に力をかけた，アンクルを落とした，このような事情は考えられるが，時計が正常に使用されているときの外部衝撃や振動で剣先が曲がってしまうということはほとんど考えられない．起きるとすればそれは考えられないくらいの衝撃を受けたときであろう．時計をコンクリートの地面に思いっきり叩きつけたとしよう．それでも剣先は曲がらない．そんなときは他のところがとっくに壊れているであろう．このようにクラブツースレバー脱進機の**安全作用**を司る関係部品が実使用上の振動衝撃で故障することは考えられないのである．安全作用関係部品がすべて剛体であるかどうか，さらに脱進機の部品どれもが剛体であるかどうか．この評価眼が，新しい脱進機が長い期間にわたって使われる資格があるかないかを見極めることになるのではないか．これが今回の新しい提案である．

調速機そのものは，実は衝撃や振動によって振り角は大いに変動

---

[62] よく知られているように剣先による安全作用はてんぷが自由振動をしている間，5振動の時計では1振動200 msの時間のうちの約190 ms程度の時間は行われる可能性があり，くわがたや，箱先による安全作用よりもはるかに大きな確率で実行されているはずである．くわがた，箱先による安全作用は脱進機が動作している時間のみ有効になる．時間としては短い．1振動200 msの期間内でせいぜい20 msもない．わずかな時間帯であるにもかかわらず，この時間帯にもしも外部衝撃が起これば，そしてくわがた，箱先あがきが正常でなければ脱進機はたちどころにして動作しなくなり，停止を起こす．実際，時間的比率は剣先における安全作用よりもはるかに小さいにもかかわらず，これまた重要な安全作用として時計師の方々は実感されているであろう．反対にこの機構の発明としても，そのようなわずかな時間であっても故障させない工夫を組み込んだ発明者の緻密な分析と工夫が，成功への鍵となっているわけである．これが約250年前に行われていた．

[63] 時計の実用上でもっとも過酷な振動衝撃を受ける状態として考えられるのはマウンテンバイクの運転手の腕，バレーボール選手の運動中の腕，道路工事のバイブレーターを持つ腕などが考えられる．このような激しい振動，衝撃では剣先の安全作用は働きっぱなしであろう．もちろんくわがたも箱先も，どれもが確実に行われなければ時計の表示は狂うであろう．現代の時計の新製品試験の際はこのようなテストが行われている．このような過酷な試験にばね掛けがね脱進機が曝されたとすると，この掛けがねは変形してしまうであろう．ばねの上に搭載されている部品の質量がばねに対しては重そうである．この点で軸かけがね脱進機（これもクロノメーター脱進機）の方が堅牢である．

し，たまには止まることがあるかもしれない．しかし，自起動して回復してしまえば見逃してくれる．脚注59)に説明した携帯電話の接続の失敗と同様で，累積しないから許されるのである．見逃せないのは脱進機の動作不良であって，こちらは累積するのである．時計の最重要な表示そのものが狂っていく．実に時計の最重要部分は脱進機であると言い換えてもいいくらいではないだろうか．脱進機の安全作用が時計の調速という基本機能を司るサイドワーカーであった．しかもこのサイドワーカーが基本的な調速と時刻表示そのものをがっちり守るもっとも重要な部分になっている．だから脱進機の歴史が時計の歴史になるのである．

1.8.2 電子時計でも脱進機が時計の歴史

さて，このような事情は実は電子時計でもまったく同じであることを説明しよう．ここで電子時計とはアナログクオーツと理解していただこう．

アナログクオーツには脱進機はないがステップモーターがあって，これが運針をする[64]（**図1.83**）．時計が外部から振動や衝撃を受けたとき，その影響を受けないようにしっかり秒針以降の表示を安定させていなければならない．表示を安定に行わせる機能はステップモーターの**インデックストルク**[65]（**図1.85**）[66]である．

ステップモーターに駆動電流が流れていないとき，ローターの永久磁石からの磁気によってローター自身が自分の位置決めをしている．インデックストルクとはその位置決めを行っているトルクをいう．位置決めの方法はステーターとローターの間にできているすきまを上手に設計してローターが所定の方向へ位置決めされるように磁束を検討する．磁気回路設計をする．その事例を**図1.84**，図1.85に示す．図ではローターの磁極がコイルからの磁束が来る方向Jに対して45°ほどの斜めになるようにしてある．こ

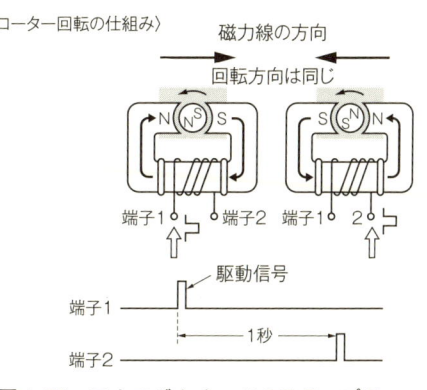

〈ローター回転の仕組み〉

図1.83 アナログクオーツのステップモーター

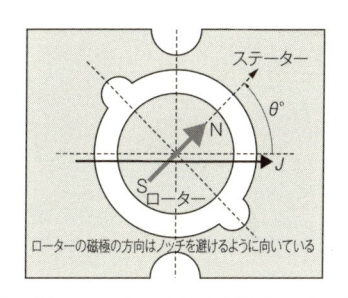

図1.84 ローターの向きが決まっている

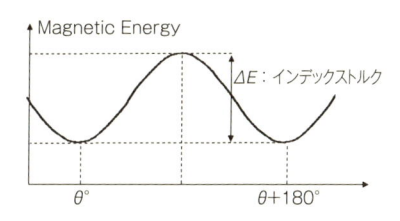

図1.85 ローターの向きを変えるには力が必要

---

64) 実はこのステップモーターに供給される電子回路波形は1回ごとに極性が反転して，それでステップモーターのローターが回転するシステムになっている．機械時計では一方向回転をするがんぎ車までの輪列から，往復運動を自分の運動スタイルとしているてんぷへと，エネルギーを供給することが脱進機の役割であった．アナログクオーツでは電気信号を反転波形としなければステップモーターを一方向回転にできない．なにか似たようなところがあるが，このあたりはさておき，ステップモーターが機械時計の脱進機でいう安全作用をしていなければならない．

65) インデックストルクとはローター軸に外部から回転トルクを与えて，ローター軸が停止している回転位置から脱落して次の位置まで回転してしまうトルクの最小値，あるいは踏ん張って停止位置を守れる最大トルクをいう．

66) 図1.83〜図1.85はセイコーインスツル提供．

うすることでコイルに電流が流れたときの回転方向が決まる．また，外部衝撃によって回転すること
は絶対起きてはならない．つまりインデックストルクはその程度に大きくなければならない．アナロ
グクオーツの開発の経過からはこのインデックストルクは常に大きすぎてモーターとしての能率を悪
くしてきた．わずかな寸法誤差によってもローターの静止位置が変動してしまうから，ステーターと
ローターとのギャップをできるだけ正確に作らなければこのインデックストルクを小さくすることは
できなかった．したがって，ステップモーターではインデックストルクは余計なお荷物であった．で
きるだけ小さくしてモーターの能率を上げたい．これが開発の経過であったが，最近は十分に小さく，
かついろいろな方法でトルクを制御したり，ローターの回転を検出できるようになった．

　ステップモーターの動作には，駆動電流がきたとき，動作が確実に行われたかどうか確認をするシ
ステムが含まれている．このシステム全体は **EAGLE**[67)] と称して，次のような動作を行う．駆動パル
スが終了した直後，ローターが回転したかどうか確認する電圧パルスがコイル（**図 1.83**）に流れ，
その結果の電流の様子からローターが回転したかどうかを確認する．もしローターが回転していない
と判断したときはふたたび駆動パルスを印荷する．そしてこのときの印荷パルスはパルス幅を広くし
てモーターの負荷トルクが大きくても回転する程度に変更してある．この検出，駆動を繰り返し行い，
ローターが回転するまで動作を繰り返し，成功すれば終了させる．そして次回も同様な作業を行うが，
何度も現在のパルスで成功するときはより少ない駆動パルスを加え，それで成功すればパルス幅を小
さくし，要するに必要最小限の電力で駆動するように自動制御を行っている．アナログクオーツの輪
列がカレンダー送りをしたりゴミなどで負荷が増えてもその分，モーターのトルクが自動的に増加し
て正常に動作させるようにするわけで，モーターの消費電流を測定すればいわばメカ側の負荷の様子
がわかることにもなる．実際，アナログクオーツの分解修理の確認にはステップモーターの消費電流
のチェックが指定されている．

　このように複雑なシステムが電子回路を含めたシステムとしてできているが，回路が動作していな
い期間はローターのインデックストルクがローターの位置決めを担っている．いわば機械時計の剣先
あがきといっていい．かくしてクラブツースレバー脱進機と同様な安全性が現在の安価なクオーツで
さえ，できあがっているのである．このために，ここ 20 年以上にわたって使われてきたアナログク
オーツの動作の信頼性はクラブツースレバー脱進機の安全作用に匹敵するものとなった．

§1.9　てんぷと振動数

　ここからは，"調速機の働き"について解説する．ここでは「てんぷ」に着目し，その構造と働き
について見ていこう．われわれが時計のスペックで何気なく目にする毎時 28,800 振動，あるいは
36,000 振動という数字はいったい何を意味するのだろうか．

1.9.1　調速機の構造と働き

　調速機とは時計の進み方を制御する部分であって，機械腕時計ではてんぷという部分である．この
てんぷが行ったり来たりするとその動きにつれて歯車が 1 回ずつ動く．つまり歯車の回転はこのてん
ぷによって制御される．てんぷは**図 1.86** のようにてんわという弾み車の中心軸（てん真）にひげぜ

---

67) Effective Assistant pulse Generation for Low Energy drive という意味でこれを駆動方式の名称とした．

んまいの内端がひげ玉を介して固定され，それによっててんわの静止位置が決められる．この回転位置を中心にして，てんわはひげぜんまいのばねの力（復元力）で，いわばブランコのように行ったり来たり，回転往復運動をする．この回転体の重心点はしっかり，その回転軸であるてん真軸上に来るようにしてあるから，てんぷがどのような姿勢になってもてんぷの振動位置は変わらない．携帯時計では時計自身が揺り動かされるから地球の重力の方向が時計の構造に対して一定ではなく，変動する．重力の方向が360°どの方向であっても振動周期が一定であるような機械的システムはこのてんぷのようなシステム以外にあるだろうか．音叉時計を想像してほしい．音叉は垂直に置かれたときと水平に置かれたとき，このような姿勢の変化によって音叉に対する重力の方向が違うからわずかではあろうが曲げられているに違いない．てんわという回転体ではその重心点をてん真軸上に持ってきてあるから，どのような姿勢であっても回転位置を一定にすることができる．長い間てんぷが機械腕時計の調速機に採用されてきた理由は，この性質によるものだろう．

そして，この振動周期が時計の進み遅れを決定する．どのくらい正確に制御すればよいか，検討してみよう．

1.9.2 てんぷに要求される振動周期の精度

時計は1日に何分あるいは何秒進む，などという．1日とは86,400秒であるから5秒進む時計は86,400秒刻むときに5秒分進む，つまり相対的な正確さ，精度でいうと $5/86400 = 5.787 \times 10^{-5}$ だけ狂っているということになる．10^{-5} とは10万分の1であるから，弾み車のハズミの大きさ（慣性能率）もひげぜんまいの復元力（ばね定数）もどれもこれもそのくらいの正確さが必要になるであろう．そのようなわけでてんぷまわりが時計の中でもっとも繊細で正確さを要求されることになる．またてんぷまわりはムーブメントの中でも動きがよく見えるところで，見た目がとてもきれいなところでもある．いわば花形の部分といえよう．最近，機械腕時計がもてはやされる最大の理由は見たときに美しいからであって，時計の内部でもっとも美しい部分がこのてんぷ付近なのである．

1.9.3 振動周期は何で決まるか

上述したように，この行ったり来たりの速さが時計の進み具合を決める．では，てんぷの振動周期はどんな要素で決まるかを探ってみよう．簡単で表せば，このような式となる[68]．

$$T = 2\pi \sqrt{\frac{I}{K}} \tag{1.3}$$

ここで，T：振動周期 [sec]，I：てんわの慣性能率 [mg mm^2]，K：ひげぜんまいのばね定数 [mg mm^2/sec^2]．

つまり，てんわが大きくなるとてんわのハズミの大きさ，つまり慣性能率 I が大きくなるから振動周期も大きくなり，時計としては遅れることになるし，ひげぜんまいの長さを短くすれば，ばねとしては強くなるからひげぜんまいのばね定数 K は大きくなり，この式の中では平方根の中の分子が大きくなる．結果として振動周期は小さくなる．つまり時計としては進みになる．図1.86にもあるようにこのひげぜんまいの長さを調節する装置，緩急針が普通はあって，進み遅れを調節することがで

---

[68] 時計の要求精度で考察するときは実はこの式では十分ではない．さまざまな因子が入ってくるがここでは原理的な理解をするためにこの式を載せた．

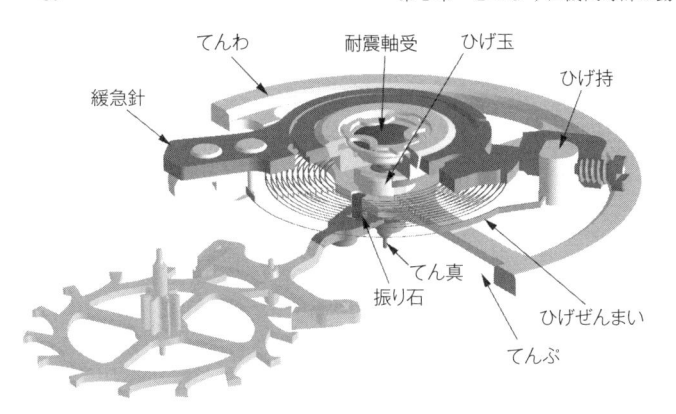

図 1.86 てんぷ
てんぷの中心にはてん真軸があり，ひげぜんまいの内端はひげ玉を経ててん真軸に固定される．外端はひげ持で固定される．そこでてんぷは静止位置が決まって往復運動をする．振り石はアンクルの箱によって駆動される．

表 1.1 通常の機械腕時計の振動数

振動数 （1秒間の）	振動数 （1時間あたり）	物理でいう振動数 [Hz]
5	18,000	2.5
5.5	19,800	2.75
6	21,600	3
8	28,800	4
10	36,000	5

古くはもっと小さな振動数もあったし，現在はもっと大きな振動数の時計もある．振動数が違うと調速機の性能がいろいろ変わる．一般には大きな振動数ほど性能が良い．

きるようになっている．てんわとひげぜんまいとでこのような振動系を作ったとき，この全体をてんぷという．てんぷの振動周期は概ね**表 1.1**のような値に設定されている．

振動数とは1秒間に何回こちこちと音を立てるか，その回数をいい，これを振動数という．歴史的にはこの捉え方が自然であった．脱進機が動くたびにこちこちと刻音が出る．脱進機はてんぷの振動中心付近を通過するときに刻音を出すから，てんぷが1往復すると2回の音が出る．

日本の関東地方では，商用電源の周波数は50 Hzである．これは振動系の物理的な表現であって，1秒間に交流の波が50回ある，と理解されている．この電気や物理でいう交流の周波数と，時計用語でいう振動数とがしたがって違うことになる．時計の振動数は普通の周波数表現の2倍になる．5振動のてんぷは周波数では2.5 Hz（表1.1参照）である．どうしてそうなったの

かは上で述べた通り，脱進機の動作が振動中心を通過するたびに行われて刻音が出るからである．普通に使われている脱進機，クラブツースレバー脱進機は行きも帰りも動作する．一方，クロノメーター脱進機では脱進機の動作は片側駆動であることがその特徴である．したがって，**クロノメーター脱進機**では刻音も行きと帰りでは動作の様子が違って音も違う．読者の時計の音はどうか．クラブツースレバー脱進機であっても行きと帰りとで音が違わないだろうか．この刻音をしっかり聞いていただきたい．きっと違っていることに気がつかれるだろう．1回ごとに交替して片方はキンという音の響きが高いが，もう一方はその音があまりしない，などと聞き分けるようにすると時計のこのあたりの構造にもさらに興味を高められるだろう．

とりあえずここでは，振動数は**てんわの慣性能率**とひげぜんまいの強さで決まるということを理解しよう．さて，この振動数は時計全体にはどんな意味，どんな効果があるのだろうか．

1.9.4 振動数と時計のよさの関係

時計の正確さとは曖昧な言い方だが，振動数が関係している．とくに実際に使ったときの正確さ，つまり携帯精度に振動数が関係し，振動数が大きいほど正確だと考えてよい．音叉時計[69]の音叉の

---

69) Bulova社のAccutronという音叉時計．まだ使っている方も多い．

共振周波数は 360 Hz であったし，クオーツではその振動源である水晶振動子の周波数は 32,768 Hz である．音叉や水晶の振動数は機械時計の振動数とは桁が違う．機械時計よりも音叉が，さらにクオーツなら桁違いに正確であると理解してよいであろう．

機械腕時計では最近 8 振動のものがずいぶん増えた．振動数が変わって時計の何が変わるのか，それは実際に使ったときの正確さにある．クリスチャン・ホイヘンスが初めて作ったひげぜんまい付きの**調速機構**[70]は 2 振動ぐらいではなかったか．1 秒間に 2 回こちこちと動く時計は柱時計と同じでさぞや時計をそっと扱わなくてはならなかったであろう．懐中時計としても精度はこれではなかなか出なかったのではないか．ちなみに柱時計の振動数は**表1.2**[71]のように現在でも振動数は大きくない．振り子時計は静置されることが前提であるからだ．表から 116 cm の振り子

表 1.2 振り子時計の振動数

振り子の長さ (cm)	振動数 (1 時間あたり)
130	3,436
116	3,600
100	3,800
93	4,000
80	4,260
72	4,500
65	4,725
54	5,325
48	5,743
43	6,086
35	6,750
29	7,628
15	10,652

振り子時計の振動数は振り子の長さで決まる．この表は今まで使われた振り子の長さとその設計振動数との関係を表す．

時計は 1 時間あたり 3,600 振動，つまり 1 秒間に 1 回．1 振動である．この時計を 1 秒間に 1 回ぐらぐらさせたら時計は止まってしまうか，進み具合はまったくだめになることは容易に想像できる．このことは携帯時計でも同じである．腕時計の振動数が 5 振動という，もっともオーソドックスな振動数の場合，その時計を 1 秒間に 5 回の速さで揺らすと進み具合はまったく怪しげになってしまう．つまり振動系の共振周波数に等しいかその近傍の周波数で振動させるとその振動系の振動はまったく怪しい事情になってしまう．進むか遅れるかあるいは止まってしまう，もうそれは時計としてはひどい様子になる．そのことは振り子からてんぷ，あるいは音叉や水晶振動子になってもまったく変わらない．ただ，共振周波数が 0.5 Hz から 2.5 Hz になったので揺らすには速すぎる．人間の手で揺らすには 5 振動でもなかなか揺らしにくい．まして 1 秒間で 360 Hz や 32,768 Hz，機械時計の振動数で表現すればその倍になる回数を手で揺らすことは不可能である．そのことだけが変わったのである．一方，携帯時計が受ける外乱振動はどんな振動数[72]なのだろうか．時計を腕につけたとき，その人が歩いていれば歩きのピッチで揺れるだろう．歩行の速さはいくら速くても 1 秒間に 5 回にはならない．1 秒間に 5 回というのはこのような人間の基本的な活動の速さより少し上にある．それで 5 振動の時計が長い間，スタンダードのように採用されてきたように思われる．通常の携帯者の与える外乱は 1 秒間に 5 回という領域には届かない．さらに，それが 10 振動の時計であったらどうか，10 は 5 の 2 倍であるからさらに速い振動であり，人間の手で 10 振動の振動はちょっとできない．外乱の振動エネルギーは実際，周波数が高くなるほどエネルギー成分は少なくなっていく．したがって，5 振動の時

---

70) 1675 年にホイヘンスが特許申請をした．
71) Howard Miller Service Center Newsletter July, 2003.
72) 時計の受ける外乱の周波数はいろいろな成分がある．これを周波数成分に分析することを周波数分析といい，どんな周波数成分があるかがわかる分析であるが，腕時計の場合は人間の腕が動いて加える振動が主体だと考えると，その周波数成分のうちで高い周波数成分は大変少なくなるということが想像されるであろう．5 振動 = 2.5 Hz という周波数成分は本文で述べている通り少ないであろう．360 Hz などという周波数成分に至ってはさらにわずかしかないに違いない．このように外乱の中に占める高い周波数成分は，この数 Hz 付近から上ではどんどん小さくなっているのである．

各種調速機系の外乱振動応答特性

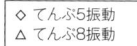

凡例：
◇ てんぷ5振動
△ てんぷ8振動
▲ てんぷ10振動
▽ 音叉360Hz
◆ クオーツ32,768Hz

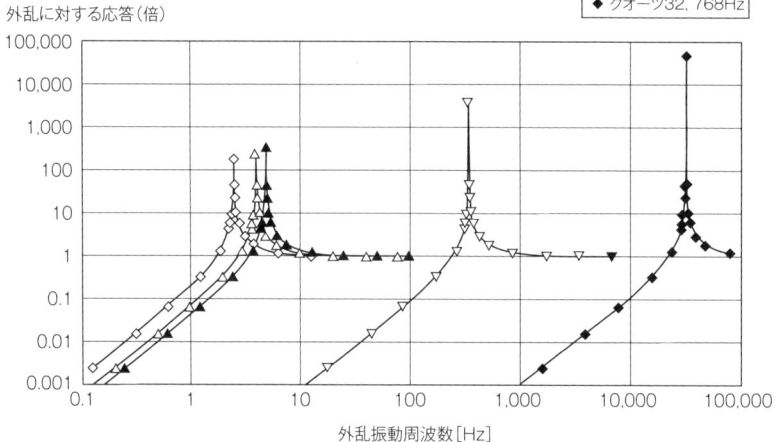

図1.87 各種調速機系の外乱振動に対する応答特性一覧図

図の見方：横軸は外乱の周波数を対数で目盛ってある．縦軸は調速機系の応答の大きさを示したもので，外乱振動の振幅に対するてんぷ振り角への影響の大きさを倍率で表示したもの．たとえばてんぷ5振動（最左側の曲線）の場合は外乱周波数1Hzに対して縦軸0.2付近を通過しているから外乱の振幅がもし10°あったとき，てんぷの振幅は $10 \times 0.2 = 2°$ となって影響されることを示す．これに対して8振動は0.07付近を通過しているから約0.7°のてんぷの振幅となるし，10振動では約0.4°ほどのてんぷ振幅となる．かなり5振動に比べれば小さいことがわかる．これに対して音叉時計では1Hzでの通過縦座標　縦軸の目盛4回分，10^{-4} つまり1万分の1の大きさでしか影響を受けないし，クオーツにいたっては縦軸目盛8回分，10^{-8} だけの大きさの影響しか受けない．実際の外乱振動のエネルギースペクトラムは1Hz以下の低い周波数領域に集まっている．このように振動数が高ければ外乱振動による携帯精度はそれだけ良くなることがわかる．

計よりも10振動の時計の方が外乱から受けるエネルギーはさらに少ない．それだけ実際に使ったときの正確さが良くなっていく．水晶振動子のように32,768Hzというような速い周波数の共振点ではこれに影響を与えるような外乱はもうほとんどない．

このように調速機系の振動数が高いほど実際に使ったときの精度，つまり携帯精度が良くなっていく．このあたりの説明を定量的に説明すると次のようになる．

てんぷ振動系は単純な単振子であって，外乱に対する振動の影響は**図1.87**のようになる．自分の共振点では外乱から受ける影響の大きさは共振系の Q に比例する．地板に加わった外乱の振動振幅の Q 倍になる．しかし，共振点そのものではなく，共振点の近傍ではその影響の感度はすぐに減衰し，Q が高いほど共振点からのずれ量に反比例して影響が小さくなっていく．外乱のうち，共振点付近で受けるエネルギー成分の幅が Q が大きいほど小さくなり，実際に受けるエネルギー量が小さくなっていく．それで実は Q が大きい時計ほど携帯精度が正確になっていくのである（Q については次項に詳しく述べる）．

また，共振点付近を過ぎてもっと高い周波数の外乱が加えられても振動系は応答しなくなっていく．調速機に加わる外乱は結局，共振点付近の外乱成分がどの程度あるかによる．そして，外乱の振動エネルギーの実際は周波数が大きいほど小さくなっていく．これも加わって振動数が大きいほど外乱の効果はますます小さくなっていく．5振動よりも8振動が，さらに10振動の方が携帯精度が良いのである[73]．

この意味では振動数を上げるだけで時計の精度の相当な改善になるのである．5振動が一般的で

---

[73] もちろん調整の状況を同じとしたときの比較である．同じ大きさの紳士用腕時計を想定したとき，実際にまとめられるムーブメントの仕様として比較すると，という条件で理解してほしい．

あった時代に比べて，8振動の機械腕時計が増えたということは，最近の機械時計の技術環境にこれを許す事情が何か起きたと考えてよい．その技術環境とは何を指していっているのであろうか．このあたりの理解が機械時計の善し悪しを理解する一つのポイントになるのである．このことを簡単に説明してしまおう．

表 1.3 調速機の Q 値測定例一覧表

振動数 f	Q（立姿勢／振り角270°）	減衰時間 t [sec]	注
5	180	15.8	てんぷ（紳士用）
8	250	13.8	てんぷ（紳士用）
10	320	14.1	てんぷ（紳士用）
360 [Hz]	4,000	～2.4～	音叉時計
32,768 [Hz]	50,000	～0.34～	クオーツ

機械時計のてんぷと音叉，クオーツ，全部を比較した．この Q 値が時計の正確さを決める特性と見なしてよい．また，5振動から8振動へ変化して性能はいわば 180 から 250 へ進歩した．

振動数を上げると強いぜんまいが必要になる．振動数の2乗に比例すると考えてよい．振動数を5から8にすれば必要なぜんまいトルクは $(8/5)^2 = 2.56$ 倍になる．普通，香箱はその時計が搭載できる最大の香箱になっている．2.5倍の強さのぜんまいにすることは時計の持続時間を維持することを考えれば簡単にはできない．したがって，ただ8振動にしたのではなく，てんわの慣性能率を少し小さいものにして，必要なぜんまいの強さを減らしてある．表輪列，脱進機，こうした部分のエネルギー伝達効率が良くなった分，それを振動数とてんわの大きさ，慣性モーメントに配分して時計の設計者は全体を改善する．

8振動や10振動の時計を見るとわかるが，てんわの大きさは5振動のものに比べてやや小型のものになっているのである．このように振動数とてんわの慣性能率（これはてんぷの振動エネルギーの大きさと理解してよい）との按分をするようになった．

基礎的な技術状況としては歯車の設計の改善，歯面の研磨，軸の磨き方，ほぞの摩擦を少なくする，あるいは脱進機の調整を良くして脱進機効率を上げること，これらに最近のコンピュータによる設計環境，CAD などが絡んでいる．地板と受けの製作精度ももちろん絡んでいる．こうした時計の設計，製造環境の改善，工程能力の改善が全体として振動数の増加となって最近目に見えるようになってきたのである．これが最近の時計技術の進歩ともいえるのであり，振動数は時計製造技術の重要な指標である．

1.9.5　機械時計の振動数と共振のよさ Q との関係

いま機械時計のムーブメントを取り出して実験をすることを考えよう．ムーブメントからアンクルを取りはずす．すると，てんぷを駆動するものがないから止まってしまうが，自由振動ができるようになる．この状態でてんぷをピンセットで 360° 回転させ，離してやると自由減衰の回転運動をし，しばらくすると止まるであろう．この自由減衰振動がこの調速機の共振の良さを示している．良い時計ではこの減衰振動が長く続く．なかなか減衰しない．この様子を，振幅が半減するまでの時間（正確にいえば振動の回数）を指標として表すことができる．実際，機械時計ではてんぷを 360° ひねった状態から振り角が 180° になるまでの時間 t を測定し，その値から Q 値を式 (1.4) で計算することができる．この測定を減衰時間の測定という．

$$Q = 2.266 ft \tag{1.4}$$

ここで，f：時計の振動数（5, 5.5, 6, 8, 10, etc.），t：半減するまでの時間 [sec]．

たとえば8振動の紳士用腕時計のてんぷの自由減衰時間が18秒であったときは，$Q = 2.266 \times 8 \times 18 = 326$ と計算される．**表 1.3** は機械時計のてんぷや音叉，時計用水晶振動子（クオーツ）の Q 値

の測定例[74]であって,これから正確さの比較ができることになる.

　このQ値は振動系の摩擦を少なくすれば大きくなることがわかっている.機械時計のてんぷでは**てん真ほぞの摩擦抵抗**と,てんわが空気をかき回す粘性抵抗が実際の摩擦であるが,振動数を変更すると一般にひげぜんまいのばね定数がかなり強いものになり,それに比較してん真ほぞの摩擦抵抗は振動数を変更しても変わりない構造をとることが多く,結局ばね定数に対するほぞの摩擦の比は小さくなって,その分軸受けの**固体摩擦抵抗**の効果が少なくなり,振動数を上げればQが増加することになるのである.

　したがって,機械時計の範囲内でも振動数を増加させると**Q値**が増加する.これが原因となって調速機系の振動周期を乱す実際上の因子,たとえばてんわの片重り,ひげぜんまいの重心移動,脱進機誤差,てん真びつの効果などいろいろなものの影響が減っていく.時計の精度調整上,振動数を上げるとこれらの点で有利になっていくのである.

§1.10 よい時計とは

　引き続き,時計の精度をもっとも左右する「てんぷ」について解説する.われわれが裏蓋を開けて実際にその目で眺めても,てんぷの良し悪しを判断することはほとんど不可能である.では,どのようなてんぷが良いてんぷで,悪いてんぷとはいったいどのようなものなのか? 本節では代表的なてんぷを紹介するとともに素材,構造,動作などの面から,優れたてんぷの条件を探っていこう.

1.10.1 時計の良し悪しとてんぷ

　時計の良し悪しはてんぷとどう関係があるだろうか.200万円の時計と3,000円の安物とで,このてんぷ周りはどう違うのだろう.部品点数はそれほど多くはない.主要な部品はてんわ,てん真,振り座,ひげ玉,ひげぜんまい,てんぷ軸受(たいがいは耐震軸受),緩急針,ひげ持,ひげ持受,ひげくさびなどである.てんぷは時計の進み遅れを司る使命がある.そして,その必要な精度は前にも説明したとおり,1日に何秒といったレベルであって,それを達成できるようになっていればよい.

　18世紀の初頭のイギリスの大工,時計師**ジョン・ハリソン**(John Harrison:1693-1776)の開発した**マリンクロノメーター**の話を日本時計研究会[75]で聴く機会があったが,ハリスンは時計の緩急を窓から見える星の観測からしたという.しかも月差15秒程度の緩急を目標としたようだ.これだけでそのチャレンジ精神は見事といえる.このように1700年代には天体の動きをもとに時計を緩急した.この時代にはてんぷの構造はどうなっていたか,そのときのビデオに出てきたスナップからわずかに見えたところによると,ハリソンの時計では調速機の復元力を作るひげぜんまいは数巻しか巻いていなかった.また話の中には温度によっててんぷの進み遅れが発生する,それを補償するために膨張率の違う金属を組み合わせて振動体を作ったということであった.これらの話からわかることは,古い時代から時計に要求される精度の厳しさが開発する人々を悩ませたということである.どのように正確な調速機を作るか.時計の歴史はその意味で精度との戦いであった.

　要するに正確な時計の刻みはこの調速機のどこかで作られるのであるが,200万円と3,000円で調

---

[74] 振動数が同じであってもてんぷの大きさが変化すればQ値も変わる.この表は実際の測定例である.それぞれどんな値となるかを参考としてほしい.

[75] 事務局は東京都台東区の東京時計眼鏡小売協同組合内にある.例会は1ヵ月に1回,上野で開催されている.

速機のどこが違うか，漫然と見ていたのではまったくわからない．

図 1.88-1 は，SEIKO の懐中時計であるが，このてんぷが振っているときは大きなちらねじがきらきらして美しい．ひげは**巻上げひげ**[76]であって，ひげの動き方もてん真に同心的に動き，これも機械時計の美しさの典型的な部分だ．

ちらねじは今はいわば飾りになっている．昔は実際にてんわがバイメタル切りてんぷで，ひげぜんまいも鉄ひげで青い色をしていた．今のひげぜんまいは恒弾性材料[77]を使っており，ひげぜんまいで温度係数がいわば調節されている．このためにちらねじを動かして温度係数を調節する必要がなくなってしまった．元設計を変更することなく今もこうして美しい大きなちらねじがてんわの周りについていて，時計を開けた人の楽しみになっている．このキャリバーの品格になっているともいえる．

図 1.88-1　美しいてんぷ①
この例は懐中時計であるがちらねじが大きいこととその表面の切削がきれいなダイヤカットであること，その他の部品がていねいに作られている点で美しい典型である．時計としての価格はわずか数万円程度であるが中古品であっても人気が高い．いつまで経ってもその美しさの変わらない例である．

図中の矢印のちらねじは親ちらという[78]．このてんぷには耐震軸受は付いていない．懐中時計でもあり，大きな衝撃に曝されることは考えていないが，実際は落としたりぶつけたりして，よくてん真ほぞ折れが起きたり，ユーザーに迷惑をかけた．てん真の材料が不十分でほぞが折れてしまうからだ．しかし，ある時期からてん真の耐衝撃性が相当に改善されて，今はそれほど大きなクレームにはなっていない．そうした金属学的な改良が十分役に立っているところである．

図 1.88-2 を見てみよう．この時計ではてんぷ受やアンクル受，地板がスケルトンになっていて，部品の動きがさらによく，美しく見えるように配慮されている．てんわにちらねじは付いていないが，てんわの斜面が大きく，効果的に輝く．また，あみだ[79]が 3 本になっている．振り角が 120°，180°，240°，300° などのときにあみだが重なって見える．一般にてんぷの振り角はこうして**あみだの位置と**

---

76) ブレゲひげともいう．ひげぜんまいの外端を巻き上げ，所定の形状にするとひげの運動がてん真に対して同心的になる．所定の形状にする，とはひげぜんまいの外端半分の重心点と釣り合う形に巻上げひげの重心点を持ってくることをいい，フィリップス（Phillips）の条件として知られている．本文で「ひげの運動がてん真に対して同心的になる」と書いたが，同心的に動く部分は主としてひげの外端付近である．ひげが巻き締められたときはひげがきれいにてん真周りに収縮し，ほどけたときはきれいに同心を保ったまま広がるので，機械時計のムーブメント部品の運動の中で見事で，きわだってきれいなところといえるであろう．また，同心的に運動するということが時計の進み遅れに関してきわめて重要な役割をする部分でもある．ひげぜんまいの復元力，すなわちばね定数を精密に一定にすることで，等時性の調節という役割を果たす．
77) 現在一般的に使われているひげぜんまいの材料の名称．ニッケル・コバルト・アルミニウム・バナジウム・鉄などの多元合金からなり，常温付近でてんわの材料である黄銅やベリリウム銅などの温度係数を補正して，てんぷの温度係数をゼロにするように機能する．
78) 温度係数を変更することなく緩急するときに使われたちらねじである．てんわにねじの根本までねじ込まれていない．色も白色である．切りてんぷのときにはそのような機能があったが，今もそのままになっている．もっとも今でもこれで緩急することはできるが，緩急針がついているのでこの親ちらを使って緩急する必要はなくなった．
79) てんわのリムとてんわ中心部とをつなぐ部分をあみだという．英語の「アーム：arm」からきたのであろうか．ドイツ語はArm，フランス語では bras．てんぷのあみだは 2 本の単純なストレートの支柱の他に，3 本，4 本のものがある．4 本はできるだけてんわがひずまないように配慮しているのであろう．

図 1.88-2　美しいてんぷ②
この時計は表も裏もスケルトンになっていて，そのため受，地板，車部品も徹底的に通して見えるようになっている．また受や地板，側の表面に彫刻を施してある．石のルビーの色が濃い．ベースムーブメントはスイス ETA 社の中級品．

図 1.88-3　美しいてんぷ③
てんわにはちらねじが付いているが図 1.88-1 と同様，切りてんぷではないので温度特性を調節するものではない．微動緩急針の姿も美しい．緩急針やその他の鉄部品も磨きこまれていて，簡単には錆び付かないレベルまで磨いてある．これら部品の側面も丁寧に磨かれている．この時計は 100 万円のレベルである．写真提供：リシュモンジャパン (株)A. ランゲ&ゾーネ

その重なりで目測することができる．

　この時計のひげぜんまいは平ひげといって，ひげぜんまいの外端部分，ひげ持から緩急針までが，本体部分である渦巻き（**アルキメデス曲線**という曲線からなる）の部分と同一平面上にある．それで平ひげという．平ひげはてんぷが振動すると緩急針のない方へ伸びたり縮んだりする．巻上げひげの脚注に書いたように平ひげではひげぜんまいがてん真を中心として同心的に伸縮することはできない．このことは時計の進み遅れ，調速機の振動周期を時計として要求される程度に合わせ込むうえでは条件が悪い．前述したように時計の要求精度は 10^{-5} に及ぶのだから．

　図 1.88-3 はドイツの製品だが，緩急針が微動装置付きになっている．てん受の表面の彫刻とてん真軸受の耐震装置，また緩急針の表面の磨きとが一緒になってとてもきれいだ．てんわにはちらねじがあるが，**バイメタル切りてんぷ**にはなっていない．図 1.88-1 と同様に美しさを強調するためにちらねじを付けてあるようだ．図 1.88-3 の場合は受や微動装置の表面の研磨の仕方が際だって美しい．どの部品も面取りされ，側面にもしっかり研磨をしている点が品格を高めている．

　また，例示していないが高級品ではてんわの材料に比重の大きな金を用いることがある．部品代だけで 10 万円もする．このような場合は小さなてんぷであっても大きな比重のため慣性モーメントが大きくなり，てんぷの振動系の良さ，すなわち Q が大きくなり精度向上に効果的に働く．スペースをとらないで Q の大きい調速機を搭載するために，このような手段を使うこともある．

　このように見てくると時計の良し悪しは，てんぷに関する限り，「ちょっと見」ではあまりわからない[80]．確かに美しさは手のかけようで大変違う．その分値段が違うのはわかるとして，最初に述

---

80) ツールビヨンに関しては別に扱おう．ツールビヨンは見てすぐにわかる．あまりにも見かけ，様相が異なる．ツールビヨンはかつてはすべて手作りであったが，最近はツールビヨンを部品として供給するメーカーも現れた．2003 年のバーゼルフェア（スイス・バーゼルで行われる世界最大の時計の見本市）ではどのメーカーもツールビヨンを出していた感がある．

1.10.2 振り

振りとはてんぷの振り角をいう．物理的には振幅のことをいっている．てんぷは構造上，振り角334°くらいまで振らすことができる．しかし振りすぎて**振り当たり**を起こす，つまり振り座がアンクルのくわがたに当たってしまうほど振っていては精度は出るべくもない．したがって，普通もっとも振りの出る姿勢，平姿勢でぜんまいをいっぱい巻いた状態（全巻き平）で，振り角を310°程度に抑えるのが普通である．もし310°も振っている時計を見ると誰でもこれは勢いがいいなと実感できるはずである．

この振りは時計の元気さを表すと考えてよい．香箱車の中のぜんまいのトルクがてんぷまで伝達され，てんぷが動いた結果，てんぷの振り角がどれだけになったかは時計の健康レベルと思ってよい．全巻き平で180°しか振っていないという時計は健康不良である．

この健康レベルはてんぷだけの健康ではない．いわば時計全体の健康を表すものであって，ぜんまいの調子から表輪列，脱進機，てんぷまわり，すべての結果であって，それがよく整合していなければならない．振りすぎると前述したように振り当たりになり，振り足らなければ振りが出ない．このことは少し時計のことがわかるようになれば理解できることである．ちょっと見でわかることである．良い時計はこの意味で大変元気である．病弱な高価な時計は本来ありえない．しかも年月がたっていても良い時計は驚くほど元気，つまりよく振っている．メンテナンスが良かったという点もあるかもしれないが，しっかりメンテナンスができる基礎体力があるともいえる．30年経ってもメンテナンスすれば部品や組み立ての精度が落ちていない，歯車のかななど鉄部品の摩耗が大変少ない，錆が発生しないなどの体力があるのである．これが良い時計の本質である．

1.10.3 振りむら

てんぷの振り角は普通，あみだの位置で測ることができる．時計の測定器，たとえばWitschi[81]の測定器では振り角の値がデジタルで表示されるようになっているから，裏蓋を開けなくても推定することができるが，時計が好きな人はやはり裏蓋を開けて自分の目で振り角を見れるようになってほしい．その方法はあみだの位置で見る方法であって，慣れれば簡単なことである．

2本あみだのときは，あみだは普通567の方向[82]に対して直角の方向に静止時にあるから，右のあみだと左のあみだが重なるときは振り角が90°，180°，270°である．これを頼りにして振り角の判

---

[81] Witschiは社名で，スイスの測定器メーカーである．最近はどのサービスセンターや時計店でもここの測定器を使っているようだ．昔はビブログラフやタイムグラファー（日本，富士電子工業製）があったが，液晶パネル表示のWitschi社のものに取って替わられた．ビブログラフもタイムグラファーもメカニック部分のある測定器であったので寿命と故障などがあり，使われなくなった．しかし，現行のWitschiではやや長期間の曲がりが観測しづらい欠点があり，時計調整，ひいては修理業界としての課題を抱えている．

[82] 通常の脱進機ではがんぎ（5番軸），アンクル（6番軸），てんぷ（7番軸）の軸が一直線上に設計されている．567の方向とはその直線をいう．設計上の制約として脱進機を新しく設計しない限り，これらの軸は一直線上に設計される．図1.88ではすべて567番が一直線になっている．

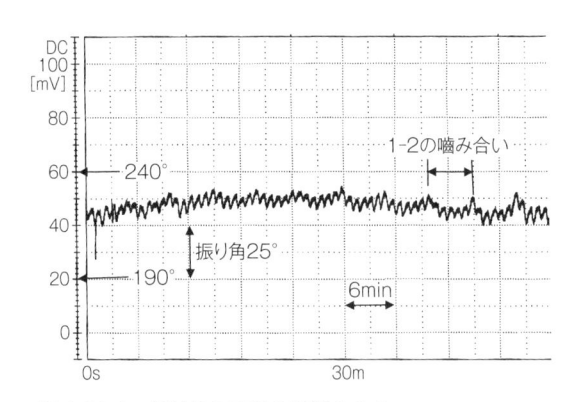

図 1.89-1 振り角の変動の実例その1
表輪列の噛み合いの変動の様子．主として1-2の噛み合い（周期5分12秒）がよくわかる．

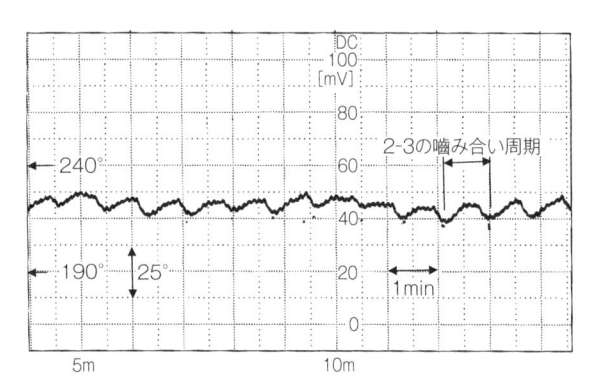

図 1.89-2 振り角の変動の実例その2
図1.89-1の12分間の部分を引き延ばしたもの．主として2-3の噛み合い（周期約1分）がよくわかる．さらに3-4の噛み合いの部分も小さく乗っていることがわかる．

表 1.4 表輪列噛み合い周期

噛み合いの名称/場所		噛み合いの周期
1-2	香箱歯車と二番かな	約6分
2-3	二番歯車と三番かな	約1分～45秒
3-4	三番歯車と四番かな	約10秒～7秒
4-5	四番歯車とがんぎかな	約1秒

表輪列の典型的な噛み合いの周期．

断ができる．あみだが一瞬静止する瞬間はてんぷがもっとも振れた瞬間，最大振れ角のとき，最大振幅時である．この瞬間には目で見たときにあみだが静止して見える．

そして，この振り角が見えるようになるとあみだの位置が時間が経つにつれて揺れることがわかるであろう．てんぷの振動振幅が時間が経過するにつれて変動することがわかる．これは主として歯車輪列を介して回転トルクが伝わってくるから，歯車の噛み合いによって伝達トルクが変動する，つまり**トルク変動**があるので，それにしたがって，てんぷの振動振幅が変化することに他ならない．これを振りむらという．この振り角変動は表輪列の各歯車の歯形の噛み合いの周期によるもので，**表 1.4**のような周期を持っている．**振り角記録測定器**[83]による例を図1.89-1，図1.89-2に示す．特に香箱車と二番かなの噛み合いは5～6分程度の噛み合い周期であるから，これはしばらく見ていると必ず見出すことができる．二番歯車と三番かなの噛み合いもその周期は約1分であるから，これなどはもっとすぐに見つけることができるであろう．これらの振幅の変動は大きいときは20°，少ないときは2～5°という変動レベルである．

振りむらは小さい方がいいのだが，これは表輪列の出来具合で決まってしまうので，あまり調節のしようがない．どのくらいその時計の設計や製造段階で部品をよく作り込んだかによる．ここはしたがって，良い時計と悪い時計とでは明らかに違う．しかもちょっと見では気づかない品質といえよう．

ここまで，良い時計と悪い時計との差についてその初歩的な解説，その入口の部分を説明した．ここでわかるように，時計の良し悪しとはずいぶん，地味な性格であることがわかったであろう．

---

83) セイコーエプソン（セイコーグループの1社．以下，エプソンと略記）よりアンプリメーター（スイス製）を拝借して記録計を作った．今，市販されている振り角記録計は現存しない．筆者自作品による．測定対象は手持ちのVacheron Constantin社の腕時計である．この測定結果ではかなり少ない振りむらになっている．

第 2 章
どのように歩度は決まるか

§2.1 時計における等時性とは

時計の調速を司るてんぷには,等時性という基本的な条件が必要であり,それを達成するためにさまざまな工夫が試みられてきた.そこで本節では,てんぷの材料や性質が精度に及ぼす影響を考えながら,等時性とはどのような事柄から決まるのかを5つの項目に分けて探っていくことにする.

2.1.1 てんぷの等時性

等時性という言葉は"Isochronism"という言葉の訳である.直訳すれば「常に時間が等しい性質」であって,時計の指示時刻がいつも合っているという性質をいう.これを達成するために長い間人類は努力してきた.その努力の結果,機械時計の分野ではてんぷというシステムが採用されて久しい.源振系が水晶振動子になって,スタンドアローンでの正確さがほぼ現在の社会生活で十分になったクォーツ,標準電波を受信して表示時刻を規制する電波規制,それに時計を動かす動力もひとりでに得られるようなシステム(自動巻,太陽電池,熱発電,熱巻き上げ[1])などの機構が開発され,まったく放置しておいても止まらず,しかも指示時刻がまったく狂わない,そうした実用的な時計システムができている.その現代にあってもなおこの機械技術の時計が愛されている.愛される理由の中に正確さという性質は基本的には絶対に必要である.そして,外観や美しさの後ろに隠されてしまっているが,機械時計講座での解説項目から等時性をはずすことはできない.

さて,このてんぷシステムの正確さ,等時性はどのような事柄で決まるのであろう.いくつか項目を挙げて概観してみよう.

2.1.2 てんぷは回転往復振動系である

てんぷは回転往復する振動系である.その回転振動する慣性体(てんぷ)はその重心点が回転中心軸上にある.このてんぷにはひげぜんまいが取り付けられていてひげぜんまいがてんわの回転位置の静止点を決め,いつもこの静止点に戻そうとする.そうした役割を担う.このような回転往復振動系になっている.そして,この振動系の振動周期はこの言葉どおりであれば,簡単であって,式 (1.3: 再掲) のようになっていた.

$$T = 2\pi\sqrt{\frac{I}{K}} \qquad (1.3)$$

---

[1] バイメタル金属コイルを時計の内部に設置し,時計の温度変化に応じて変形させ,この金属の変形を利用してメカ時計を巻き上げるシステム.自動巻のように時計を振動させる必要がなく,まったく放っておいても巻き上げが行われるシステムである.

ここで，T：振動周期 [sec]，I：てんわの慣性能率 [mg mm^2]，K：ひげぜんまいのばね定数 [mg mm^2/sec^2]

　この式で表現される振動系は完全な等時性を保っている．そして時計の環境によってこの式の中の常数（てんわの慣性能率 I，ひげぜんまいのばね定数 K）が変化しなければまったく等時性の意味のとおり正しい．これに従った時計があれば表示時刻は常に正しい時刻になる．ところが実際の時計はこの理想が実現できない．つまりこの式では実際が表現されていない．単純なてんわとひげぜんまいでできているのに，その理由には数え上げるときりがないほどにいろいろな要素がある．第一の理由は，まず時計として必要な程度の精度でそれらの要素を検討しなくてはならないからである．時計として必要な精度に関してはこれまでに解説をした．1日に10秒狂うとは相対的な精度では $10/86400 = 1.16 \times 10^{-4}$ である．約1万分の1の精度である．この数字をよりどころにして解説をしよう．

- てんわの片重り

　回転振動体はその重心点が回転中心にないとその重心点の偏りによって回転力が発生してしまう．てんぷの場合，このバランスがとれていないことをてんわの片重りがあるという．平姿勢では回転軸（てん真）が垂直になるから重力による回転力は発生しないが，てん真軸が傾けば，たとえば立姿勢ではてん真軸は水平となり，この場合では地球の重力によって回転力が発生する．てんわの直径が 10 mm とすると，この 1.16×10^{-4} 倍は $1.16 \times 10^{-3} = 0.0016$ mm であるから，重心点が 0.0016 mm ずれていれば時計の精度は1日10秒くらい狂ってしまう，と雑に考えてもよい．0.0016 mm とは本当にわずかな距離である．このくらいでも実はきちんと計算すると 26 sec/day [2] くらいの姿勢差を発生する．

- ひげぜんまいのばね定数が変化する（平等時性と巻込角）

　ひげぜんまいはてんわの回転角度に比例した復元トルク（回転力）を出してほしいが，これが先に述べた精度で見るとできない理由がいろいろある．

　ひげぜんまいの内端はひげ玉を介してん真に取り付けられる（図 2.1 参照）．ひげ内端は回転中心ではないから，もし巻き締められればひげぜんまいはこの点（ひげ内端点）を中心にして収縮する．つまりひげぜんまいはてん真に対して回転力を及ぼすだけでなく，このひげぜんまい取り付け点の方向へてん真を引っ張ることになる．この力の分だけ発生すべき回転力が増減するであろう．この増減の精度，つまり半径方向へ引っ張る力の大きさと回転力との比がこの値，1.16×10^{-4} 倍になれば，時計としての精度に響くことになる．

　ひげぜんまいの外端点も同じ効果がある．外端には普通，緩急針があり，その先にひげ持があって，そこでひげ外端は固定されている．ひげぜんまいが巻き締められれば，ひげ外端の方向へひげぜんまいは引っ張られる．平ひげでは緩急針と反対の方向が伸縮するのが見える．このように縮んだときはひげぜんまいは緩急針の方向へてん真を引っ張っているわけだが，この力もひげぜんまいの回転力となるべき力の部分から取られているはずだ．その分，回転力が変化し，時計の精度に影響を及ぼす．

2）　重心点が 0.0016 mm ずれたときの最大姿勢差 δ は

$$\delta = 2 \cdot 86400 \cdot \left(\frac{T}{2\pi}\right)^2 \cdot \frac{g \cdot r}{R^2} \cdot \frac{J_1(A)}{A} \tag{2.1}$$

ここで $T=0.4$ sec（5振動），てんわの回転半径：$R=5$ mm，重心点偏心距離：$r=0.0016$ mm，重力加速度：$g=9800$ mm/sec^2，ベッセル関数値：$J_1(A)/A=0.06$（振り角 $A=270°$ として），などを代入すると，立姿勢振り角 270° で最大姿勢差 $\delta=26.4$ sec/day．ここで最大姿勢差とはもっとも進みとなる姿勢ともっとも遅れになる姿勢との間での歩度の差をいう．

つまりひげが内端で固定されていることも，外端で固定されることもどちらも時計に必要な精度で見るときは悪さをしているわけである．これはひげぜんまいの内外端固定の影響といえば正確であるが，時計用語としては平等時性という．平姿勢であっても発生するからこのようにいう．平等時性は内外端のお互いの位置関係，つまりてん真軸から見た内外端の角度（**図 2.2** 参照，巻込角という）によってその様子が大きく変わる．ともかく，どちらにしても 1.16×10^{-4} 倍という正確さでものを見なくてはならないところから，こうしたわずかな力でさえも時計としての性能に大きく影響するわけである．見方を変えると，上に述べた状況は式（1.3）には何も考慮されていない．ただ，式（1.3）のひげぜんまいのばね定数 K が一定値ではなく，振り角が変化すると変化してしまう話と理解すればよい．その変化の精度が時計にとって必要な精度，前述した 1.16×10^{-4} というレベルでの話として，ここでも理解いただきたい．総称すれば，また正確にこのことを表現すると，内外端固定によるひげぜんまいのばね定数の非直線性があるということになる．一般にはこうした表現ではなく，平等時性や巻込角などという言葉で理解されている．

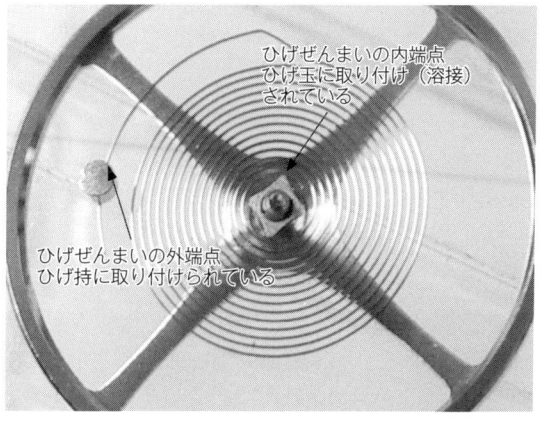

図 2.1 ひげぜんまいの取り付け方とその影響
内端はひげ玉に取り付けられる．取り付け点は回転中心であるてん真から約 0.4 mm 程度離れているから，ひげぜんまいが巻き締められればその方向にてん真を引っ張ることになり，その力の分ひげぜんまいの発生すべき回転トルクが変動するであろう．その大きさが回転トルクに比して 1.16×10^{-4} 倍であれば時計の正確さに響くわけで，とても厳しい．外端点も同じで外端でひげぜんまいは固定されるから外端の方向へひげぜんまいが引っ張られたり反対に押しのけられたりする．これを振動のたびごとにやっている．この力も内端と同じく，ひげぜんまいの発生すべき回転力から盗まれているから，これも同じように誤差の原因になる．これら内端・外端の影響をあわせて平等時性誤差というが，それだけではない．ひげ内端付近では，切り取られたひげぜんまいによって重心点が移動するから，立姿勢ではこのために回転力が発生してしまう．この回転力による誤差をひげの重心移動による等時性誤差という．ひげぜんまいは以上の2種類の等時性誤差を発生させる．

図 2.1 を見ていただきたい．ひげぜんまいは何巻あるだろうか，約 14 巻もある．巻数が多いほどこの非直線性は少なくなる．それでも正確さを売り物にする高級時計では問題になるレベルである．安価な時計ではこの巻数が少ない．12 巻や 11 巻の時計ではこの平等時性はあまり良くないはずである．婦人用の小さな時計では巻数が取れなくて，12 巻や 13 巻のものが多い．紳士用と婦人用とを正確さで比べたとき，この部分で婦人用が劣る要因の一つになる．

さて，図 2.1 でもう一つ見方をご紹介しよう．これは見てわかることであるが，それはひげぜんまいの厚さとそのすきまの大きさの比較である．どのくらいピッチが細かいか，である．**図 2.1** は実はひげぜんまいの厚みの約 3 倍がそのすきまの大きさになっている．このひげぜんまいは渦巻きに成型[3]するときに 4 本の材料を一緒に巻いてくせ付けして，その 1 本をほぐしたものである．これを四本巻という．つまり 4 個のひげぜんまいが一度に作れるわけだが，この本数が 4 本か 5 本か，あるい

---

[3] ひげのくせ付けという．まっすぐなリボン状のひげぜんまいの原料を，香箱という治具に巻き込んで熱処理する．この巻き込むときに何本のひげを巻き込むかによって，ここでいうひげぜんまいとその隙間の様子が変わる．4本を巻き込むと四本巻という．約 650℃ の高温に放置することで，ほどいても渦巻き状になるように成型される．恒弾性材料のひげぜんまいはこのくせ付け時に温度係数も決まるようになっている．

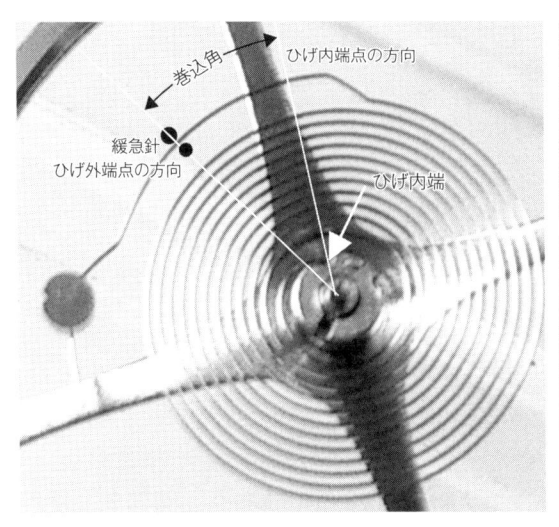

図 2.2 巻込角
ひげぜんまいの内端と外端（この図の場合は緩急針位置）をてん真から見た角度．図では約30°くらい．この角度によって，ひげぜんまいの内端と外端とが固定されたことにより発生する力の様子が大きく変化する．つまり振り角によって進み遅れが発生する．この様子そのものを平等時性という．

図 2.3 提灯ひげ
マリンクロノメーター（経線儀）といわれる時計のてんぷ．ひげぜんまいは提灯のようになっている．てんわは切りてんぷになっていて，大きな重りが4つ付いている．てんわの大きさは直径 35 mm もある大きなもの．てんわはバイメタル金属となっており，てんわの切り口は温度が上がるとてん真の方へ近づき，てんわの大きさが小さくなり，時計としては進むようになっている．さらに重りを切り端の方や根元の方へ動かしたりして温度係数を調節できるようになっている．この時計は最近ロシアで製作されたものとのこと，どこもかしこもピカピカにできている．ヒコ・みづのジュエリーカレッジ蔵．

は3本かで，できあがったときのピッチが当然変わる．同じ直径の渦巻きを作るとき，このピッチが小さいほど巻数は多い．ひげぜんまいの長さも長くなる．そうして，その方が内外端からの余計な力が小さくなる．当然，平等時性の性質も良くなっていき，良い時計としての資質を備えることになる．最近の良い時計では四本巻が多い．古い時計では五本巻も見かけられるであろう．ごく少数だが三本巻の骨董品があるかもしれない．また，ひげぜんまいの姿としてまったく違うもので，提灯ひげ（**図2.3**）がある．ひげぜんまいを提灯のように回転軸の方向へ巻いていくもので，まさに提灯の骨と同じように渦巻きである．この場合は巻数を調べていただくと20巻などというものがあるだろう．それだけその時計では正確さを出そうと努力しているわけである．マリンクロノメーター（経線儀）などではこうした工夫が十分できる．腕時計ではたいがい，スペースに余裕がない．できるだけ薄く，小さく作ろうとするから提灯ひげは採用できない．地板が大きくてもてんぷはかなり小さい，他のことにスペースを使う．「あら，こんな大きいムーブメントなのにずいぶん小さなてんぷだなあ」などといった感想が出るほどのものもあるから，そうした時計ではひげぜんまいの巻数まではそれほどの配慮はできない．まあ四本巻まではがんばろう，こんな設計者のため息が聞こえるのである．

なお，現行の時計では四本巻が主流になっているが，そろそろ三本巻の時計が出てきてもおかしくない．これからの時計の動向の一つとして予言しておきたい．見るからにひげぜんまいのピッチが細かく，正確さを保とうと努力していることがありありとわかる，そんな時計が出てくるであろう．

図2.4に巻き上げひげを示す．てんぷが動く様子を見るとき，ひげぜんまいが同心状にきれいに伸縮していれば，この巻き上げひげの構造になっている．ひげぜんまいの外端固定によるばね定数の変化を最小にするもっとも優れた構造である．

• ひげぜんまいの重心移動

ひげぜんまいは回転させられたらその回転角に比例した復元力を発生すればよい．このことだけがその役目であるが，ひげぜんまいの重量そのものもてんわを回転させる力になることを考えなくてはならない．それはひげぜんまいの内端がひげ玉に取り付けられており（図2.1参照），その取り付け位置は回転中心ではないからひげぜんまいの重量による回転力すら考慮しなくてはならない．これほどに時計の精度[4]は厳しいのである．結果としてひげぜんまいの重心点[5]が立姿勢のときは回転力となる．これをひげぜんまいの重心移動による姿勢差という．

• 脱進機誤差

てんぷは脱進機によって回転力をもらって振動を続ける．振動のたびごとにアンクルによっていわば蹴飛ばされる．普通の腕時計では振動中心付近で脱進機は作動し，てんわが遠くへ回転しているときは脱進機は無関係になっており，てんわは自由に回転する．そしてひげぜんまいの力でその静止位置へ戻ってくる．このことからこうした形式の脱進機を自由式脱進機というが，脱進機と一緒になって蹴飛ばされている間は回転力はひげぜんまいの復元力だけでなく，脱進機からの駆動力も一緒になって，その合計の力で回転するから，当然その区間でのスピードが変化する．スピードが変化すれば当然，振動周期は変化する．脱進機のところで解説したように，最初は停止解除という区間があり，脱進機はいわばブレーキを掛ける．その後に衝撃区間があり，この区間ではひげぜんまいの復元力と脱進機からの駆動力とが一緒になっててんわは回転させられるから，その回転速度はだんだん速くなるであろう．これらのことでひげぜんまいの復元力だけのときに比べててんわの回転の速さは変化し，結果として振動周期にも変化が発生する．これらを合計して，ともかく脱進機と関わったために発生する誤差として認識する．これを脱進機誤差[6]という．このことも式 (1.3) には入っていない．式 (1.3) は単純に振動系が自分だけで振動するときのことしか説明していない．このようなわけで式 (1.3) ではこのことに関してもまったく不十分であることになる．

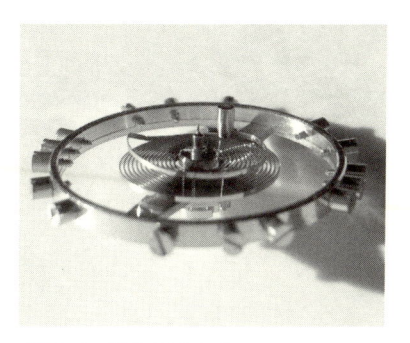

図2.4 巻き上げひげ
外端を直接ひげ持へ取り付けると，ひげぜんまいが伸縮するときにひげはひげ持に半径方向の力を掛けることになる．この図ではいったん外端を巻き上げてあり，巻き上げた場所から約270°くらい回転してからひげ持に固定する．このようにすると巻き上げた部分の変形とひげぜんまい全体の伸縮とが協力して，ひげぜんまい全体は同心状に伸縮するようにすることができる．そうすることでひげぜんまい全体のばね定数に対して，外端付近を固定した影響がほとんど表れないようにすることができる．これが巻き上げひげが時計精度に対して優れた構造である理由である．また，巻き上げひげはひげぜんまいを同心的に伸縮させるから見てすぐわかる．時計を美しくする重要なポイントである．

---

4) すでに何回も解説したように，日差にして1秒とは $1/86400 = 1.16 \times 10^{-5}$ という精度のレベルであるから，吹けば飛ぶようなひげぜんまいであってもその重量は振動周期の誤差の要因として無視ができないのである．ちなみにひげぜんまいの質量は 2 mg 程度，一方てんわの質量は 260 mg くらいある．てんわに比べて 100 分の 1 程度であるが，それでも無視できないことがわかるだろう．

5) ひげぜんまいの渦巻き曲線（アルキメデス曲線という）が正しくてん真を中心として配置されていても（この状態を振れが取れているという），重心点はてん真上には来ない．このことが意外に知られていない．

6) この言葉は時計用語であって，他の機械でも当然回転体に力が加わればその回転スピードが変化し，その回転体が振動系であれば振動周期に影響があるのは当たり前と認識されている．そしてその変化した分をいわば駆動誤差とでもいっているであろう．時計ではたまたま駆動するシステムを脱進機といっているので，脱進機誤差という名前になった．

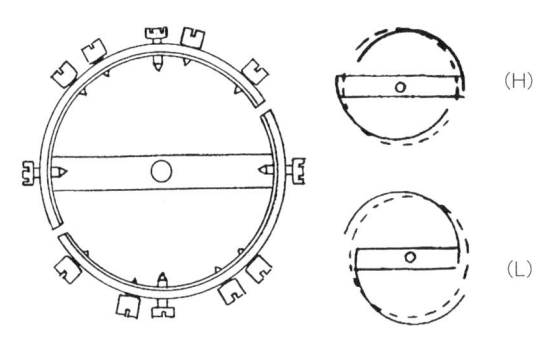

図2.5 バイメタル切りてんぷ
黄銅と鋼の2種類の線膨張係数を持つ素材を貼り合わせることで，温度変化に応じリムがたわむようにしてある．高温下（H）ではリムは内側にたわみ，てんわの慣性能率は小さくなる．温度が下がると（L）逆に外側にたわみ，てんわの慣性能率は大きくなる．こうしてひげぜんまいのばね定数の変化による歩度の進み遅れを補正する．

• 温度係数

てんわは金属，たとえば黄銅や洋白などで作られる[7]．したがって，温度が変化すれば膨張してその大きさが変化する．金属の膨張係数はだいたい 10^{-5}〜10^{-6} 程度であるから，時計の精度のレベルとほとんど等しい．たとえば温度が上がるとてんわは少し大きさが大きくなって，慣性能率（弾みの大きさ）が大きくなる．つまり時計が遅れることになる．この対策をしなければあまり正確な時計にはならない．ひげぜんまいも同じく，温度が上がればばねは柔らかくなる．すると時計は遅れる．てんぷ全体としてはてんわが大きくなって慣性能率は大きくなり，ひげは柔らかくなり，時計は遅れる．どちらの要因も温度が上がれば時計を遅らせることになる．このことも歴史的には正確な時計を作るための課題として重要なものであった．これらを温度係数問題といっておこう．

てんわの構造をいま述べた事情と反対にする，つまり温度が上がったときに慣性能率を小さくする工夫があった．**図2.5**にその代表例を示す．2種類の金属を貼り合わせ，温度が上がったときにはてんわが小さくなるようにしてある．バイメタルてんぷという．バイメタルてんぷのときはひげは鉄などの錆びやすい金属を使うのが普通であった．この方法が歴史的には長い間採用されていたが，今はひげぜんまいのばね定数が反対に温度上昇に伴って大きくなる，つまり金属は温度が上がれば通常は柔らかくなるが，温度が上がったときに硬くなる素材を金属工学的方法によって開発したのである．同時にひげぜんまいが錆びないような工夫もした．このような金属を**恒弾性材料**[8]という．磁性材料ではそのようなことができるのである[9]．こうした工夫によるひげぜんまいが通常のほとんどの時計には使われている．ここで説明したバイメタルてんぷを使用した時計の生産量は少ないが，広い温度範囲にわたって進み遅れを比較するとバイメタルてんぷの方がはるかに良い結果が得られる．したがって，現在でも高級品にはバイメタルてんぷを採用しているものがあるのである．

---

[7] てんわの材料として金が使われることもある．てんぷの大きさを制限しながらてんわの慣性能率，すなわち弾み車としての弾みの大きさを稼ぎたいとき，またコストが増えても商品価値がなくならないときに使われることがある．ヨーロッパ製品でクロノグラフや，永久カレンダーなどのついた高級品に使われていることがある．

[8] スイスにはNivarox社のNivarox，日本にはセイコーインスツルによるCo-elinvarという材料が現在広く使われている．どちらも多元合金で通常では錆びない，白色の合金である．温度係数の規格は2社とも同様であり，高級品には厳しい規格を課し，廉価品にはゆるい規格を許している．しかし，これらは見た目ではまったくわからない．見た目でわからない時計の良し悪しの典型的な項目である．

[9] 磁性材料はキューリー点付近で磁性を失う．このとき，自身の金属原子間の距離が，温度が上がるにつれて少し大きくなる温度区間がある．磁性のある温度領域では原子自体も引っ張られて，縮んでいたものが磁性を失う領域ではその縮小がなくなり，機械的な応力に対する抗力が増加するのである．こうしてばねとしての強さが復活してばね定数が大きくなる．この温度区間を，時計が使用される温度領域（だいたい0〜50℃）付近に持ってくる工夫がいろいろな金属元素とその量を選ぶことによってできる．

§2.2 等時性の実際

ここでは，等時性というテーマをさらに掘り下げて解説する．とくに歩度と振り角特性の関係をグラフ化した等時性曲線を参考にしながら，そのデータからわかる時計の状態や，さらには歩度と振り角の記録のとり方についても言及する．時計の調整結果がひと目でわかるこのグラフにぜひ慣れ親しんでいただきたい．

2.2.1 時計の分解掃除と振り

腕時計の分解掃除を行えば必ず進み遅れをチェックする．これは時計の分解掃除の基本的な常識であろう．この分解掃除の一般的な手順については他に譲るとして，ここでは等時性に関連する部分を説明したい．

進み遅れが正常であることは望ましく，そうであることが分解掃除の必要条件である．進み遅れが正常であることは時計としての状態が正常である一つの証拠でもある．また，てんぷの振り角は時計の勢い，元気さを示す．振り角は機械時計のてんぷの振り座とアンクルの構造上から330°あたりが限界であって，もし320°振っていたらそれは振り過ぎといえる．一般的には非常に良く振っている場合でも全巻き平姿勢で310°ほどであろう．最近，高振動の時計が増えた．振動数が高いと振り角を大きく振らせるのに必要なパワーは振動数が高い分だけ大きい[10]から振り角を大きくすることは設計上難しい．8振動で全巻き平[11]で270°振っていたら立派である．10振動で270°振っている姿は「この時計はやあすごい，がんばっている」と筆者などは思う．それは振動数が大きいとてんぷは大変忙しそうに見え，それに振り角が大きい，たとえば270°だったらその姿は新幹線のごとく目にもとまらぬ速さに見える．ひげぜんまいも大変忙しげに伸びたり縮んだりしている．5振動のてんぷはそれに比べると，それはそれはのんびりとした景色なのである．このあたりは時計に親しむ人の一つの楽しみともいえる姿ではないだろうか．

2.2.2 等時性は歩度の振り角特性

時計師の常識としては一般に等時性という用語は歩度と振り角の関係として認識をしている．正しい表現では歩度の振り角特性である．

時計修理の依頼店が依頼先の技術者に「この時計は等時性はどんな具合ですか」「そうですね，あおりを付けてありますから振り角が低くなってもあまり進まなくなっています．平立差（平姿勢と縦姿勢の歩度の差）がなくなるようにちょうど良い等時性になっています」．もし等時性について情報交換があったとすればこのような会話がされるだろうか．このときの等時性とは歩度の振り角変化に対する様子をいい，等時性という用語は普通このように使われる．振りが変化したらどのくらい歩度が変化するか，その様子を等時性と定義した方がわかりやすい．そしてその様子は横軸に振り角をと

---

10) 単純な比較では同じ振り角を振らせるパワー（ぜんまいトルク）は振動数の2乗に比例する．
11) ぜんまいをいっぱいに巻いた状態を「全巻き」という．また「平」とは時計を水平にした文字板上の状態をいう．水平に時計を置くとてん真軸は垂直になり，てんぷの軸受けの摩擦はもっとも小さくなって，結局振りがもっとも良くなることになる．これに対して時計を垂直に置くとてん真軸が水平，てん真軸での摩擦は大きくなって一番振らない姿勢となる．しかし，本当は一番振りの出ない姿勢は垂直姿勢ではなくて垂直から15°程度（てん真ほぞ端面の形状によるが）斜めにした姿勢であることはあまり知られていない．

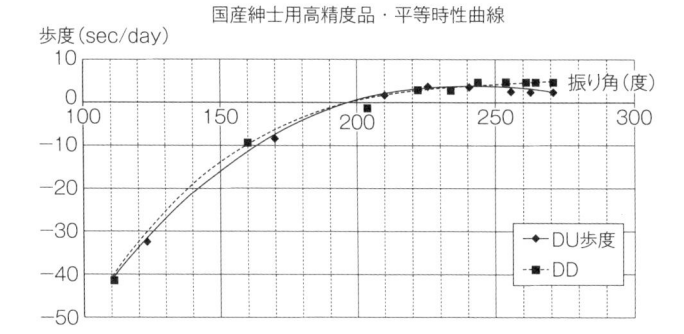

図 2.6-1 平・裏平姿勢の等時性曲線 その 1
国産紳士用高精度品の例. 振り角の実用領域で等時性が素直に平らになっている.

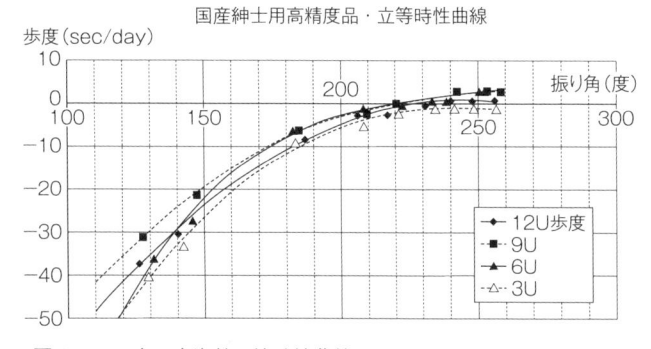

図 2.6-2 立 4 方姿勢の等時性曲線 その 1
国産紳士用高精度品の例. てんわの片重りがよく取れている. 全巻き時で姿勢差は約 5 sec/day 程度に収まっている.

り, 縦軸に歩度をとったグラフで理解すると一層わかりやすい. **図 2.6-1** はその一例で国産紳士用高精度品である. 平姿勢, 裏平姿勢の 2 つの姿勢でプロットした. 振り角の最大値は 270° くらいであるから, ぜんまいをいっぱいに巻いたとき, 全巻き平 DU・裏平 DD[12] で振り角が 270° 振っていることがわかる. そして歩度は平姿勢 DU で +3 sec/day, 裏平姿勢 DD で +6 sec/day ほどであることが読み取れる. ぜんまいがほどけていったとき, たとえば 24 時間経ったとき, この時計の場合, 振り角が約 230° ほどに下がるのであるが, 振り角が 230° になっても歩度はほとんど変化しない. グラフではもっと振り角が下がれば歩度がさらに遅れていく様子がわかる.

等時性とはこのグラフに示された全体を指すと理解していただきたい. この曲線を等時性曲線という. 機械時計ではその調整の様子をこのような等時性曲線で示すとその調整された姿が一目瞭然となる. **図 2.6-2** は同じ時計の等時性曲線を立姿勢について測定したもので, 立 4 方 (12 時上=12U, 9 時上=9U, 6 時上=6U, 3 時上=3U) を 1 個のグラフにした. この 4 方を 1 個のグラフにすることでその調整の様子がこれまた一目瞭然となるのである.

全巻き時は振り角は 255° くらい, また 24 時間戻し時は約 220° と読み取れる. このグラフからは, 実はてんわの片重りは大変良く取れていること, ひげぜんまいの振れ取り, 重心移動も小さくなっていることがわかる. このへんは申し分のない様子であって, どこの製品と比べても遜色のないものに仕上がっている.

このようなグラフはしかし一般の修理の際にデータとして取られることは大変少ない. それはグラフが描けるまでデータを取るのは時間がかかること, それにこのようなグラフを書いて調べる習慣が少ないからである. 修理の業務上ではそんなことはやってられない, と一蹴される話だ.

時計学校の学生には学習目的で描いてもらうが, 時計学校の諸先生方にすら, 等時性曲線をよく知っていてこれを基礎にしている方々は少ない.

ともあれ, 時計の調整の様子は等時性曲線によってまったく明瞭になる. そしてそのムーブメントのいわば格もはっきり示されているともいえる.

---

12) DU は Dial Up, DD は Dial Down の意味.

§2.2 等時性の実際

図 2.7-1 を見てみよう．この図では平姿勢と裏平姿勢との 2 つの姿勢についてプロットしてある．図 2.6-1 と比較してみよう．全巻き時は振り角 285°付近まで伸びている．全体に曲線はさらに平らであって，振り角がなんと 100°付近に下がっても歩度が遅れるようになっていない．実は筆者自身も自分でプロットしてみてこんなに低い振り角まで歩度が落ちないものを見たのは初めてであった．恐ろしく低い振り角までまったく平らであって，止まる寸前まで平らなのはどういうわけか，調査してみたいと思うほどである．ちなみにこの時計の立姿勢の等時性曲線がどうなっているかもご紹介しよう．図 2.7-2 がそれである．この図からわかることは，立姿勢の等時性についてはてんわの片重りが結構ある．この時計のてんぷはバイメタル切りてんぷで，調整した時点は 1967 年頃．測定をしたのは 2004 年．37 年間そのまま放置されたものである．多分，調整をしたときはてんわの片重りがまったくなかったものが，てんわの形状が経時変化して片重りがついたのではないかと想像される．それでも実用振り角範囲，おそらく立姿勢で振り角 276〜230°付近では 4 方姿勢の歩度は交錯していて，実測日差の姿勢差は 2〜3 sec/day 程度と思われる．

それはさておき，このグラフでも驚異的なのが低振り角でほとんど歩度が遅れにならないことだ．もちろん遅れへ動いていく兆候はあるが，それが今までの機械時計での常識とはかけ離れている．それほどにまっすぐに曲線が伸びている．

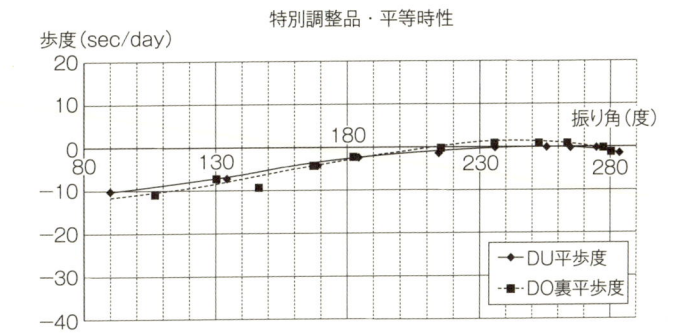

図 2.7-1 平・裏平姿勢の等時性曲線 その 2
国産紳士用高精度品の例．振り角の実用領域（280〜240°）だけでなく，非常に低い振り角領域にわたって歩度が遅れていかない例．特別高級品の事例である．

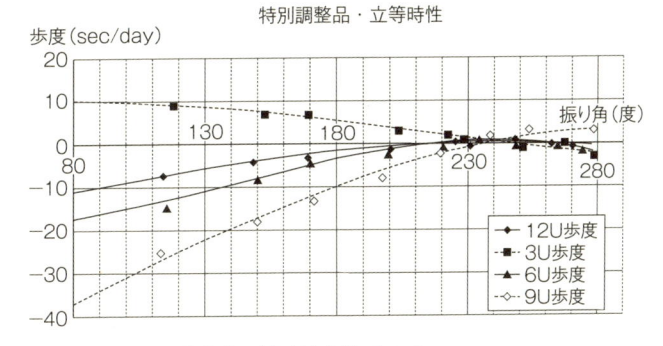

図 2.7-2 立 4 方姿勢の等時性曲線 その 2
図 2.7-1 の時計の立 4 方姿勢の等時性曲線．特別高級品の事例である．このケースでは実用領域での実測日差を縮めるためにてんわの片重りをわざわざつけてあるように思われる．

図 2.8 時計用の測定器
Witschi 社，Watch Expert．歩度と振り角が測れる．

2.2.3 等時性曲線のデータのとり方，描き方

さて，こうしたグラフの作り方について少し説明をしよう．Watch Expert という時計用の測定器

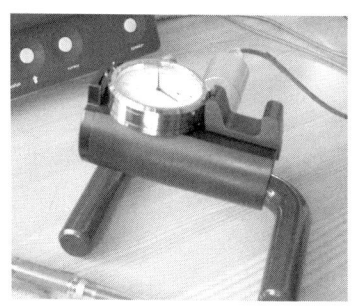

図 2.9-1　Watch Expert での測定①　マイクロフォンで平姿勢の測定の様子.

図 2.10　振り角の目測
あみだは振りの頂点で一瞬止まって見える.それによって振り角を目測できる.

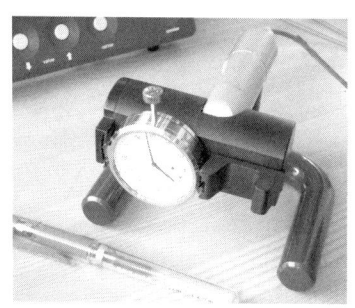

図 2.9-2　Watch Expert での測定②　立姿勢の測定. ここでは時計は 3 時上.

がある. スイス製で, 現在広く使われている. 測定器の外観を**図2.8**に示す. このタイプはすでに古いものであって, 最新鋭のモデルはこの会社のウェブサイトを参照してほしい (http://www.witschi.com/). 図の液晶パネルからは歩度, 振り角, 歩度の刻音軌跡などが読み取れる. いくつかのボタンは振動数, 拘束角, 歩度の測定時間, 液晶パネルの歩度感度の選択, 右端のボリュームが刻音を取るときの感度調節兼電源スイッチ, などである.

　この測定器のマイクロフォンに時計を載せる. その様子を**図2.9**に示した. **図2.9-1**は時計が水平の姿勢 (文字板上姿勢), **図2.9-2**では垂直の姿勢, 3時上になっている. このように時計の姿勢を変えて歩度と振り角を測定することができる. また, 振り角を変化させなければならないからぜんまいをまずゆるめ, 振り角の様子を見ながらぜんまいを巻いて少しずつ振り角を上げる. 30°くらいずつ上げるとよい. あるぜんまい状態にしたらそこで平, 裏平, 12時上, 9時上, 6時上, 3時上と6方の歩度を測ってしまおう. 振り角もデジタル表示されているからこれも記録する. 振り角の記録の際は拘束角を決めなくてはならない. 最初に目測で振り角とデジタル表示される振り角の値とが一致するように拘束角の目盛を調節しよう. 拘束角とは脱進機がてんぷと関わり合う角度のことで, てん真まわりで約 45～55°くらいの値である. 拘束角はアンクルの爪石の食い合いと第二停止を決めるどてピン位置によって決まる. 通常は 52°くらいと考えて測定している人が多い.

　てんぷの振り角の目視方法は, 振りむらの項でも触れてあるが, てんぷのあみだが停止しているように見える位置で測定する. **図 2.10** はあみだがちょうど止まる付近に来たときの様子を撮影したもので, あみだの停止位置がほぼ 5-6-7 の直線上に来ているので, 約 270°の振りが出ていることになる.

　図 2.10 の場合は拘束角を 47°にセットすると, 目視で見た振り角と測定器の測定結果がだいたい一致することがわかった. つまり脱進機の拘束角が実際上約 47°であることがわかる. **図 2.10** では爪石食い合いを大変浅く, また第二停止量もかなり小さく調節したに違いない.

　こうしたデータの記録例を**表2.1**に示す. 上から順にデータを記録していった経過がわかる. また,

§2.2 等時性の実際

表2.1 歩度と振り角の記録の仕方

6方等時性データ表

キャリバー：			LA（拘束角）=48°				
単位：度	単位：sec/day		単位：度	単位：sec/day			
振り角	DU：平歩度	DD：裏平歩度	振り角	12U 歩度	3U 歩度	6U 歩度	9U 歩度
90	－10		65	－13			
107		－11	70		10		
134	－7		80			－17	
130		－7	70				－41
168	－4		114	－7			
146		－9	118		9		
184	－2		115			－14	
182		－2	113				－25
214	－1		148	－4			
215		0	152		7		
167		－4	150			－8	
235	0		150				－18
235		1	169	－3			
255	0		169		7		
252		1	170			－4	
264	0		171				－13
263		1	200	－1			
274	0		203		3		
277		0	199			－2	
283	－1		197				－8
280		－1	225	1			
			222		2		
			220			0	
			219				－2
			231	0			
			228		1		
			234			1	
			238				2
			248	1			
			251		－1		
			248			0	
			253				3
			262	－1			
			267		0		
			264			0	
			262				0
			270	0			
			278		－3		
			274			－1	
			278				3

振り角のデータは順序よく並んでいないが，Excelではグラフにするとき自動的に並べ替えてプロットしてくれる．振り角は測定器からの読みとり結果．このデータをグラフにしたのが図2.7である．

Microsoft社のExcel[13])できれいにグラフ化ができ，この表の左半分をグラフにしたのが**図2.7-1**，

---

13) Microsoft社の表計算ソフトのExcelではデータをグラフ化してさらにプロットした点を結ぶとき，曲線で結んでくれて，曲線の次数を2次3次でなく，さらに5次，6次など任意に選べる．高次の次数の曲線で結ぶ芸当まで付属していて便利だ．

右半分が**図 2.7-2**となった.

2.2.4　等時性曲線の利用

時計の調整結果は，このように等時性曲線にして示せばきわめて明瞭になるので，昭和40年代から筆者の勤務していた時計部門ではこの利用をおおいに勧め，時計の理解の基本的な道具として普及させてきた．しかし広く海外，また国内の時計技術者の方々の様子を知って気がついたことは，時計の状態を知るときに等時性曲線をあまり利用していないということである．時計の参考書の中にもあまり見かけないのである．国内のベテランの技術者でもあまり親しんでいない方が多い．意外であった．しかし，ここで説明するようにグラフで見れば何が問題かは一目瞭然である．時計関係者にはおおいに利用をお勧めしたい．

また，グラフ上で明らかにされる問題点に関しても以降，より詳細に解説をしていきたい．

Witschi社の測定器の最近の製品リストを見ると，自動的にこの等時性曲線が描けるように配慮をした測定器があるようである．研究室的な需要にも対応した測定器メーカーが海外にはあることで，筆者は少し安心をしている．

§2.3　等時性を乱す要因

機械式時計の姿勢差を減らしたい場合，てんぷの振り角のある1点のデータを見ているだけでは，その様子を解析することはできない．振り角が変化したときに歩度がどう変化するかを知っておかない限り，精度の調整は不可能である．そこで必要とされる等時性の諸要因に関する知識を身に付けて，時計の調整方法を学んでいこう．まずは平等時性から，巻込角とあおりについて解説する．

2.3.1　等時性の諸要因

さて，このへんで腕時計の調整方法についてその全体像から等時性の諸要因を解説していこう．

まず**表 2.2**を見ていただきたい．ある機械腕時計のぜんまい全巻き時の6方歩度である．ここでは時計の調子には問題がないとして，表2.2からどのように時計を調整したら良いかを考えよう．ベテランの方であればそれぞれあるやり方をお持ちかもしれないが，比較的やさしい見方は，表2.2では立姿勢の歩度どうしが大きな姿勢差があるから，まずてんわの片重りの様子を調べよう，などと着手されるかもしれない．

このときに必要な知識はどんなものなのか．それを一覧にしたものが**表 2.3**[14]である．簡単にいって表2.2のデータだけでは実は時計の実情，つまり等時性に関してはほとんどよくわからないのであるが，表2.3のような知識があって，その上で表2.2を見ると，ある予想した状態が考えられ，その状態を確認していくやり方でこの時計を調整していくことができる．これは時計に限らず，たいがいのベテランはこうした過程を踏んで修理をされることだろう．

表 2.2　ぜんまい全巻き6方姿勢歩度測定結果の例

姿勢	歩度(sec/day)
DU(文字板上・平姿勢)	−3
DD(文字板下・裏平姿勢)	−5
12U(12時上・立姿勢)	−12
9U(9時上・立姿勢)	+9
6U(6時上・立姿勢)	+12
3U(3時上・立姿勢)	−15

---

[14]　表2.3はかなり幅広い要因を並べてある．これらをすべて熟知の方は少ないかもしれない．たとえば「平均値違い」などはご存じの方が少ないだろう．

2.3.2 姿勢差

時計の歩度は姿勢によって変わる．それは地球の重力がてんわなど回転する物体に力を及ぼし，その力が回転力として振動周期を乱すからである．時計の姿勢を変えると，その重力の方向が変わるから進み遅れもそれにつれて変化する．これが姿勢差の意味である．表2.2はその一例であって，ぜんまいが全巻きの状態でのデータである．しかし，表2.2は振り角がある一定のときの様子である．これに対して等時性とは歩度と振り角との関係，つまり振り角が変化したとき歩度がどう変化するかに関する知識である．この方がはるかに情報量が多い．そしてこの様子を知ることで姿勢差を少なくする手段がはっきりしてくるのである．

表 2.3 等時性の諸要因

項　目	概　要	平姿勢	立姿勢
1 巻込角	平等時性を決める第一の要因	○	○
2 あおり	関係あり 平等時性の調節	○	○
3 てんわの片重り	立姿勢差第一の要因	—	○
4 ひげぜんまいの重心移動	220°で0 220°で極大	関係なし —	○
5 ひげぜんまいの偏心	偏心方向で変わる	○	○
6 脱進機誤差の姿勢差	主として平立差	○	○
7 平均値違い	てん真ほぞびつの影響	—	○
8 その他(ひげ具合，中具合，軸受など)	実際はこの項目の影響が大きい	○	○

要するに**表2.3**のような姿勢差と等時性に関する知識があれば，**表2.2**の時計に関しての追加調査事項がわかり，結局，調整方法も明確になるのである．

ともかくこの姿勢差を減らそうとしたとき，てんぷの振り角のある1点のデータだけ見ていたのでは様子を解析するのは難しい．表2.2もぜんまい全巻き状態のときだけしかわからない．表2.3のような知識のない方では姿勢差を減らそうとしても手がつかない．腕時計の調整の難しさは表2.3の諸要因が常に同時に存在するためでもある．

表2.3は腕時計の調整に必要な知識のリストであった．この内容を理解すれば腕時計の調整ができる．表にはこれらの要因が影響を及ぼす姿勢について印を付けておいた．立姿勢と平姿勢とでは少し違っている．平姿勢の方が少し少ない．このことが大変役に立つ．それで時計の様子を分析するときは平と立に分けて調査する．したがって本書では，この表2.3の各要因の概要を紹介する．これらの要因をここでは**等時性要因**[15]と呼ぶ．今回は平等時性のうち巻込角とあおりについて解説をする．

2.3.3 いろいろな等時性要因

● 巻込角：ひげぜんまいの内外端固定の影響

ひげぜんまいは，てんぷが静止位置から回転した角度に比例しただけの復元回転力を作りさえすればよい．しかしこのことを時計に必要な精度[16]で実行することがなかなかできないのである．

---

[15] 姿勢差の要因でももちろんなのであるが，本文にも述べたように振り角との関係を理解する方がずっと深い理解になる．それでこのように呼ぶことにする．この点ではどうもヨーロッパの教え方と様子が違うらしい．スイスの時計学校でのテキストには等時性について力を入れてないように思われるからである．そしてこれから述べる等時性の主要な要因である巻込角の全体像にしても，あるいはてんわの片重りにしても，振り角との関係をグラフにして教えているものがそれらのテキストにほとんどないから，このような理解の仕方が世界では異端であるのかもしれない．しかし日本の時計工業ではこのあたりをがっちり理解させているために，正確な時計が量産されているのである．

[16] この必要な精度に関してはこれまでにも繰り返し述べた．歩度で1 sec/dayなら約1.16×10^{-5}の精度，10 sec/dayなら1.16×10^{-4}の精度である．こんな正確な精度でひげぜんまいに対して復元力を作り出すように要求している．この正確さを維持できるようなシステムの開発がいわば16, 17世紀頃からの時計の歴史のポイントであった．

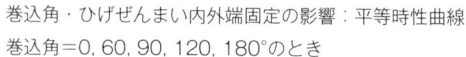

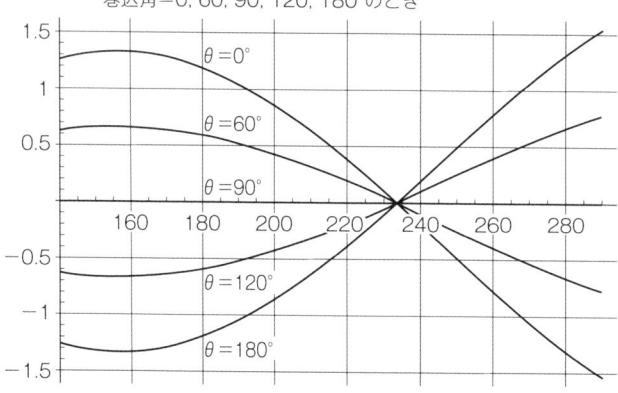

図2.11 巻込角と平等時性の関係
横軸は振り角，縦軸は歩度と考えてよい．ひげぜんまいの内外端を固定した影響のうち，実用的な振り角範囲（図では振り角140〜290°付近）の様子を示したもの．

ひげぜんまいの内端はひげ玉に固定される．固定される場所は回転中心ではなく，少し回転半径[17]がある．このためにひげぜんまいはてん真に回転力のみを与えることができない．一方，ひげぜんまいの外端はひげ持によって支えられるが，これもひげぜんまいが回転力だけを発生させることができない理由になる．このようにひげぜんまいは内端と外端を固定した影響と，全体が渦巻き状[18]であるために，どうしてもてんわの回転した角度に比例する復元力以外の力をてんぷに及ぼす．そしてその様子が巻込角によって大きく変わる．日本ではこのことを巻込角，正確にいえばひげ内外端固定の影響[19]といって教えているが，スイスなどヨーロッパではpinning point[20]と教えている．このひげぜんまいの内外端固定の影響はグラフで表せば**図2.11**のようになる．巻込角θの値によって傾向が反対にもなることがわかるだろう．$\theta=0°$の曲線は振り角が小さくなれば進みになる左上がりの曲線であるから，「**短弧で進み**」の曲線という．図でわかるように巻込角θの値によって曲線の傾きは大きく変化し，$\theta=60°$では勾配は半分になる．このように時計を平姿勢にしたときはこの巻込角が主要な等時性の原因であるので，単に「**平等時性**」と表現して会話をすることがある．

この巻込角の影響に対しては地球の重力は関係がない．したがって時計を平立，どのような姿勢にしてもこの巻込角の影響は一定であるが，同じぜんまいの状態であっても平と立，あるいは斜めにすれば振り角は変化するから結果的には姿勢差の原因となるのである[21]．

---

17) ひげ玉の半径と考えてよい．約0.45〜0.55 mm．これが諸悪の根元となる．
18) アルキメデス曲線という．
19) さらに正確にいえば「ひげぜんまい内外端固定によるばね定数の非直線性」である．
20) 別名 point of attachment, point d'attache (仏), Befestigungspunkt (独) という．直接はひげ玉に取り付けられるひげぜんまいの部分をいう．スイスではこの場所を緩急針の方向と一致するように取り付けよ，と教えている．つまり巻込角を0°とするように指導している．
21) ちなみに**表2.2**を見てみよう．平・裏平の歩度平均値は−4秒であるのに対して立姿勢の歩度は平均すると−1.5秒であるからこの平と立の差約3秒についてはこの「平等時性」が原因となっている可能性がある．
22) 図2.11を見ると巻込角が0°では単純に短弧で進みになっているが，理論上は脚注図1のように振り角増大につれて発散するカーブの一部分を見ている．しかし，巻込角の影響をこの図2.11のように単純に理解しておくことの方が実際的であろう．念のため，このグラフの関係式は(2.2)のようになっている．

$$\delta = \frac{4R_0^2}{L^2}\{A \cdot J_1(A) - J_0(A)\}\cos\theta \qquad (2.2)$$

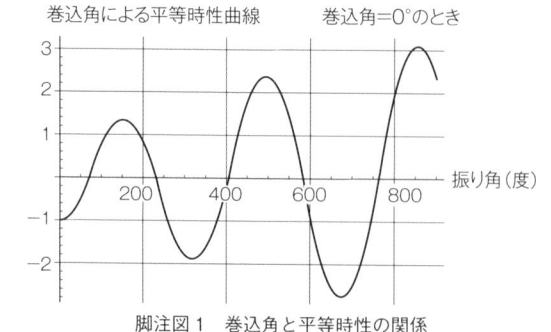

脚注図1 巻込角と平等時性の関係
振り角の広い範囲で眺めてみるとこんなグラフになる．図2.11の巻込角$\theta=0°$はこのグラフで振り角が140〜290°の付近を見たものである．

§2.3 等時性を乱す要因

図 2.12A あおり
ひげ棒とひげ受の間にひげぜんまいがはさまれている．この図では，ひげはひげ棒に接触しているが，てんぷの振りが反対になるとひげ受側に今度は接触する．

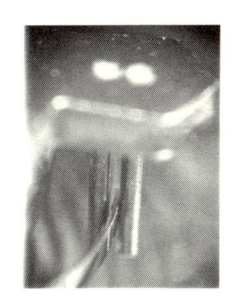

図 2.12B-1 あおり①
2本のひげ棒の間にひげぜんまいがはさまれている．この図では，ひげは右のひげ棒に接触している．

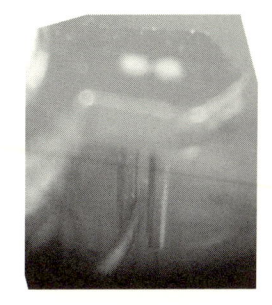

図 2.12B-2 あおり②
ひげは左のひげ棒に接触している．図 2.12B-1 と 図 2.12B-2 であおっている様子がわかるだろう．この場合あおっている距離はひげの厚みの半分ほど．

さて，図 2.11[22] で $\theta = 0°$ の場合は実用的な振り角の範囲である約 140～290°付近ではグラフは振り角が小さくなると歩度が進んでいく．この進み具合はいま述べたとおり，巻込角が 0°のとき，もっとも大きい．巻込角が 180°のときは図 2.11 の $\theta = 180°$ の曲線のように反対に**「短弧で遅れ」**となるので，通常はこのような巻込角は使われない．

ひげぜんまいの形状によって，特に巻込角だけで平等時性がこんなに大きく変化してしまう．時計を分解掃除をしたときに巻込角がどんな値なのか調べて[23]あれば，その後の調整時に有用な指針を得ることができるだろう．

• あおり

あおりとは緩急針のところでひげぜんまいがひげ棒とひげ受のすきま（**図 2.12A** 参照）内で遊ぶ（**図 2.12B-1**，**図 2.12B-2** 参照）ことをいう．もちろん，「ひげ具合[24]」にもよるが，ひげぜんまいがひげ棒とひげ受の間で遊ばないようにすることもできる．たとえば，ひげ棒にくっついたまま（あおりなしの状態）にすると，そこの接触圧力は大きくなって，ひげの安定した動作を妨害する可能性があるから，本来あまり好ましい状態とはいえない．ひげ棒に接触させるのであれば緩急針のところで軽くふれるようにする．反対にひげがひげ棒を強く押す状況とすると，ひげ全体の位置がずれた状

ここで，δ：振動周期の変化，R_0：ひげ内端半径 [mm]，L：ひげぜんまいの長さ [mm]，A：振り角（脚注図の横軸），J_1：1次のベッセル関数，J_0：0次のベッセル関数，θ：巻込角．

23) 巻込角は時計を組み立ててあるときには普通調べられない．ひげぜんまいの巻出し点の様子はてんぷ受があって見えないからである．分解掃除をした人だけが知ることができる様子の一つである．

24) ピンセットでひげの様子を調節することを「ひげ具合をとる」という．ひげぜんまいがきちんと水平になるように，「おちょこ」や「傘」にならないように，擦れたり引っ掛かっているなどないようにすることをいう．ひげぜんまいの厚さは普通 0.02 mm 程度であるから，ひげぜんまいの位置をきちんとするということはひげぜんまいの位置を ±0.02 mm 程度にピンセットで位置合わせするということとほぼ同じと考えてよい．場合によっては ±0.005 mm 程度まで部品位置を調節するといっていることもある．このあたりが技術者の実力を試されるところでもあり，その結果が本文で述べたように時計の調整結果に直接つながることになるのである．

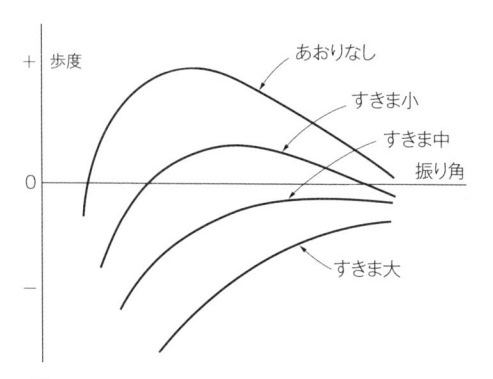

図 2.13-1　両あおりの効果
両あおりをつけると等時性曲線が図のようにだんだん寝ていく．これを利用して平等時性を平らにすることができる．

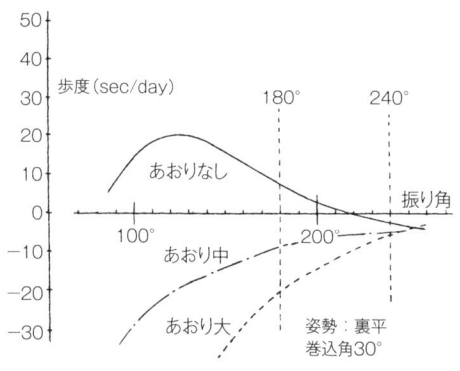

図 2.13-2　両あおりの実際
あおりの実際の例として縦横軸の大きさを参考にしてほしい．

態となって，「**取付歪**[25]」の発生した状況となる[26]．この状態は，見かけのひげの位置はきれいに見えていても良いひげ具合ではない．このひげ具合の調節は，主として固定区間（ひげ持と緩急針までの間のひげの部分の位置），あるいはひげの外端くせ付け位置あたりまでの様子をピンセットで調節して行う．この調節ができるようになることが時計師の修めるべき重要な技術の一つである．

さて，あおりのさせ方であるが，たとえばてんぷの静止時でひげぜんまいの位置をひげ棒，ひげ受のすきまの中央に持ってくることができる．この状態ではてんぷの静止時から必ずひげがあおる．右に振っても左に振ってもあおるのでこれを「両あおり[27]」という．これに対してひげ位置を静止時にひげ棒かひげ受のどちらかに触った状態にすると，てんぷがある程度振ってからでないとあおらない．これを「片あおり」という．また，このある程度の振りを「あおり開始角度」という．ひげ棒にひげが接触しているときのてんぷの回転角度から，ひげ受に接触するまでてんぷが回転する角度，あるいは，このひげ棒からひげ受までのすきまの距離をあおり量といい，ひげの厚さに比較して「ひげの厚さの2～3倍程度のあおり量にする」などという．てんぷの回転角度にすればあおり量は2～3°程度，ひげの厚さで測るときは

---

25)　ひげぜんまいをひげ持に取り付けるときに，その自然状態の位置のまま取り付けられることがひげぜんまいにとっては理想であるが，そうでない場合，取付歪があるという．この歪みの様子は取り付けてからひげ持，緩急針，あるいは少しそれよりも先の外端曲げ付近までのひげの様子をピンセットで修正をして，結果的にはひげぜんまいが自然状態で取り付けられた状態となるように修正する．ひげ具合を良くする，直すなどという．その結果，静止時には緩急針やひげ持によってひげぜんまいには力がかからない状態となり，等時性の状態もその状態で正しい性能を出すようになる．緩急針のところであおりがあれば，両あおりの状態では少なくとも緩急針によっては静止時に力はかからない．まず，これが目標とすべき状態の第一歩であろう．片あおりはその状態からひげ具合を調節してひげ棒あるいはひげ受へ静止時に接触させるようにするのであるからその分，ひげぜんまいには静止時に力がかかっている，といわねばならない．もちろん取付歪の様子は緩急針のところでの様子だけでは全体がわかるわけではない．また，等時性に対する取付歪の影響は，歪まされている方向によってその様子が大きく異なる．緩急針方向へ引っ張られる，あるいは押されているという歪みと，緩急針の直角の方向へ歪んでいる場合とでは大きく異なる．この直角の方向への歪みが大きく等時性へ影響する．緩急針の方向での歪みは比較的等時性に対する影響は少ない．平ひげは振動中につねに外端が緩急針と反対方向へ伸び縮みしている．その姿はいつも見ている風景であるが，この伸び縮みは等時性に対する影響は少ない．それで，平ひげが多用されるわけである．参考文献：「ひげぜんまいの偏心と等時性に関する一考察」，安部健次，日本時計学会誌, Vol. 36, 1963, p. 21.

26)　ひげぜんまいはひげ棒とひげ受に摩擦して引っ掛かっている．その様子は時計の目標精度が 10^{-4} 程度であるからそれと比較すれば不安定と理解すべきである．まして，取り付け歪みのある状態で押さえつければ大きな摩擦があり，時計の進み遅れはさらに不安定になる．Witschi などで測る瞬間歩度はこの緩急針における摩擦でばらついてしまう．このばらつきの大きさはこの取り付け歪みによってさらに増大する．両あおりのときはこの押しつける力は最小であるから，それがもっとも望ましい．WOSTEP 時計学校で教える意味はこの状態にせよ，といっているわけである．

27)　この状態をあおりの調節すべき目標としてスイス WOSTEP 時計学校では教えている．しかし，本来は本文にあるように等時性の状況を見てあおりを調節するべきである．

§2.3 等時性を乱す要因

ひげの厚さの 2～3 倍程度，これがあおらせるときの目安としては通常であるが，その大きさはあおりがもたらす等時性の様子によって決めるべきである．

あおりはてんぷの振動周期に対してもちろん影響がある．ひげぜんまいがあおっているときは，ひげぜんまいの長さはひげ持のところまで長くなったのであるから振動周期は大きくなり，時計としては遅れることを意味する．そしてその長くなる時間（あおっている時間）は振り角に関係しており，小さな振り角のときは比較的長い時間あおり，振り角が大きくなるとあおっている時間は短くなる．つまり振り角とあおっている時間の長さとは反比例の関係になる．このことから，あおりによって振り角と歩度の関係，すなわち等時性には図 2.13-1 のような影響があって平等時性が変化する．これを平等時性の調整に利用する．短弧で進みの平等時性に対して図 2.13-2 のように進みを減らすことが，あおりによって可能となる．両あおりのときは素直に平等時性が遅れていく，「短弧で遅れ[28]」へと変化する．片あおりのときはあおらない領域（あおり開始角度よりも小さい振り角領域）と，あおる領域（あおり開始角度よりも大きい振り角の領域）とでは影響が違うために，そのあおり開始角度前後で異なる影響を持たせられる．あおらない領域では遅れにならないが，あおる領域では遅れるわけで，これらが一体となって等時性の様子が変化する．両あおりでは平等時性をたんに寝かせるように調節するのであるが，片あおりを使うとその付近でむしろ等時性を立たせることすら可能である．それを図 2.14 に示す．図 2.14 ではあおり止めの状態（振り角の全領域でひげがあおらない状態）よりもあおり開始角度 135°の方が等時性曲線が立っており，「短弧で進み」になっていることに注目してほしい．ここまであおりによる等時性調節ができるので，緩急針のある時計では調節の幅がある．その有利な点で，この緩急針付きのシステムが重用されてきた．しかし脚注内で述べたように，歩度の安定性の点では緩急針なし[29]に比べれば劣ることはやむをえない．

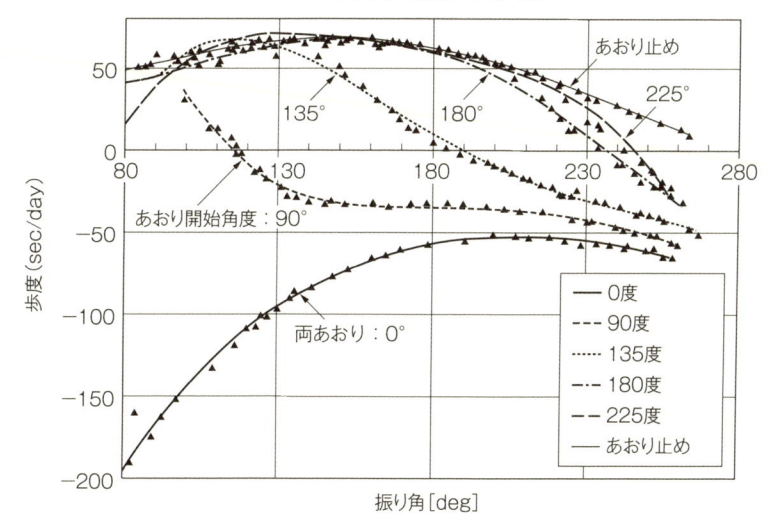

図 2.14 片あおりの実際
あおり開始角度を 90～180°とすると，等時性をむしろ立ち上げることができる．

---

[28] 短弧で遅れ，とは振り角小で遅れの意味．短弧は英語では in short arcs．
[29] フリースプラング（free sprung）といわれる．このシステムは分解掃除すれば 7, 8 割の時計がもとの歩度の状態に戻るほど安定している．

§2.4 てんわの片重り

ここでは立姿勢差を発生させるてんわの片重りについて解説しよう．片重りの影響は振り角が変わるとどのように変化していくのか．そして，片重り取りを実際に行った場合，等時性曲線はどのように変わるだろうか．理論と実際の結果がほとんど一致するこの関係を，実際の等時性曲線を確認しながら解説していきたい．

2.4.1 てんわの片重り

本項では時計の調整ではもっともなじみやすい，てんわの片重りについて解説をしよう．このてんわの片重りは理論と実際がほとんど狂わない，つまり理論どおりの結果が必ず出る要因なので，腕時計の調整をする人にはもっともやさしい項目である．

てんわの片重りがあると姿勢差が発生する．たとえば**表2.4**のように測定できたとしよう．そしてこのデータだけでは調整の仕方がはっきりしないことは先に解説をした．

てんわの片重りの特徴として，振り角220°では影響が発生しない．このことは調整作業のうえで重要なヒントになる．まずてんわの片重りの影響は振り角が変わるとどのようになるかを理解しよう．

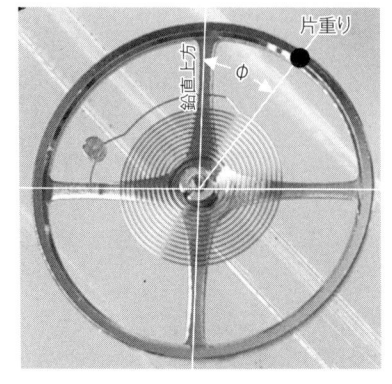

図2.15 てんわの片重りの位置 ϕ

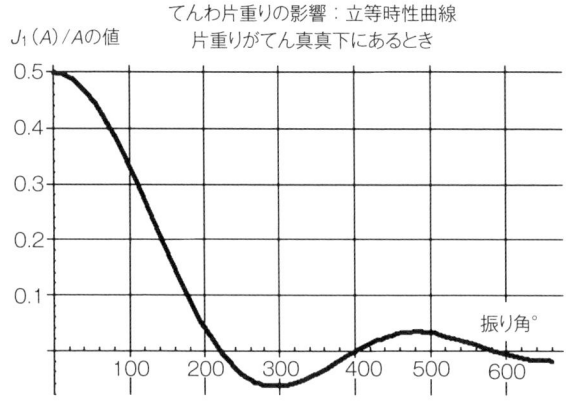

図2.16 てんわの片重りの影響 $J_1(A)/A$ のグラフ．

表2.4 全巻き6方歩度

姿勢	歩度(sec/day)
DU	0
DD	+1
12U	0
9U	0
6U	+4
3U	-6

重りを取っていないとき．

2.4.2 てんわの片重りの理論

立姿勢では，てんわの片重りはてん真軸の周りに回転力を発生して，てんぷの振動周期を変化させる．その様子はてんぷの振り角によって変化する．エアリーの定理を用いて説明する手もあるが，理論式は次式で与えられる．

$$\delta = -\frac{mgR}{K} \cdot \frac{J_1(A)}{A} \cos\phi \tag{2.3}$$

ここで，$J_1(A)$：1次のベッセル関数，A：振り角［rad］…この式の中で振り角が関係する部分は $J_1(A)/A$ で，その様子を知るにはこの部分だけの**図2.16**を見ればよい．δ：振動周期のずれの割合…この値を86,400倍すれば歩度表現［sec/day］となる．m：片重り量［mg］，R：てんわの回転半径［mm］，g：重力加速度［mm/sec²］，ϕ：天真鉛直上方から片重りのある位置までの角度（**図2.15**）…片重りがてん真真下なら $\phi = \cos 180° = -1$ となる．K：ひげぜんまいのばね定数…ばね定数とはひげぜんまいを1rad（約57°）回転させるトルクに等しい．これから mgR/K は片重りを真横に置いたとき，片

§2.4 てんわの片重り

重りのトルクによりてんわがずれる角度を意味する．60分法で表現すると $180mgR/\pi K$ となる[30]．

式 (2.3) の δ とは振動周期のずれの割合である．何%ずれたか，という割合を示す．したがって，式 (2.3) の説明に書いたようにそれを86,400倍すれば歩度になる．てん真の真下に片重りがあるとは，式 (2.3) で $\phi=180°$ のときであるから，この場合は，$-\cos 180°=1$ となって δ の値は一番大きくなる．

式 (2.3) で振り角によって変化する項は $J_1(A)/A$ であるからその部分だけを図にすると**図2.16**のようになる．この図と式 (2.3) から時計技術者として読み取ってほしいことは，

1. 振り角220°では曲線が横軸を通過する．つまり影響がなくなる．
2. 220°より低い領域では進みになる．その影響の大きさは振り角が小さくなるほど大きい．
3. 220°より上の領域では反転して遅れになるがこのグラフのように影響は小さい．また300°付近で極大になる．
4. 重りの角度（位置）が変わればその cos に比例して変化する．

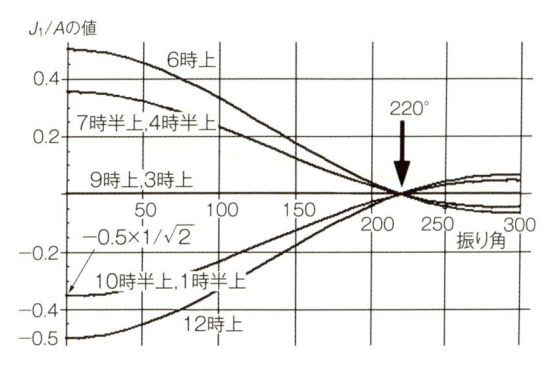

図2.17 てんわの片重り（12時上にあるとき）と姿勢の影響（グラフによる図2.18の正確な表現）．

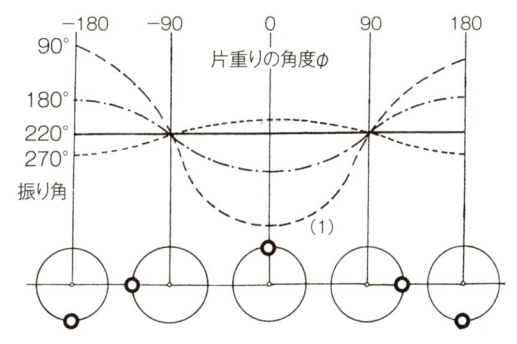

図2.18 姿勢が変わると片重りの影響は…

以上が知っておくべきことであるが，第4項について解説をしよう．時計の姿勢が変化したとき片重りの影響も変化する．それも大変単純で，姿勢が変化すれば式 (2.3) の $\cos\phi$ が変化するだけであって，**図2.17**にその様子を示す．6時上の姿勢のときに片重りが真下にあるとき，つまりてんわ上で12時方向に片重りがあるとき（12時方向が重いとき）は，6時上の曲線が図2.16に相当する．姿勢を変えたとき，その影響の変化する様子はこのようにいつも片重りの位置を示す角度 ϕ の cos に比例して変化すると理解しておけばよい．同じことをイェンドリッツキー（Hanz Jendritzki）は

---

[30] 式 (2.3) の係数の意味をさらに考えよう．mgR/K という項の意味は，片重りによる曲げモーメントとひげぜんまいのばね定数との比，つまり，てんわの片重り部分を真横にしたとき，その片重りによっててんわの静止位置がずれる角度を意味していると書いた．てんわの6時方向が重いとき，時計を3時上にすればてんわは時計回りに mgR/K [rad] だけ回転した位置で静止する．この角度を意味する．そして，この角度だけで歩度への影響 δ が決まる．てんわの慣性能率も振動数もこの式には入らない．片重りによる曲げモーメント mgR とひげぜんまいのばね定数 K との比だけで決まる．そのような統一解釈ができる式をここに紹介した．もしてんわの片重りでてんぷの静止位置が $1°(=\pi/180\text{rad})$ 傾いてしまう片重りがあるとすると，図2.17の6時上の曲線から振り角140°で $J_1(A)/A=0.2$ 程度と読みとれるから，振り角140°では歩度のずれ，姿勢差は $2\times 86400\cdot mgR/K\cdot J_1(A)/A=2\times 86400\times(\pi/180)\times 0.2=603\text{ sec/day}$ となる．まったく膨大な姿勢差で話にならない．逆に姿勢差が 10 sec/day となるような片重りがあるとすると，そのてんわの静止位置の回転角度 θ は $10=2\times 86400\cdot\theta\cdot(\pi/180)\times 0.2$ から $\theta=0.01658°=0.995'$ である．これではてんわの静止位置を見るだけでは片重りはまったく取れないこともわかる．時計の精度とはこの程度の厳しい要求をしている．また，ひげぜんまいの強さ，ばね定数だけでこの様子が決まることも時計を扱う人間からすれば納得できる．ひげぜんまいがどのくらい強いか，これだけで時計の正確さが決まってしまう．この感覚どおりである．

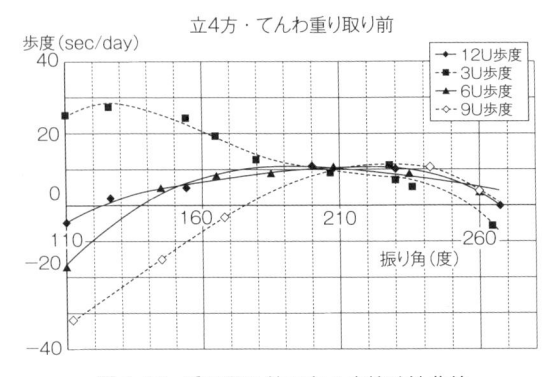

図 2.19　重り取り前の立 4 方等時性曲線

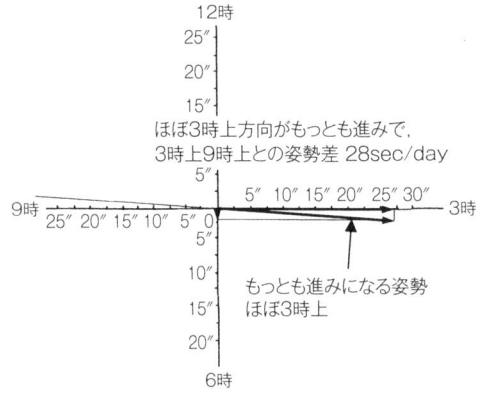

図 2.20　図 2.19 の振り角 160° での姿勢差ベクトル

図 2.18 で示した[31]．姿勢が変化すればこのように変化し，なおかつ，振り角の大きさで影響の大きさが変わる．図 2.17 と同じことを図 2.18 で説明した．

姿勢を変えるとその姿勢での重り位置の角度 ϕ の三角関数 $\cos$[32] に比例して影響が変化するということから，てんわの片重りを大きさと方向があるもの，つまりベクトルとして理解することが便利になる．たとえば，立 4 方の歩度を測ればもっとも進み，あるいはもっとも遅れとなる姿勢，つまりてんわの片重りの方向を正確に求めることができる（図 2.20 参照）．

さて，そのようなてんわの片重りを取るにはどうすればよいだろうか．図 2.17 のグラフから，あるいは図 2.18 のグラフからわかるように振り角を下げて（たとえば振り角 160°に），その振り角でもっとも遅れになる姿勢を求め（図 2.18 では中央の図の位置），その姿勢でてんわのリムの一番上になる部分をさらえばよい．普通，6 時上，9 時上などと姿勢を表現するから，9 時上がもっとも遅れならばてんわの 9 時方向の部分をさらえばよい．このさらう方向を正確に求めようとするならば，図 2.19 にあるように立 4 方の姿勢の歩度を測定してこれらの歩度からもっとも遅れになる姿勢を求めることができる．

ここまで，時計を運転してその歩度の様子から重り取りをする方法を述べた．古典的にはてんわ単体でこれを重り取り台の上に載せて重りを取ることが行われた．最近の重り取りの様子はだいぶ違っている．てんぷの部品工場でしっかり重りを取ってしまう．それで組み立てなどでさらに重り取りを

---

31) このことをイェンドリッツキーは脚注図 2 のように説明している．この図もなかなか工夫してあって，わかりやすい．少し説明すると，1 から 4 までは姿勢が変わるとこんなふうに進み遅れが起きる．てんわの振り角が 90°として進みになる弧（太い線），遅れになる弧（白ヌキ線）で示してある．姿勢の影響は重りの位置を示す角度 ϕ の $\cos$（余弦），ということを示している．5 から 10 は振り角が変わったときの弧の影響の様子が同様に表現してあり，結果として +，大きい +，もっと大きい +，220°では ±0．振り角 270°では − で，遅れになるといっている．いわば式（2.3）を図で説明しているわけだ．ここでは式（2.3）のような数式には触れていないのでわかりやすいかもしれない．+ の符号の大きさで影響の大きさを示す．図 2.18 は "watch adjustment" H. Jendritzki edition of swiss watch and jewelry journal scriptar s.a., switzerland, 1972, p.5, fig.5 から修正した．脚注図も同じ文献から．

32) $\cos$（余弦）でなくても $\sin$（正弦）でもよい．てんわの片重りの大きさは鉛直上方からの角度を ϕ とすれば $\cos\phi$ に比例するが，水平横方向から片重りの位置の角度 ψ を測れば，片重りの影響は $\sin\psi$ に比例する．

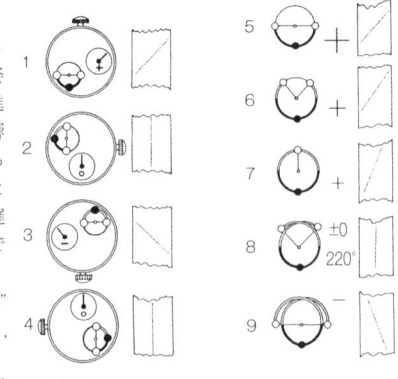

脚注図 2
イェンドリッツキー『腕時計の調整』（小牧昭二郎訳，村木時計店，1967 年，p.33）より．

§2.4 てんわの片重り

する必要がほとんどなくなった．最初に述べたように片重りの理論と実際が相当よく一致しているため，組み立てても部品のときと様子がほとんど変わらないのである．修理の際にもてんわの片重りが発生しているということがなくなった．

さて，220°ではてんわの片重りの影響がなくなること，またそれより上の振り角では影響が小さいということから，振り角が大きいとき，たとえばぜんまいをいっぱい巻いたままでてんわの片重りを取るということはナンセンスだということがわかる．普通，時計の振り角は全巻き時で250〜300°くらい振っているであろう．このような状態では他の要因で姿勢差が出てくると考えた方がよい．表2.4のデータから片重りを取るなどということは普通はできない．大きな振り角での姿勢差を見ててんわの片重りを取ってはならない，という鉄則なのである．

ここでこのような理解の時計教育界の現状を振り返ってみよう．古い参考文献でイェンドリッツキーの『腕時計の調整』では**図2.18**でてんわの片重りの影響を説明した．ここでは振り角をパラメータに取った図による説明はない．スイス時計学校 **WOSTEP** の教科書には**図2.16**や**図2.17**のような例示，つまり振り角を横軸に取った説明がない．日本のメーカーにおける教育ではセイコーホールディングス（以下セイコーと略記．ブランド名としてはSEIKO），シチズン時計（以下，シチズン），いずれでも横軸に振り角を取ったグラフによる説明をしている．この方がなだらかな曲線が見えて，視覚的に正確に影響の仕方が理解できるのであるが，これをなぜヨーロッパではしないのか．グラフの式の中にベッセル関数という言葉が出てくる，これを嫌ったのであろうか．

2.4.3 てんわの重り取りの実際（姿勢差の調整）

さて，てんわの重り取りを実際に行うとどのように等時性曲線が変化していくかを示そう．腕時計は国産の高級品で8振動の最近の紳士用である．

図2.19は重り取りを行う前の立4方の等時性曲線である．**図2.19**では振り角が小さくなると末広がりに姿勢差が広がっているのがはっきりわかる．てんわの片重りの影響だということが一目瞭然である．ほぼ理論どおり（図2.17）の形をしていることがわかる．図2.19からどの方向のてんわの部分をさらえばよいか考えよう．図2.19で，振り角160°での立4方の歩度を読み取ると，12時上+7，9時上−7，6時上+9，3時上+21 sec/day である．まずここで3時−9時方向のデータを比較すると，3時上が進みで9時上との差は +21−(−7) = 28 sec/day，それでグラフに3時方向に向かう大きさ28 sec/day の矢印を描く．これが3時−9時方向の姿勢差成分である．さらに，12時−6時方向の姿勢差成分に関しては，12時上と6時上のデータを比較すると，6時上方向が進みでその差は (+9)−(+7) = 2 sec/day，これを読み取って図2.20 に12時−6時方向の成分を6時方向へ向かう矢印で大きさ2 sec/day 分描く．この2つの成分，3時−9時方向成分，12時−6時方向成分を合成して矢印を描く．この矢印が合成ベクトルである．そして合成ベクトルは立姿勢の中でもっとも進みになる方向を示しているし，矢印の大きさでその大きさ，つまり合成ベクトルの矢印方向と反対の方向（この場合はほぼ9時上）との姿勢差の大きさを示している．図2.20の場合はもっと

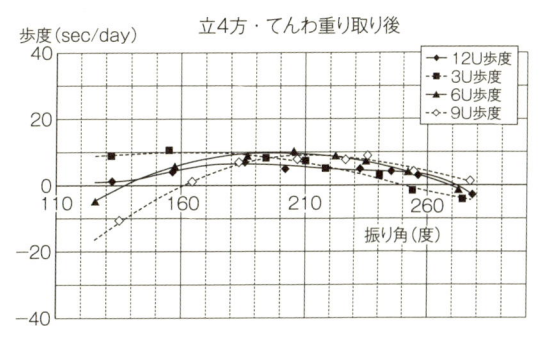

図2.21 重り取り後の立4方等時性曲線

表 2.5 全巻き 6 方歩度

姿勢	歩度(sec/day)
DU	−5
DD	−1
12U	−3
9U	+1
6U	−1
3U	−4

重りを取った後.

も進みになる方向はほぼ3時上,もっとも遅れになる方向はほぼ9時上である.したがって,9時上の姿勢で,てんわの上方のリムの部分をさらうことになる.

このようにして最大姿勢差の出る方向と大きさを読み取り,てんわの片重りを取った結果が**図 2.21**で,重りを取った後の立4方の等時性曲線を示した.この図では明らかに振り角が小さくなっても立4方の姿勢差が広がっていかない.このような結果が出たとき,てんわの片重りが取れたといえる.

表 2.5は図 2.21でのぜんまい全巻き時6方歩度であるが,この表 2.5を見ても重りを取ったということはほとんど明確ではない.また**図 2.19**を見ても,全巻き時付近ではこれがてんわの片重りのせいだと見える部分があるだろうか.ほとんどわからない.つまりぜんまい全巻きだけの6方歩度を測ってみても何もわからないというべきなのである.たしかに全巻き時の6方姿勢差の最大値は,6 sec/day になったから表 2.4[33]よりも良くなったが,その理由をこの表だけで説明はできないだろう.このようにぜんまい全巻き時のデータはてんわの片重りを表現していないし,ぜんまい全巻き時のデータでてんわの片重りを取る,という方法はもっとも効率の悪い,的の当たらない方法であるが,非常に良く姿勢差が取れている状態,たとえば図 2.21 のように姿勢差がかなり取れてしまっている状態では,それからさらに姿勢差を減らそうというとき,てんわの片重りをわざわざ付けて全巻き時の姿勢差を減らす,という高等手段をベテランの方々はやっている.このようにてんわの片重りを最終的な姿勢差の調整方法として利用することも行われている.

しかし本来は,振り角の大きい領域では違う手で姿勢差を減らす,という考え方がオーソドックスなのである.つまり,等時性を乱す他の要因がいくつもあるので,それらの要因がそれぞれどのくらい効いているか,を確認していくやり方である.

2.4.4 等時性曲線の実際

実際の時計修理上でこのような等時性曲線はほとんど描かれていない.しかしてんわの片重りがこのような性質を持っているということはよく知っておかなければならない.等時性曲線を描くのは大変手間がかかる.修理の仕事の上ではその手間を省くのが通例であろう.一方,時計を勉強する人にとってはこれほど明確に時計の様子を示すものはないから,等時性曲線を知らないで通るわけにはいかないだろう.他の要因,ひげぜんまいの重心移動や平均値違いなど,曲線を描かないと正確な理解ができない要因が多いのである.等時性曲線をいくつも描いて実際の時計の様子をそこから理解できるようになってほしい.

§2.5 ひげぜんまいの重心移動

てんわの片重り取りだけでは,姿勢差を取ることはできない.そこで本節ではいよいよ調速機の核心部分といえる「ひげぜんまい」について解説する.まずは,ひげぜんまいの歴史から役割について,さらに重心移動による姿勢差を詳しく分析するとともに,その原因についても言及していく.

---

[33] 表 2.4 では最大姿勢差は 10 sec/day だった.全巻き時の姿勢差が 20 sec/day 以上あるようなときはこの姿勢差がてんわ片重りのためにできた,とわかるようになる.てんわ片重りの影響がはっきりわかる場合はその程度まで大きいときである.

§2.5 ひげぜんまいの重心移動

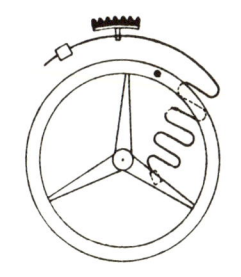

図2.22A　蛇ひげぜんまい 1675年ジャン・ドゥ・オトフィーユが採用した蛇ひげぜんまい．

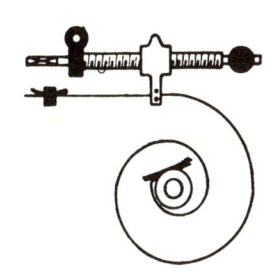

図2.22B　初期のひげぜんまい① 1660年頃初めて取り付けられたという薄いひげぜんまい．

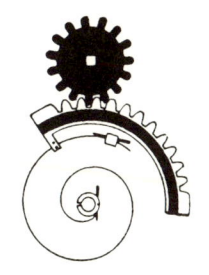

図2.22C　初期のひげぜんまい② 1660年頃ロバート・フックが懐中時計に取り付けたひげぜんまい．

図2.22D　その他のひげぜんまい 円錐形，円筒形，提灯型ひげぜんまい．

図2.23　トーマス・アーンショウの作った懐中時計

図2.24　現代のひげぜんまい 巻き上げひげ．

2.5.1　ひげぜんまいの歴史

　ひげぜんまいは歴史的にはどんな形だったのであろうか．ラインハルド・マイス著『ポケットウォッチ』[34]には現代のひげぜんまいの形に落ち着くまでの歴史的経過が一応，書かれている．この書にあるひげぜんまいの形状の原型を**図2.22A～D**に示した．円筒形のひげぜんまいは未だにマリンクロノメーターに見られ，図2.24に示す巻き上げひげは現代の高級懐中時計や腕時計に見られる．
　現在の渦巻き型の薄いひげぜんまいの原型は**クリスチャン・ホイヘンス**が最初に時計に搭載したと

---

34) "Pocket Watches", Reinhard Meis 著，Schiffer Publishing Ltd. U. S. A. 刊，pp. 9-11. ここにひげぜんまいの形の歴史的経過が述べられている．現代のアルキメデス曲線の形をしたひげぜんまいを初めて時計に使った人はクリスチャン・ホイヘンス，1675年であるとされるが，同時代には英国では**ロバート・フック**，フランスでは**アッベ・ジャン・オトフィーユ**（Abbe Jean Hautefeuille：1647-1724）が同様な試行をしていたといわれる．この形を採用したことで一挙に懐中時計の精度が向上した．円錐形，円筒形，球形のひげぜんまいや，数え切れないひげぜんまいに関する改善がその後行われたが，1780年代にブレゲが巻き上げひげを発明し，1861年に数学者の**エドゥワール・フィリップス**（Édouard Phillips）卿がひげぜんまいの等時性に関するメモを残し，以後，いくつかの研究が現代に引き継がれているが，ひげぜんまいそのものの等時性に関する改良はあまり進展していない．

図 2.25 ひげぜんまいから発生する偶力

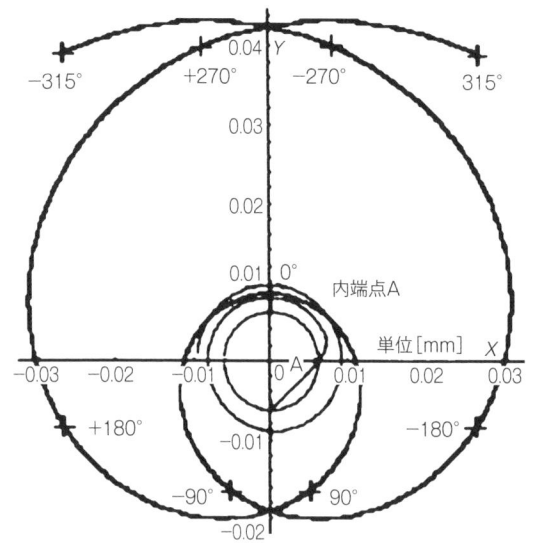

図 2.26 正しいひげぜんまいの重心移動の様子

いわれるが，図 2.22 に例示したように同様な発想をした人たちが当時何人かいたようだ．

図 2.23[35] はトーマス・アーンショウ[36] が 1801 年頃に作った懐中時計で，ひげぜんまいはわずか 6 巻程度しかない．文献の中で，ひげぜんまいの巻数がもっとも少ないものを選んでみた．フゼー車があり，てんぷの振り角を一定にするように工夫してある．ひげぜんまいの外端付近には角砂糖ばさみ[37] という緩急針に当たる部品がひげぜんまいをはさんでいる．このひげをはさむ距離は温度が上がれば狭くなり，温度が下がると広がる．このようにして時計の温度特性を良くする工夫をしたクロノメーターである．いわばひげ棒とひげ受の距離が温度によって変化するようにしてある．この時代の懐中時計ではひげぜんまいの巻数がこのように少なかった．それが図 2.24 のようなひげぜんまいの巻数と形状に現在では落ち着いている．

2.5.2 ひげぜんまいの役割

ひげぜんまいの役割はてんぷを静止位置に戻すこと，これを忠実にやってくれればいい．何度もいうように，現代の精度要求でいえば日差 1 秒は精度としては 1×10^{-5} であるから，このような正確さでてんぷを静止位置に戻せばよい．そのためにひげぜんまいの巻数も増えていき巻数が 13 巻や 14 巻になった．現代のひげぜんまいは図 2.24 のようになっている．巻数を増やすとひげぜんまいの**内外端固定の影響**はだいぶ少なくなるのであるが，それでも 1×10^{-5} というような正確さで達成できるとは限らない．

ひげぜんまいによって発生する誤差のうち，平姿勢にも関係する部分はすでに述べたように内外端を固定したことによって発生する誤差，すなわち巻込角として解説をした．いわゆる平等時性の原因となる部分である．先に歴史の項で述べたひげぜんまいの改善は主としてこの部分であるが，ここからは時計を立姿勢にしたときに発生する，ひげぜんまいの重心移動による影響を解説する．

2.5.3 ひげぜんまいのなすべきこと

もう少しひげぜんまいへの要求を具体的にしておこう．ひげぜんまいはてん真を正確な復元力で回

---

35) 前掲 "Pocket Watches" p. 206 から．
36) 英国の時計師．
37) 日本の生活からは "とげ抜き" といいたくなる．原文は "sugar tongue"．

転させればいい．90°回転したら 90°分の復元回転力をてん真に与えればいい．**図 2.25**で＋ F と － F の力であればいい．＋ F と － F は方向反対で大きさは同じ．このような 2 つの力の組み合わせを偶力という．ひげぜんまいは実際はひげ玉に固定されている．この取り付け点に働くひげぜんまいの力を円周方向と半径方向に分解すると半径方向の力の大きさが円周方向に働く力の大きさに比べて 1×10^{-5} 以下の大きさでなければならない．すなわち，ほぼ半径方向の力があってはならないという意味と理解してもよい．だからひげ玉の先に 14 回も 15 回もひげぜんまいが巻いてあるのである．それでも 1×10^{-5} という正確さは必ずしも得られていない．

2.5.4 諸悪の根元はひげ玉

そういってはひげ玉にはかわいそうだが，実際，ひげ玉があることがまずいのである．ひげぜんまいを固定する内端点（図 2.25 参照）はてん真上にはない．約 0.5～0.7 mm 程度の距離にある．この 0.5～0.7 mm という距離が諸悪の根元である．ひげぜんまいの重心点がてん真上にないから，時計を立姿勢にするとてん真のまわりにひげの重量分だけの回転力が発生する．またこのひげの重心点はてんぷの振り角によって位置が変わっていく．つまりひげの重心移動が振り角に伴って起きる．その様子を **図 2.26** に示した．これが不要な回転力となって立姿勢でてんぷの振動周期を乱すわけである．これを「**ひげの重心移動による姿勢差**」という．この図 2.26 では内端点が A 点からスタートするとして描いた．ひげぜんまいの内端点 A から始まる最初の半周は，てん真の真横からスタートしててん真の上を通過するのでこのような姿勢を「上通過横」と呼ぶ．図では重心点の方のスケールはひげ内端付近の図に比較して約 100 倍に拡大してある．

ひげぜんまいの重心点はてんぷが静止した位置では 0°と書いてある点で，内端点から約 90°回転した方向である．距離はてん真から 100 分の 1 mm ほどにある．曲線上の添え字は振り角を意味し，時計を立姿勢におくとひげぜんまいの重心点はてん真のまわりでこのようにハート型のような回転運動をする．この分，てん真に対して回転力を及ぼすことになる．この結果，時計の進み遅れ，つまりてんぷの振動周期に影響が現れる．その計算結果は式 (2.4) で表される．

$$\delta = -\frac{mgR_0}{K} \cdot \frac{R_0}{L} \cos\phi \cdot J_0(A) \tag{2.4}$$

ここで，δ：振動周期のずれ，これを 86,400 倍すれば歩度となる，m：ひげぜんまいの質量，g：重力加速度，9,800 mm/sec^2，R_0：ひげぜんまいの内端半径，通常はひげ玉半径，L：ひげぜんまいの長さ，ϕ：ひげぜんまいの内端点と水平軸のなす角度，$J_0(A)$：0 次のベッセル関数，変数 A は振り角，K：ひげぜんまいのばね定数．

式 (2.4) の様子を **図 2.27** に示した．図 2.27 は式の中の $J_0(A)$ という部分を描いたもので，縦軸は歩度と思ってよい．また図 2.27 では下通過横の姿勢の場合を描いたが，その他の姿勢を同時に描けば **図 2.28** のようになる．図 2.28 では **上通過横** を 6 時上としたときであるから，12 時上は **下通過横**，3 時上と 9 時上は横通過上と下となり，立 4 方の等時性曲線は図 2.28 のとおりになる．

ここで理解すべきことは，
1. 振り角 138°ではひげぜんまいの重心移動による姿勢差は出ない．
2. 振り角 220°でひげぜんまいの重心移動による姿勢差は最大（極大）になる．
3. 振り角 220°でもっとも進みになる姿勢はひげ内端が上通過横になる姿勢である．

この 3 つの原則を覚えよう．片重りの項で説明したように振り角 220°はてんわの片重りが出ない

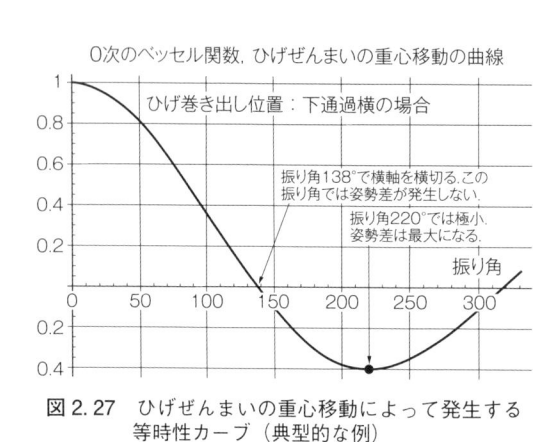

図 2.27 ひげぜんまいの重心移動によって発生する等時性カーブ（典型的な例）

図 2.28 6時上が上通過横の時計の立等時性
220°における姿勢差は最大で約 6 sec/day 程度と計算された.

振り角であった．この振り角で，ひげぜんまいの重心移動による姿勢差が最大になるのである．面白い関係だ．振り角220°以上の領域にもこの影響が大きく広がり，これが重なりあって，てんわの重り取りだけでは姿勢差が取れない．実用振り角での姿勢差に大きな影響のある要因なのである．

2.5.5 ひげぜんまいの重心移動による姿勢差の分析例

さて，この実例として図2.29を見てみよう．図2.29は懐中時計（巻真は12時方向）であるが，この懐中時計では緩急針の方向が5時方向にある．ひげぜんまいの巻込角が0°であるとすると，ひげ内端点もこの方向にあるはずだ．したがって，このひげぜんまいの内端半周分が上通過横となる姿勢は8時上であることがわかる．つまり振り角220°でひげぜんまいの重心移動による姿勢差でもっとも進みになる姿勢は8時上，もっとも遅れとなる姿勢は2時上ということになる．このようにひげの重心移動による姿勢差を分析するときは時計を運転する必要がない．実際は姿勢差がその予測に一致するかどうかだけが分析すべきことになる．そしてその分析結果があっているときは姿勢差そのものも大きくないのが普通で，それ以上の姿勢差を縮小する必要は通常はない．実際はまったく違う方向に姿勢差があり，その大きさもかなり大きいことはよくあることである．したがって次のようにいっておこう．

振り角220°における姿勢差に関しては，「振り角220°でひげの重心移動による姿勢差は最大になるが，その他の姿勢差の原因にはてんわの片重りだけが入っていない」という理解がもっとも正しい．また面倒なことに220°での姿勢差はひげの重心移動が一番大きな原因だ，と理解するのはまだ早すぎるのである．ひげの重心移動による姿勢差の大きな要因は式（2.4）でわかるようにひげ玉の直径と考えてよい．これを実効的に小さくするために，ひげぜん

図 2.29 懐中時計で上通過横は何時上か
この時計のひげぜんまいの巻込角は0°であった．

まいの立ち上がりをなだらかにするということが骨董品などの場合はありうるのであるが，最近の腕時計では**ひげぜんまいの内端**はアルキメデス曲線のままひげ玉に溶接されている（**図 2.25** のように）ことが多いから手の打ちようがない状況になっている．

2.5.6 ひげぜんまいの重心点は絶対にてん真上には来ない

ひげの振れをよく取ったときは，ひげぜんまいの内端付近の重心点は**図 2.26** の 0° の点に来て，座標の原点には来ない．このことはあまり知られていないことである．従来，ひげぜんまいは振れを取れば重心はてん真上に来ると教えられてきた．国内メーカーの内部で使用している時計教科書を見てもひげの重心点が静止点でてん真上にあるイラスト（例：**図 2.30**[38]）ばかりであった．しかしひげぜんまいの重心点は振れ[39]を取ったときはてん真上にないのが正しい理解である．

青木保著『時計学』（丸善，1938 年）p. 246 には「（内端付近の）重心点は，天府真にはない」と書いてある．この参考書だけがいみじくも喝破していた．このことを筆者は最近発見した．ともかく実際は図 2.26 のように静止時でもてん真上に来ない．この理由はひげぜんまいがアルキメデス曲線だからである．原点からスタートしないからではない．さらに正確に解説をすると次のようになる．

ひげぜんまいの全体の重心点は実はほとんどひげぜんまいの外端半周分で決まってしまい，内端の位置や大きさにほとんど関係がない．このことも実はあまり知られていない．しかし，姿勢差に関係するひげぜんまいの部分は外端ではなく，内端なのである[40]．内端のうち，ひげ玉によって切り取られてしまった，原点からスタートしたはずのひげぜんまいの部分．これは実際には実在しないのであるが，このような架空のひげぜんまいの部分を考える．この切り取られた架空のひげぜんまいの重心点と，ひげ玉に固定したことによって発生するひげぜんまいのひずみの部分，ひげぜんまいが変形していく部分，この2つの部分が実はひげぜんまいの重心移動による等時性誤差を発生する真の原因である．その部分だけをグラフ化したものが図 2.26 なのである．図 2.26 ではてんぷの静止点における重心点はひげぜんまいの内端から 90° 回転した位置になると示しているが，これはひげぜんまい全体の重心点ではなく，上に述べたひげ内端付近だけの，あるいはさらに正確にいえば姿勢差に関係す

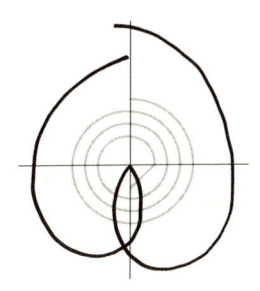

図 2.30 間違ったひげぜんまい重心移動の図形　静止点付近でとがっている．このような不連続な動きはひげぜんまいにはありえない．

---

38) セイコーの調速機マニュアルから．
39) 横振れを取ったとき，偏心をなくしたとき．ひげの振れには"平振れ"と"横振れ"がある．ひげの偏心があるときの等時性に関しては平等時性に関する研究はあるが立等時性に関して全体を追求した論文はまだない．
40) ひげ全体の重心点は**複素座標**を使って次のように表示できる．

$$G = -i\frac{a^2\phi^2 e^{i\phi}}{L} + i\frac{a^2\phi_0^2 e^{i(\phi_0+\alpha)}}{L} - \frac{a^2\alpha}{L}\phi_0^2 e^{i(\phi_0+\alpha)} \tag{2.5}$$

ここで，G：ひげぜんまいの全体の重心点座標（実数部分：横 X 軸，虚数部分：縦 Y 軸），i：虚数，a：定数，但し $a=p/2\pi$（p：ひげぜんまいのピッチ）L：ひげぜんまいの長さ，e：自然対数の底，α：てんぷの回転角度（振り角），ϕ：ひげぜんまいの全体の巻角度（てん真からスタートしたとして），ϕ_0：ひげぜんまいの内端までの巻角度（切り取られた架空の巻角度）

この式 (2.5) では
第 1 項：ひげぜんまいの外端で決まる重心点，全体の座標はほぼこの項で決まる．
第 2 項：てん真からひげぜんまい内端までの架空の切り取られた部分の重心点．
第 3 項：ひげぜんまい内端に固定されて発生する歪みによる部分の重心点．
なお，図 2.26 は式 (2.5) の第 2 項と第 3 項だけを図示したものである．

る部分だけの重心点の様子を示している．この件についてもあまり理解されていない．ここはこれからの時計技術者には理解してほしい重要なポイントとして紹介したい．

さらに研究すべき点として，ひげ全体のひげ具合を変更すれば等時性を修正できることは調整者のなかには経験的，感覚的にはわかっている方がおられるが，この理論に関してはほとんど進展していないということを指摘しておこう．機械時計の領域でもこのように研究できていない領域は結構あるのである．

§2.6 ひげぜんまいの重心点とは

ひげぜんまいの重心移動では，ひげ玉によって切り取られた中心部分が実際の姿勢差にもっとも影響を及ぼす．つまり姿勢差に与える影響は，目に見えるひげぜんまいよりも切り取られてしまったひげぜんまいの方がずっと大きいのである．ここではその基本として，重心点の求め方を解説しよう．

2.6.1 時計理論の中での「ひげ重心移動」の位置

ひげぜんまいの重心移動による姿勢差の調整は機械腕時計の調整にあってはかなり中心的な事項と思われる．

日本時計学会の学会誌上では一度，機械時計理論の総集編[41]として「新講機械時計学入門」と題して機械時計の理論をまとめて解説した．時計学会誌でありながら，機械時計に関する研究の投稿がない学会誌では問題があるのではという問題意識からそのような解説を載せたのであるが，そのときは筆者は調速機の部分を担当した．その中で立等時性の調整として取り上げた事項は「てんわの片重り」と「ひげぜんまいの重心移動」の2つである．この解説はそれで終了とさせていただいたが，実は内容としては中断状態といってよい．また，ひげの重心移動に関してはかなり簡略な解説をしてしまった．いま振り返ればいろいろ間違いもあり，違う説明をしなければならない．特にこのひげぜんまいの重心移動では間違った説明をした．

ひげぜんまいの重心移動とは実はひげぜんまい全体の重心点の移動ではなく，ひげ玉によって切り取られてしまった中心部分，もちろんそれは最初から存在しないのであるが，その部分の重心移動が実際の姿勢差にもっとも影響がある．このこと自体，実はあまりよく知られていないと思うので，ここではこの部分を詳しく解説してみよう．

ひげ玉によって切り取られてなくなってしまったひげぜんまい，こういうと実に楽しい．多くの方々は，実際に存在するひげぜんまいでなくしていったい何をいうのかと怪しまれるであろう．実際，時計の中に現存するひげぜんまいの実体に，それが地球上にあれば重力が働き，その重力が時計に姿勢差をもたらす．確かにそれはそれで間違ったことをいっているのではないが，分析していくと，なくなってしまったひげぜんまいの部分の方がずっと大きな影響があるということがわかってくる．実に不思議な世界がそこにあるのである．謎めいた序論を申し上げ，今後の楽しみにしておきたい．

2.6.2 日本の時計理論の特徴

さらにこのひげぜんまいの理論の歴史を紐解くと，ここにもなかなか面白いことが出てくる．一般

---

[41] 「新講機械時計学入門」動力・輪列・脱進機および等時性，日本時計学会誌：マイクロメカトロニクス，Vol. 42-46, 1998-2002.

§2.6 ひげぜんまいの重心点とは

に等時性に関する理論としては日本は世界の中で独自な立場にあると最近思うようになった.

何回かそれを解説[42]してきた. なかでももっとも大きなトピックスはスイスと日本との差である. 日本では等時性理論には**ベッセル関数**を用いた表現をしている. たとえばてんわの片重りや, ひげぜんまいの重心移動の様子をベッセル関数で理解させようとしている日本に対して, スイスでは重心移動もてんわの片重りもいずれもベッセル関数を使わないで説明[43]しているのである. したがって, 巻込角の影響は0次と1次のベッセル関数で表現できること, ひげぜんまいの重心移動は0次のベッセル関数で表現できることなど, これらがスイス一般の時計師の間に広まっていない[44]まま現在に至っているようである. これがもっとも大きな違いであろう.

さらにここに解説するひげぜんまいの重心移動に至っては**グロスマン効果**と**カスパリ効果**[45]という人名で表現されるようなものとして, つまり難解な部分としてスイスでは紹介されているのである.

日本では, 少なくともメーカーの中では, このような人の名前でその性質を理解させるようなことはしてこなかった. 単純にベッセル関数の形で振り角と歩度との関係を表してきた. てんわの片重りはこうだ, ひげぜんまいの重心移動はこうだ, とすべてグラフで概念把握をする形で理解してきた. つまり振り角と歩度との関係がグラフィックな印象として時計師の間では理解され, より正確な概念把握がなされている. このあたりが大変大きな違いになっている. 多分, このひげぜんまいの重心移動という部分はこれからのヨーロッパの時計師たちにとってはもっとも理解の遠い, 理解しにくい部分であろう. もちろん, 日本の時計師の間でも十分に理解されていない方が結構いるのかもしれない[46].

さて, 直接このひげぜんまいの重心移動に関する理論の過去を振り返ると, 実は大変面白いことがわかった. 日本の文献の中でももっとも古いがしっかり解説してある文献は前述の『時計学』である. ひげぜんまいが等時的に完全になるための条件を示し, その実例の数値計算を行っている. 日本の時計理論はその後, 第二次世界大戦後, 昭和20年代に産官学が協力して主要な理論を打ち立てた. さらに調速機の理論については東京大学の神保泰雄教授が日本時計学会誌に講義録[47]としてまとめられている (図2.31の文献). これらの内容を読み解いていくといろいろ実用的にも有用な理解がで

図2.31 機械時計の文献例 ひげぜんまいに関してはその取扱いの基本的な考え方を詳しく説明している貴重なテキストである.

---

42) 「等時性の今昔」日本時計学会誌, Vol.50, No.194 (20060610) pp.69-79 など.
43) ベッセル関数を用いない説明のやり方は, これはこれでかなり工夫をしなければならない. WOSTEPの教科書では"エアリーの定理"のみ使っている. したがって, 振り角の途中ではどうなるか, 姿勢も少し回転したときはどうなるか, これらは説明をしていない. 省略している.
44) 長い間にわたってこうした部分の理論に関してコメントしてくれたスイス人は一人もいなかった.
45) グロスマン効果とはひげぜんまいの重心移動のことをいう. カスパリ効果とは巻込角の平等時性への影響をいう.
46) スイスで若い頃時計技術を学んだ日本のベテラン時計師にその傾向が強い. 時計学校の若い先生はそのようなベテランの時計師に比べれば数段も技術面では劣るといってよいと思うが, 理論面の吸収ははるかに柔軟で, 学生たちにもその理論面の普及に対応している. それなりの工夫を柔軟にこなしている.
47) 「てんぷ理論」(1,2,3,4), **神保泰雄**, 日本時計学会誌, No.62-67, 1972-1973, あるいは図2.31で紹介した神保先生の退官記念論文抄. 内容は同一である. 図のキャプションにも書いたが, ひげぜんまいの取扱い方の基本を詳しく丁寧に解説してある. また, ひげぜんまいの偏心があるときの等時性への影響, これは諏訪精工舎の安部健次氏が学会で論文発表したのが最初であるが, これを詳しく解説してある. この部分はヨーロッパには多分, ほとんど知られていない貴重な部分である.

きていくのであって，そのような咀嚼が実際は現時点でも不十分なところが多い[48]ように思われる．

一方，とくにヨーロッパの文献では理論として扱ったものがほとんどなく，実際の調整上の経験知識として実用的に書かれたものが多い．つまり理論はほとんど書かれていない．そのような経過となった理由は先の脚注にもふれたのであるが，スイスの時計調整師の中に理論に精通した方がおられなかったのではないだろうか．時計調整師のためのテキストには理論はまったくふれていない[49]のである．そうなった一番の理由はグロスマン親子が書いた『理論時計学』[50]の中で，等時性理論の結果を簡単なベッセル関数で近似する方法をとらずに，無限級数の形のままで説明を終わらせたことによる．この一点が原因となって，これがスイスの時計学校の中のカリキュラムとしてなかなか取り扱えないままとなっているのではないだろうかと筆者は分析している．

ともかく，ひげぜんまいの重心移動，重心点などに関してきちんと理解する手だてを持たない環境では，このような解説は不可能である．日本においてのみ，この解説ができるのではないかと考える．もっともここでの解説も筆者の浅学に起因する不手際で優れたものになるとはもちろん思っていないが，ともかくその解説にチャレンジしてみよう．それでも日本のみでこれが可能，これが唯一の本書の楽しみと受け取っていただきたい[51]．まずはその基本の解説をしたい．

2.6.3 重心点とは

重心点とは物体に働く重力の合力の着力点をいう．重心点で物体を支えればその物体を静止して支持することができる．わかりやすい例を挙げると，三角形ABC（図2.32）の板の重心点はこの図形の中心であって，頂点Aと底辺BCの中点Dとをつなぐ二等分線（以下同様にして$AD \cdot BE \cdot CF$の3本ができるが），この交点が重心点Gである．小学生の幾何の問題である．針金ABの重心点（図2.33）はどうなるであろう．図2.33のように針金が直線であればこれは簡単であり，この針金の中央Gである．しかし，図2.34のように曲線の場合[52]はどうであろうか．針金は質量が一様に分布しているから，各部分の重力による重心点まわりの回転力を合計してみて，それが0となる点がG：重心点である．したがって次のような書き方ができる．重心点の座標をG(m, n)と書けば式(2.6)，

---

48) 不十分とは次のような事情である．時計の実際の調整担当者は理論はあまり理解できないが時計自体はいじる，調整することができるということが多い．したがって，誰かスタッフが実際の調整に遭遇する出来事を理論的に解明する手伝いをしなければならない．つまり理論と実際とをつきあわせて実際の調整を進める仕事，理論面での解釈とその応用の進展，これが重要である．こうした，いわば現場とスタッフとの協力が機械時計の調整に関して現在行われているかというと，これは現在ほとんど行われていないといってもいいのではないだろうか．特に機械時計の主流である従来製品では，このような協力作業は特に行われていないのである．主として新製品開発に関する作業だけでスタッフは手一杯，というのがおそらくスイスも日本も同じであろう．むしろ機械時計の調整の基本的な部分でのスタッフと現場との協力，その結果出てくる製品品質の改善，これが現在でも必要なはずである．これを全般的に眺め渡してみると日本で研究されてできあがった理論は半分も利用されていないのではないだろうか．これが筆者の眺めた機械時計の調整状況，またそこから生まれるべき品質改善の手薄の現状である．

49) WOSTEP時計学校の教科書がそのいい実例である．ぜんまいや輪列に関しては主要な記憶すべき理論的な知識は出てくるにもかかわらず，調速機に関する理論はまるで出てこない．"Isochronism"という言葉すら出てくるページは1, 2ページしかない．日本の時計教科書は3分の1は等時性のことで埋まっている．これだけの違いがある．

50) 『理論時計学』（J. グロスマン・H. グロスマン著，青木保訳，日刊工業新聞社，1958年，原著 "Horlogerie Théorique"(1908)）．現在この本は古書店にしか見つからない．

51) もっともこうした解説を日本の中だけにとどめておきたいなどとは思っていない．おおいにヨーロッパの人たちにも知らせたいと思っているが，なかなかこれが進展しないのが現状である．WOSTEPの人たちにもこの日本の現状を一度話したことがあるが，ほとんど関心を持ってもらえなかった．ドイツのメーカーにも同様にコンタクトを取っているが，進展しない．イギリスの時計技術者にも働きかけているがこちらも同様である．日本のこうした技術状況に関心を持ってもらえない，といった方がいいのかもしれないが，とにかく努力の至らなさを感じている．

52) 図2.34では曲線は円の半分として描いた．

§2.6 ひげぜんまいの重心点とは

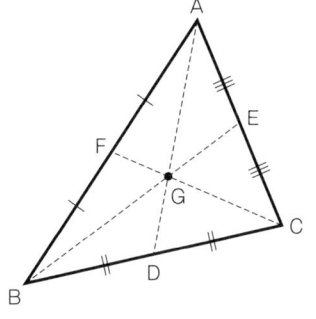

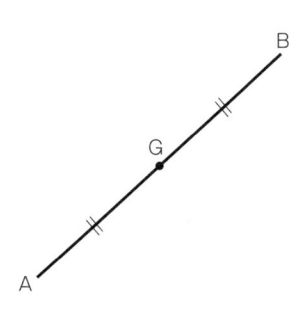

図2.32 三角形の重心点G

図2.33 針金直線の重心点

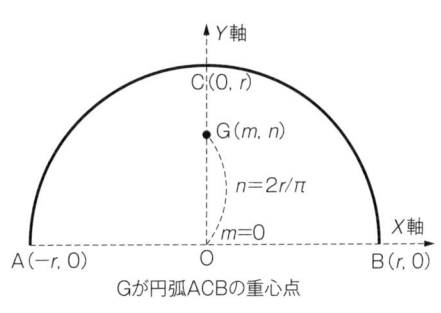

図2.34 針金円弧状の重心点
Gが円弧ACBの重心点

(2.7) のように書ける．

$$m = \frac{1}{S}\int_A^B x \cdot ds \tag{2.6}$$

$$n = \frac{1}{S}\int_A^B y \cdot ds \tag{2.7}$$

そしてその解は式 (2.8), (2.9) のようになる[53]．

$$m = \frac{1}{S}\int_A^B x \cdot ds = \frac{1}{\frac{\pi r}{2}}\int_A^B x \cdot ds = 0 \tag{2.8}$$

$$n = \frac{1}{\frac{\pi r}{2}}\int_A^C r \cdot \sin\phi \cdot rd\phi = \frac{2}{\pi}r \cong 0.637r \tag{2.9}$$

曲線（半円弧 AB）の重心点は左右対称であるから y 軸上に，円の中心から $0.637r$ の距離にある．重心点には針金そのものはないが，もしここで支持できれば針金の全体を静止して支持できるはずである．このように半円形の針金の重心点はその物体と離れた空間に重心点が存在する結果となった．

ひげぜんまいはこの針金の事情とよく似ている．**図2.34** ではきれいな半円弧であったが，ひげぜんまいではアルキメデス曲線という渦巻状の針金である．このひげぜんまいの重心点はどうか，計算をする．最初に単純な形状，**アルキメデス曲線**ではあるが，中心から渦巻きが全部存在している姿（**図2.35**）で考えよう．実際のひげぜんまいでは中心部分がひげ玉によって切り取られているが，計算結果には実は切り取られた部分の重量やモーメントが計算式の中に最後まで残り，これがもっとも重要な部分となっていく．それはさておき，まず単純な原点からスタートするアルキメデス曲線を計算しておく．図2.35で点Rは

$$r = a\phi \tag{2.10}$$

に従う．つまり原点から回転した角度 ϕ に比例しただけの原点からの距離 r の位置にいる，というのがアルキメデス曲線の定義である．これに従えば，式 (2.10) から点Rの直角座標 (x, y) と，

---

[53] ここでSとは円周の長さ，したがって半径を r と書けば半円であるから πr，全周の4分の1の部分であれば $\pi r/2$ である．また ds とは円周上の微小な長さであるから，これを見込む原点からの角度を $d\phi$ と書けば $ds = r \cdot d\phi$ 式（e3）と書ける．重心の x 軸方向座標 m は左右対称であるから当然 y 軸上にあり，$m = 0$ である．また円弧上の任意の点Pの y 方向の座標は図からわかるように点Pの回転角を ϕ とすれば $r\sin\phi$．重心点の y 座標 n はこのP点の y 座標をAからCまで積分して求める．AからCまでの円周上の距離は $\pi r/2$，積分結果は本文式 (2.9) のとおりになる．

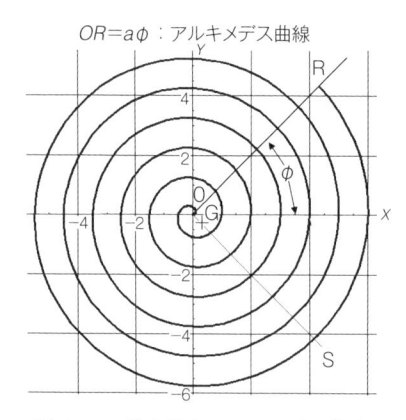

図 2.35 基本的なアルキメデス曲線
原点までの距離（半径の長さ r）が回転角に比例する．

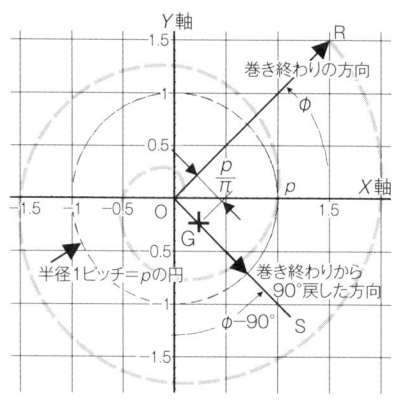

図 2.36 重心点付近の詳細図
図には半径 $p=2\pi a$：ひげぜんまいの 1 ピッチの円を描いた．図 2.35 の巻き終わりの方向 OR から 90°巻き戻した方向 OS の方向で原点から p/π の距離にひげぜんまいの重心点 G がくる．

線分の長さ ds を a, ϕ で表現して式 (2.6), (2.7) に代入して積分すると式 (2.11), (2.12) が得られる[54]．

$$m \cong 2a\cos(\phi-90°) \quad (2.11)$$

$$n \cong 2a\sin(\phi-90°) \quad (2.12)$$

この計算結果は大変簡単な表現をさせてわかりやすくしてある．式 (2.11), (2.12) に従う重心点 G (m,n) を図示すれば図 2.36 のようになる．**図 2.36 は図 2.35 の中心部分を拡大した図**とご理解いただきたい．

現代の機械腕時計ではひげぜんまいの実際の巻数は約 12 巻，回転角度 ϕ でいえば $12\times 2\pi \cong 75\mathrm{rad}$ などと大きな数であるから，脚注式 (e6), (e7) の中の第 1, 2 項などは無視できて第 3 項のみとす

---

[54] この結果が得られる計算経過は次のとおりである．まず，x, y, ds を a, ϕ で表現すると，式 (2.10) より，

$$x = r\cos\phi = a\phi\cos\phi \quad (\mathrm{e1}) \qquad y = r\sin\phi = a\phi\sin\phi \quad (\mathrm{e2}) \qquad ds = rd\phi = a\phi\cdot d\phi \quad (\mathrm{e3})$$

となり，重心点の計算式はこれらの式を (2.6), (2.7) へ代入して積分する形 (e4), (e5) となり，

$$m = \frac{\int_0^\phi a\phi\cos\phi\cdot a\phi d\phi}{\int_0^\phi a\phi d\phi} = \frac{2a}{\phi^2}\int_0^\phi \phi^2\cos\phi\cdot d\phi \quad (\mathrm{e4}) \qquad n = \frac{2a}{\phi^2}\int_0^\phi \phi^2\sin\phi\cdot d\phi \quad (\mathrm{e5})$$

これを積分した結果は，

$$m = \frac{2a}{\phi^2}(2\phi\cos\phi - 2\sin\phi + \phi^2\sin\phi) \cong 2a\sin\phi = 2a\cos(\phi-90°) \quad (\mathrm{e6})$$

$$n = \frac{2a}{\phi^2}(2\phi\sin\phi + 2\cos\phi - \phi^2\cos\phi) \cong -2a\cos\phi = 2a\sin(\phi-90°) \quad (\mathrm{e7})$$

となる．この式の中で ϕ は実際上 $\phi = 75 \gg 1$ などと 1 よりはるかに大きい値であるから括弧の中の第 1 項第 2 項は省略して差し支えない．この式の意味を物理的に理解しやすく工夫した結果が図 2.36 である．ひげぜんまいの巻き終わり（角度では ϕ）の方向 OR から 90°少なくした（戻した）方向 OS の正弦（sin）の y 座標，余弦（cos）の x 座標，これらの座標をそれぞれ $2a$（ピッチの約 1/3）倍した点が G，それを図示したのが図 2.36 である．重心点 G は図 2.36 のように OS 上にある．

ることができ，式 (2.11), (2.12) のような簡単な近似式で表してある．この最後の式の意味を図示すると**図 2.36** のようになり，巻き終わりから 90° 回転角を戻した方向に常に重心点が存在し，原点からの距離は一定で $2a$ である．$2a$ とはひげぜんまいのピッチを p とすれば $p = 2\pi a$ であるから $2a = p/\pi$, ピッチ p の $1/\pi$, **ひげぜんまいのピッチ**の約 3 分の 1 の距離にあることになる．ひげぜんまいの全体の重心点は常に巻き終わりだけで決定される．いわば緩急針（ひげ持）の方向が決まればひげぜんまいの重心点は決まってしまうと理解してよい．図 2.36 では巻き初めは X 軸の方向としてあるが，これがどっちを向いても G 点は動かない．つねに巻き終わりから 90° 巻き戻した方向であるから巻き終わりが移動しなければ動かない．つまり振り角が変化してもひげぜんまいの全体の重心点は動かないという結論になり，このことはひげぜんまいの重心点が移動するという話，ひげぜんまいの重心移動が中心課題という話とはまったく矛盾することとなる．

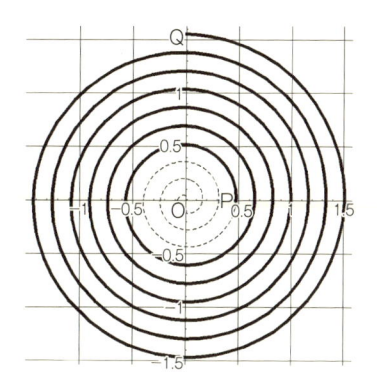

図 2.37 切り取られたひげぜんまい
実在する P から Q までのひげぜんまいは，原点 O から P までの仮想のひげぜんまいを付け加えてはじめて検討することができる．

§2.7 切り取られたひげぜんまいの重心点

ここでは，ひげ玉のひげ取り付け点から巻き終わりまでのひげぜんまいの重心点の計算をわかりやすく説明していこう．まずは円板の重心点で考え，次に実際のひげぜんまいで計算する．このときに重要なのが A から B を引くという実に当たり前の計算だ．

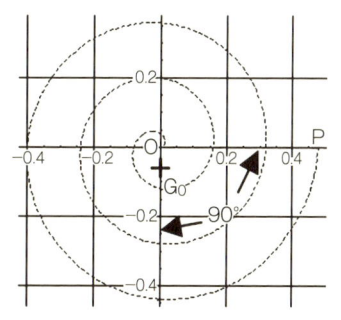

図 2.38 切り取ったたひげぜんまいの重心点
仮想のひげぜんまいの重心点も，巻き終わりの位置で重心点が決まる．

2.7.1 ひげぜんまい全体の重心点は動かない

前節では，ひげぜんまいが回転中心からスタートしているときの重心点を紹介した．その結論は，重心点は巻き終わりから 90° 巻き戻した方向にあり，原点からの距離はひげぜんまいのピッチの約 3 分の 1, 正確には p/π の位置にいるという簡潔な結論であり，覚えやすい．重心点の位置は巻き終わりだけで決まる．巻き始めの方向に関係しない．したがって，てん真が回転してもひげぜんまい全体の重心点は移動しない，という結論[55]となる．このことはひげぜんまいの重心点はてんぷの振動によって移動するという話と矛盾する結果となる．この矛盾の理由は，ひげぜんまいが原点，回転中心からスタートするか，途中のひげ玉からスタートするかどうかにある．ひげ玉という途中からスタートするひげの重心点の計算を

---

55) ひげぜんまい全体の重心点の原点からの距離は p/π であるからてんぷが振動すればひげぜんまいの全体の巻数もその分だけ増減し，ピッチ p の値も変動する．その分だけ重心点は揺動する．正確にいえばこの揺動分だけ重心点が移動するが，重心点の原点からの方向は巻き終わり，ひげ持や緩急針の方向によって決まっているのであるから変わらない．ひげ巻数は通常 12〜13 巻ある．これは原点からの巻数で見れば 15 巻くらいになるだろう．これに対して振り角 270°（0.75 巻）振ったとすると，全体の巻数は 15±0.75 と変動する．ピッチ p の大きさもその分，$p(1\mp0.75/15)$ だけ変動するから，原点と重心点との距離も $p/\pi(1\mp0.05)$, 約 5%ほど変動する．実際の距離にして約 1〜2μほどである．正確にいえば重心点はこの程度揺動するが，これが時計としての姿勢差に影響することはほとんど考えられない．重要なのは全体の重心点の方向が変化しないことである．それで本文のようにいってもよいのである．

しようとすると，実はその計算経過では原点からひげ玉までひげぜんまいがあったと仮定しなければならず，またその仮定したひげぜんまいの重心点がてんぷ振動に伴って大きく動いてしまうから，ひげの重心移動が起こり，姿勢差なども発生してしまうのである．

さて，この**仮想のひげぜんまい**の部分もその巻き終わりでその重心点 G_0 が決定される（**図 2.38**参照）．この仮想のひげぜんまいでは，ひげ玉での取り付け点が巻き終わりであるから，その位置で重心点が決まるだけでなく，てんぷの回転に伴いその重心点 G_0 も回転し，結果的にはひげ玉からひげぜんまいの巻き終わりまで（**図 2.37** で P から Q まで）の重心点（G としよう）が移動することになる．この仮想したひげぜんまいの重心点が移動するので実際に存在するひげ玉から巻き終わりまでのひげぜんまい重心点 G が移動するという結果となる．このあたりの事情を説明しよう．

2.7.2 くりぬかれたひげぜんまいの重心点

図 2.37 は実在するひげのイメージである．実在するひげ玉取り付け点 P から巻き終わり Q までのひげぜんまいの重心点の計算をするには，原点 O からひげ玉取り付け点 P までの仮想したひげぜんまいの重心点 G_0 と，原点 O から最後の巻き終わり Q までの全体のひげぜんまいの重心点 G_1 の両方を使って計算しなければならない．この両方を使わないと計算ができないのである．このことをわかりやすく説明するために，まずは簡単な円板の重心点で考えよう．極端な配置ではあるが，図 2.39 のように円 A から半分の大きさの円 B をくりぬく場合で理解してみよう．B は図のようにちょうど半径分だけ中心からずれて三日月のようになっている．

このくりぬかれた三日月板 A-B の重心点 G は，まずくりぬかれていない円板 A の重心点の位置（図ではその中心点 O）からくりぬく円板 B の重心点 Q 点をいわば引き算して求められる．円 B の重心点はもちろんその円の中心 Q である．重心点 O, Q を通る直線を引き，この線上に 1 点 G を書き，これがくりぬかれた三日月板の重心点 G とする．前節で定義したように，この重心点で支えればその物体を静止して支えることができるのであるから，重心点 G のまわりで重量 a の回転させようとするトルク（図では時計回り方向）と重量 b が回転

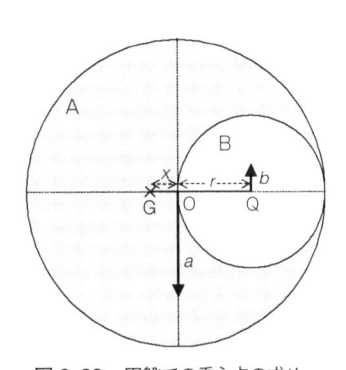

図 2.39 円盤での重心点の求め方
大きな円板 A に小さい円板 B がくりぬかれている．このくりぬかれた円板 A-B の重心点 G の位置を計算する．

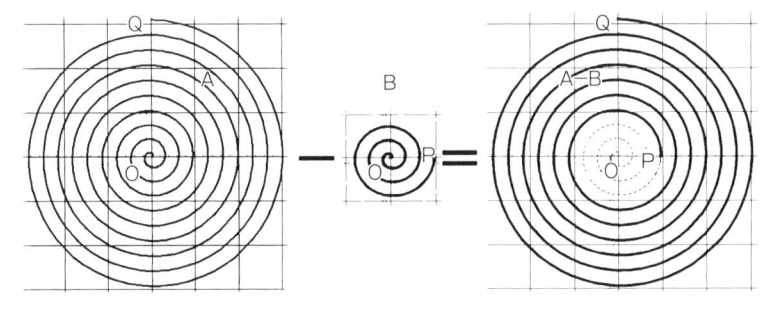

図 2.40 切り取られたひげぜんまいの重心点
大きな全体のひげぜんまい A から小さいひげぜんまい B を引き算すれば，切り取られたひげぜんまい A-B の重心点の計算ができる．

§2.7 切り取られたひげぜんまいの重心点

させようとするトルク（図では反時計回りの方向）とが等しくなければならない．図でわかるように

$$xa = -(x+r)b \tag{2.13}$$

でなければならない．ここに，b はなくなってしまった円板であるから方向は重力によって発生する力と反対の方向，天井へ向いたものと理解する．つまり負の値をとる質量である．**図2.39**では x が求まれば重心点の位置が計算[56]できたことになる．その場合は注に示したようにその結果は $x = r/3$，つまり大きな円板の半径の 1/6 だけ原点から離れた点 G がくりぬかれた三日月板の重心点である．

図2.37でのひげぜんまいの P から Q までの部分の重心点もまったくこれと同様な計算をすればよい．ここで理解すべきことはこのように A から B を引き算した，という作業は必ずしなければ計算が達成できないということである．実に当たり前だが，ひげぜんまいでもこの計算過程が必要だという点をまず理解していただきたい．

図2.40にはそのイメージを示した．A は原点から巻いているひげぜんまいで，緩急針などの巻き終わりまであるものをイメージしている．B は原点からひげ玉の取り付け点まで，ひげぜんまいが仮にあるとして描いた．その重心点の方向は A と同様，巻き終わり点，すなわちひげ玉取り付け点 P で決まる．この2つのひげぜんまいの差の分，それが A−B のひげぜんまいであり，現実に存在するひげぜんまい P から Q までである．この重心点の位置を計算するには図2.39 と同様に原点から巻いているひげぜんまい A の重心点から仮想したひげぜんまい B の重心点の分を引き算してやれば A−B のひげぜんまいの重心点（G と名づけよう）の位置の計算ができることになる．位置の計算に「引き算をする」という表現は間違っているかもしれないが，**図2.41**を見ていただきたい．くりぬかれる全体のひげぜんまいの重心点 A とくりぬく方のひげぜんまいの重心点 B とを直線で結び，重い方の全体重心点側延長線上に点 G を取り，G 点まわりのひげぜんまい A による回転トルクと，くりぬく方のひげぜんまい B による回転トルク B とを等しく置く，とすればよい．

図2.41のようにそれぞれの座標を**直交座標**[57]で表示して式 (2.13) 相当の方程式を作ろう．図2.41の中にも書いたが，図2.39で検討したように全体ひげ A の G 点まわりに

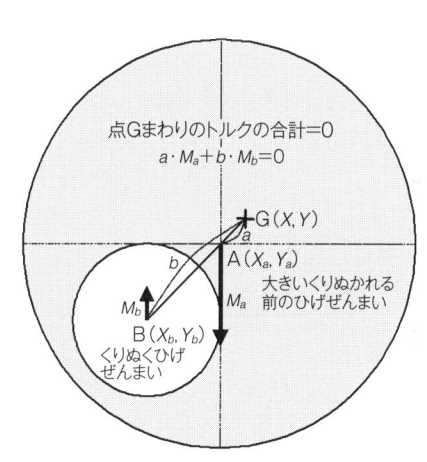

図2.41 ひげぜんまいを省略して円で描いた場合の重心点と回転トルク
図2.39とまったく同様な図となったが，全体のひげぜんまいの重心点 A からひげ玉までの仮想のひげの重心点 B をくりぬいたとき，重心点は G のようになる．

---

[56] 式 (2.13) から次のように計算ができる．この式から x を求めればよい．式 (2.13) の右辺から x の項を移項して (2.13') を得る．ここで a と b の比率は円板の面積比 4:1 であるから式 (2.13″) が得られる．

$$xa = -(x+r)b \tag{2.13}$$

$$x(a+b) = -rb \quad \therefore \quad x = \frac{-b}{a+b} r \tag{2.13'}$$

$$x = \frac{-(-1)}{4+(-1)} r = \frac{r}{3} \tag{2.13″}$$

[57] 直交座標で表現するのがとりあえずは理解しやすいかと考えて表記したが，実際は座標の表示形式を複素座標系で表現するのが実際的なのである．ひげぜんまいは回転振動をする，そのためである．とりあえずここでは直交座標系で検討する．

発生する回転トルク $a \cdot M_a$（図2.41では反時計回り），くりぬくひげBの同様にG点まわりの回転トルク $b \cdot M_b$（図2.41では時計回り）とが釣り合って0になるとする．すなわち

$$a \cdot M_a + b \cdot M_b = 0 \tag{2.14}$$

この方程式の左辺は重心点Gのまわりでの回転トルクの和である．左辺で第2項は M_b が負の質量と考えて方向は天井へ，符号は $M_b < 0$ である．右辺はこれが0でなければならないという意味である．これが X 座標に関しても Y 座標に関しても成立しなければならない[58] わけだから，脚注に書いた式 (2.15), (2.16) のように書くことができる．重心点の座標は注の式 (2.17), (2.18) のように表せて，第1項：全体ひげAの重心点の座標A (X_a, Y_a) と第2項：くりぬくひげBの重心点の座標B (X_b, Y_b) とで構成されるのがわかる．関係するのはさらに M_a と M_b である．M_a とはひげぜんまいAの質量であり，M_b とはひげぜんまいBの質量（$M_b < 0$）である．

さて，ここで (2.17), (2.18) の式の様子からその物理的な意味を理解しておこう．式 (2.17), (2.18) において，座標Aに関係する部分，つまりくりぬかれる大きな方の円板，これは最終目標としては原点から外端までのひげぜんまいのことを意味する．そして M_a とはそのひげぜんまいの質量であるから，ひげぜんまいの長さに比例すると理解しよう．同様にBはくりぬく方の円板，最終的には，原点からひげ玉取付点まで存在すると仮定したひげぜんまいのことである．そして同様に M_b とはその質量，ひげぜんまいではきっとわずかな巻数だろう（図2.42），2～3巻分の長さに比例する．つまりくりぬかれた円板，あるいは図2.37でのPからQまで，あるいは図2.40ではA-Bのひげぜんまいの重心点の計算は当然のことながらこのようにAとBから成るのである．

2.7.3 くりぬく方のひげぜんまいの重心点の影響

ここで，その結果が実際の時計の事情，つまりてんぷが振動した際，この重心点の影響はどうなるかに対しての理解へ戻ろう．Aの方はてんぷが振動しても巻き終わりで重心位置が決まるので重心点は移動しないのに対して，Bの方は巻き終わりがひげ玉取り付け点であるから，てんぷが回転すればその重心点もてんぷと一緒に回転することになる．図2.43でその様子がわかりやすいかと思うが，

図2.42 実際のひげ内端の固定の様子
内端はアルキメデス曲線を保ったまま溶接され，しかもこれで偏心のないようにすでに調節されている．

---

[58] X, Y 座標それぞれに関して，式 (2.14) の意味するところを書き並べれば (2.15), (2.16) になる．(2.17), (2.18) ではA関係因子とB関係因子とに分けて書いた．

$$(x_a - x)M_a + (x_b - x)M_b = 0 \tag{2.15}$$

$$(y_a - y)M_a + (y_b - y)M_b = 0 \tag{2.16}$$

(2.15), (2.16) から x, y を求めると，

$$x = \frac{M_a x_a + M_b x_b}{M_a + M_b} = \frac{M_a}{M_a + M_b} x_a + \frac{M_b}{M_a + M_b} x_b \tag{2.17}$$

$$y = \frac{M_a}{M_a + M_b} y_a + \frac{M_b}{M_a + M_b} y_b \tag{2.18}$$

なお，上式で注意すべきことは M_b の符号である．M_b は上向きの力を発生させるものとして負の質量と理解し $M_b < 0$ であるから，(2.17), (2.18) などの分母は M_b だけ絶対値が小さくなる．また2項の和と見えるが第2項は引き算をしているのが実際である．式の形式が和算になっているだけであるが，この方が間違いにくい．

§2.7 切り取られたひげぜんまいの重心点

実在するひげぜんまいの方は重心点の移動はなく，実在しない仮想したひげぜんまいの方がてんぷの振動に伴って移動する，という結果になるのである．いわば仮想したひげぜんまいの方が重心点移動をし，実在する方が動かない，このような表現すら許されるだろう．奇妙な結論に見えるかもしれない．仮想するひげぜんまいは決して実在しているわけではないのにそれが原因で実在する方が動かされる．このことを味わってほしいのである．

結局，時計学校などでひげのどこが移動しているのか，筆者が説明する際には，「内端付近のひげぜんまいが主として動く」などとしている．実際のひげぜんまいの重心点，それもてん真と一緒に動いている部分は明らかに内端付近であって，ひげぜんまいの部分で外側にいくに従い，ひげぜんまいの移動距離は小さく，回転する角度はどんどん小さくなっていく．もちろん内端点がてん真と同一回転角度だけ回転している．それだけでしかない．しかしこれまでにも説明したとおり，原点からスタートしたアルキメデス曲線ではてん真付近のひげぜんまいが全体の重心点の位置に寄与する率はきわめて少ない．**図2.37**でQと書いた外端付近の半円形の部分が，このひげぜんまいの重心点の位置にもっとも寄与することは見れば明らかである．**図2.40**でも同じ，外端最終点の直前の半円形の部分がもっともこのひげぜんまいの重心点を決めている部分である．そしてこの部分はてん真が回転振動をしてもほんのわずかしか回転しない．移動はするが回転はほとんどない．この回転しない，という点に着目すると，「重心点には大きく寄与するけれども回転にはほとんど関係しない」のであるから「てん真の回転による重心点位置の変動にはほとんど利かない」のである．

反対に内端側，巻き出し点付近はひげぜんまいの重心点にはほとんど関係がないのに回転の方にはおおいに関係している．「重心点にはほとんど関係しないが，てん真の回転によっておおいに位置が変化している．重心移動をしている」のである．したがって，てん真が回転振動すれば一緒に変位するのは内端付近の重心点なのであって，その部分こそがてんぷにとっての片重りとして受け取らなくてはならない部分となるわけである．

図2.43には，ひげぜんまいの伸縮の様子を図示した．外端は**自由外端**：巻き上げひげなどの場合とし，平ひげのように一方向に伸縮しない，同心的に伸縮する場合とした．このような条件下での図であって，今回のひげの重心移動の基礎的な理解用である．実際のひげは，仮にこのように外端が巻き上げひげで固定されていても，ここに図示されたようには動かない．詳細は

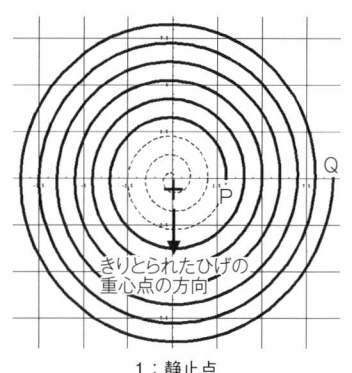

1：静止点

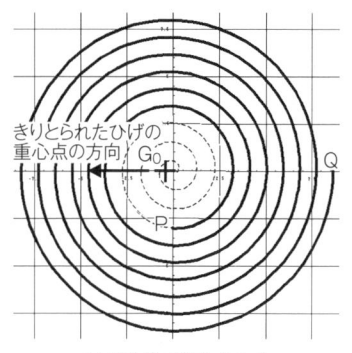

2：90°巻き締めたとき

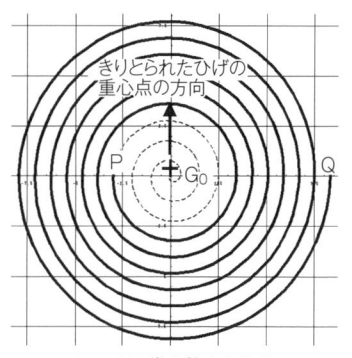

3：180°巻き締めたとき

4：270°巻き締めたとき

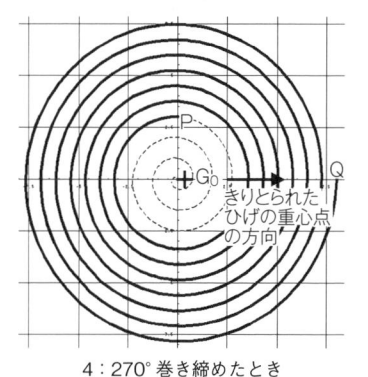

図2.43 ひげ玉までの仮想ひげの重心点とその方向

脚注59)に記した．実際時計を修理されているベテランの方々では当然と思うだろうが，内端の実際はもっと複雑な運動をしている．外端が巻き上げひげの場合はその複雑さはいくぶん軽減されてはいるが，それは外端による偏心状の動きがなくなったからであって，外端の影響でない，内端の影響によるもの，それが単純ではない．

脚注 59) にも書いたが，図 2.42 のような固定端では，内端取り付け点とてん真との距離が固定であるために発生する半径方向の動き，内端点にひげが引っ張られる，つまり半径方向に動かされる状況，偏心する状況も含まれる．図 2.43 には実はこれが考慮されていない．このような，内端で半径方向に引っ張られるということがない状態での様子が図 2.43 なのである．この状態は内端をフィリップスの条件を満足するような内端カーブによって接続すれば得られる．その場合は半径方向の力がなくなり，ひげぜんまいが内端でもきれいに同心的に伸縮[60]する．図 2.43 での外端のような状態が実現するのである．

ここで説明した重心移動とはこのような**内端処理**を施しておらず，しかも半径方向に移動が起きずひげが偏心しない場合での，切り取られた部分の影響のみを説明している．一般にひげぜんまいの重心移動の等時性への影響として説明してある理論では，この内端固定による半径方向に引きずる力と，図 2.43 で説明されている．仮想ひげぜんまいの重心点による影響との2つによる影響の結果を説明している．

§2.8 重り付けによる等時性の調整

天文台クロノメーターに採用された日本発の調整技術，それが「重り付け」である．この技術は昭和 40 年代に一人の日本人により発案され，セイコーの 45 系と 44 系の一部に採用された．しかし，実際に日の目を見たのはそれが最初で最後であり，現在は見ることができない．そこで，このひげぜんまいの重心移動による姿勢差を極限まで取ってしまう幻の調整技術「重り付け」の方法と理論をここに紹介しよう．

---

59) 内端を図 2.42 のように固定することを固定端という．これに対して巻き上げひげのような取り付け方を自由端という．ひげぜんまいに半径方向の力をかけない取り付け方である．半径方向の力が働かないとき，ひげぜんまいはきれいに同心的に伸縮する．現在一般に行われているひげ玉取り付け——溶接などで取り付ける方法——（図 2.42）は固定端である．半径方向の力を発生させてしまう．したがって，内端でもひげぜんまいを半径方向に動かす力が発生して，図 2.43 に描いたようにきれいに同心的に内端を支持することはできない．その意味ではここに描いた図は実は誤りを描いてあることになる．そのような間違った取り付けであっても，てん真からひげ玉取り付け点までの切り取られたひげぜんまい，この仮想の部分のひげがあるとして，そのひげぜんまいの重心点分が実在するひげぜんまいの重心移動として影響があることをここでは説明しているのである．実際は図 2.42 のように取り付けてあればひげ内端付近は広がろうとするときは内端から 180°反対側が遠のき，縮まろうとするときはやはり内端から 180°反対側がひげ玉の方に近づいてくる．ひげ玉に取り付けた付近のひげはひげ玉との距離を変えないように，動かないようになっている．その様子は平ひげの場合で，外端（緩急針側）は広がりも縮まりもせず，緩急針と 180°反対側が広がったり縮まったりする風景，この誰もがよく慣れている風景とまったく同じなのである．これがひげ玉付近で現出しているのであるが，ひげ玉が回転しているので静止して見ているわれわれにはそれがよく見えない．いわゆるひげぜんまいの重心移動による姿勢差では，この取り付け点に固定されていてその部分は移動せず，180°反対側は伸縮しているという偏心する成分の効果と，図 2.43 で説明している内端までの，切り取られた仮想のひげぜんまいの部分による重心移動の部分の効果，この両方が考慮されて計算される．ひげ外端を単純にひげ持で固定してはこの図 2.43 のように同心的に伸縮しないのとまったく同様に，内端もただ単純に図 2.42 のように取り付けては同心的な収縮は絶対に不可能なのである．この点をしっかり認識しておかなければならない．その意味で図 2.43 は実際と違って誤りを書いてあることになるのである．

60) 図 2.43 では内端での同心的な伸縮は描かれていない．その意味でもこの図は実は現実的ではない．

2.8.1 重り付けの経過

「重り付け」とは現在の時計業界では使われていない日本独自の技術で，1965（昭和40）年頃，黒沢守儀氏[61]が発案し，当時の一部のキャリバーには実際に使われたが，その後すっかり忘れ去られた．ひげぜんまいの途中にわざわざ重りを付けて，ひげぜんまいの重心移動による姿勢差をキャンセルしようというものである．また，目標とする姿勢差レベルもかなり高級領域で，通常の時計ではばかばかしいほどに姿勢差をとろうという，いわば姿勢差の取りすぎ，というべき領域の技術，そういってよい．

最近わかったことであるが，この方法は実は学会には発表されていなかった．しかし実際に時計に使われ，1969～1970（昭和44～45）年，それも45GS[62]に使われ，天文台クロノメーターとして商品化された．また，ひげの途中に重りを付けるなどという面倒さを組み立てが嫌がり，その生産技術の改善をしないまま，続けて利用する状況には至らなかった．当時のセイコーは音叉やクオーツの開発など，新しい技術の開発に追われており，そこまでスタッフの充当ができなかったのではないかと，今は思い出される．時計技術講習会を全国で行ったとき，その席上ではこの重り付け技術を紹介したと記憶している．しかし，その知識はほとんど知られないままで，ひげぜんまいの上に「ゴミがついている」と勘違いして，懸命にこの「ゴミ」を取ろうとした形跡が修理品にあった，という話もある．それほど，この技術は知られていないようだ．また，海外にも多分知られていないだろう．当時の製品計画にそのように1回採用されただけで，世間には評価されないまま忘れ去られた．

ともかく，**日本生まれの調整技術**として，今見直せばユニークな，またきわめて高級な技術であり，時計をコンクール並みにしようというときに一般修理技術者が通常の修理ベンチ上で実施できる技術である．いわば時計技術の求道者向け技術といってよい．日本発の大変優れた時計技術の一つである．

図2.44-1 重り付きひげぜんまい

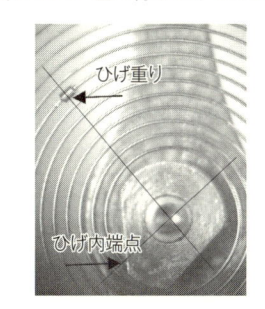

図2.44-2 重りの位置
内端から90°の方向に付ける．

2.8.2 重り付けの実際

重り付きのひげぜんまいとはどんなものか，図2.44-1，図2.44-2で見てほしい．見たところ，まことにゴミである．5倍のきずみでは見えないか，気がつきにくい．気がついても知らなければ何でこんなところにゴミが付いているのかと思われる．

この重りはひげぜんまいの巻出しから6～7巻目，また巻出し点から90°回転した方向に付ける．

---

61) 東京教育大学卒業，第二精工舎1958年入社，研究畑で活躍した技術者．
62) キャリバー番号45という紳士用腕時計で，振動数は10振動．ニューシャテル天文台へも提出された製品として知られている．天文台でクロノメーター称号を受けた製品（4580）約120個は発売即日に売り切れた．筆者ら，関係者の記憶ではこの天文台クロノメーターにこのひげ重り付けが採用されていたと記憶している．また，その一代前のキャリバー44系にも取り付けられているものがある．45系のキャリバーは骨董品業界でもよく知られ，インターネット上でもよく取りざたされている．国産の腕時計としては最高の値段が付いている．セイコー自体は当時それほど評価していなかった製品が30年の年月の間に世間の方が高く評価し直している例である．この骨董品の中に表題の重り付けをした品物が出回っている．しかしインターネット上で，この重り付けに気が付いてコメントしている人はほとんどいないことからも，この技術そのものは知られていないことがわかる．

図 2.45A 重り付けの手順①
長めに切ったひげ材を接着したところ．

図 2.45B 重り付けの手順②
余計な部分をニッパーで切り取る．

図 2.45C 重り付けの手順③
1円アルミ貨の漢字"五"の中のu-ひげ重り．

図 2.45D 重り付けの手順④
目打ち台に立てたピン：これでひげ重りを曲げる．

取り付け場所は理論で述べるように，常にこの巻出し点から約90°回転した方向の6～7巻目と考えてよい．また，重り自体は何でもいい．ひげぜんまい自体を使うと重りの目方が一定となり正確になる．同じひげぜんまいから切り取って作るときは取り付ける長さをひげ幅の約5倍程度を目標とする．これでひげぜんまいの重心移動による姿勢差をほぼキャンセルする量となる[63]．接着剤で取り付けるが，接着剤の表面張力で接着する相手が動いたり，あるいは着磁により重りがピンセットに吸い付いてしまう．したがってピンセットは黄銅など磁化しない材質のものでなければ使えない．重りの大きさは**図 2.45C**にあるように一円アルミ貨のなかの「平成五年」と書いてある字の一部のへこみに入るまでに大変小さい．長さ0.2 mm程度，一度ピンセットで飛ばすとまず見つからない．**図 2.45D**は目打ち台の最小径の穴に細い金属線を接着剤で立て，これを頼りに重りとなるひげ材を折り曲げる．切断はナイフあるいはニッパー（脚注図）で行う．扱う「重り」という部品が斯くも小さく，従来の時計部品では考えられないような小ささであるため，なお今後もこの取り扱い方法と環境に関しては相当の改善を要すると思われる．もっとも手作業で，手作りで1個作ろうという場合はどのようにやってもよいが，ともかく，てんわの重り取りをする場合にでてくる金属粉と同じ重さと思えばよい．それをひげの途中に付けるのであるから時計部品としての大きさは従来のセンスに比べれば遙かに小さい部品と考えねばならない．**図 2.46-2**にあるような精密な姿勢差を達成するのであるから，てんわの重り取りの際に出る金属粉と同等の重さであるというのは当然であろう．以下に示す方法は当初実験で行ったものであるが，重りを最初から図2.45Cのように作っておいて乗せる方がやさしいようである[64]．

---

63) 正確にはひげ内径，ひげ長さ，ひげ外径などで決まる．しかし，方法・考え方そのものがかなりプラグマティックなので，ひげ幅の5倍の長さで統一してもよい．5倍とは最近の時計で計算した例である．実際は重りが大きすぎれば220°での姿勢差は反転し，上通過横のとき−，下通過横の姿勢で＋となり，少なければ220°での姿勢差が少し残る（上通過横のとき＋，下通過横の姿勢で−）ことになる．

64) 脚注図3にニッパーの例を示す．ひげの重りをひげ本体からどのくらい近いところまで近づけて切れるか，が勝負である．

脚注図3：おもり切断用ニッパーの例

作業の順序はまず重り用のひげぜんまいを用意して，ひげ重りとしてひげ幅の約7倍くらいを切り取り，これを2つに折って（しっかり折り曲げる）それを付けるべきひげぜんまいの所定の位置に乗せる．ひげぜんまいの上に折り曲げられた乗り子が乗っている状態にする（**図2.45A**）．そこへ接着剤をオイラーの先などにわずかに付けて乗り子のすきまにしみこませる．乾燥したら余分な乗り子の部分をニッパーで切り取る（**図2.45B**）．**乗り子**の大きさはそれほど厳密ではない．本来はひげぜんまいの内端径，ひげ玉の大きさと巻数によるが，ともかくひげぜんまいの乗り子の長さはひげ幅の5倍と記憶してもらっていいだろう．

さて，この重り付けの効果を等時性曲線上で眺めてみよう．**図2.46-1**は重り付けを行う前，通常のひげぜんまいの状態である．**図2.46-2**は重り付けを行った後の状態である．立4方の姿勢差が断然小さくなっているのが明瞭である．図2.46-1ではひげぜんまいの重心移動による姿勢差があって，振り角の広い領域で姿勢差が広がっているが，重り付けを行うと，振り角の広い領域での姿勢差が小さくなった．この状態では脱進機誤差による歩度の変化分が目立つようになっている．この時計のアンクルは受どてによる第二停止を行っており，爪石の食い合いが深く，このような等時性曲線となっている．この様子を次に修正できればさらに良い仕上がりになることがわかる．

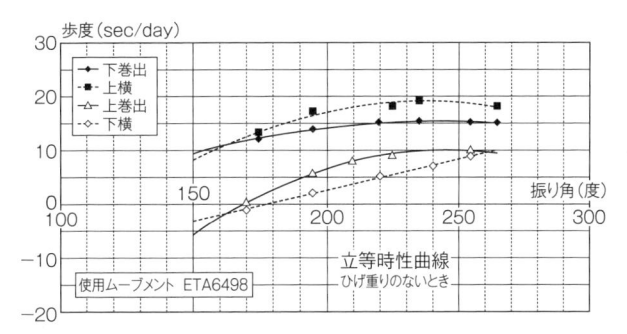

図2.46-1 重り付け前の立4方等時性曲線

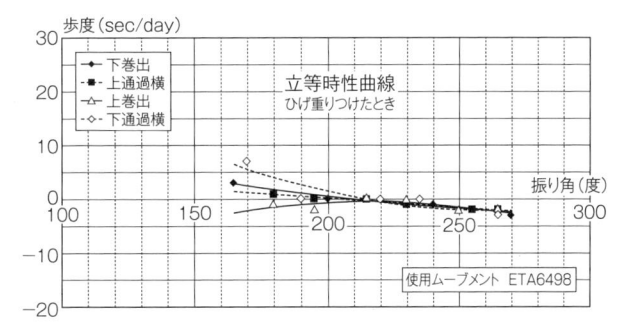

図2.46-2 重り付け後の立4方等時性曲線

2.8.3 重り付けの理論

ひげぜんまいの途中に重りを付けるとどんな効果があるか，理論的にはどのように説明できるであろうか．てんわの片重りの影響は**図2.47**のように220°で横軸を横切るカーブ，いわゆる「てんわの片重りによる等時性曲線」で表される．したがって，ひげぜんまいの途中に付けた重りもまったく同じスタイル[65]の影響を及ぼすに違いない，と発明者は考えた．横軸の目盛をこの重りでの振り角で描けば同じ図2.47になるはずと．したがって，その様子は横軸をてんぷの振り角に直して描けば，実際の振り角での影響として理解できることになる．ひげぜんまいの途中，重りでの振り角は重りを内端から6〜7巻目とすれば，そこではてんぷ振り角の0.7倍程度の振幅になる．それで今，てんぷ振り角が316°で重りでの振り角が220°の振り角になるとしよう．するとてんぷ振り角316°で横軸を横切るグラフがひげ重りによる等時性誤差を表すと考えてよい[66]ことになる．その結果を**図2.48**

---

65) つまり曲線の形式は$J_1(A)/A$（$J_1(A)$は1次のベッセル関数）．ただしここでのAは重りの振り角と見ればよい．
66) これを式で表すと次のようになる．てんぷの片重りの影響（てんわにこのひげ重りを乗せたときの式）は

$$\delta = -\frac{mgr}{K} \cdot \frac{J_1(A)}{A} \tag{2.19}$$

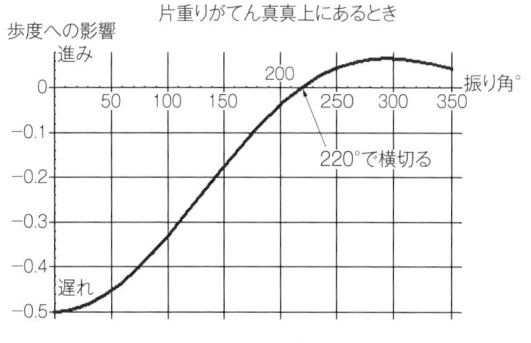

図2.47 てんわの片重りの影響

図2.48 ひげ重りの影響

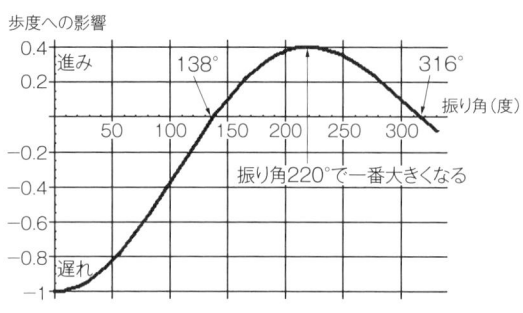

図2.49 ひげぜんまいの重心移動による等時性曲線上通過横の姿勢.

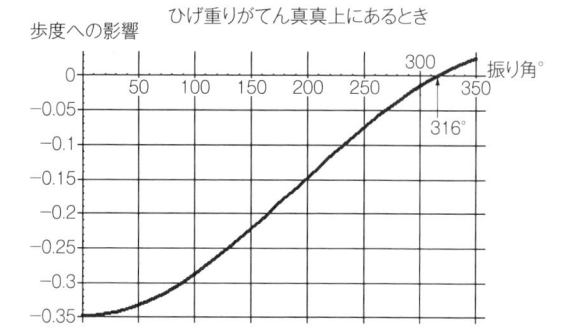

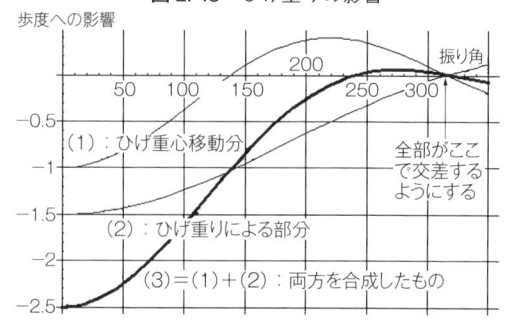

図2.50 重り付きてんぷの総合等時性曲線（太線）ひげ重りがてん真真上の姿勢.

に示した．横軸を316°で横切るようにした．

次にひげぜんまいの重心移動をキャンセルするような方向にこの重りを取り付けねばならない．それにはどうすればよいのか検討する．まず，ひげぜんまいの重心移動による影響の様子を**図2.49**に示した．図2.49は上通過横の場合であり，この姿勢で220°付近では進みの影響がある．いつも取れない姿勢差はこれである．**図2.46-1**で振り角220°付近の姿勢差の主要原因である．これをキャンセルするために，重りの影響を遅れになるように取り付ける位置を選択すればよい．つまりひげぜんまいが上通過横（図2.49）のとき，ひげ重りがてん真真上に来ればよい．ひげ重りの影響は**図2.48**を見ればわかるとおり，316°までは遅れの影響となっている．一方，ひげぜんまいの重心移動による影響は進みであるから，これでひげぜんまいの重心移動とひげ重りの影響はお互いにキャンセルする位置となっている．**図2.47**，図2.48のままの姿勢でよい．つまり**図2.44-2**に例示したように，ひげ巻出し位置から90°ひげぜんまいの巻いた方向に実際のひげ重りを取り付ければよい．ひげぜん

で表される．したがって，先の重りでの振幅の割合 $q=220/316 \cong 0.7$ とすれば，重りの影響は

$$\delta = -\frac{mgr}{K} \cdot \frac{J_1(qA)}{A} \tag{2.20}$$

と表される．振り角 A の代わりに qA を代入するだけでよい．ここで m：ひげ重りの質量，g：重力加速度，K：ひげぜんまいのばね定数，A：てんぷの振り角，qA：ひげ重りでの振り角，$J_1(A)$：1次のベッセル関数，δ：てんぷ振動周期の変化量 [sec]．

ひげの重心移動の影響は式では

$$\delta_h = -\frac{m_0 g}{K} \cdot \frac{R_0^2}{L} \cdot J_0(A) \tag{2.21}$$

と表される．ただし，R_0：ひげ内端半径，L：ひげの長さ，δ_h：ひげの重心移動による振動周期の変化量 [sec]．m_0：ひげ全体の質量，$J_0(A)$：0次のベッセル関数，g：重力加速度．

§2.8 重り付けによる等時性の調整

まいの重心移動とひげ重りの2つの影響は図2.48と図2.49をそのまま合成すればよい．その様子を図2.50に示した．

図2.50では曲線(1)も(2)も横軸を316°で横切るように描いた．したがって，曲線(3)も316°で一緒になる．これはそれほど正確に一致させる必要はない．

次に重りの量であるが図2.48，図2.49に示されたような量であればよい．その合成，図2.50の(3)の曲線は220°では横軸に接触していないが230°あたりから320°付近までかなり横軸に近い状態を示している．このことは，その合成された影響がほとんど出ない，姿勢差が発生しないということである．

振り角が220°付近ではこのように姿勢差が少なくなるが，一方，振り角が小さい領域，200°以下の領域では図2.50の曲線(3)は大きく遅れへと拡大している．したがって，この姿勢と180°反対の姿勢では振り角小では大きく進みになる，つまり姿勢差は大きくなるはずである．

この様子はひげ重りの量で変わる．このひげ重りの最適な量に関して検討した結果は脚注[67]に述べたように，ひげ重りをひげ材自身で作ったときは重りの長さがひげ幅の約5倍程度である．

2.8.4　まとめ

ここまで述べたようにこの技術はひげ重りの量はひげ幅の5倍，ひげ重りの取り付け位置はひげ巻出し点からひげぜんまいの出て行く方向へ90°巻いた方向である[68]など，実際に即した表現で覚えやすく，また，実施に際して必要な機材は特にない．一般の時計技術者の方々で実施できる．確かにひげの途中に重りを付ける，という部分だけすこし難しいかもしれないが，市販の機械腕時計のテンプをもってきて，ひげに重りを付ければできるのであるから，いつでも誰でもできる技術といえるであろう．

以上は実際上の注意点であるが，この重り付けは機械時計の調整を極めてみたい[69]と思うような

---

67) ひげ重りの量の検討方法は前注の式 (2.20) と式 (2.21) の和を振り角220°で0とすることが基本である．その方程式から m（ひげ重りの質量）を求める．また，ひげ重り量 m をひげ材自身で作るには重りの長さが決まればよいから，このひげ長さをひげ幅で表してみる．このようなステップを踏んで得ることができる．計算ではひげ重りの質量はひげの質量の0.01倍，長さではひげの幅の約5倍であった．
※日本時計研究会資料「最適なひげ重りつけの場所と量」(2003年2月20日，小牧昭一郎) による．なお，この資料ではひげ重りの効果を，ひげ持とひげ玉へと分割して検討した点が源資料と比較して新しい．この場合，重りつけ点と外端点の距離/内端点と外端点の距離を t と置き，m/m_0 の値を求めた．
68) 重りの量と位置に関しても実際は実験的な経験が必要なようである．6巻目に付ければ振り角220°の姿勢差がちょうど取れるとは限らない．それはひげぜんまいの長さと内端から重りまでの距離との比が，実際の場合は図2.50に示したようなちょうどよい長さであるとは限らないからである．内端からひげ重りまでの距離を実際的に調節する手段としては，重りを2カ所あるいは3カ所に取り付けると実効的な位置の修正をすることができる．また付ける位置によっては姿勢差を修正する方向も調節ができる．そのように重りの効果を細かく修正することが可能であるから，実際に試みられれば，その修正の幅の広さもこの技術の利用の範囲を広げる結果となると筆者は見ている．本書を書く時点では，これらを理論的にまとめて紹介する時間的な余裕がなかったが，いずれ学会誌などで紹介するべきだと考えている．ここでは，この重り付けという方法が高級な姿勢差調節の手段として有用だということ，これが忘れ去られていることを強調したい．いつかは利用される人々が増えて，正しい評価が得られるであろう．
69) 姿勢差を全巻で1秒以内，あるいは実用領域で3秒以内，などというレベルを達成しようというときは，重りの量，取り付け位置など詳細な検討がやはり必要である．簡単にいえば，重りの量はひげ玉半径と取り付け位置により修正しなければならないし，取り付け位置も実際の姿勢差の様子により，修正する必要がある．それはひげぜんまいの重心移動以外の因子による姿勢差の様子は個々の時計によって違うからである．ひげ巻き出しから90°回転した方向，位置も6~7巻め，は目安としてはよいが，そこまで追い込むためには詳細な検討が必要だということが最近わかってきた．だが，その検討結果はここでは述べることはできない．

方々には格好の技術ではないだろうかと思う．実際の機械時計の事情として，立姿勢での振り角は 310° などと高くすることはできないが，290° などはぜんまい全巻き時に達成している良い時計は少なくない[70]．そのような一般的な時計としての調子を良くすることと合わせて試みられる方が増えることを期待する．

（図 2.46 の重り付けは ETA6498 を使用．日本時計研究会有志のご協力（2014 年 3 月）による．）

§2.9 脱進機誤差

ここまで，ひげぜんまいについてその歴史から役割，重心移動による姿勢差などを詳しく分析し，それを利用した調整技術までを紹介した．続いて，「脱進機誤差」について解説する．これはてんぷの振動周期が脱進機によって受ける影響のことを指し，欧米では「エアリーの定理」として知られているものである．最初にこの定理を理解し，その後に脱進機誤差の具体的な事例を挙げ，その影響について学んでいこう．

2.9.1 脱進機誤差とは

「脱進機誤差」とは，てんぷの振動周期が脱進機によって受ける影響をいう．てんぷが脱進機によって駆動されているときの歩度と，駆動されていないときの歩度との差である．たとえば，てんぷが脱進機のない状態（**自由減衰振動状態**）で 270° 振動していたとしよう．そしてこのときのてんぷの振動周期が測定できた[71]として，これが +5 sec/day であったとする．一方，このてんぷが脱進機によって振り角が維持され，270° 振っているときの歩度が −2 sec/day だったとしよう．すると，いま述べた定義による脱進機誤差は (−2 sec/day) − (+5 sec/day) = −7 sec/day ということになる．

上の定義は表現が面倒だが，「振動系が外力を受けたときに発生する振動周期の誤差」といえばむしろわかりやすいかもしれない．時計では脱進機によって力を受けるのであるから，それで脱進機誤差という用語が生まれたわけで，素直に受け取れるはずの言葉である．まずこの用語にふれてみる．

この用語はいつ頃から出てきたのか歴史を振り返ろう．本書を書くにあたって調べてみた．東京大学の大島康次郎教授が脱進機誤差に関する研究をし，脱進機誤差の性質を一応はっきりさせたのは

---

[70] 2004 年，フィリップ・デュフォー（Phillipe Dufour）氏の腕時計，「Simplicity」を拝見した．ぜんまい全巻き時で振り角は平で 320° 付近，立では 290° 付近であった．

[71] 脱進機がない状態でてんぷの振動周期，歩度をどのように測るか，チクタクの音がないからこれは通常の時計修理のベンチでは残念ながらできない．てんわの周囲に墨でも塗ってこの墨の部分が移動する様子を顕微鏡で眺め，この視野の明暗からその変化速度を測り，歩度に換算して測定をする．その方法を脚注図に示した．いまはパソコンがあるので比較的簡単な装置を作ればこの測定を自作することもできないことはない．また，てんぷを駆動するものがないので，ピンセットなどでてんぷを回転させ，解放するというやり方で，てんぷを自然に減衰振動させる．この減衰振動の間でしか測れない．ともかく自由振動とは自由減衰振動しかない．しかも本文にあるように 270° のときの歩度とは自然減衰振動をするてんぷの 270° の振り角を通過する一瞬の間からデータを取り出すことになる．このように実際に脱進機誤差を測定しようとなると大変面倒なことになる．本節はこのような面倒な説明になってしまう話だが，どのように時計にとって重要なのかを理解するためのいわば特論である．

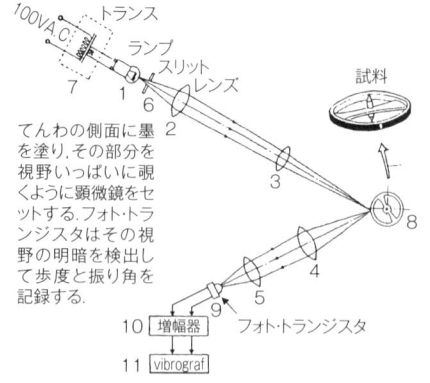

てんわの側面に墨を塗り，その部分を視野いっぱいに覗くように顕微鏡をセットする．フォト・トランジスタはその視野の明暗を検出して歩度と振り角を記録する．

脚注図 4　脱進機誤差の測定方法

1955（昭和30）年[72]のことであった．ここで脱進機誤差という用語が使われている．大島先生の前は末和海氏が1950（昭和25）年頃『グノモン』という雑誌の翻訳記事の中でこの用語を作られたようである．青木保先生の『時計学』[73]には脱進機の影響についてはまったくふれていない．ところで英語やフランス語にはこの言葉がないのか，片っ端から時計の参考書を開いてみた．インターネットでも探してみたが，"escapement error" はなかなか出てこない．1965（昭和40）年頃，筆者がescapement errorという言葉を「脱進機誤差」という日本語からの直訳として，セイコーの社内で使い始めた．この英語名はこれが初めらしい．これより以前では脱進機誤差の性質を説明する言葉としては，欧米では「**エアリーの定理**」がよく知られている．エアリーの定理はてんぷの振動周期に対する脱進機の影響の説明に，たとえば時計学校WOSTEPでは **Disturbances caused by the escapement** という表題の節で説明している．グロスマンの『理論時計学』[74]（1906）には pertubations dues a l'échappement（てんぷの振動時間に対する脱進機の影響）という用語で10小節にわたって細々と説明しているところがあるが，エアリーの定理には実は至っていない．デフォッセの理論時計学の本の発行は1949年で比較的新しいのに，「調速機振動周期への影響」[75]という言葉で脱進機の調節の効果を概略で述べているに過ぎない．欧米で "escapement error" という用語はまったく使われていないらしい．

ともかく，現在のスイス時計学校の教科書ですら上記のような表題であった．しかも説明の内容はやっとエアリーの定理を応用してクラブツースレバー脱進機の動作の各部分，たとえば停止解除，衝撃などの影響，それも符号のみ説明してあるに過ぎない．定量的な性質の説明なしにクラブツースレバー脱進機の影響はトータルでは遅れであると強引な説明をしている．それでは本当はわかるはずがないのだが．

このようなわけで「脱進機誤差」という用語は日本製のようだ．スイスの現地で時計技術を習得してこられたベテランの時計技術者の方々にも聞いてみた．スイスで脱進機誤差（**écarts des échappement**）[76]，という言葉を聞いたという覚えはないようである．**CMW**という資格試験がアメリカにはあり，このときにエアリーの定理を勉強されている．ともかく脱進機誤差という用語は和製らしい．この用語の方が意味はわかりやすく，聞くだけで十分に理解できる用語になっている．これに対してエアリーの定理という用語は聞いただけではどんなものかわからない．このあたりで脱進機の影響に対する理解が日本とは違っているように思われる．また実はこのことで日本と欧米との時計の理論，とくに調整の考え方，精密さが違っているのではないかと思われる．

2.9.2 エアリーの定理

"エアリーの定理"

---

72) 「テンプ時計の脱進機誤差について」，大島康次郎，精密機械，20巻7，12号，第6回，1955年．
73) p.85参照．
74) 脚注50) 参照．この本の序論をM.C.Ed.Caspariが書いており，この中でそれまでの時計理論の進歩の様子が説明されている．
75) "Théorie générale de l'horlogerie", M. Léopold Defossez 著，la Chambre suisse de l'horlogerie 1949, p.257 "l'effect sur la durée d'alternance du balancier-spiral" の訳．ここには脱進機の調節，すなわち，停止解除，衝撃を適度にすることが調速機の振動周期への影響を中庸なものにするために望ましいと述べている．
76) Berner の時計用語辞典にも載っていない．échappement に関する欄は7ページもあるが，脱進機誤差 écarts des échappement という用語はない．écart（誤差）という用語欄には écart moyenne de la marche diurne（日差平均偏差）という用語事例が載っている．

1. 振動の中心で外力を加えても，振動周期は変わらない．
2. 振動の中心以前で加速するか，振動の中心以後で減速すると進む．
3. 振動の中心以後で加速するか，振動の中心以前で減速すると遅れる．
4. 振動の中心からより遠い所で外力を加えるほど，周期の乱れは大きい．

エアリーの定理といわれる法則がある．これは脱進機のてんぷに対する影響を定性的に説明している．イギリスの天文学者エアリー（Sir G. B. Airy : 1801-1892）はグリニッチ（Greenwich）天文台長のとき，「振り子は振動の中心点でエネルギーを加えても振動が乱れない」ということを発見した．こうした振動系に与える外力の影響の様子をまとめたものを"エアリーの定理[77]"という．

まずこの理由を文章で説明してみよう．ここでは等時性曲線がまったく平らな，理想的なてんぷ，つまり振り角が変化しても進み遅れが発生しない，振動周期が一定なてんぷとしよう．自由振動時，つまり自由減衰時にもこのような性質のものとする．

1. 振動の中心で外力を加えても，振動周期は変わらない．

振動中心で突然振り角が増えたとしよう．上に述べた仮定でどの振り角においても一定な振動周期を持つてんぷであるから，当然振動周期に変化はない．つまり1は自明のことである．こう述べると簡単であるが，実際にはそのような理想的な振動系が存在していないにもかかわらず，そうした法則があることに最初に気がついたことに意味があるであろう．

2. **振動の中心以前**で加速するか，振動の中心以後で減速すると進む．

振動中心の手前で加速が行われたとしよう．たとえば中心の手前30°のところで加速が行われ，その30°を2.3 msで通過したとする．もし加速が行われなければその30°分はどんな時間で通過したであろうか．その30°の間は加速しながら通過して2.3 msだったのであるから，加速しなければ2.4 msなどともう少し大きな時間がかかったに違いない．つまりこの30°を通過する時間は短くなったのであり，振動中心を通過した後は確かに振り角は大きくなったかもしれないが，最初の仮定があるから所要時間に変化はない．したがって，30°の経過時間の変化分しか影響がない．この場合，所要時間が少なくなった，振動周期は小さくなった，つまり進みの影響が出たことになる．

3. **振動の中心以後**で加速するか，振動の中心以前で減速すると遅れる．

振動中心点から加速が行われ，そこから30°過ぎたところまで加速が行われたときを考えよう．加速が行われて振り角が275°になった，元は270°だったが5°だけ振り角が上がったとしよう．このとき，振動中心からもっとも回転する点，これは275°てんぷが回転したときであるが，この半振動の所要時間を検討しよう．何も加速が行われないで275°振るときと，加速が行われて275°振るときでどちらが所要時間が少ないだろうか．振動中心から30°回転した点から275°まで，その245°の部分は所要時間は同じである．加速が行われた30°の区間のみ比較をすればよい．振動中心より30°回転

---

77) 英語名はAiry's formula，フランス語ではformule d'Airy．
78) 単振動系の方程式に外力を加えたときの振動周期の変化は次のように与えられる．

$$\delta = -\frac{1}{A^2 TK} \int_0^T \alpha f(\alpha) dt \qquad (2.22)$$

ここで，δ：てんぷ振動周期のずれ量（ずれの割合），ここではこれが脱進機誤差量になる．したがって，上記式(2.22)はてんぷ1周期にわたって受ける外力のすべてを意味する．A：振り角，T：振動周期，K：ひげぜんまいのばね定数，α：外力が加わった時点でのてんぷの振れ角（変数），$f(\alpha)$：外力を表す関数．振れ角によって決まる関数という表現．dt：時間に関する偏微分量，t：時間．

これは単純な微分方程式を解くだけで得られる．したがってエアリー天文台長は比較的やさしい数学で導かれる法則をたんに頭脳の中だけで推論して法則として発表したのかもしれない．

した地点で，加速して275°振るべきスピードに達するときは最初のスピードが270°振るだけのスピードであったのであるから，何もしないで振り角275°まで到達する場合に比べこの30°の所要時間は大きいはずである．つまり何もしないで275°振るときに比較して，加速して275°まで振るときの方が所要時間は大きい．したがって振動中心より後で加速すると遅れることになる．

4. 振動の中心からより遠い所で外力を加えるほど，周期の乱れは大きい．

振動中心では振動周期が変化しないことは1で述べた．つまり振動中心に近いほど振動周期に対する影響は小さい．反対に振動中心から離れるほど影響が大きい．

以上がエアリーの定理の文章論理による説明である．しかし，これらは数学の式の上で説明すれば比較的簡単であって，単純にてんぷの振動方程式に外力が加わったときの一般式を導けばそれで説明がついてしまう．ここは数学的な演算なので脚注に説明しておいた[78]．

2.9.3 脱進機誤差の実際

実際の時計では脱進機誤差はどのようになっているか．クラブツースレバー脱進機が一般的であるからこの場合を知っておこう．

図2.51は，紳士用婦人用など一般的な器種に使われているクラブツースレバー脱進機の動作の様子を示したもので，てんぷ回転角度を横軸に，てんぷの受けるトルクを縦軸に取ってある．

図でわかるように振動中心の両側にわたってエネルギーの授受が行われる．振動中心の手前で停止解除と衝撃の前半が行われる．振動中心の後では駆動の後半が行われる．定理1, 2, 3, 4に従って発生する脱

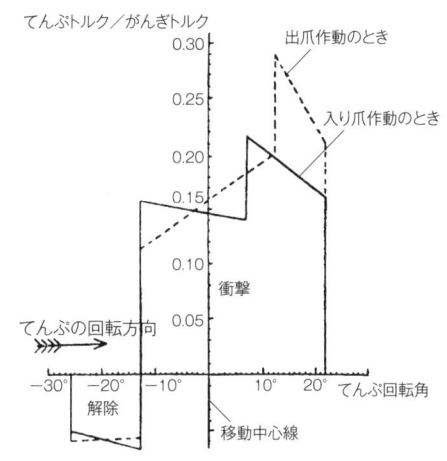

図2.51 クラブツースレバー脱進機の動作
振動中心の手前で停止解除，手前から振動中心後にかけて駆動が行われる．

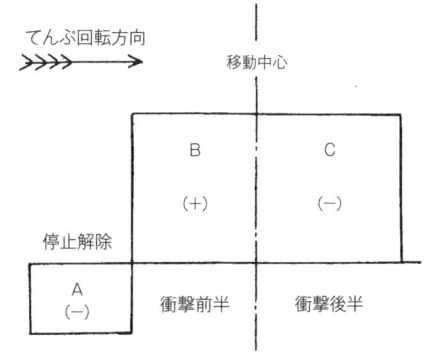

図2.52 脱進機誤差の符号
脱進機が与える力の大きさを一定として，動作の部分をおおまかにA，B，Cとすれば，これらが振動周期に与える誤差の符号は図のようになる．

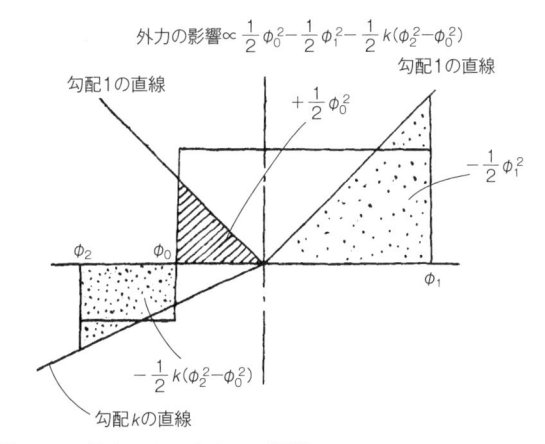

図2.53 外力による歩度への影響
図2.52のように力の大きさを簡略化したとき，振動周期に与える誤差は静止点からの角度に比例するから，ハッチングした面積が各部の影響の大きさを表す．

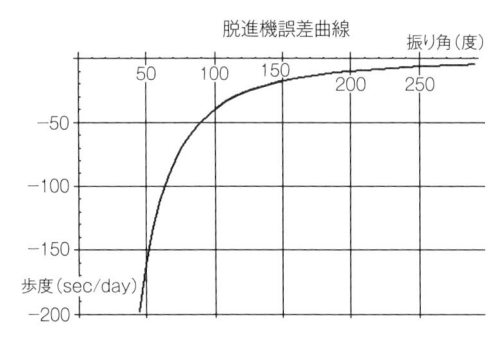

図 2.54-1 脱進機誤差の理論上の振り角特性
このように脱進機誤差は調速系に常に遅れの影響をもたらすが，特に振り角が小さい領域での影響が大きい．脱進機誤差は時計の振りが小さくなると遅れていく第一の原因である．

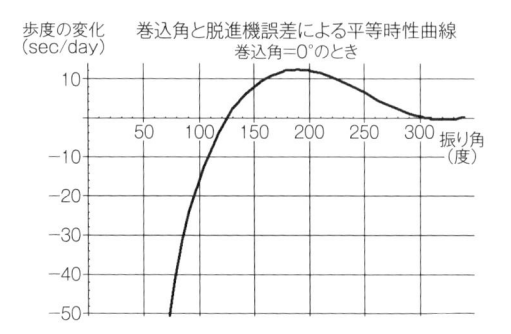

図 2.54-2 巻込角と脱進機誤差による影響
図 2.54-1 に巻込角による影響を加えたもの．通常，巻込角は振り角が小さくなった場合に進みの影響が出るように設定されている．そのため図では振り角の途中で盛り上がるようになっているが，それでも振り角小でははるかに遅れてしまう．

進機誤差の符号を付けると**図 2.52** のようになる．図 2.52 は加速減速の符号を単純化して書いた．（＋）とはその部分が進みの影響を与えるという意味である．図 2.51 の方がクラブツースレバー脱進機の実際の姿として正確であるから図 2.52 の（＋）に相当する部分（面積）が小さくて（−）に相当する方の方が圧倒的に大きい．したがって全体では（−）の面積が大きいから全体の影響は遅れとなることがおわかりになるだろう．さらに正確に見ると，このような脱進機の動作の各部分での影響の大きさは図 2.51 や図 2.52 の面積の大きさではなく，原点からの距離に影響が比例する（定理 4）ことから，図 2.53 に示すように振動中心から離れるほど影響が大きくなる．つまり横座標に比例して影響の度合いが大きくなるのである．つまり，図 2.53 で示したハッチングした部分の大きさで見なくてはならない．図 2.51 で停止解除の行われる部分はてんぷ回転角度で（−26〜−14°）であり，原点から一番遠いところにいる．したがって，この部分の影響がもっとも大きい．このことから脱進機の調整の際，**第二停止量**[79] と**第一停止量**[80] の合計，つまり総停止量が脱進機誤差にはもっとも効く，少なければ少ないほど良いということになる．

2.9.4 ジャンプの影響

さらに実際の脱進機の動作では，がんぎ車が停止解除の終了時点でジャンプをする．停止終了角度と衝撃開始角度はこれらの図では全部一致させて描いてあるが，実は間違いである．ジャンプを無視している．実際の**衝撃開始角度**は停止終了角度よりも 2°くらい離れている．はなはだしいときは 3

---

[79] どてあがきともいう．脱進機の部品公差を吸収して脱進機が正常に動くように設けた余裕であるが，ここに説明するように脱進機誤差にも悪影響を及ぼすうえに，脱進機の効率も下げてしまう．その意味では少なければ少ないほどよい．

[80] 第一停止量はピンセットなどでがんぎ歯を静かに落下させたときに観察できるもので，実際の時計の動作上では観測できないもの，またそのような事態は発生しないものである．実際の時計の運転ではアンクルもがんぎ車もその時点ではそれぞれ等速に回転しているから，がんぎ歯が落下して爪石停止面上に到着したときはアンクルも第二停止状態になっている．したがって，第一停止状態は実際には存在していない．しかし，脱進機が安全に動作するかどうかの確認には，この第一停止状態での停止安全量が確保されていること，つまり第一停止量が存在することを確認することが必要である．脱進機誤差に与える影響としては第一停止量も第二停止量も同様であって，いわば総停止量を小さくすることが本来である．理想的な脱進機では総停止量そのものをゼロにすることが望ましい．

~5°[81])近くも離れているので,**図2.52**のBの部分の面積はますます小さくなる.つまり脱進機誤差の総量はますますマイナスの値で大きくなっていく.このことが次に説明する平立差をさらに広げてしまい,姿勢差全体の様相を悪化させることになる.脚注[82])にはこのあたりの詳細を説明しておいた.技術者の方にはこのあたりをよく吟味してほしい.このようにクラブツースレバー脱進機では**脱進機誤差の総量**はマイナスであり,遅れを発生するのである.

2.9.5 脱進機誤差の全体像

さて,脱進機誤差は全体としてはどのように時計の精度に影響を与えているのか.それを図示したものが図2.54である.脱進機誤差は振り角によって大きさが変化し,振りが小さいほど脱進機誤差は大きい.脱進機誤差の総量は**振り角の2乗に反比例**して大きくなる[83])と考えてよい.振り角270°のときの脱進機誤差に比較して180°のときの大きさは$(270/180)^2 = 2.25$倍[84])になる.270°のときの脱進機誤差量を約-10 sec/dayとすると180°では約-23 sec/dayということになり,その差は-13 sec/day,つまり平等時性値を約-13 sec/dayも遅らせることになる.また,脱進機誤差は平立差を発生させる.このことが時計の調整上に大きな影響を与えているといわなくてはならない.

§2.10 平立差の原因

ここでは調速機の項目の中でも,もっとも重要なテーマの一つ,「平立差」について説明したい.まずは,等時性曲線を見ながら平姿勢と立姿勢の振り角の違いによる歩度の進みと遅れを解説する.次に"同じ振り角のときの平姿勢と立姿勢の歩度差"を取り上げ,そのメカニズムを見ながら機械時計の精度の可能性を考えよう.

2.10.1 平立差

腕時計の調整状況を表現する言葉に平立差がある.読んで字のごとく,平と立の歩度の差をいう.ぜんまい全巻時の6方の歩度を測ったら**表2.6**のように測定されたとしよう.このとき,平と裏平の平均値,$+4$ sec/dayと立4方の平均値,$+1.5$ sec/dayとの差を平立差という.このような平と立の

表2.6 全巻時の6方歩度

姿勢	歩度(sec/day)
DU	$+3$
DD	$+5$
12U	$+1$
3U	$+3$
6U	$+3$
9U	-1

---

81) 爪石の衝撃面上でよくできているときはロッキングコーナーから5分の1,通常は3分の1,悪い場合は5分の2くらいまでジャンプしてしまって効率の悪い状態になる.もちろん振りも落ちてしまう.
82) 衝撃開始とは爪石の衝撃面にがんぎ歯のロッキングコーナーが追いついて始まる.実際の動作では停止解除動作の際,がんぎ車は後退をしなければならない.この後退は確実に存在しており,毎回がんぎは後退しているのである.そして停止解除終了時点で間違いなくがんぎのロッキングコーナーは宙に浮いて爪石衝撃面の途中でやっと追いつく.爪石衝撃面の3分の1あたりであろう.そのようなわけで,図2.51から図2.53はそのことを無視して説明しているといわなければならない.また,このジャンプ量は実際は停止量が大きいほど大きいように思われる.定性的にはがんぎの後退速度は引き角に比例すると考えられ,停止量とは関係がないはずであるが実際はそうではなく,総停止量が大きいほどがんぎ後退速度が大きくなってしまっているらしい.このあたりはあまり研究されていない.しかし,実際,爪石の食い合いを浅くすればかなりジャンプの量が減って脱進機誤差は激減する,という実際の経験からは停止量を小さくすればそれだけジャンプ量も減っていると思われる.そして実はこのあたりが機械時計の調整の相当に重要な部分であり,秘訣でもある.
83) 前掲論文(脚注72)「テンプ時計の脱進機誤差について」によるとこのように考えてよいが,大島先生はてんぷのエネルギー損失を固体摩擦のみと考えた.実際はてんわの空気のかきまわしによる粘性摩擦の方が大きい.したがって,この部分を修正しなくてはならない.
84) 拘束角ϕは通常46~58°である.したがって,縦軸漸近線は横軸$\phi/2 =$約26°のところにある.したがって,この式は$(270 - 26)^2/(180 - 26)^2 = 2.51$である.これに従えば「平等時性値を$-15$ sec/day程度遅らせる」というべきである.

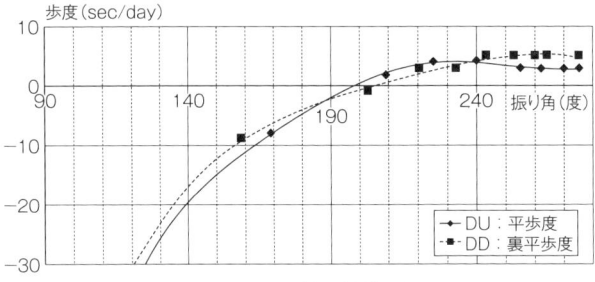

図 2.55-1　平等時性修正前

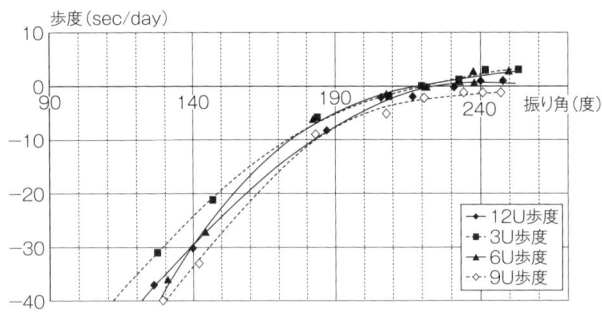

図 2.55-2　立等時性修正前

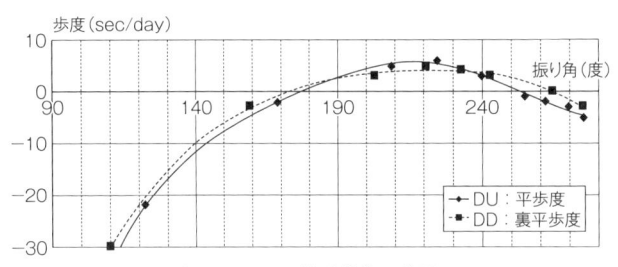

図 2.56-1　平等時性修正結果

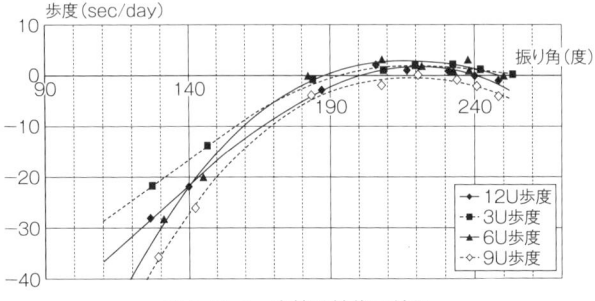

図 2.56-2　立等時性修正結果

間の歩度の違いは何によって発生するのか．今までの解説からおわかりのように歩度は振り角によって変化し，姿勢によっても変化する．しかし，いま計算した平立差は姿勢差の中でも違った意味がある．立姿勢間の姿勢差はこの計算にはあまり影響がない，立 4 方の平均値で計算している．平と裏平に関しても同じで，この平均値しか計算に入ってこない．ここで平と立では振りが違うからそのことが影響するに違いない，と気がついてもらえればその先が説明しやすい．立よりも平（姿勢の振り角）の方がよく振って正常．ここで登場する因子は歩度が振り角によって変化すること，つまり等時性の様子によって平立差が変化する．その実際を**図 2.55** で説明しよう．**図 2.55-1** は平姿勢の，**図 2.55-2** は同じ時計の立姿勢の等時性の様子である．このように，立姿勢の振り角は平姿勢よりも少し小さいから，図のように等時性曲線が左下がりになれば立姿勢が遅れるに決まっている．何のことはない，等時性曲線が左下がりであることが平立差の原因だったのか，と理解すれば簡単であった．図 2.55-1 は平等時性であり，立ではこの曲線の上に立同士で発生する姿勢差が加わって図 2.55-2 の等時性曲線ができあがる．このような理解をすればよい．

ならば，**表 2.6** の時計の姿勢差をもっと良くするには，と考えたときは図 2.55 の等時性曲線が**左下がり**にならぬように，むしろ少し左上がりになるくらいにまで変えればよい．つまり平等時性の調整である．いままでにこの方法はいろいろと説明した．**爪石の食い合い**の調節やひげ棒でのひげのあおり，また，基本的な平等時性の様子は巻込角で決まる，などの話はすでに述べたから，ここではこれらには触れない．これらのチェックや修正を行って図 2.55 の時計を**図 2.56** のように調整できた．

これで万事 OK か，高級品も並級品も同じように良くなったか，というとそうではない．図 2.56-1

でぜんまい24時間戻しの状態に着目しよう．ぜんまい全巻き時よりも振り角が低いからこの状態では姿勢差の様子が変わる．立姿勢は全体に遅れ気味となり，平姿勢は進み加減になっている．このようにしたのはぜんまい全巻き時に平，立両方の歩度が合うように平等時性を調整したからだった．これらの背景にあって影響する性質が平立差，それも同じ振り角のときの平姿勢と立姿勢の歩度差である．これが実は真の平立差である．この差は簡単には修正ができない．いわばその時計の生まれの良さのようなものであって，いわゆる平等時性の調整では修正ができない．そのあたりの様子と，それが時計全体の良さにどのように影響を与えるのか，このあたりを理解してほしいのである．本項の大きなテーマはこれである．

いわば真の機械時計の品格とでもいおうか，この部分に解説を進め，機械時計の調整の基本部分がこのような要因によって大きく変化することを説明しよう．

2.10.2 平立差のメカニズム

てんぷという振動系は平と立でその性質の何が変化するのだろうか．実際ではさまざまな出来事がある．

1. **てん真あがきやがたが変化する．**

平姿勢であればその下ほぞがてんぷの重量を受け，上ほぞが遊ぶであろう．がたも上ほぞのがたと，下ほぞでは違うかもしれない．

2. **ひげ具合**が変わる．

てん真がその姿勢で下方向に沈むから，いわば平と裏平ではてん真あがき分だけひげの様子が上下する．それにひげも自分の重量で下へ落下する分，どこか変形するだろう．ちょこ，かさ，ひどいときにはひげが近くの他の部品に擦れたりする．これらはひげ具合と称して組み立て調整時にチェックしなくてはならない項目である．

3. **脱進機の様子は姿勢が変わると微妙に変化する．**

それはがんぎ車，アンクル，てんぷの各部品がそれぞれのがた，あがきによって位置が変化するからである．がんぎ（$5^\#$），アンクル（$6^\#$），てんぷ軸（$7^\#$）に着目してその姿勢を表現してこの5-6-7番軸の直線[85]が垂直になる姿勢，それも$5^\#$軸が上か$7^\#$軸が上か，あるいは水平になる姿勢では，脱進機の動作状態は対照的に変化する．平と立でも脱進機の動作状態は，これらの部品のあがきやがたの状態で変化する．**中具合**が悪い，たとえば，くわがたが姿勢によっては大つばに擦れたり，剣先が小つばに擦れたり，など中具合に問題があるときは，事情はさらに悪化する．これらの不具合が一応はないものとしてこの先を進めよう．

2.10.3 てんぷ振動系における平立差

これらの不具合がないとき，てんぷ振動系は平立間でどんな性質の違いがあるだろうか．平と立では振り角が違う．この振り差は何によって発生するか，それはてん真ほぞの受け方が違うだけであっ

---

[85] 通常この3つの軸は一直線上になるように設計されている．そしてこの直線を5-6-7軸の直線と呼ぶ．$5^\#$軸が上方のときと$7^\#$軸が上方のときとでは爪石の食い合いが異なり，脱進機の動作状態が大きく変化する．また，この5-6-7は通常は一直線上に並ぶように設計してあるが，一直線上に配置しなくてはならないということはない．いわば使用する脱進機の種類を標準化するためにそのような慣習があるだけである．5-6-7軸が直角に折れている設計もたまにある．その場合はアンクルの形状が大きく変化し，入り爪の先の方に箱先がついているような形状だったりする．

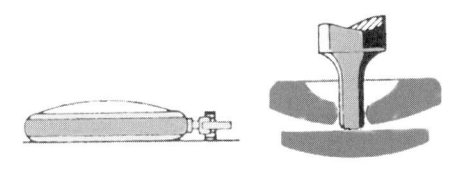

図 2.57-1　てん真ほぞ先：平姿勢

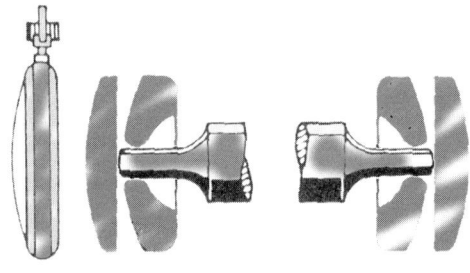

図 2.57-2　てん真ほぞ先：立姿勢

て，その他のどんなことも変化がないのである．現実に見る振り差，この原因は想像通り，もしてんぷ振動系に原因ありとするならば「てん真ほぞの受け方」が違うことによる．

また，てんぷのほぞの摩擦が変われば振動周期も変わる，と理解している人が多いのではないだろうかと思うが，実はてんぷ振動系単体では振動周期はまったく変化しないことが理論上はわかっているのである．**図2.57**にてん真ほぞの様子を示した．平姿勢，立姿勢で変わることは，てんぷ重量を受ける部分がほぞの端面か側面かの違いだけである．実際にてんぷの振動状態を精密に調べてみても，平と立ではこのほぞの受け方が違うだけであって，平姿勢ではてん真ほぞの端面で摩擦を受けているので，端面の半径が小さい分だけ摩擦が小さい，それも静止摩擦分のみ少ない．立姿勢は平よりもこの静止摩擦分がほぞ側面で受けている分だけ多くなることがわかっている．

このように精密に調べてもてん真ほぞの静止摩擦の大きさが違うだけで，てんぷ振動系に関してはこの他の要因にはまず変化がない[86]ことがわかっている．先に述べた2のひげ具合の変化，これだけは要注意であるが，それは本質的には取り除けるものであって，基本的な振動系の性質には登場しない．さて，この静止摩擦が変化するから**振動系の振動周期**が変化すると理解しているとすると，それはまったくの間違いなのである．実は平立差の直接の原因は振動系にはまったくないのである．

これは脚注[87]に説明したが，**てんぷの振動方程式**にてん真部分の静止摩擦を導入して検討すると簡単にわかることなのであるが，振動周期にはまったく変化がないことが導かれる．むしろ振動周期に影響のある摩擦成分は実は**粘性摩擦**であって，これは実際はてんわが空気の中をかき回す摩擦であ

---

[86] 一番大きな外部要因は重力である．重力の方向の影響がある．これは立姿勢差などであって，これらはここではすでに取り除かれていると考えよう．

[87] 振動方程式を立て，これを解いてみるとまったく影響がないことがわかる．そのことを説明すると次のようになる．
てんぷの振動方程式は次のようになっている．

$$I\frac{d^2\theta}{dt^2} + F\frac{d\theta}{dt} + K\theta = \pm R \tag{2.23}$$

ただし，複号±は $d\theta/dt$ の符号によって変化し，$d\theta/dt>0$ のときは−，$d\theta/dt<0$ のときは+とする．
ここで，θ：てんぷの回転角度，I：てんわの慣性能率，F：てんわの粘性摩擦係数，K：ひげぜんまいのばね定数，R：てん真軸受けの静止摩擦抵抗．
式 (2.23) で $\theta'=\theta \mp R/K=\theta \mp r$ とおけば，$d^2\theta'/dt^2=d^2\theta/dt^2$，$d\theta'/dt=d\theta/dt$ であるから式 (2.23) は

$$I\frac{d^2\theta'}{dt^2} + F\frac{d\theta'}{dt} + K\theta' = 0 \tag{2.24}$$

となる．つまり静止摩擦抵抗 R がないときとまったく同型となるから，静止摩擦抵抗のあるときとないときで振動方程式の解はまったく同型になる．
式 (2.24) の解は $\theta=\theta'\pm r$ と書き換えて

$$\theta = A_0 e^{-\mu t}\cos(\omega t - \delta) \pm r \tag{2.25}$$

という形式（減衰振動）になる．ただし，ここでは A_0：初期振り角，e：自然対数の底，$\omega^2=\omega_0^2-\mu^2$　$\omega_0^2=K/I$　$2\mu=F/I$　$\tan\delta=\mu/\omega$ とする．
式 (2.25) から，てんわの粘性摩擦抵抗は振動周期を変化させるが，静止摩擦抵抗は振幅を1振動ごとに $2r$ の角度ずつ減少させるだけで，振動周期には影響がないことがわかる．

り，この摩擦によって振動周期はわずかに遅くなるのであるが，粘性摩擦は平であろうと立であろうと変化はまったくない．気圧が変化すれば振動周期は変わるがそれも普通の気象状況程度では検出できない程度の影響[88]しかない．しかし，古今東西どんな機械時計も同一振り角時の平立差では必ず平が進み，立が遅れる．その理由は何なのか，そしてここにこそ，機械時計の発展の将来に関する重大な鍵があるのである．現存する機械時計は100％平立差があり，そのためにある程度の正確さしか得られない．しかし将来はこれを克服する機械時計が現れてもいい．このような視点で現在の機械時計群を眺めれば，優れた時計とそうでない時計とがはっきりと区別できると筆者は考えている．ここで何をもって優れているとするか，それも議論の対象ではあるが，少なくとも正確な時計，時計らしい時計，という基本的な性質に関する論点として以下の解説を読んでほしい．

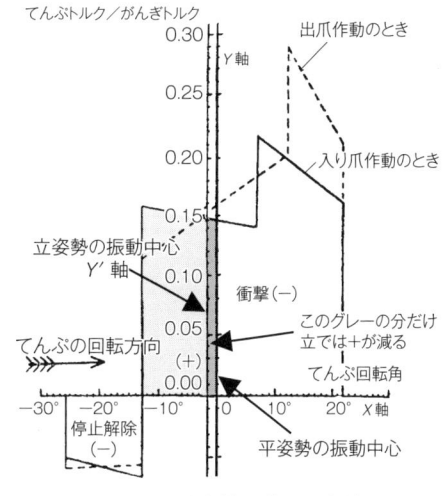

図 2.58 脱進機誤差の平立差

2.10.4 実は脱進機に原因あり

実は脱進機に原因があった．振動系には平立差の原因がないのである．前節で説明したように，脱進機はてんぷ振動系に対して振動周期の誤差を発生させる．脱進機誤差と日本では表現して，その理解が簡単であることを述べた．脱進機がてんぷを駆動する，その係合の仕方が現在の脱進機は振動中心に対して前後対称になっていない．振動中心手前に停止解除動作が行われ，そのあとで衝撃が行われるが，衝撃も振動中心より後ろ側に偏っている．**図 2.58**がその全体像であって，脱進機誤差の総量は常に負であることを述べた．この**脱進機誤差の総量**が，てんぷの振動中の静止摩擦によって増えてしまうのである．いわば**脱進機誤差の平立間の差**，脱進機誤差の姿勢差が平立差の直接の原因なのである．

てんぷ振動系には平立差の真の原因はないと前項で説明したが，てんぷ振動系が単独で存在するときにはその静止摩擦が振動周期には影響しない，という意味で正しいが，脱進機との関係でその静止摩擦があることで振動周期が変化してしまう．そのように説明すればさらに正しい説明になる．いわば交互作用があって，振動周期に変化がもたらされるのである．これを図で説明してみよう．

図2.58では脱進機誤差として影響の符号が違う部分を（＋），（－）で示した．縦軸にY'軸を書き添えた．この軸は静止摩擦があるときにてんぷが左の端から右の方へ移動するときの振動中心を意味している．

静止摩擦とはてんぷの振動する方向に逆らってある角度だけ抵抗するように働く力のことをいう．たとえば静止しているてんぷをピンセットなどで静かにわずかな角度，時計まわりに回転させることを考えよう．立姿勢のときはてん真に静止摩擦が働いていて，その摩擦に打ち勝てない程度のわずかな角度[89]があり，それより少ない角度だけてんぷを回転させてもてんぷはその回転させられた位置

---

[88] 気圧が1気圧から1/3気圧程度に変化すると歩度として約6秒程度進む．
[89] 実際のこの角度は約1°程度である．アンクルを取り外し，てんぷが自由振動ができるようにしておいて地板を立姿勢にして回転させてみる．するとてんぷが地板にくっついて回る．平姿勢にしてこれをやっても肉眼ではまず観測できないであろう．

のまま停止する．これが静止摩擦の性質であり，その角度で静止摩擦の大きさが測定できる[90]．斜面の上に物体があり，その物体が滑り始めるまでの斜面の角度の最大値から，斜面とその物体との摩擦係数が計算される．このような摩擦が**静止摩擦，固体摩擦**である．回転系でもいま述べたとおりであって，回転させられた位置のままてんぷが静止してしまう．これが静止摩擦であり，一緒に回ってしまうこの最大角度が平姿勢と立姿勢ではかなり違うのである．平姿勢ではほとんど検出することができないほど小さいのに対して，立姿勢では約 1° 程度の角度は回転したままになる．この角度が立姿勢での静止摩擦を意味し，これが脱進機によって駆動されるときには振動中心をずらしてしまうのであった．**図 2.58** では Y' 軸が元の縦軸 Y 軸よりも左側にあり，これを基準にして脱進機誤差の総量，図中に示した（＋）の量が減り，（－）の量が増える．これを図を見ながら理解していただければよい．要するに縦軸が左に少しずれるから（＋）の域が減り，Y 軸右側の（－）の域は増えることになる．停止解除の動作域の（－）の面積は変化がないが，見かけ上，Y' 軸との距離が減った分，（－）の量は減る．総合して（＋）の域がかなり減る分，脱進機誤差の総量は相当に増える[91] のである．これが**平立差の真の原因**であった．

　図 2.58 における Y 軸と Y' 軸との距離は，約 1〜2° 程度なのであるがこれが脱進機誤差を増やしてしまう．この性質が，現存する機械時計はおろか，どの時代の機械時計であっても変わらない．もちろん，古い時代には今は使われていない脱進機がいろいろある．それらは現在とは違う脱進機であって，脱進機誤差は本来いかようにも変化してしかるべきなのであるが，脱進機の設計に関してある必然があって，脱進機誤差はどれも負であった．わずかに**クロノメーター脱進機**のみが脱進機誤差の総量がかなり小さいが，符号はやはり負であった．古今東西，脱進機誤差が正である脱進機に浅学非才の筆者はまだお目にかかったことがないが，脱進機の機構設計にあって，停止解除動作が行われてなおかつ衝撃区間との脱進機誤差の総量がゼロとなる，あるいは脱進機誤差の総量が正となる機構設計がいまだにできないというのが現実なのである．いつか時計技術者がこれを打破する設計をするかもしれない．もしこれが実現すると，実際の平立差がなくなり，驚くような姿勢差と等時性が機械時計で実現するであろう．**ジョージ・ダニエルズ**（George Daniels：1926-2011）氏が開発した同軸脱進機はそのような目標を最初は持っていたように思われるが，実際に実用化された設計ではクラブツースレバー脱進機とほぼ同じ程度の脱進機誤差を持つレベルに引き下がってしまった．

　いまはクオーツが存在する．その時計の精度は**振動系の Q** で表現して 30,000 や 100,000 などという数字で表現され，桁違いの精度が実現しており，しかもそのコストはあまりにも安い域に達してしまった．一方，機械時計はその調速機系の Q はどんなに大きく作ろうとしてもたかだか 1,000 程度であり，音叉時計にも匹敵しない．したがって，その精度に関しては機械時計はクオーツや音叉時計には対抗できないと思われている．このことは将来永遠にわたって変わらないであろうか？

　ここで解説した平立差が解消されたとき，驚くべき精度が実現すると筆者は考えている．機械時計の将来の重要な鍵を握っているのが実に平立差なのである．このことに加えて，機械時計にはその美しさという魅力がある．機械的な機構のみでその精緻な姿をどこまで伸ばせるか，これは純粋に振動

---

90) 技術的にはこのような測定の仕方は不正確で現実的ではない．実際の測定はてんぷを自由減衰振動させ，毎回の減衰角度から静止摩擦分と粘性摩擦分とを分離することをデータ上から行い，それぞれの摩擦分の大きさを決定する．このようなやり方で静止摩擦，粘性摩擦を観察したものに，静止摩擦（立姿勢）は角度で約 1°，平姿勢では 0.003° 程度という観測例がある．

91) ここではこのような説明の仕方をしたが，本来は Y 軸からの一次モーメント面積（2.9 節を参照）であるから単純な面積で理解しては誤りである．Y' 軸左側の（＋）の部分はがんぎのジャンプなどがあって，減少する比率は Y 軸が約 1° 左にずれるという理解から想像するよりはるかに大きい比率で減少する．

系の Q の比較だけで測れない，奥深い魅力を持ちうるのではないだろうか．

§2.11 楕円ほぞによる平均値違い

昭和40年代，当時の諏訪精工舎（現セイコーエプソン）の安部健次氏により著された「平均値違いの研究」．これは長らく社外秘扱いとなってきた論文だが，21世紀を迎えた現在でもその内容は新しい．そこで筆者はセイコーエプソンの了解を得て，2007年に時計学会において「平均値違いの研究」を発表した．ここではその論文を基に「平均値違い」をわかりやすく解説する．

2.11.1 機械時計の教科書の経過

こんな出来事があった．いつものように本書を書くために古い教科書をあさっていた．

ともかく筆者にとっては自分の昔の職場で使っていた教科書，社内向けのマニュアルがある．マニュアルには調速機，脱進機，輪列，動力などといった分類があり，各1冊の教科書が1968（昭和43）年頃であろうか，できあがっていた．今となっては中身は当然古い．しかし扱いは社外秘で，一般の方々の目に触れることのないマニュアルである．内容は今から40年も前に実施済みの知識がほとんどであって，公知の事実として新規性を訴求できるようなものはまずない．つまりは社外秘としなくてはならないような話はないと考えられる．いつかはこれを土台にして日本の時計技術者のためにきちんとした教科書を作らなくてはならないと思っている．

ひげぜんまいの理論に関して復習をしていると，いろいろなことに気がついた．ひげぜんまいの重心移動ということをご存じであろうか．このひげぜんまいの重心移動，という言葉はわりと使われていて，それなりに理解をしておられる方が多い．ところが本当のところ何をもってひげぜんまいの重心移動というのか，これが実は大変曖昧であることに気付かされたのである．古いだけあって，よく見れば手直ししなければならないことが結構あるわけである．このひげぜんまいの理論に関しては，諏訪精工舎の安部健次氏という技術者がひげぜんまいの偏心や"取付歪"があるとこれらが等時性に影響を及ぼすという研究[92]を当時していて，それを日本時計学会へ発表していた．また同様に，ひげぜんまいの重心移動に関しても当時の氏は諏訪精工舎と第二精工舎の技術陣に対して解説[93]をしていて，皆がそれを金科玉条として理解してきたのであった．そのひげぜんまいの理論の中で，氏が書く一節について筆者が疑問を抱き，氏に伺ってみたいと数年間，思ってきた．その疑問点は重心移動の本質を突く重要な部分であり，ぜひ解決しておきたいと思うことであった．そのまま約10年近く経ったのである．ずいぶん長い．

諏訪精工舎には安部健次氏と，阿部健次郎氏というよく似た名前の人がいて，二人ともほぼ同年輩，同じ機械系の技術者として知られる人たちである．阿部健次郎氏は諏訪精工舎では役員となられ，すでに退職しておられる．筆者は数年間，この二方をしっかり区別していないで，年賀状を間違って出していたときがあった．阿部健次郎氏からはその研究の件は私ではない，安部健次氏の方だよ，とい

---

[92] 「ひげぜんまいの偏心と等時性に関する一考察」日本時計学会誌，Vol. 36, pp. 21-35, 1963（昭和38）年．なお，学会へはこの偏心に関する報告だけしかしていない．この報告の内容はじつは現在もあまり利用されていない．取り付け歪みに関しても報告を残したはずである．

[93] この解説は社外へは公表されていない．しかしもっとも進んだ理論として関係者が認めている理論である．その概要は諏訪と亀戸の教科書に紹介されている．

う知らせをもらい，以来数年間，安部健次氏の方に年賀状を出し続けていた．ところが一向に返事をいただけなかった．氏は下諏訪に住んでいた．郵送先に該当者なし，という知らせも来ない．もし転居したりすれば日本の郵便局は必ず宛先に尋ね人なし，として付箋が付いて戻ってくる．これが来ない．それでもこの話は氏に直接会って聞くほかは手だてがないと思っていた．聞く相手がいない，ひげぜんまいの話のような重箱の隅を突っつく話をまじめに考えてくれる人がいない，その方が正しい表現かもしれない．何とかならぬか，重心移動の実態に関しても長年教壇に立って説明したりしているうちにこちらもだいぶ勉強になり，新しい解釈，正確な理解ができるようになってきた．ますますもって氏と話がしたいなあ．それにしてもどういうわけで返事が来ないのか，こちらは千葉に住んでいるし，できれば諏訪に行き，強引にでも会いたい．2,3年来そう思い続けていた矢先，この安部健次氏が亡くなられたという知らせを受けたのである．

毎年，筆者がしつこく年賀状を出してきた，それが遺族の目に留まって，もしや時計関係の人ではないかと尋ねられ，いやそのとおりでと，かくかくしかじかと顛末を遺族の方にお話をした．さらに偶然というものが重なるものである．氏が亡くなるほとんど直前に筆者は塩尻，上諏訪へ行っていたのである．**スプリングドライブ**に関する懇談ということで特別のご招待をエプソンからいただき，関係者と懇談する機会を得，さらにもっと身近な諏訪の親しい友人，彼も安部健次氏をよく知っている人であるが，会ってどうしたものかなど話をしていたのであった．このときは安部健次氏が亡くなるなどということは彼も筆者もまったく想像だにしていなかった．

日本の機械時計の理論の蓄積の中で，明らかにヨーロッパを凌駕している部分は実は氏がやっている．このことを本当に知っている人は少ないのではないか，筆者はこれが正しい評価だと思っているが，こうした評価を多くの人から受けないまま，氏は亡くなってしまった．筆者はそう思っている．亡き安部健次氏に捧げたい．

ともかくひげぜんまいの重心点に関する議論を氏とすることはできなくなった．しかし，この間にわかったことなのであるが，氏のもっと重要な論文が世界には知られていないことに気がつかされたのである．それが「平均値違いの研究」という論文である．この論文はまったく諏訪精工舎内部の社外秘文書扱いになっていた．当時は第二精工舎と諏訪精工舎は外部の大学教授を中心とした技術交流会という共通の研究開発会議を持ち，そこで両社の技術知識の交流をしていた．セイコーグループの古き良き時代の構造であった．ここで議論されたことはすべて両社には共通の知見として知られ，長い間利用され，両社の教科書にも取り入れられてきたのである．したがって，これらはみな知っていることと筆者も思い，この「平均値違い」に関しても時計学校の教壇で説明していた．まさか社外秘の事項とは気がつかなかったのである．つまり安部健次氏の論文として日本時計学会へ論文が提出されているはず，これが筆者の認識であったが，それが間違いであることが最近わかったのである．いくら探しても安部健次氏の該当論文が出てこない．とすればまったく社外秘の論文を筆者は社外へ説明していたことになる．最近この件で諏訪のトップの方へお詫びをし，今後の進め方の裁断として，積極的に世界へ知らせてほしいとの指示をいただいた．それでこの9月の時計学会で「平均値違いの研究」として発表したのであった．なんと研究が行われてから40年が経過しているのである．それでもなおこの論文は新しい．機械腕時計の調整に関する知見の中で，この論文に予見されている出来事はおそらくほとんどの時計の中で起きており，しかもそれが理解されていない，利用もされないままでいる，というのが実情ではないだろうか．これが新しい理由である．そのことを以下，説明を試みるがやはり内容は難しいようだ．果たしてよくわからないというクレームをいただく可能性はある．

§2.11 楕円ほぞによる平均値違い

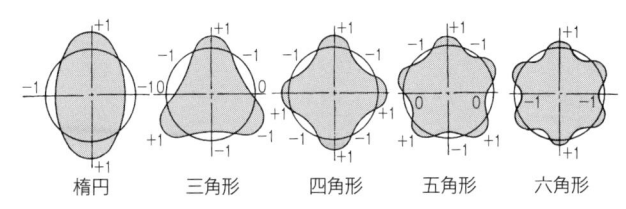

図2.59 てん真ほぞが真円でない場合
左端が楕円形のとき．ほぞが真円でない場合として最初に考えられる形．

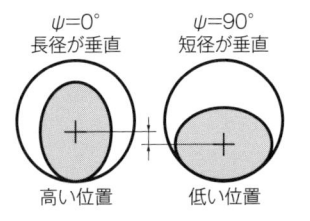

図2.60 てん真が楕円のときのほぞの位置

ともかくページの許す限り説明をしてみよう．

2.11.2 平均値違い，その1

まず平均値違いとは何かをはっきりさせておこう．式で書いた方がわかりやすい．式 (2.26) を見よう．ここにある $\Delta_{VV'}$ をいう[94]．立姿勢で3時上9時上方向の歩度の平均値：$(R_3+R_9)/2$ と6時上12時上方向の歩度の平均値：$(R_6+R_{12})/2$ との差をいう[95]．互いに直角な2方向でこの平均値が一致しなくなる，これを称する．

$$\Delta_{VV'} = \left(\frac{R_3+R_9}{2} - \frac{R_6+R_{12}}{2} \right) \tag{2.26}$$

ここで，R_{12}：12時上の歩度，R_9：9時上の歩度，R_6：6時上の歩度，R_3：3時上の歩度．

このような姿勢差が発生する理由はてん真のほぞにある．てん真ほぞの断面が理想的な円（真円）ではなく，楕円形や**図2.59**に示すような形になっていると，てんぷ全体がいわばごとごとと上下してしまう（**図2.60**）．この結果，回転力に影響が発生して，てんぷの振動周期にも影響が出る．これが平均値違いの原因である．**楕円形**の場合はその長径と短径の差，これが**真円度**に相当するが，この楕円形によって振動周期は影響される[96]．その様子を**図2.61**に示した．

---

94) 平均値違いの記号をこの $\Delta_{VV'}$ で表すことにしたい．VV' とはある立姿勢方向 V とそれと直角の方向 V' という意味で，Δ とは，すなわちその2つの間で起きる差 Δ というように理解いただきたい．

95) ここではとりあえず 12,9,6,3 と書いたが，最初はこの方向を固定する必要はなく互いに直角の方向であればよい．てん真のほぞの傷や楕円形はどちらの方向を向いているかわからないからである．取り上げる4方向が長径短径の方向に一致したとき平均値違いの値は最大になる．したがって，この値が最大になるように方向を見極めて測定をしなければならない．なおこの値を計算するときの振り角は図2.61と**図2.63**の様子から150°付近で測定するのがいい．原因がびつとすれば，この値が最大になる姿勢でてん真ほぞの上の部分がびつになっているはずである（図2.63）．楕円の場合は本文に書いたように非常にわずかな真円度であるからまず対策のしようがないだろう．なお，おむすび型であってもまず対策の施しようがない．ありうる改善の方法はてん真の交換だけであろう．なお，平均値違い量が最大になる方向を定める方法が実際の調整には必要であるが，その方法は後述する．

96) てん真ほぞ断面が楕円形の場合の振動周期への影響 δ は次の式 (2.27) で表される．δ はここではほぞの影響による振動周期のずれそのものの値であることに注意しよう．

$$\delta = -\frac{Mg\varepsilon}{K} \cdot \frac{J_1(2A)}{2A} \cos 2\psi \tag{2.27}$$

→任意の方向での平均値違い量を $\Delta_{VV'}(0)$ と書くと

$$\angle \Delta_{VV'\max} = \frac{1}{2} \tan^{-1}\left[\frac{\Delta_{VV'}(45)}{\Delta_{VV'}(0)}\right] \tag{2.27M}$$

$$\Delta_{VV'\max} = 2\sqrt{(\Delta_{VV'}(0))^2 + (\Delta_{VV'}(45))^2} \tag{2.27N}$$

ここで，δ：振動周期の誤差，Mg：てんぷの重量，K：ひげぜんまいのばね定数，A：振り角，ψ：楕円の方向を示す角度，長径が鉛直になる方向を $\psi=0$ で定義する．

式（2.26）の第1項も第2項もてんわの片重りやひげの重心移動では実は影響されない．したがって式全体も影響されない．てんわの片重りでは，たとえばある振り角で12時上が10秒進んだとすれば6時上ではその影響は10秒遅れるようになるから，12時上と6時上の影響の和は0である．このようにてんわの片重り，ひげぜんまいの重心移動では180°姿勢が違えば影響が反転するから，それらの平均値は変化しない．ところがてん真ほぞが図2.60のように楕円である場合は，静止時に長径が垂直であれば180°回転したときも長径が垂直である．このように180°回転するといわばてんわの片重りの360°回転したと同様の効果を持つ．回転角度の2倍の速さでてん真全体の垂直位置が変化する[97]．それに対して90°姿勢がずれると図2.60のようにてん真位置が上下する．このために楕円ほぞの場合には90°姿勢が変化したときに大きく影響が変化するのである．それで平均値も変わることが頷ける．

　そしてこの真円度の影響はそれがわずかであっても影響が甚大なのである．振り角の実用領域で姿勢差：平均値違い量を1 sec/day以下にするには，ほぞの真円度[98]を0.2μ以下にしなくてはならない．0.2μとは通常では測定できない．それほどてん真ほぞの影響が大きいのである．この，影響が甚大であるということが，当初この知見を見出すときにおおいに阻害要因になった．脚注の式（2.27）の実際の様子は図2.61のとおりである．**図2.61**で奇妙に感じられることは180°反対の姿勢同士が同じ曲線上に乗っていることである．そして互いに直角になる姿勢，3時上と9時上との間では差が発生するのである．この様子はてんわの片重りなどを見慣れている目にはなかなか慣れないのではないだろうか．

　さらに，てん真ほぞに傷が付いている場合，たとえば図2.62のように凹んでいる場合はその影響はかなり複雑であり，その理論結果[99]を**図2.63**に示す．この図を見ると，たとえばびつの部分が

　式の形状はてんわの片重りとまったく同じで，変数の一つ：振り角Aが$2A$に置き換わっている点と，方向を示す角度ψが2倍に効いてきて$\cos 2\psi$となっている点に注意しよう．これをグラフ化したものが図2.61である．本文でも述べたように12時上と6時上，という180°回転した姿勢では影響がまったく同じという点がどの姿勢に関してもいえる．これに対して9時上3時上の姿勢でも同じ大きさ（絶対値）が同じにある．つまり任意の4方向の歩度を測って平均値違いを計算すると本来，1点のδの±の値，$\pm\delta$しか出てこないことになる．つまりこれらの4方向の測定値の総平均値$(R_{12}+R_9+R_6+R_3)/4$を$\bar{R}$と書けば各データ$|R_{n(n=12,9,6,3)}-\bar{R}|=$一定（$\delta$）となってしまう．これらを吟味すると次のようになる．

　任意の方向の平均値違いから平均値違い最大量と方向を見つける方法は以下のとおりである．12時6時方向の平均値$(R_{12}+R_6)/2$と4方向の総平均値$\bar{R}$との差$(R_{12}+R_6)/2-\bar{R}=\Delta_{126}$は9時3時方向の平均値$(R_9+R_3)/2$と4方向の総平均値$\bar{R}$との差$(R_9+R_3)/2-\bar{R}=\Delta_{93}$と等しい．したがって，この4方向の歩度を測っただけでは平均値違い量が最大になる方向を決めることができない．これを決めるには改めて45°方向をずらした4方向，すなわち1時半，10時半，7時半，4時半方向の歩度を測定して，その結果で計算される平均値違い量を今$\Delta_{VV}(45)$とでも書けば（45°ずらさない方の同じデータは$\Delta_{VV}(0)$と書くと）平均値違いの最大値$\Delta_{VV\max}$は式（2.27N）で，またその方向は式（2.27M）で与えられる．この注の部分は筆者が新しく検討した部分である．詳細は後述したい．

97）図2.61をよく観察していただくと振り角110°で平均値違い誤差がなくなっているのに気がつくだろう．110°とはてんわの片重りの影響の出ない振り角220°の半分である．式（2.27）を見てもわかるが，ベッセル関数の変数は$2A$；振り角の2倍になっている．全体の影響の仕方はてんわの片重りと同じであるが，変数の様子だけがこのようにAから$2A$に変化した．それで平均値が変化してしまうことになった．変数は断面が楕円のときは$2A$，おむすびの形状のときは極数が3であるから$3A$，ψは3ψになる．式の形はまったく変化しない．なお，断面がおむすび（図2.59参照）のようになると，平均値の値の振り角との関係も変化することもあるが，姿勢の変化に対しての変化もいわば3倍の速度となる．ここではあまり触れないが，実際のてん真ほぞの研削に関していえばおむすびの形状となるてん真加工方法（V溝でてん真ほぞを受けて，上から研削ローラーが接近して行う方法）の方が多いのではないかと思われる．

98）真円度とは，真円からの誤差という意味である．てん真ほぞの場合はε：長径－短径で定義してよい．英語名ではroundnessあるいはcircularityである．JIS用語としては次のような事例がある．真円度測定機：Instruments for the assessment of departure from roundness. — Measurement of variations in radius.

99）てん真にびつがあるときの振動周期への影響δは次のようになる．

§2.11 楕円ほぞによる平均値違い

静止時真下の場合（図で6時上の場合）は，凹んでいるところが振り角0°を中心として軸受表面に接するのであるから，動こうとすればてんぷ全体の重量を持ち上げなければ回転できない．このように回転を妨げるのであるから，周期は大きく進むことになり，図2.63では左上の方へ曲線が高く上がっていくことが納得できる．これを過ぎると振り角が360°近くになって，そのびつの部分が軸受に接するようになるまでは何の影響もない．図2.63の上でも曲線はまったく平らである．振り角360°近くになるとびつの部分が軸受けに接触し始め，影響が出始める．これも図2.63でこれが確かめられる．てんぷ静止時にびつが真上（12時上）にあるときは振り角180°前後で軸受けに接触するから，その前後で大きく影響が出る．その様子がわかるであろう．このようにびつの姿勢によって等時性曲線への影響は変化する．

以上，平均値違いの2つのタイプを解説した．楕円形の場合は明らかに平均値が変化し，図2.61でわかるように，

1. 振り角110°で影響がなくなる．
2. 150°付近で影響が最大（極大）になる．
3. 振り角200°で再び影響がなくなる．

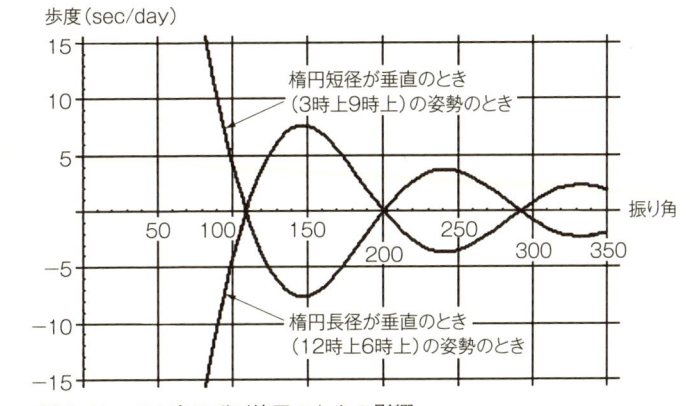

図2.61 てん真ほぞが楕円のときの影響
このように12時上と6時上が同じカーブに乗る．ちょうど反対方向が一致してしまい，それと直角な方向の姿勢との間で差が起きる．

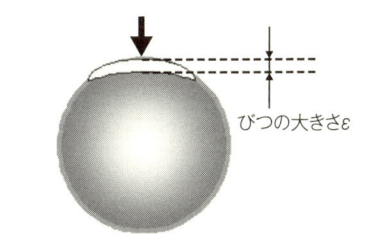

図2.62 てん真にびつ
1ヵ所が凹んでいるとしよう

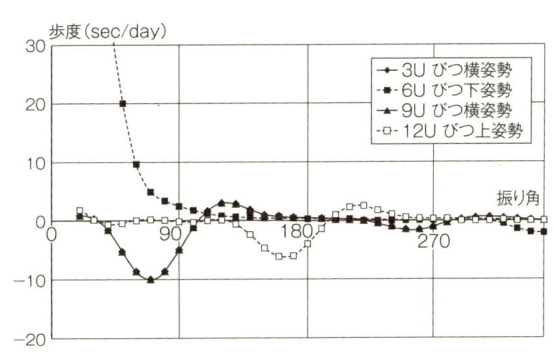

図2.63 てん真にびつがあるときの影響
非常に複雑な変化をする．びつが上にくると実用領域で変化が大きい．

これらが特徴であるから，これらを分析的に活用すればてん真ほぞの影響をつかみ出すことができるであろう．ほぞに傷が付いている場合は，

$$\delta = -\frac{Mg}{K}\sum_{n=1}^{\infty}\frac{J_1(nA)}{nA}n^2(a_n\cos n\psi + b_n\sin n\psi) \tag{2.28}$$

この式の基礎になる考え方は式(2.27)式とまったく同じで，びつによっててんぷが上下するエネルギーで発生する力を積算したものである．ただし，びつでは力のかかり方が衝撃的なのでそれをフーリエ展開して積算した．この計算式にある姿勢を表す要因 ψ を12時上（びつ上），6時上（びつ下），3時，9時上（びつ横）の4通りに選んで描いたものが図2.63である．

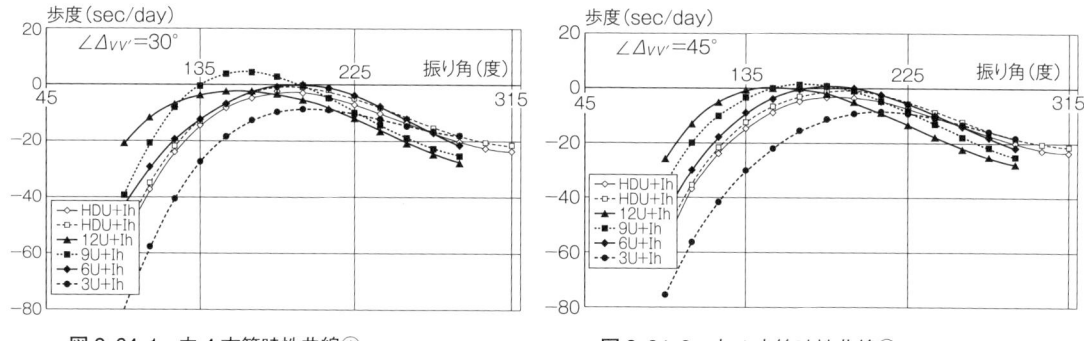

図 2.64-1 立 4 方等時性曲線①
てん真長径の方向が 11 時のとき.

図 2.64-2 立 4 方等時性曲線②
てん真長径の方向が 10 時半のとき.

4. 凹みが静止時に上になるときが実用振り角領域でもっとも暴れが大きい.

その凹みが 1μ の大きさですでに姿勢差が 5 秒以上となるから，分解掃除の際はほぞを傷付けないようにすることがきわめて重要であることが知られる.

なお，学会でも報告したが，こうした知見が 40 年前にすでに日本で確立されていた．当時のコンクール時計の調整にも役立っており，また当時の日本の時計の成績の優秀さを支えた理論であることを理解いただきたい.

2.11.3 実際の等時性への影響

さて，実際の等時性曲線上ではどのようにてん真ほぞによる変化が起きるであろうか．ここでは新しい試みを紹介しよう．要因として，**巻込角**，**脱進機誤差**，**てんわの片重り**，**ひげぜんまいの重心移動**，それにてん真ほぞによる平均値違いの 5 つの要因を取り上げて等時性曲線をシミュレーションした結果を紹介する．これらのいずれの要因もその大きさや方向を変えて出力することができるのであるが，ここではそのほんの一例である.

図 2.64-1 はてん真ほぞが楕円形の場合で，その長径方向が 11 時にあるとしたとき，立 4 方の等時性曲線である．これを楕円形の長径方向が 10 時半，つまり 15° だけ回転したとすると，図 2.64-2 のようになる.

ここにはてん真のほぞがびつの場合の結果は掲載していない．しかしその要点はすでに**図 2.63**に示したとおりで，図の特徴を表現すれば，12 時上のとき，つまり凹みが振り角 180° でちょうど軸受面に接触する場合であるが，この曲線（図 2.63 の 12 時上姿勢：びつ上姿勢）が実用振り角領域では一番暴れがひどいという点である．振り角 180° あたりでもっとも大きな影響を示し，7～8 秒も大きく遅れの影響[100]をもたらしている．多分，実際にはこの影響が姿勢差の調整上ではもっとも処理の難しいケースであろう．以上のことから分解掃除や点検などの際の指針として，等時性の暴れが最も大きい姿勢で上になるてん真の部分に傷がないかを調べる，というルールを提案してもよいかと思われる.

---

[100] これは 61RW というグランドセイコーでほぞに 1μm の傷があるとした場合である．1μm の傷は分解掃除などで作りそうな傷ではないだろうか.

2.11.4 その他の平均値違いの原因

ここまで述べた平均値違いはてん真のほぞの断面が真円でないときの話であったが，ここではもっとありふれた平均値違いがあることも説明しておかなくてはならない．脱進機である．アンクル真にはほぞがたがあるであろう．その量は少ないときは 10μm 以下，多いときは 20～30μm などにもなるに違いない．この量だけ，アンクルの姿勢によってがんぎ車との嚙み合いは増えたり減ったりする．つまり 5-6-7 軸の直線の姿勢によって爪石の食い合いは

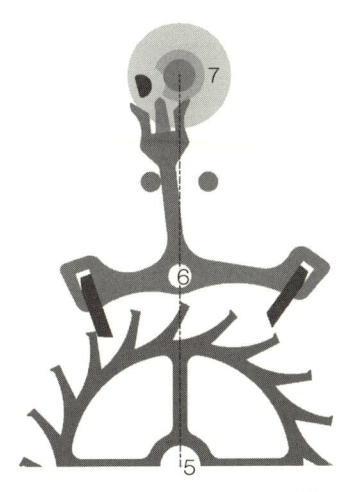

図 2.65-1　5-6-7 がんぎ下姿勢　　図 2.65-2　5-6-7 がんぎ上姿勢

増減する．5-6-7 軸の直線が垂直，5 番軸（がんぎ軸）が上方のとき（**図 2.65-2**）は食い合いは浅くなる．したがって，この姿勢の歩度は進みになる．5 番軸が下（**図 2.65-1**）になるとアンクルが下がり，食い合いが深くなって歩度は遅れるであろう．いままで述べた平均値はこの説明で見る限り実はあまり変化しないことになるから平均値違い量への寄与は大きいとは必ずしもいえないが脱進機はこの説明よりも実際の動作は複雑であって，振り石と箱先との食い合いも同様に変化して，必ずしも平均値が変化しないとはいえない．ともかく，アンクルほぞがたはくせ者であって，これを適度につめればつめるほど時計の調子は良くなっていく．振りが上がり，姿勢差が発生しなくなっていく．この全体を中具合といっていいだろう．**てん真ほぞがた**，**箱先と振り座の様子**，**てん真耐震軸受の調子**，**ひげ具合**，これらもすべて中具合として認識してよい．実際はこれらが渾然として姿勢差を発生させている．

§2.12　平均値違いの感度と最大値

"互いに 180° 離れた 2 姿勢間の歩度の平均値と，それに直交する 2 姿勢間の歩度の平均値の差"，それがここでいう「平均値違い」である．昭和 40 年代の論文をもとに解説した前節に続き，本節では「平均値違い」の最新理論を展開したい．てん真ほぞが楕円の場合，実際の測定結果からどのように平均値違い量が最大となる方向を見つけ出すか．また，ほぞの真円度と平均値違い量の関係についても探っていこう．

2.12.1　平均値違い，その 2

引き続き平均値違いについて説明をしていきたい．これらが機械時計の精密調整を志したい若い方々には必ず役立つ最新の知識になると考えるからで，最新とは世界の機械時計理論としてもっとも新しい部分となるであろうという意味である．まず再び**平均値違いの定義式**を書いておこう．

$$\Delta_{VV'} = \left(\frac{R_3 + R_9}{2} - \frac{R_6 + R_{12}}{2} \right) \qquad \text{（平均値違いの定義式）}$$

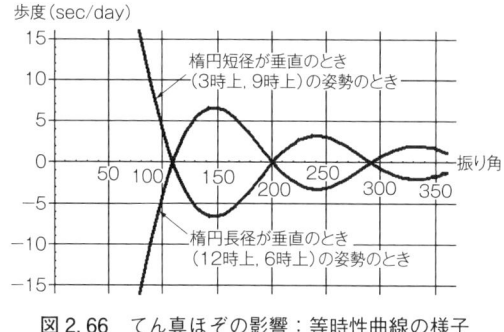

図 2.66　てん真ほぞの影響：等時性曲線の様子
（再掲 図 2.61）

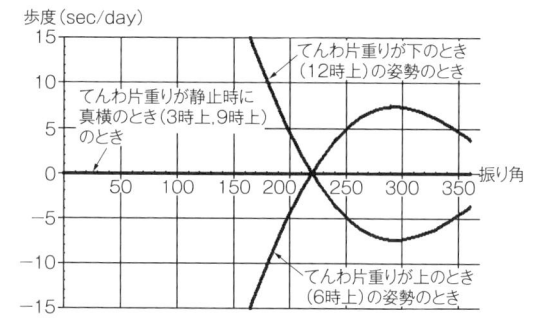

図 2.67　てんわの片重りの影響：等時性曲線の様子

ここで，R_n：n 時上の歩度（n：12 時，9 時，6 時，3 時）．

この式にある通り，12 時上と 6 時上の歩度の平均値と 3 時上 9 時上の平均値が違うとき，その差をいう[101]．脱進機の様子によってもこのような差が発生するが，一般にはこれが発生すると姿勢差の調整は困難になる．この原因としててん真ほぞがあり，このときは一層不可解な状況となる．その部分を詳しく解説する．

2007 年 9 月の日本時計学会で講演発表をした．さらに学会誌へ投稿するべく原稿を作成した．学会関係者の方々にはいろいろ教えていただいたので感謝申し上げたい．筆者は原研究者の故安部健次氏へいわば手向けとしてこの発表を予定している．当然のこととして安部健次氏が第一の研究者であると考えているから，原稿には著者に故安部健次氏[102]を掲げたが，校閲者から故人が著者とはおかしい，ということで削除させられた．わずかに最後の小節で，最大の敬意を表するという言葉のみになった．学会誌原稿はいろいろと難しい点がある．しかしこのまま関係する世界の図書館などへ送られるのであるからもっとも重要視しなくてはならない．それでテキストも英語の部分を付け加えた．できればヨーロッパの方々のことを考えるとフランス語が最適なのであるが，時間的にも間に合わな

---

101)　この定義式は 12 時上系に固定しているわけではなく，平均値違い量 Δ_{VV} が最大になるときとしたい．つまり $\Delta_{VV\,max}$ と書くべきで以下の式のような表現が正確である．

$$\Delta_{VV\,max} = \left(\frac{R_n + R_{n+6}}{2} - \frac{R_{n+3} + R_{n+9}}{2} \right) \qquad \text{（より正確な平均値違い定義式）}$$

ここで，R_{n+i}：$n+i$ 時上の歩度（$i=0,3,6,9$　n は $0<n<3$ までの実数）．

102)　安部健次氏は"ひげぜんまいの内外端取り付けの等時性に与える影響"のうち，"取付歪"と"偏心"に関しても研究レポートを発表した．こちらの方も研究した当時，これも 1968（昭和 43）年頃に日本時計学会に発表したので，世界中に知られているはずだが，日本語のみで書いてあることもあって，欧米の方々にはほとんど知られていない可能性がある．日本の時計業界ですらあまり反響がなかったと筆者は思っている．これらの研究の反響と貢献は当時のニューシャテル天文台への参加，コンクール時計の調整くらいではなかったか．それも中断してしまったから，けっこう中途半端に終わっていると思う．筆者は 10 年間時計学校で教鞭を執ってきた関係からこれらの事情に気がついたのであって，そうでなければ気がつかないまま忘れ去ってしまったであろう．これらの研究の背景にある数学的な素養が彼の場合は相当なレベルにあるので，時計業界の中でそれがこなしきれていない，といってもいい．このような事情は電子技術業界とはだいぶ違う．電子技術業界ではその研究の最先端で大企業が競い合い，それで新製品が生まれていく．世界中が揺れ動いている．機械時計業界はこのような意味で温室である．安部氏の未発表の研究の中には断続的に動く秒針を緩衝装置を付けることによって，秒針の動きをまったくスムーズな動きに変更する，純粋な機械時計輪列の可能性に関する理論的な研究もある．これも数学的な高度の素養がなければ多分こなせない水準の研究であった．こんな研究も埋もれているのである．今後もこれほどの研究者が時計関係で出てくるかどうか，難しいと思った．1965（昭和 40）年頃の数少ない機械時計の研究論文の中で氏の研究ほど理論面で水準の高いものは他にはなかったから，いわば昭和 20 年代の一群の等時性研究を継いだ理論研究者としては最先端をいっていた．ただ一人の実に偉大な研究者であった．これらが欧米と日本との時計理論の研究水準に差をつけさせた理由なのである．むしろこれらをしっかり欧米に知らせることも必要ではないだろうか．もちろんこういうだけでは情けない．日本の時計，がんばろうといいたい．

2.12.2 角度の感度が2倍になるとこんなに変わる――ほぞが楕円の場合

　てん真ほぞの断面が楕円形の場合，脚注式（2.27′）のように振動周期が変化[103]する．その変化の様子を振り角特性として理解するために**図2.66**と**図2.67**を見よう．てん真ほぞが楕円形になっているとし，12時上方向にその楕円の長軸があるとして各姿勢の等時性曲線は図2.66のようになる．図2.67はてんわの片重りによる等時性曲線である．12時上の姿勢のときに，静止時にてんわ片重りが下にあるとした．この2つの図を比較すると，図2.66を横に2倍に引き延ばしたものが図2.67であることにお気づきであろう．てんわの片重りでは220°で横軸と交差するのに対して図2.66では110°で交差する．図2.66では2番目の交差が振り角200°[104] で現れる．図2.67では実は400°付近に2番目の交差がある．それが図2.66では実際の振り角領域に入ってきた．さらに図2.67では12時上と6時上では曲線が上下反対になるのに対して，図2.66では12時上と6時上が同じ曲線上に乗ってしまう．そしてさらに図2.67では3時上9時上が横軸と一致しているが，それに対して図2.66では3時上と9時上が同じ曲線上に乗り，しかも12時上6時上の曲線と上下反対になる．図2.66の姿勢90°回転が，図2.67の姿勢180°回転に相当する．つまり回転角度が2倍の感度になっているわけである．

　では，図2.66で横軸と一致する姿勢はどんな姿勢になるか？　答えは45°回転で横軸に一致する．てんわの片重りの場合は90°であるから，回転の影響がてんわの片重りに比較して2倍なのである．

　今度は振り角を変えずに，時計の姿勢である角度ψが変わるとどう歩度が変化するかを検討しよう．その角度と歩度の変化の様子は**図2.68-1**，**図2.68-2**を見てもらうと少しわかりやすいだろうか．図2.68-1は式（2.27′）を極座標系に表したもので，曲線上の点と原点との距離が振動周期の変化分

---

[103] ここに関係する式と記号の意味を記入しておく．てん真の楕円形の影響は式（2.29），てんわの片重りの影響は式（2.3）（p76）であった．この2つを比較してくれれば本文にいろいろ書いてある比較が明瞭である．

$$\Delta_{VV\max} = 86400 \times 2\delta_{\max} = 86400 \cdot \frac{2Mg\varepsilon}{K} \cdot \frac{J_1(2A)}{2A} \quad (2.29)$$

$$\delta_{12} = -\frac{Mg\varepsilon}{K} \cdot \frac{J_1(2A)}{2A} \cos 2\psi \quad (2.27')$$

$$\delta_{10.5} = -\frac{Mg\varepsilon}{K} \cdot \frac{J_1(2A)}{2A} \cos 2(\psi + 45°)$$

$$= \frac{Mg\varepsilon}{K} \cdot \frac{J_1(2A)}{2A} \sin 2\psi \quad (2.27'')$$

$$\therefore \quad \sqrt{\delta_{12}^2 + \delta_{10.5}^2} = \frac{Mg\varepsilon}{K} \cdot \frac{J_1(2A)}{2A} = \delta_{\max} \quad (2.30)$$

$$-\frac{1}{2}\tan^{-1}\left(\frac{\delta_{10.5}}{\delta_{12}}\right) = \frac{1}{2}\tan^{-1}\left(\frac{\sin 2\psi}{\cos 2\psi}\right) = \psi \quad (2.31)$$

$$\delta = -\frac{mgR}{K} \cdot \frac{J_1(A)}{A} \cos\phi \quad (2.3)$$

$\Delta_{VV\max}$：平均値違いによる姿勢差の最大値［sec/day］
δ_{12}：12時上姿勢系の振動周期の誤差，図2.69でAの大きさ
$\delta_{10.5}$：10時半姿勢系の振動周期の誤差，図2.69でBの大きさ
M：てんぷの質量
g：重力加速度
K：ひげぜんまいのばね定数
ε：てん真ほぞの楕円形の長軸と短軸の長さの差：すなわち真円度
$J_1(A)$：1次のベッセル関数
A：振り角
ψ：てん真ほぞの楕円長軸と垂直軸とのなす角度
てんわの片重りを表す式（2.3）では
　m：てんわ片重り量
　R：てんわの片重りのてん真からの距離，てんわのリムの半径と考えればよい
　ϕ：天真鉛直上方から片重りのある位置までの角度

[104] もう少し正確にいえば194°くらい．400°といっているのはその2倍，388°付近である．覚えやすいように200°，400°でいいだろう．

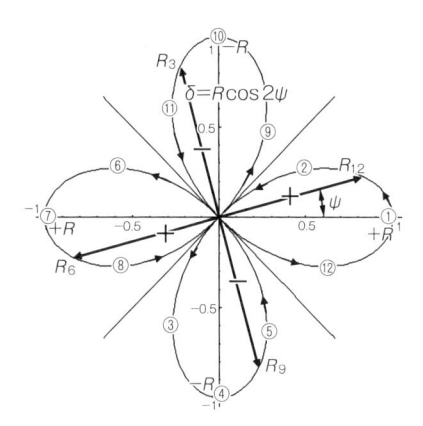

図 2.68-1 てん真ほぞ楕円形の場合，12時系列の歩度変化量 ほぞ楕円長軸とは 20°くらいずれているとき．

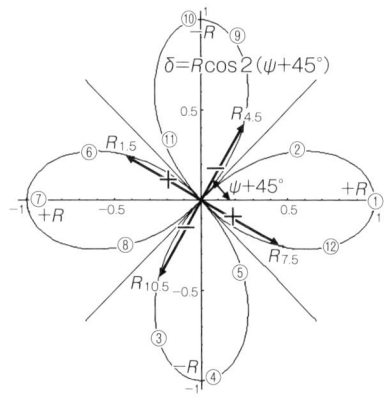

図 2.68-2 同，10時半系列の歩度変化と角度の関係

δ，X 軸正の方向をてん真ほぞの長軸，曲線上の点と X 軸正の方向とのなす角度 ψ がその姿勢を示す角度を表す．図 **2.68-1** では 12 時上方向を楕円の長軸と一致させずに，少しずらして，12 時上から約 20°くらい 3 時上方向に長軸がずれている場合とした．図では基準となる楕円長軸の方向を X 軸正の方向としているから R_{12} は X 軸正の方向から 20°ほど，すでに反時計回りに回転している．すると R_{12} のように 12 時上の姿勢での δ（振動周期のずれ，図では歩度表現）[105] が図上で原点と R_{12} との距離である．ここでは歩度で表現してその変化量は＋，歩度で進みである．

角度 ψ を変化させると図上でまず R_{12} からスタートし，R_9，R_6，R_3 へ動いていく．つまり 4 つ葉のクローバーの図上で①②③④……⑫に沿って動く．途中，③〜⑤，⑨〜⑪は動点の原点からの長さを－と見る．こうするとこの動いていった点が，てん真が楕円のときの振動周期の変化 δ と角度 ψ を表していることになる．この図上でわかるように R_{12}，R_9 などでの原点との距離はどれも同じであることが明瞭である．つまり立 4 方の歩度を測るとこの 4 ヵ所の R_{12} などの長さを測ったことになる．どれも同じ長さであるから同じ変化分を 4 回測ったのであって，実は原点からのもっとも遠い点，クローバーの葉の最大の長さ R の距離を測ったことにならない．つまり立歩度 4 ヵ所を測っても最大誤差が測れるとは限らないことになる．このあたりがてんわの片重りと違う．図 **2.68-2** は図 **2.68-1** とは測定する場所を 45°ずらした場合を示す．式でいえば ψ の代わりに $\psi+45°$ を代入しただけであるが，12 時上の姿勢から反時計回りに 45°回転した姿勢とは 10 時半であるから $R_{10.5}$ と書いた．その点はなんと③の近く，第 3 象限にいる．この点は①②③と動いていって下向きのクローバーの葉の上に来てしまった．しかも距離 δ が－である．このように見ていただければよい．この点の原点との距離 R_{12} とは違っている．原点を通過して誤差量 δ が 1 回 0 になった．1 回転させると 4 回この半径（誤差量）δ が 0 になるのである．これらの点 $R_{10.5}$ 系で直角 4 方向を測っても最大値 R を求めることはできない．平均値違いの最大値（図では 4 つ葉のクローバーを囲む最大円の半径）を求めるにはちょっと工夫をしなくてはならない．図 **2.69** でわかるように任意の 4 方向系とそれと 45°ずれた 4 方向系とのデータ 8 個を使う．たとえば，図 **2.68-1** の 12 時系と図 **2.68-2** の 10.5 時系の 8 個のデータからならば最大値 R を求めることができる．図 **2.69** にはその原理を示した．ハッチングをした直角三角形から A と B とを図形上で合計すると最大半径 R が得られる．図ではベクトル（矢印）A とベクトル B とを合計すればベクトル R になることは簡単に理解できるが，式の計算の方も説明して

---

[105] 歩度表現とは 1 日当たりの変化をいい，振動周期に発生した誤差 δ の関係は次のようになる．δ は振動周期のずれの割合であるから，これを 1 日秒数である 86,400 倍すればよい．なお符号にも気をつけよう．振動周期が大きくなれば時計としては遅れであるから，歩度 $R = -\delta \times 86,400$ と計算される．

§2.12 平均値違いの感度と最大値

おこう．12時上系の振動周期の誤差を δ_{12} と書こう．その数式は（2.27'）で与えられる．同様に10時半系の振動周期の誤差を $\delta_{10.5}$ と書こう．その数式は式（2.27''）で与えられる．この両方の二乗和の平方根は式（2.30）の通りとなってこれは図2.69での R，つまり最大円の半径になる．また式（2.31）の計算から角度 ψ も計算することができる．つまり δ_{12} と $\delta_{10.5}$ という2つのデータから**最大姿勢差** $\delta_{vv'\max}$（図でいうところの直径）が計算できる．これは最初の平均値違いの定義式に一致する．

念のため申し上げるが，δ は単に立歩度を測って直接測定することができない．常に180°相対する姿勢との平均値を測って，これから計算するより他に手がない．したがって，12時6時上の平均値 $(R_{12}+R_6)/2$ と3時9時上の平均値 $(R_9+R_3)/2$ の差を計算してやっと δ_{12} 相当の値を1個求めることができるだけである．4ヵ所測ってようやく1個のデータが出る．大変な手間であるが，同様に $\delta_{10.5}$ 相当のデータが1つ出るであろう．この値を使い，式（2.30）と式（2.31）を使って $\Delta_{vv'\max}$ の値を得ることができる．これを1つの振り角だけでなく，いくつかの振り角に関してやってみるのがよい．まず振り角220°はもっともやりやすい振り角である．220°はてんわの片重りが出ない振り角であるから

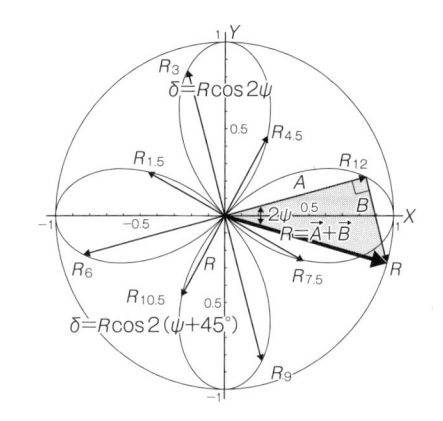

図 2.69 δ の最大値 $\delta_{\max}$ を求める方法
ベクトル A とベクトル B を合成すると外径上の点 R までのベクトル R が得られる．

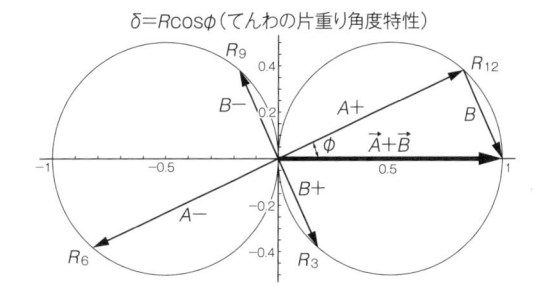

図 2.70 てんわの片重り，方向との関係
このように円が2つになって，符号（長さの符号）も180°反対の方向ならば反転する．

一番平均値違いを検出しやすい．もっともひげぜんまいの重心移動は残っているので，こっちをよく納めておかなくては測定誤差が大きくなる．時計の歩度は振り角の変動によって常に変動する．この変動がいつも付き物で，測定誤差が大きいのである．次節に述べるようにほぞの真円度に対する感度が大きいため，わずかな真円度の影響はなかなか検出することは難しい．最初の研究者である故安部健次氏もその研究報告の中でこの部分に関して詳しく述べていた．実際，統計的な割り付け「実験計画法」を行って実験したにもかかわらず，有意な結果を検出することができなかった．最後はてん真ではないかと仮説を立てて，わざわざてん真断面を変形させたものを作り，その理論と測定結果との相関を見てやっと見つけ出したのである．平均値違いを検出するのによい振り角は220°，150°あるいは260°付近である．

図 2.70 を参考までに付けた．図2.70はてんわの片重りの角度特性である．姿勢を変えると，図では ϕ を変化させることであるが，てんわの片重りによる振動周期の誤差 δ：原点から R_{12} などまでの距離（$A+$ など）は図のように変化していく．R_{12} の場合は距離は A，符号は $+$，すると6時上の姿勢では距離は A，符号は $-$，誤差の大きさは12時上と等しいが符合が反転する．したがって，姿勢差は $R_{12}-R_6$ と計算することになる．9時上3時上に関しても同様であるから R_3-R_9 と計算してその方向の姿勢差を出す．したがって，最大姿勢差 $2(\vec{A}+\vec{B})$ の大きさは $\sqrt{(R_{12}-R_6)^2+(R_3-R_9)^2}$（2乗和

の平方根)と計算される．角度 ϕ の求め方も脚注[106]に書いておいた．ともかく全体は 8 の字特性になる．X 軸は片重りのある方向，δ を歩度として理解するならば，X 軸正の方向をてんわの片重りがある方向と理解してほしい．それと直角な方向には姿勢差は発生しない．角度によって大きさが 8 の字のように変化する．8 の字では円が 2 枚，それに対して平均値違いは葉が 4 枚である．

2.12.3 ほぞの真円度に対する感度

さて今度は，どのくらいの楕円形ならばてんわの片重りと同じくらいの影響が出てくるであろうか，比較をしてみよう．図 2.66，図 2.67 では実は両方とも同じ大きさの影響として縦軸をセット，つまり図 2.66 の 1 回目の山の頂上の高さと図 2.67 の山の頂上の高さを同じにした．式 (2.27′) と式 (2.3) を比較すると，式の係数となっている部分がよく似た記号になっている．式 (2.27′) では係数は $Mg\varepsilon/K$ であるが，この分子 $Mg\varepsilon$ の意味は「てん真の真円度 ε によっててんぷ全体の重量 Mg が上下するときのポテンシャルエネルギー」に相当する．これをひげぜんまいのばね定数で割るので，係数全体 $Mg\varepsilon/K$ の物理的な意味は同じポテンシャルエネルギーが発生するだけのひげぜんまいの回転角度を意味する．次に式 (2.3) で係数の分子を見ると，mgR で「てんわの片重り重量 mg がてん真の真横 (距離 R) にあるとき発生する回転モーメント」である．したがって，係数 mgR/K はその片重りモーメントを発生するひげぜんまいの回転角度を意味する．当然ながらどちらも同じ次元 (角度：無次元) になっている．この数値そのものが振動周期の変化の割合であるから式 (2.27′) 全体の値を 86,400 倍したものが 1 日の歩度を表している．

ここで，たとえば振り角 220° で平均値違いを 2 秒以下に抑えるために，どのような真円度が許されるかを計算してみよう．8 振動の時計でてんわ半径 4 mm とし，振り角 220° で平均値違いの最大値を 2 sec/day とした．計算経過は脚注[107]に記したが，てん真ほぞの真円度として許せる大きさは

---

[106] 角度 ϕ の求め方も簡単で次式のとおりである．

$$\phi = \tan^{-1}\left(\frac{R_3 - R_9}{R_{12} - R_6}\right) \tag{2.32}$$

実際はこんな計算をするより図 2.70 に示したように図上で角度を求めれば通常は十分である．$A+$ だけの長さの線分を描き，それと直角な方向へ $B+$ だけの長さの線分を描き，原点からその線分の先端へ線を描けばよい．その点と原点との長さ，つまりこの円の直径 $A+B$ が最大姿勢差であり，最大姿勢差を示す方向の角度は原点のところにある角度 ϕ で示される．

[107] 平均値違いの感度の計算式：姿勢差 2 sec/day を発生するてん真真円度 ε の計算．計算結果を脚注表に，計算式を式 (2.34) に示す．

$$\Delta_{VV'\text{max}} = 86400 \times 2\delta_{\text{max}} = 86400 \cdot \frac{2Mg\varepsilon}{K} \cdot \frac{J_1(2A)}{2A} \tag{2.29}$$

ゆえに，1 日あたりの平均値違い量を計算すると，

$$\varepsilon = \frac{1}{86400} \cdot \frac{\Delta_{VV'\text{max}} K}{Mg} \cdot \frac{A}{J_1(2A)} \tag{2.33}$$

ここへ式 (1.3) から K，$I=MR^2$ から M を代入して，

$$\varepsilon = \frac{1}{86400} \cdot \frac{\Delta_{VV'\text{max}} R^2}{g} \cdot \left(\frac{2\pi}{T}\right)^2 \cdot \frac{A}{J_1(2A)} \tag{2.34}$$

ここへ脚注表のデータを代入すればよい．
ただし，式中の A：[rad]，g=9800 [mm/sec^2]．

最大姿勢差 2 秒を発生させるてん真真円度 ε の計算

てん真真円度 ε の計算結果	事例 A	事例 B
$\Delta_{VV'\text{max}}$(sec/day)：計算目標である平均値違い量	2	2
R(mm)：てんわリム半径	4	5
T(sec)：てんぷ振動周期	0.25	0.4
A(deg)：計算目標の条件としての振り角	220	220
ε(mm)：計算対象となる真円度	0.00052	0.00032

0.5μ，5振動でてんわ半径5mmの場合は0.3μであった．平均値違いに2sec/dayを許すときはその他の姿勢差を2秒としても最大姿勢差は6秒程度は発生する．したがって平均値違いは大変大きな影響があり，安部健次氏は0.2μ以下としなければクロノメーターレベルにはならないといっている．0.2μという値は実際，修理ベンチではまったく測れないレベルである．てん真のほぞ先を見ても通常の傷見ではまず見えないだろう．もっともてん真の頭に光をうまく当てて，上手に見ると表面の歪みが観察できるから，これを利用してどんな様子かがわかる方もいるであろう．

しかし，ともかくこれほどの高感度を必要とするのであるから，この問題にメスが入れられることはなかった．それを諏訪精工舎の研究者故安部健次氏が1960年代に発見した．当時，グランドセイコーとして名高かった61系キャリバーについてこの平均値違いについて調べたが，その経過ではなかなか原因が推定できなかった．彼はてん真ほぞをわざわざ削って6角形にしたり，1ヵ所に凹みを作ったりして実際の61系の出荷時レベルの姿勢差とを比較検討した．ここから関係があることがわかり，ほぞが真円でない場合，楕円や多角形断面，1ヵ所へこみ，びつなどの場合はどうなるかを理論的に推論した．氏はこのあたりの数学的な素養に大変秀でていたので成功したのである．

§2.13　ほぞびつによる平均値違い

引き続き，「平均値違い」について解説する．てん真ほぞをはずす場合，その部分はもっとも傷つけやすい箇所でもある．では，ついた傷は精度にどれほどの影響を与えるのだろうか．てんぷの回転によっててん真の傷が振り角におよぼす影響を，等時性曲線を参考にしながら考えてみる．

2.13.1　平均値違い，その3

日本時計研究会でこの平均値違いについて説明した際，あるベテランの方が，「前に講習会で聞いたことがある．『平均差』という用語で覚えている」と教えてくれた．なるほどそのような用語でもよいと思われる．しかし多くの方が「平均値違い」で覚えておられるので，このままにさせていただこう．それはさておき，ここではてん真ほぞがびつの場合について，さらに詳しく取り上げていきたい．

てん真ほぞの形状はその作り方，磨き方によって楕円形になるか，あるいはおむすび型になるかなどが決まるであろう．製作，仕上げがしっかりしていれば真円であって，それに起因する姿勢差はまったくないはず[108]であるから，多くの時計にとってはこのような意味から本論は関係のない話である．例を出そう．スイスの有名ブランドのP社製品の立4方の等時性曲線を測定した例を**図2.71A**に示す．

立姿勢・全巻き時で約270°振っている．立4方の姿勢差は数秒となっており，また振り角が落ちても歩度はほとんど変化しない．振り角が160°あたりまで歩度がずっと落ちない（遅れない）から，

---

108)　一般に旋盤などで切削や研削などを行うとき，その旋盤で加工された物体の被加工面の真円度はその旋盤の回転精度の真円度をそのまま移してしまう．軸受が摺動軸受の場合とボールベアリングの場合とではその真円度は様相がまったく異なるが，時計旋盤の場合，摺動軸受が多い．したがってその摺動軸受がどのくらいよくできているかによって，てん真の場合もその真円度が決まる．回転軸のがたがまったくない，といっても必ずがたがなくては回転しないから，たとえば0.1μmのがたがあれば回転精度は0.1μm以内にはならない．そのように工作機械の精度がワークの精度を決める．この意味で，しっかりできていればというのは，いかによい工作機械で加工したかによるといってよい．完全に真円となる加工はその意味で不可能なことである．

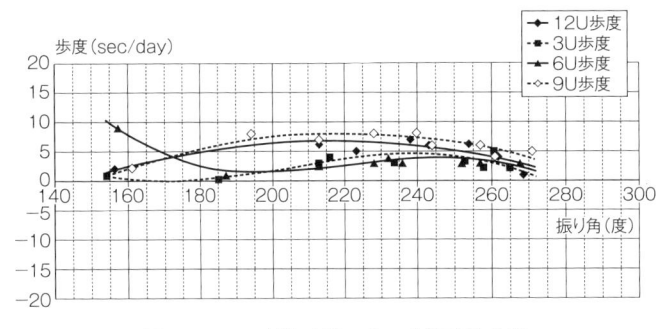

図 2.71A　P 社腕時計・立 4 方等時性曲線

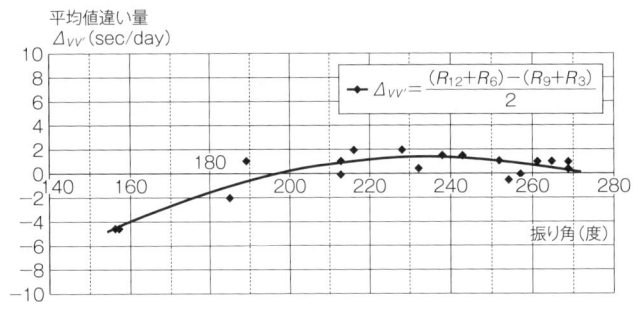

$$\Delta_{VV} = \frac{(R_{12}+R_6)-(R_9+R_3)}{2}$$

図 2.71B　P 社腕時計・平均値違い曲線 12 時 6 時系データ

脱進機の調整もかなり精密にやっておられる．爪石の食い合いもかなり浅い．**巻き上げひげ**の**巻き上げ形状**，また**巻込角**もよく合わせ込んであって平等時性の状況としても素晴らしい．立姿勢においてもてんわの片重りがまったくないといってよい．等時性の合わせ込みがしっかりできているといえる．このような意味でほとんど理想的に調整が仕上がっている．

毎年 1 回，**時計技能競技全国大会**が行われているが，この例がその中の成績の一つだとしたらこの時計はトップクラスにいるだろう．その程度の最高水準の調整がしてある．時計自体も非常に良い水準をいっている時計と見るべきである．ともかく素晴らしい調整の状態である．

この時計の平均値違いはどうか，調べてみよう．**図 2.71A** から**図 2.71B** を作ってみた．図 2.71B は図 2.71A から平均値違いを計算してプロットしたものである．ここで平均値違いとは図の中の式にあるように，12 時上と 6 時上の平均値，それと 9 時上と 3 時上の平均値の差をいろいろな振り角で計算したものである．縦軸の目盛をさらに引き延ばしてあることにも注意しよう．**実用振り角領域**で平均値違い量は 2 秒以内であるから，これもかなり良い水準をいっている．素晴らしい．曲線全体の姿も先に説明したような，ほぞが楕円であるときの様相はない．楕円のときは図 2.72 にあるように 150° あるいは 250° 付近が出っ張る[109]のが特徴であるからこれに該当しない．ほぞびつの場合の平均値違いの様子，**図 2.73** にも該当しないといっていい．このようにてん真のほぞが真円でないときの話はこの時計には関係がない．冒頭に述べたように平均値違いなど関係のない事例，そういっているようでさえある．

しかし，これはたまたま 12 時 6 時系という直交系について調べただけである．これに対して 12 時 6 時系と 45° 方角がずれている系，10 時半 4 時半系という直交方向系，この方向で調べるとどうか，これでは何ともいえない．その意味でしっかり平均値違いの様子を調べたことにはならないが，全体の様子からあまり大きな意外な点は起きないであろう．

以上が平均値違いにはほとんど関係のないデータの例である．この事例ではデータ全体が素直に取れている．これはおそらく曲がりが小さくて（歩度の変動が小さくて），データがばらつかなかったのであろう．一般に Watch Expert で歩度を測定すると，ここで見ているような歩度の様子とはかなり違う歩度の変動を観測し，大変戸惑うのが実際である．測定器で測る歩度の変動に関しては章を改

---

[109] 出っ張るとは目立って進み，あるいは遅れとなる様子をいった．図 2.72 を見ると 150° 付近で曲線は大きく進みと遅れ，極大極小になっている．ほぞが楕円の場合はこれが特徴であるから注意しよう．等時性曲線がこのようにふくらむのである．立 4 方の等時性曲線を一緒に描けば，それが明瞭に出てくる．

めて解説をするが，実にやっかいな問題を抱えているのである．

しかし，このような問題を克服して観測をしなければ，平均値違いは見極めることが困難な領域にあるのである．平均値違いは**精密調整**の領域で初めて問題になる話である．今から40年前，諏訪精工舎の中で起きた，てん真製造現場での異常事故が原因とは気がつかずにグランドセイコーなどの製品がその組み立て調整工程で苦しんだ，そうした経験から出た，一時の出来事を説明する理論であった．いま説明すればそのようなことであったかもしれないが，さにあらず，現在でも結構発生している問題を解決する理論でもある．それは，てん真ほぞは傷つきやすい，しかもそれが時計精度にすぐ結びつく，ということを意味する．

2.13.2 てん真のほぞの傷はどう影響するか

てん真ほぞに傷をつけるということはありそうなことである[110]．その傷はてん真ほぞを楕円形ではなく，いわばびつにしてしまう出来事となる．この影響を解析する方法として，てん真ほぞに**図2.74**のような凹みがあるとして研究した．その凹みが真下になると図中の(0)のようにてん真が少し下に凹み

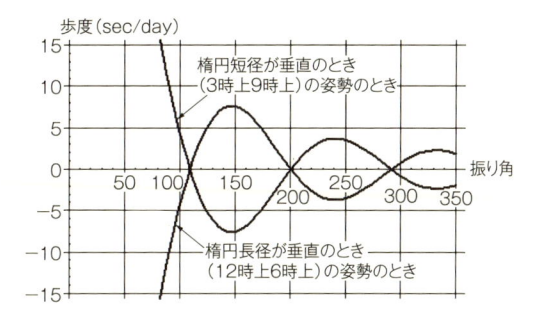

図2.72 てん真ほぞ楕円の影響の様子
（再掲 図2.61）

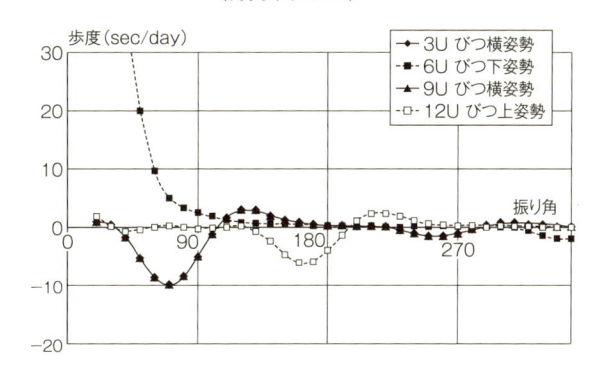

図2.73 てん真ほぞびつの影響の様子
（再掲 図2.63）

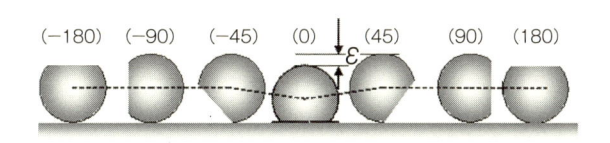

図2.74 てん真ほぞのびつの位置
びつ下姿勢の場合．

の量 ε だけ沈む．へこみがてんぷ静止時にもし真下にいるときは，てんぷ全体は静止時にその凹みに落ち込んでいるのだから回転しにくい．その分だけ，ひげぜんまいの復元力がいわば大きくなった．ひげが強くなったようなものである．しかし，てんぷが回転して図2.74 (−180)～(−45) あるいは (45)～(180) のようになるとびつは軸受に触っていないから回転力を働かすようなことはない．以上がてん真びつが静止時に真下に来た姿勢での様子であって，振り角が大きくなれば静止時の落ち込みの影響が少なくなっていく．その様子が**図2.73**ではびつ下姿勢，**図2.72**では6時上と想定した曲線に表されている．同様に，てんぷ静止時に図2.74 (−180) のようになった姿勢を考えよう．(0) がもし6時上だったとすれば図2.74 (−180) は12時上の姿勢で，てんぷ静止時にこの状態になる．この場合はてんぷが振って振り角180°でびつ下の状態になり，てんぷは凹みだけ落ち込み，この角度からてんぷは回転したがらないという状況になる．いわばスティックするような力がかかるわけで

---

110) てん受をはずす作業をするとてん真ほぞをどこかにぶつけて傷つけてしまう可能性は大変大きい．これを防ぐような作業手順，これが一つの修練でもあるのだが，いわば組み立て分解の際の常識的な一場面である．

ある.もちろんこの凹みの量はわずかであるから目に見えるような回転力がそこから発生するわけではないが,時計としての精度は1日1秒の単位(相対精度でいえば約10万分の1)で見なければならないから,わずかな回転力でさえ影響が出るということになる.以上のような影響を図示したのが図2.73[111]であった.この図はてん真ほぞびつに関する歩度への影響を詳細に説明している.この図を正確に理解しておけば平均値違いの話は理解できたといってよい.先に述べたように,てん真ほぞびつの方がより実際的に起こりうる話であるからである.さて,この図にある立4姿勢各々についてもう少し説明しよう.

今説明したように6時上のとき,静止時にびつが真下に来るとしている.振り角が小さいとき,それも45度以下のときは,てん真はびつの部分から逃げ切れていないから大変大きな復元力を受ける.それで歩度はこの図の中では描ききれない上限へ伸びている.歩度が大きく進んでいる.びつの大きさは振り角45°でちょうどびつから抜け出すとしているので,そのあたりから歩度が戻ってきて,それでも振り角60°では振り角45°以内にいる時間の方が圧倒的に長いから約10秒程度進みになっている.振り角が90°でもまだ3秒程度進みの影響を受けている.それより大きい振り角領域ではだいぶ影響がなくなってきた.先に説明したように,この領域では振動周期への影響はほとんどなくなってしまう.凹みがてん真穴石の側面に触っていないのだから当然である.しかし振り角が360°あたりになると少し影響が出始めているのが読み取れるだろうか.凹みは$360°-45°=315°$からは軸受に接触し始めるから,これも影響が出て当然である.もっともこれは理論上の話で立姿勢で振り角が315°という状態は通常はありえない.しかし振り角130°から270°あたりまでの広い振り角領域で,**びつの振動周期に対する影響**はまったく出ない.以上が6時上姿勢,凹みが真下のときの等時性曲線への影響である.

さて,これと180°反対の12時上はどうか.12時上では凹みは静止時に真上にあるから,振り角が135°まではまったく影響がなく,曲線は真っ平らである.そして135度を過ぎると凹みが穴石に接触し始め,もっとも影響の大きな振り角は160°あたり,遅れの影響が大きく出てくる.約6秒程度遅れるほどになった.この振り角160°あたりでは6時上以外の姿勢ではどれも影響がほとんどなく,この6時上だけが6秒も遅れている.この様子に心当たりの方がおられるのではないだろうか.「**振り角160°あたりで3方が一致していて,1方だけが大きく遅れている**」という状態である.この状態はてん真ほぞに傷があり,その傷が原因となってそのような姿勢差を作っているのである.てん真のほぞの傷,びつの場所はそのもっとも遅れとなる姿勢で静止時にてん真真上の位置にあるはずである.これを観測してみてほしい.顕微鏡でかなり倍率を上げて,できれば50倍くらいの倍率として光の当て方に工夫をしてみればあるいは見えるであろう.びつの大きさが1μであるとすると,びつのある部分で光の反射の様子が他と違う,この程度である.きれいな凹みであればそんな程度だが,大きな傷を付けたときは必ずわかる.ともかくこの160°とは振り角の領域としても測定しやすい領

---

111) この図の導入に至る計算はかなり面倒である.まず,図2.74のようにびつの形状の仮定をする.回転中心から見て角度90°分(これは何度としても面倒さは同じであるが)凹んでいるとし,てん真高さが図2.74のように上下するとする.そしてそのときのポテンシャルエネルギーを計算過程にある積分がしやすいように,フーリエ展開(フーリエ展開は任意の周期的な関数を三角関数の和で表したものであるから,この形にすると比較的簡単な積分で全体を推定することができる)し,そしてそれぞれの三角関数項を積分すると,それがベッセル関数によってコンパクトに書き表せる.その主要な項の和を図に表したものが図2.73である.なお,図2.73は縦軸を読者にわかりやすいように歩度の単位で記載した.これらはいずれもExcel表計算ソフトで行うことができる.実際のびつは図2.74にあるような形状をしているとはもちろん限らない.しかし影響の様子はほとんど変わらないであろう.

域であり，姿勢差も出やすい領域である．上のカギ括弧内に書いた言葉は姿勢差の調整では覚えておくと便利であろう．

この6時上（凹み真下）と12時上（凹み真上）の影響ではもう1ヵ所，わかりやすいのは220°付近である．振り角220°とは立姿勢でてんわの片重りの影響が出ない領域，ひげぜんまいの重心移動によってもっとも姿勢差が出る領域である．したがって，ここがもっとも観測しやすい，重要ポイントなのである．ここでもし姿勢差が出ればそれはひげぜんまいの重心移動のせいだ，一般的にはこのように理解している方が多いであろう．しかしこの振り角でも1方向のみが進みになっている，あるいは1方向のみが遅れており，他の3方向とは独立して離れている，という姿勢差の状況になっていることを経験された方は多いのではないだろうか．これがほぞびつの影響であることをぜひ理解してほしい．そしてその1姿勢だけ離れた姿勢，もし進みであればその姿勢で静止時に真上となるてん真ほぞが"びつしている"のである．これが平均値違い，てん真ほぞびつなのである．このとき，前述したようにてん真を顕微鏡でチェックしていただこう．仔細に観察すると多分，穴石の穴の形状にも関心を持たれるに違いない．穴石の穴の形状は一般にはオリーベ形状をしており，このオリーベ形状が良好な「オリーベ取り」になっていないケースは結構多いのである．**てんぷ穴石枠を回転させる**と効果があるのはこの場合である．

さて，次にびつ横の姿勢ではどうか．**図2.73**で3時上と9時上，どちらもびつ横姿勢である．当然9時上と3時上は同じ曲線上にある．びつが左にあっても右にあっても同じである．この曲線上では振り角70°付近でもっとも遅れとなる領域がある．それはびつの部分がもっとも軸受穴石に接触している時間が長く，影響が大きいからである．しかし振り角70°では実際は振り角も歩度も観測は難しい．さらに振り角130°あたりを見てみると，やや進みになっている．これも一つの特徴だが，ここもあまり観測しやすい領域ではない．この姿勢での最大の特徴は振り角260°付近である．2本とも2秒程度遅れになっており，これと直交する12時上6時上に対して遅れとなっている．ここが大変実用的な特徴なのである．立姿勢で振り角260°振っていればぜんまい全巻き時としてよく見かける振り角である．つまり立姿勢で，**ぜんまいを全巻きにして90°直交する平均値同士がずれているならば，てん真に問題**がある．進んだ組の姿勢で静止時てん真上部分，あるいは下の部分にびつがあるはずである．立姿勢で振り角270°付近で平均値違いが発生しているならばびつがある，と考えてよい[112]のである．このような事態にはほとんどいつも遭遇しているのではないだろうか．例を示そう．

表2.7はある時計のぜんまい全巻き時の6方姿勢差の状況である．もっともこの表のような歩度であれば姿勢差がよく取れている，これ以上何もする必要がない，それが一般的な事情かもしれない．それで片づけてしまうならこの項は不要である．この項はそれでも満足しない方のために参考にしてほしい．

表2.7で12時上と6時上の平均値は3 sec/day，9時上と3時上の平均値は0 sec/day，つまり12時上か6時上の方向にてん真びつがあっていいと解析してほしいのである．この2つの値，3と0との差3秒分は

表2.7 ある時計のぜんまい全巻き時の6方姿勢差

姿勢	歩度(sec/day)
DU	＋2
DD	0
12U	－2
9U	＋4
6U	＋8
3U	－4

---

112) この振り角で平均値違いを計算してみて遅れとなる姿勢，それが12時上，6時上の方向であったとすれば，12時上か6時上の姿勢でてん真ほぞ真上か真下にびつがあるのである．これは重要な指針である．本文にも述べたように，この振り角は全巻き時にありそうな振り角であり，おそらくこの全巻き時の姿勢差を取ろうというのが今までの精密調整でもっとも努力する領域だからである．

表 2.8 てん真ほぞびつの影響

ムーブメント形式・サイズ	f: 振動数 (/sec)	I: てんぷの慣性モーメント (mg mm²)	M: てんぷ質量 (mg)	K: ひげぜんまいばね定数 (mg mm²/sec²)	Re: 楕円の場合 (sec/day)	Rd: びつの場合 (sec/day)
A：5 型婦人用	6	492	60	174,810	36.6	20.1
B：6 型婦人用	10	309	42	304,971	14.7	8.0
C：11 型紳士用 No.1	6	1,800	92	639,550	15.3	8.4
D：10.5 型紳士用 No.2	6	1,400	80	497,428	17.2	9.4
E：10.5 型紳士用 No.3	8	715	59	451,633	13.9	7.6
F：10.5 型紳士用 No.4	10	1,220	79	1,204,092	7.0	3.8
G：19 型懐中時計	5	23,200	200	5,724,371	3.7	2.0

Re：てん真ほぞ真円度 1μ あたり発生する平均値違い量 楕円の場合（sec/day）
Rd：てん真びつ 1μ あたり発生する平均値違い量 びつの場合（sec/day）

どんなにてんわの片重り取りやひげの振れ取りをしても取り去ることができない[113]．何をやっても減らせない，そのような成分になるわけである．もしこれがコンクールなどでの話であれば致命的ではないだろうか．しかしスイス P 社の事例（**図 2.71A**）ではこのようなことがなく，立派な事例であった．なかなかこうはいかない．とりあえず以上で**図 2.73** の説明としよう．次項にはてん真ほぞの変形がどのくらい姿勢差に影響するか，これを説明する．

2.13.3 てん真のほぞの傷はどのくらい影響するか

さて，どのくらいの大きさのびつならばどのくらい姿勢差が発生するだろうか．表 2.8 はその感度を表にしたもので，てん真ほぞ真円度 1μ のときの振り角 150°付近の姿勢差を計算したものである．てん真ほぞびつ 1μ，あるいは真円度 1μ 当たりの発生する姿勢差を Re 欄，Rd 欄（Rd 欄では振り角 220°での値）にそれぞれ示した．その計算式は脚注に記す[114]．平均値違いがなるべく出ないようなムーブメントの頑丈さは何で測れるのであろうか．それはひげぜんまいの強さである．この計算式を見てわかるように，ひげぜんまいの強さ（ばね定数 K）が式（2.29）の係数の分母にあるから，ひげぜんまいが強ければ平均値違いも発生しにくくなる．表 2.8 でひげぜんまいのばね定数の値が 5 型の婦人用腕時計（タイプ A）では約 17.4 万（mg mm²/sec²）であるのに対して，10 振動の紳士用腕時計（タイプ F）では約 120 万（mg mm²/sec²）であるからなんと約 7 倍の強さ．姿勢差の大きさが

---

[113] 平均値違いはてんわの片重り取りやひげの振れ取りによっては取り除くことができない．てんわの片重りやひげぜんまいの偏心の影響は，その理論式からもわかるように平均値違いとはならない．てんわの片重りによる立姿勢差も，ひげぜんまいの偏心によるそれも三角関数にある関数をかけた式で表される．すなわち，$\delta = f(x)\cos\phi$ または $g(x)\sin\phi$，ここで δ：振動周期の誤差（等時性誤差），$f(x)$, $g(x)$：関数，ϕ：立のある姿勢を表す角度，である．平均値違いは，直交する 4 つの立姿勢をとるから，

$$\frac{\cos\phi + \cos(\phi + 180°)}{2} - \frac{\cos(\phi + 90°) + \cos(\phi + 270°)}{2} = 0$$

sin の場合も同様に 0 になる．したがってんわの片重り，ひげぜんまいの偏心は平均値違いに現れない．

[114] 計算式は式（2.29）．表 2.8 では絶対値をとってある．この式からわかるように，平均値違い量はひげぜんまいの強さ K に反比例する．式（2.29）はほぞ形状が楕円の場合であるが，ほぞ形状がびつの場合も係数は $Mg\varepsilon/K$ でまったく同じで，振り角のベッセル関数の部分が変わるだけである．

$$\Delta_{VV\max} = 86400 \times 2\delta_{\max} = 86400 \cdot \frac{2Mg\varepsilon}{K} \cdot \frac{J_1(2A)}{2A} \tag{2.29}$$

ここで，M：てんぷの質量（片重り量ではなくてんぷ全体の質量である点に注意．これが平均値違いの敏感すぎる理由である．）g：重力加速度 ε：真円度（**図 2.74** 参照）K：ひげぜんまいのばね定数，ばねの強さと考えてよい．ひげぜんまいを単位角度（1 rad）回転させるときのトルクの大きさ．

7分の1になる．

§2.14　理想のひげぜんまい

　時計の心臓部である調速機．その中でもっとも精度を左右するのが「ひげぜんまい」である．本節ではこのテーマに戻って，ひげぜんまいを原因とする時計の進み遅れについて詳しく解説する．理想のひげぜんまいとは，いったいどのような形をしているのだろうか？

図 2.75　てんぷとひげぜんまい

2.14.1　ひげぜんまい

　機械時計の原点は調速機である．時計を正確に刻ませる中心部分であり，その中でもひげぜんまいがその性質を大きく左右する．ここでは初心に戻って，その中心であるひげぜんまいに話を戻し，その問題点をじっくり解説してみたい．

　ひげぜんまいの形状はご存じのごとく，渦巻きの形をしている．この形を**アルキメデス曲線**という．この形状の性質をまず振り返ってみよう．

図 2.76　アルキメデス曲線

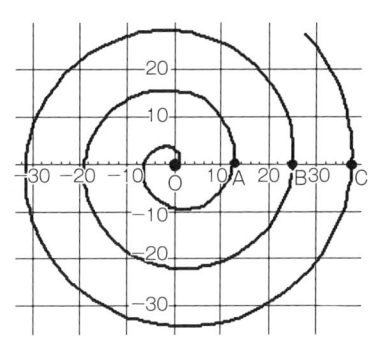

2.14.2　アルキメデス曲線

　アルキメデス曲線とは渦巻き形状であって，**図 2.76** のように回転中心である原点から始まって，その回転した角度に比例して原点から離れていく曲線である．図でOBはOAの2倍である．それはA点は原点から1回転してきた点であるのに対し，B点は原点から2回転してきた点だからである．C点も同様に3倍の距離OC=3OAにある．このような形状をしたばねがてん真に取り付けられている．このばねはてんぷをいつもその静止点へ戻す役割を担う．そしてその戻す力はてんぷの回転した角度に比例していればよい．90°回転したときと180°とでは当然180°回転したときの戻す力，復元力は2倍になっていればよい．ところが実際はこれをなかなか実現してくれないのである．

　見たところ，ひげぜんまいは回転に従って，いつもきれいに伸びたり縮んだり，忙しくやってくれるようである．そして今述べたように回転したてんぷを元の位置に戻そうとする復元力を発揮しているのであろうが，それがなかなかそうはいかないとはどういうことであろうか．

　実は時計としての要求の方があまりにも精密だからである．てんぷが90°回転時の発生復元力と180°回転時のそれとの比が2倍であるべきだといったが，その2という数字がどのくらい正確であればよいのか，その値がそのまま時計の正確さになるのである．だからひげぜんまいは時計の中心といってもよい．では時計としての正確さとはどんなものであろうか．

2.14.3 時計の進み遅れ

ここで時計の進み遅れである歩度の意味に戻ろう．歩度，すなわち時計の歩む率は1日の誤差で表現するのがわかりやすい．ここにすでに時計の精密さが，われわれの通常の生活上のどの測定よりもはるかに高い水準でなければならない理由が発生している．

われわれの日常生活の中で，必要な精密さの他の例を考えてみよう．体温はどうか，仮に正確な値は36.24℃であったとしよう．それでもわれわれの必要な体温としての情報はせいぜい36.2℃というところではないだろうか．測られる体温の方も体の調子で36.5℃にも37℃にもなる．そんな正確な数字はいらない．ところが時計はどうか，時計とは時刻を知るためのものであるから時計が1分ずれていれば新幹線に乗り遅れるかもしれない．どんなときでも時刻を正確に表示していてくれなければわれわれは困る．時計に対してはこのような要求がある．

この要求に応える最新の技術，電波規制時計というものが多く実用されるようになった．この時計は表示する時刻がいつも標準電波によって規正され，いつも正しい時刻になるという．1日に1分どころか何年経っても表示時刻は正しい時刻，という姿は理想的な状態である．このような時計が安価に売られている．**標準電波**というインフラストラクチャーが用意され，それで社会の主要な時刻，時間が制御される現代にあって，機械時計はこのような理想とははるかに遠い．もっぱら自分の力で，自分だけの仕組みで時刻を表示するけなげな道具である．

時計の正確さは1日に何秒狂う，という表現でいわれる．これが歩度の意味であるが，もし1日で10秒進む時計があったとしよう．この時計は1日＝86400秒の間に86400＋10＝86410秒分歩んだのであるから歩み方の割合は86410/86400＝1.000116であった．誤差の割合としては0.000116だけ，ざっと1万分の1だけ進み方が速いのである．

2.14.4 ひげぜんまいの復元力の誤差

この誤差の大きさはわずかである．つまり進み方が1%だけ速かった，などというレベルではなく，わずかに0.000116，1万分の1である．こんなわずかな狂いでも時計としては，10秒狂うという表現になる．1日にいつも10秒進む時計をお持ちだとすると，この時計は10秒進むからなあ，と気をつけることになる．さらに詳しく時計の進み遅れを観察しようとしても昨日と今日とでは進み遅れが違う，などの誤差の複雑さもわかったりするであろう．忙しい現代社会では，あるときはこれでは不足と思われる．クオーツが安価なこともあり，多く使われる理由である．

機械時計の機構の方からこのことを見ると，多くはこのひげぜんまいにそのほとんどが起因しているといってもあながち間違いではない．つまり理想的なひげぜんまいができれば正確な時計になるのである．冒頭に時計の一番の中心といったのはこんな事情があるからである．

さて，ひげぜんまいの復元力がどのくらい正確に回転角度と比例するか，90°回転しているときの復元力に対して180°回転したときの復元力が2倍でなければならないといったが，その2という数字が，$2 \times (1 \pm 0.000116)$倍でなければ時計としての進み遅れが1日に10秒以内にならない[115]ということになる．

---

[115] 本文の説明ではこのように書いたが，実際のひげぜんまいのてんぷの振動周期への影響の仕方はひげの強さ（ばね定数）の平方根が振動周期に反比例するので，正確にいえば $2 \times (1/(1 \pm 0.000116)^2) = 2 \times (1 \pm 0.000232)$ である．

2.14.5 理想のひげぜんまい

ひげぜんまいにはこのように大変難しい課題が与えられている。それほど正確な復元力を作らなくてはならない。このあたりからが実は本当の機械時計技術という領域になる。

図 2.77-1 を見てみよう。この図は原点 O から A 点までのひげぜんまい，全体で 6 巻にしてあるが[116]，これと 6.5 巻に巻き締めた姿を一緒に示している。てん真を 180° 時計回りに回転させた。実線の曲線 OA は X 軸正の方向に巻き出しが向いているのに対して，曲線 OB（点線）は X 軸負（左）方向に巻き出しているのが図で読み取れるだろうか。この巻き締めた姿は原点 O から B までの点線の曲線である。ひげぜんまいの外端は巻き上げひげによって支持されている状態を思い出していただければよいが，ひげぜんまいは回転中心に同心的に維持されるものとする。したがって，この外端の支持の特徴はてん真との距離は自由だが，回転方向には移動しないようになっている。そのような外端支持をしてあると理解いただきたい。てん真がこの図では時計回りに 180°，0.5 巻巻き締めたわけである。すると，ひげぜんまいの外端 A は B 点のように少し内側へ移動する。6 巻から 6.5 巻へ巻き締められたのだから，ひげの長さが同じなら外径は小さくなる[117]。この姿が実は理想のひげぜんまいの姿である。

図 2.77-2 は同じようにひげぜんまいが 0.5 巻巻きほどけた様子を示す。図 2.77-1 と条件はすべて同じにしてあって，曲線 OA は図 2.77-1 の OA とまったく同じものである。図 2.77-2 の点線の曲線 OC は 0.5 巻巻きほどけた姿を示す。てん真が 180° 反時計回りに回転した，つまり巻数は 5.5 巻になったから外端 C は A 点よりも少し右側，ひげぜんまい外径は少し大きくなった。同じひげぜんまいを使って巻数 5.5 巻を描けばこのように外端は少し外側へ行かなくては同心的にならない。

図 2.77 に示した 3 つの曲線，静止時と 0.5 巻巻き締め，または巻きほどけたとき（普通は振り角 180° 巻き締めたとき，ほどけたときと表現するであろう）。この 3 つのひげぜんまいの姿が理想的なひげぜんまいの姿なのである。てん真には回転力しかかからない。外端がひげ持によって支持されているならば，ひげ持の受ける力はまったく正確にてん真の受けた回転力に相当する反力である。てん真軸を中心としてひげぜんまいがもとの静止時に戻れるような力のみであって，半径方向の力は一切発生していない。それは曲線 OA が元の姿として完全に同心的状態にあり，回転数のみ変化した OB または OC，これもまた完全に同心的になったからである。そしてこのような場合は先に述べたひげぜんまいの復元力は完全に回転数に比例した状況になっている。90° 回転したときに対して，180° 回

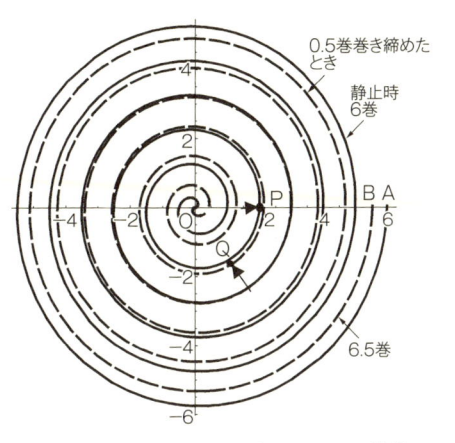

図 2.77-1 静止時と巻き締めたときの比較

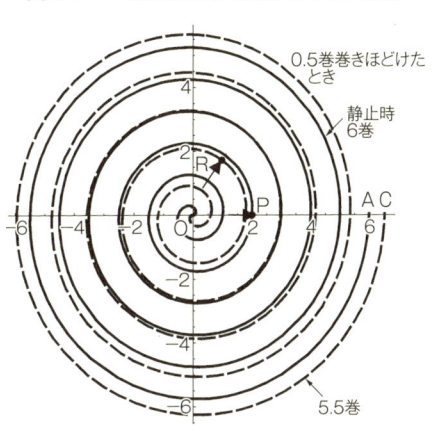

図 2.77-2 静止時とほどけたときの比較

---

[116] 実際のひげぜんまいの巻数はもっと多い。だいたい 12～14 巻程度ある。ここでの説明ではわかりにくく，見にくくなってしまうので 6 巻として説明した。

[117] 正確にいうと，OB = 6/6.5 OA である。この図では X 軸方向目盛で 5.5 のあたり。

図2.78　内端曲線 設計例

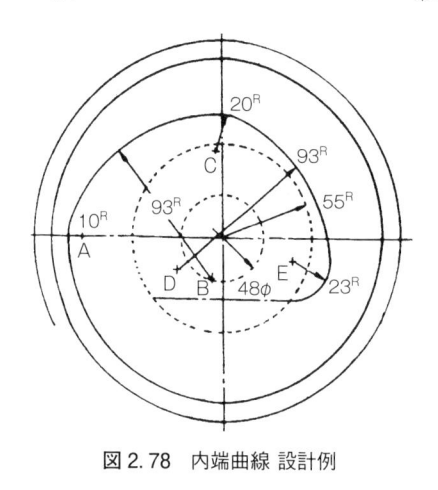

転したときの復元力は完全に2.00000000倍になっている．いくらゼロを書き加えてもよい．機構的にはまったく問題のない状態[118]である．機械時計が今後進歩するとして，アルキメデス曲線を使う限りこの法則が変わることはない．これに対して現存する機械時計は，ひげぜんまいのこの理想像からどのようにずれているであろうか．

すぐおわかりのように，実際のひげぜんまいは内端側がてん真からスタートするわけではなく，ひげ玉に取り付けられている．この内端は理想的なひげぜんまいの姿に比較してどのような違いがあるであろうか．

図2.77には内端点と想定したP点の位置を示した．P点は静止時に原点から2回転したところとした．実際はここでひげ玉に取り付けられると考えよう．図2.77-1では巻き締められたとき，どこへ移動するべきかを示した．それがQ点である．曲線OQの長さを曲線OPの長さに等しく取ってある．そしててん真が180°回転するのに対してQ点は元のP点の位置から60°回転する．てん真軸が180°回転したのに対して，もうこのあたりで回転角度は1/3になってしまい，さらに半径位置が巻き締めたにもかかわらず少し回転中心から遠ざかっていることにも注意しよう．この説明図ではひげぜんまいの全体の巻数を6巻で説明している．実際のひげぜんまいは12〜13巻程度あるから，少々ここでの説明は大げさな話になりやすい．しかし，このように内端想定点が巻き締められたときには，かえっててん真から遠ざかるべきなのである．反対にひげが巻きほどけたときは，内端想定点はてん真の方へ近づくべきなのである．この性質は巻数が増えても変わらない．このことをご存じの方は本当の時計師としての実力をお持ちの方である．

2.14.6　理想ひげの条件

ひげぜんまいは巻き締められたときには内端側は外の方へ近づいてくるべきであり，巻きほどけたときには内端側はてん真の方へ寄っていくべきである．これが理想のひげぜんまいの動きの一つの特徴である．ここでこのことを理想ひげの条件と呼ぶことにしよう．

実際のひげぜんまいは単純にアルキメデス曲線の内端側をひげ玉に取り付けてしまう．したがって，上の法則とおりには動けない．妙な動きをしている．そのことは時計を扱う方はそれが当たり前と思っているかもしれないが，今日からその考えを捨て，どのようにすればこの理想像に近づくのであろうかと思いを馳せてほしい．

さて，このような理想状態に近い取り付け方は実際には存在する．ある時計ではそれが行われてきた．特にここで問題としている内端点側に内端曲線を持たせたものである．その内端曲線の一例を図2.78に示す[119]．外端巻き上げひげの場合と同様，この曲線の形状にはある条件があり，それを満足

---

118)　ひげぜんまいの材料も完全にフックの法則，つまり歪みと応力の関係が比例関係にある領域ではこのとおりであるが，実は理論的に完全にフックの法則が成立する領域にはいろいろ条件があって，現在使われている恒弾性材にも問題はあるようだ．ここではそれらの問題はないとして理解すればよい．

119)　この図はひげぜんまいの重心移動を取り除く目的もあるが，ここでは平等時性の改善のための方法として紹介する．このカーブを取り付けた時計は婦人用の腕時計として昭和40年代に市販された．読者の中には分解掃除などでお目にかかった方々もいるに違いない．日本の時計はこんなところにも新しい革新をかなり古くから実行していたのである．

するようにしなければならない．外端巻き上げひげの場合はフィリップスの条件と呼ばれるが，内端のそれはこのフィリップスの条件を少し変形したグロスマンの条件として知られている．このような曲線をひげぜんまいの内端側に作ることによって，ひげぜんまいの挙動は相当に理想のひげぜんまいに近づくのである．

2.14.7 まとめ

さて，ここまで述べた話はひげぜんまいの理想の姿を述べただけであって，その姿からずれたときはどのように等時性に影響があるのか，その影響の仕方はどのようになるのか，その過程にはここでは踏み込まなかった．実際はこの理想からはずれている．外端や内端が理想的ではなければどうなるのか，その方がよく知られているのかもしれない．いわゆる平等時性として理解されているのであるが，ここに述べた理想像の正確な理解から入っていく方がわかりやすいのではないかと考えた．本節はそのやさしい説明への第一歩でもあるが[120]，どのくらいやさしくなったであろうか．

なお，蛇足ながら付け加えたいが，**図2.78** に示した内端カーブを取り付けたひげぜんまいの挙動は，先に述べたようにひげぜんまい全体が巻き締められたときは内端側は見事に広がっていく．反対にひげぜんまいがほどける方向に回転したときは，外径は広がるが内端側は縮小していく．つまりひげぜんまいの外径が広がるときは内径は縮まり，外径が縮小するときは内径側は広がる．とくに外端に巻き上げカーブを採用した場合は，いわばひげぜんまいのピッチだけが大きくなったり小さくなったりするだけでひげ全体の位置が少しも移動しない，まったくてん真中心上にあって動かないという光景になる．このあまりにも見事なひげぜんまいの姿[121]，これを見たときはどんなベテランの方も感嘆するに違いない．

§2.15　ひげぜんまいの実際の動き

ひげぜんまいの復元力に悪影響を与える度合いは，外端よりも内端の方がはるかに高い．しかし，高級品であっても内端に改良を加えたものはほとんどないのが現状だ．ここでは内端を固定した場合に，ひげぜんまいがどのような動きをするのか見ていこう．

2.15.1　ひげ内端の固定がいつも問題

ひげぜんまいの内端は，現在はひげ玉へ溶接などで固定されているが，昔はひげ玉の横穴へひげを差し込み，ひげくさびで固定（**図2.79A**）[122] されていた．この方法はおそらく200年間，このひげぜんまいが発明されて以来使われてきた伝統的な方法であろう．気に入らなければいつでもひげくさびを抜いてひげぜんまいを取りはずすことができる．その代わり，振れ取りをそのたびごとに行わなければならないだろう．ひげの横ぶれ，縦ぶれ（平ぶれともいう．セイコーの組み立てではこの用語を使っていた．筆者には懐かしい）を取らなくてはならない．現在はアルキメデス曲線の形状のまま **図2.79B** のようにひげ玉に溶接してある．このままでひげぜんまいの振れ取りをしなくてもすむよ

---

[120] この種の説明ができるようになった背景の一つとしてパソコンがある．パソコンに載せるソフト，今回はMathematicaを利用している．この種の道具があるので比較的簡単にできるようになったともいえよう．
[121] この姿は現在，盛岡セイコー工業のロビーに展示してある時計に現存するので見ることができる．
[122] 図2.79A-1では，ひげくさびの頭がひげ玉の外形に沿ってつぶされている．図2.79A-2では，ひげくさびの先端の方の穴が楕円形に見える．

図 2.79A-1　昔からのひげくさびによる固定方法①

図 2.79A-2　昔からのひげくさびによる固定方法②　左端にひげくさびの先端が見える.

図 2.79B　最近の一般的なひげ内端の固定の様子（再掲図 2.42）　内端はアルキメデス曲線を保ったまま溶接される.

図 2.80　巻き上げひげ

うに溶接治具を丁寧に調節する．組み立てで振れを取る工程を省略し，品質の安定とコストの削減を図ることが目的である．当然ながら，このように固定すればそのまま組み立てることができる．品質的にもほとんど問題のない状況と理解してよい．

たしかにこの**図 2.79B** は歴史的なひげぜんまいの内端の状況に比べてはるかに品質としては良くなったといえよう．これ以上の取り付け方法はない，とまでいえるのであるが，この状況ではこれまでに何度も指摘したように「**固定端**」となってしまい，「**自由端**」とはならないのである．この固定か自由かは問題のあるところである．それはてんぷの回転に伴ってひげぜんまいが偏って伸縮する状況をそのままとするか，それともそうした偏心をできるだけ発生させないようにするかの選択を意味する．

自由端とはひげぜんまいが取り付け点から回転力のみを受けるやり方をいう．これは**外端点**，ひげ持で考えた方が理解しやすい．巻き上げひげ（**図 2.80**）では巻き上げ部分がしなってひげぜんまいがいつも同心的に動くようになっている．ひげぜんまいは半径方向に引っ張られない．ひげぜんまいはいわば思うとおりに動けるのであるが，その証拠がてん真に対して同心的に動くというところにある．これまでに説明したが，アルキメデス曲線は巻き締めてもほどけても偏心しない．それが本来の状況である．この状況が内端でも行われることが望ましい．その方が図 2.79B の状況よりもさらに優れているといわなければならない．その意味で図 2.79B は技術的に完成した理想の状況とはいえない．

さて，この回転力のみを受けたときの姿を，円周方向の力を受けたとき，といおう．これに対して，ひげぜんまいが半径方向に力を受けると，力を受けた方向にひげぜんまい全体が動くことになる．これを，半径方向の力を受けたとき，といおう．ここで半径方向，円周方向という用語を使った．その説明を**図 2.81** に示す．説明には通常の平ひげの取り付け方を採用した．この取り付け方がしてあればそのひげを平ひげともいう．

図 2.81-1 はひげぜんまいの静止，自然状態を示す．ひげぜんまいはどこからも力を受けない[123]．**図 2.81-2**[124] はてんぷが回転して巻きほぐれたときで，ひげぜんまいは広がろうとするが，外端はひげ持が邪魔をして広がらせない．図ではその力を ΔF で

---

[123] 実際は静止時であっても，ひげぜんまいは力を受けたままのことはおおいにあることである．ひげ具合ともいい，ピンセットなどでちょっと外端付近のひげをたわませると，そのたわみ分だけひげぜんまいは力を受け続けることになる．これを取付歪という．このような取付歪のない状態をいっている．

[124] 図には細線で正常な，偏心していないアルキメデス曲線を描いてある．この細線に比べて太い線が左に大きく広がっているのがわかる．

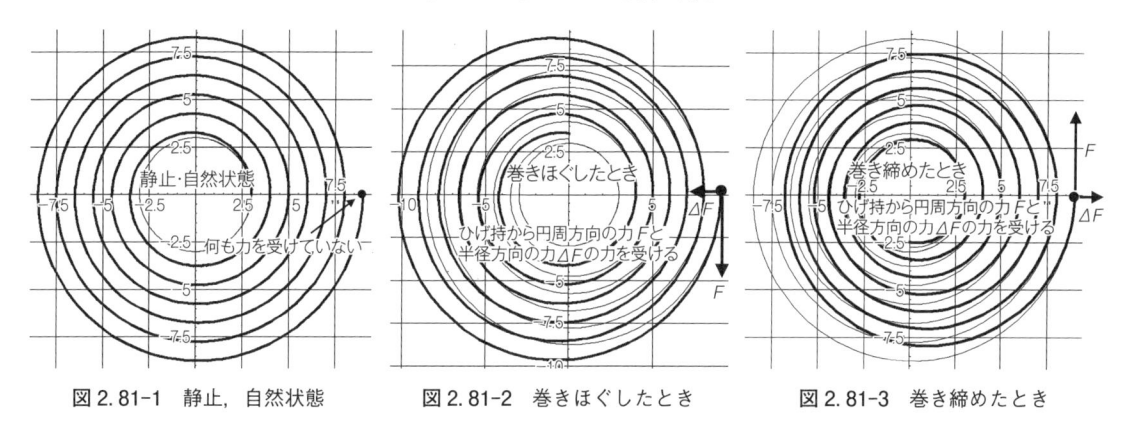

§2.15 ひげぜんまいの実際の動き

図 2.81-1　静止，自然状態　　図 2.81-2　巻きほぐしたとき　　図 2.81-3　巻き締めたとき

示した．この力が半径方向の力である．ひげ持は本来，もう少し巻きほどけようとするひげぜんまいの力に抗して円周方向の力 F をひげに加え，押し返している．それだけでなく半径方向にひげを広がらせまいとする力を加え，外端位置を元のひげ持の位置にとどまらせている．この力 ΔF が半径方向に加わった力である．その結果，ひげはひげ持の反対側が伸びてひげ持側が縮んだ形状となる．ひげ持はたんに反力として押し返しているに過ぎない．このような力をひげに加える原因はひげぜんまい側にあり，つねに大きさは等しく，方向反対の力がひげ持から帰ってくるだけである．

受に取り付けた**ひげ持**は，たんにひげぜんまいを支えているだけであるが，ひげぜんまいは結局そうした反力を受け取り，自分のエネルギーをそこで消費しようとしていることになる．もちろんこの作業によってひげぜんまいは自分の復元力を損失したりするだろう．あるいは逆にエネルギーをもらってしまう瞬間もある．このような支持点からの力のやりとりが，ひげぜんまいの動作を結果的には理想的な状態から遠ざけていく結果となる．

ともかく，円周方向の力であれば問題ないが，半径方向の力はひげぜんまいの復元力に影響をもたらし，望ましいものではない．はっきりいってつねに害悪である．そして，これとまったく同様な状況が実は内端でも発生していることになる．

ここではこの内端における円周方向の力，半径方向の力がどうなるか，その見方を説明しようと考えた．このあたりの事情として外端は実はそれほど大きな影響がないといってもよい．あまり制御の方法がない，難しい内端側の方がむしろはるかに大きな問題なのである．方法があまりない，というよりは面倒なので（技術的にも難しくコストもかかるので）それを実行しない時計が多い，といった方がよい．現在多くの腕時計で，この部分を改良したものがほとんどないのである．先に述べた自由端といえる内端を実現した時計がほとんどないのである．ヨーロッパの高価な何百万円もするブランドの機械時計であっても，このひげぜんまいの内端に工夫をしたものはほとんどない．

それでは**図 2.79B** の取り付け方をするとひげぜんまいはどのように変形するのか，それをここでは作図[125]) をして示そうとした．それが**図 2.82** である．図 2.82 はかなり大胆な仮定をいくつかおいたので実際のひげぜんまいの様子とはずいぶん違ってしまい，いつもひげぜんまいを見ている方には少々違和感を持たれると思うがご容赦いただき，ここでは考え方を参考にしてほしい．

---

125) 作図は Mathematica というソフトを使って行ったが，本当のひげぜんまいの運動方程式からひげぜんまいの形状を解いてやった実例がまだ世界にないのである．これはなかなか難しい．複素関数の積分とラグランジェの未定係数とを組み合わせて解かなくてはならないので，不学の筆者ではとても間に合わない．それで本文に述べたような基本的な考えでできるところは，素直にひげぜんまいの条件を実際的な視点で取り入れ，擬似的な作図をした．

2.15.2　ひげ形状の変形ルール

まずここでは，ひげぜんまいがどのように変形するか基本的かつ実際的な見方を述べよう．

1. もっとも変形のエネルギーが少なくなるように変形する．

ひげぜんまいは内端から外端まで普通同じ厚さを持っているから，至るところで同じ変形量となる．ここで変形量とは曲率の変化をいい，これが至るところ等しいというルールである．どこか1ヵ所が大きく曲がるということはない．至るところで曲がり方が一律である．そして変形量，すなわち変形エネルギーの総量を最小にしようとする．

2. 固定端での変形は固定の種類が違えば様子が異なる．

自由端では半径方向の位置が制限されない．つまり半径方向の力はひげぜんまいにはかからない．その結果，自由端ではてん真からの距離が自由になる．

3. 固定端とは半径方向の位置も固定させてしまうものをいう．

ひげ持のようにまったく動かない外端は固定外端という．図 2.79B の内端は正確にいうと固定内端である．半径方向の位置を固定しようとする．ひげ半径位置[126]をひげ玉の半径方向位置へつねに引っ張ったり押したりする．

4. 内端外端の固定の種類によって力の受け方が異なる．

その様子によってひげぜんまい全体の位置が変化する．たとえば巻き上げひげで考えよう．この場合は外端は自由端，内端を固定端と見てよいから外端でひげぜんまいが偏心させられることはない．しかし，内端が固定端であれば内端からはできるだけ半径方向に力を受けないような位置へひげぜんまいが自分自身を動かしていく．ということは巻き締められるとひげぜんまいは正確にいえばひげ玉での固定端に近づいていく．つまり偏心していく．また雑にいえば全体を中心へ移動させる[127]．できるだけその変形量を最小にしようとするから，ひげぜんまいはできるだけ内端点に力をかけないようにする．つまり半径方向の力がかからないようにひげぜんまいは全体が内端点に近づく．ひげぜんまいは全体が内端へまとまるように近づく．

5. 内端外端の影響はそれぞれ近いところほど大きい．

ひげぜんまいの長さで離れるほどその影響は少なくなる．したがって，外端の影響と内端の影響とがひげの中点で同じになる．例として巻き締めるときを考えよう．するとひげぜんまいはこの場合は結果的には全体が巻き締められて全体は内端点へと近づく[128]．内端点は固定端であるから図 2.79B のように固定されているとき，ここで半径座標と回転角度座標に分けて考えて，回転角度の方は当然どのようにでも回転できるが，半径座標は（固定端であるから内端点では）変化しない．したがって，内端点から180°回転した付近（**図 2.82** では R と書いておいた）がてん真に近づくのである．その様子を図 2.82 に示した．

6. ひげぜんまいの半径方向位置[129]は内端，外端から働く力の大きさで変わる．

---

[126] 平面における座標形式は通常は直交座標 (x, y) で表すがこれを極座標形式 (r, θ) としたとき，半径座標 r と角度座標 θ で平面上の位置を決定できる．この r を半径座標という．ひげぜんまいの今回の場合ではてん真までの距離となる．ひげ取り付け点はひげ玉上にあるから，その半径座標はもちろん一定である．

[127] 中心の方へとは，ひげぜんまいの半径方向の位置をできるだけてん真に近づける，という意味である．

[128] その詳細を説明しよう．巻き締めようとすると，ひげぜんまいの中点がその位置を動かさないように結果としてはなるのである．巻き締めると外側は小さくなるが内端側は外へ行った方が全体の変形量は少なくなり，変形の総量が小さくなるのである．

[129] 脚注と本文次節に示す通り，一般には内端曲線側の力が強いので，ひげぜんまいは外側へはあまり移動しない．その代わり内端点による偏心が発生したままとなる．

2.15.3 ひげ形状の変形の実際

図2.82は図2.79Bの状況を想定して描いた．内端はP点で固定端として固定されているから回転中心からの距離はまったく動かない．てんぷが回転してひげぜんまいが巻き締められたとしよう．すると，ひげぜんまい全体はこのひげ玉に取り付けた点へ近づくであろうか，それとも遠のくであろうか．

ひげぜんまいは内端と外端で支持される．巻き締められるとひげぜんまいのピッチが小さくなり，必ず**総巻幅** W（図2.82-2〜4参照）が小さくなる．このためには外端が中の方へ動くか，内端が外の方へ動くかその両方が起きるかであろう．その選択は内端外端の種類，力関係で決まる．外端が自由端の場合は半径方向の力がひげにはかからないから，ひげぜんまいは内端の力に引き寄せられて全体が中心へと動いていって総巻幅は小さくなる．ピッチが小さくなる．反対に外端が固定端としよう．たとえばQ点がそのままひげ持とする．するとひげぜんまいは全体がこの固定端に引き寄せられて外の方（ひげ持の位置の方）へ引き寄せられていく．内端を仮に自由端で構成した場合は内端が半径方向の力をひげにかけないのであるから，きっと軽々とひげぜんまいが外の方へ，半径座標を大きくするようにして動くであろう．

実際は内端も外端もこうした完全な自由端になることはできない．実際はひげぜんまいの一部で外端曲線，内端曲線を構成することを考える[130]と，どちらも完全な自由端となるわけではない．必ず外端曲線はひげぜんまいの半径座標を，巻き締め時にはひげの半径座標を大きくするように（ひげ全体が大きくなるように）力を及ぼすであろう．同様に内端曲線も巻き締め時には半径座標を反対に小さくするようにひげぜんまいを引っ張る[131]であろう．しかし，内端曲線の長さは外端曲線よりはるかに短いから，どちらの半径方向に引っ張る力が強いか，それは決定的に明らかであって，内端曲線の引っ張る力が圧倒的に強いのである．内端側がほとんど必ず勝ちである．内端曲線の長さは外端曲線の5分の1くらいではないだろうか．内端が引っ張る力が外端曲線の引く力の5倍はあるであろう．

図2.82-1 振り角0°のとき
自由外端―固定内端での静止状態．

図2.82-2 90°巻き締めたとき

図2.82-3 180°巻き締めたとき

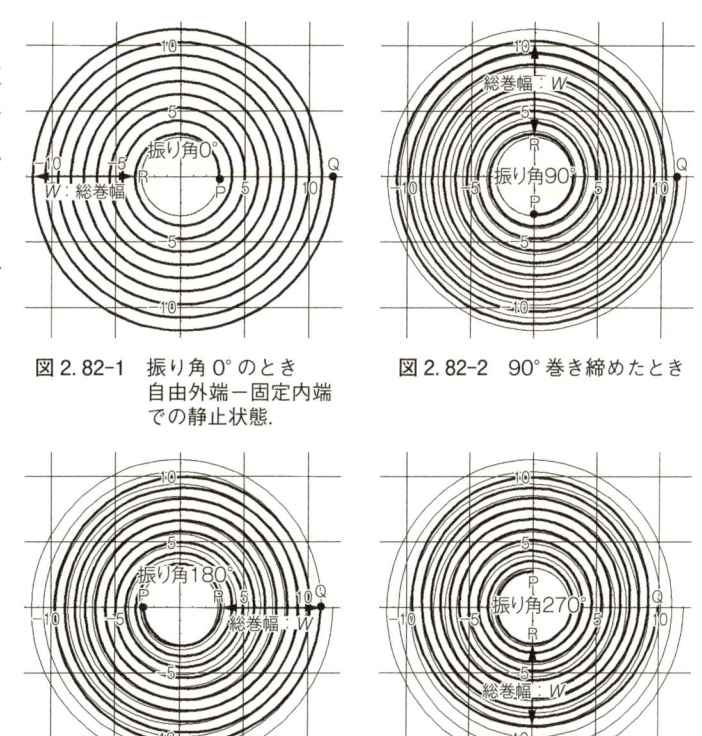

図2.82-4 270°巻き締めたとき

---

130) 最近，こうした外端曲線あるいは内端曲線の代わりとして，その断面形状の一部を修正し，ひげぜんまいの性能を改善するようなものが現れるようになった．ひげぜんまいをMEMS（Micro Electro Mechanical Systems）といわれる方法で作るもので，たんなる外端くせ付けの形状ではあるが，巻き上げひげと同様な効果を持たせるものが出てきた．したがって，たんにひげぜんまいの一部で作る方法とは違う性能を出せるものが現れてきた．

131) ここでは巻き締めるときのことしか説明していない．巻きほどいた場合には半径座標が大きくなるような内端曲線となる．

図 2.82[132] は結局そのような場合となる．図 2.82 の各図ではひげぜんまいの長さをすべて一定にしている．実際の場合と同じである．内端点 P は図 2.79B のような固定端であって，P の半径座標は変化させていない．そして P 点と 180°反対の方向，どの図にも R と記号を付けてあるが，この方向のひげぜんまいのピッチが小さくなっている．図 2.82 を仔細に見ていくとわかるのであるが，R 点方向が縮んで，てん真に近づいている．

どの図にも細い線でもう一つアルキメデス曲線を記入してある．これはまったく歪んでいない，振り角 0°のときのひげぜんまいの形状である．この細い線と太い線の形状とを比較すればよい．振り角が大きくなるとどんどん直径が小さくなる．この小さくなる様子はひげ巻数で大きく変わる．図 2.81 まで記載した状況ではこの直径の変化が大きすぎてあまりにも違和感があるので図 2.82 では実際の時計の巻数に近い 12 巻にした．その結果，実は内端付近の歪みの様子がわかりにくくなってしまった．どの図も R 方向がてん真に近づく歪み方をしている．図 2.82-4 は直径がかなり小さくなっただけでなく，その歪みももっとも大きくなっている．

2.15.4 まとめ

本節ではひげぜんまいの形状がどのように変化するか，その原理と実際の様子を紹介しようとしたが，実際の形状を作図した前例が学会誌などにも発表されたものがない．その作図方法をここに創作した点で珍しいものとなった．ひげぜんまいがてんぷの回転によって変形する様子は，時計師の方々は日常茶飯事として見ておられるが，それを理論的にはこうなると紹介した事例がなかったのである．外端と内端の固定方法，その組み合わせによって変形の仕方が当然変わる．**外端は自由端**（たとえば巻き上げひげを想定すればよいが），**内端は普通の固定方法**（図 2.79B のような固定端とした場合），このような時計は数多く存在するもっとも古典的なものであるが，その場合のひげぜんまい全体の歪みの様子を図 2.82 に一応まとめることができた．図 2.82 で説明したようにこの場合でもひげぜんまいは完全な同心円的な運動をしていない点を改めて指摘しておこう．さらに内端を自由端とすればより優れたものとなる．この場合には真に偏心運動をしない状態が実現できることになる．

§2.16 温度補正の歴史

機械式時計の歴史は脱進機の歴史でもある．精度を求めてさまざまな脱進機が開発されてきたが，18 世紀以降の時計の歴史の中では「温度係数」も重要な開発項目であった．ここでは，さまざまなタイプの温度補正の方法を見ながら，その開発の歴史を振り返り，どのようにして温度補正がなされ，精度の向上が図られてきたのかを解説する．

2.16.1 最近の話題から

2006 年も賑やかにバーゼルフェアが開催された．2005 年に続いて機械時計の基本的な部分である調速機，脱進機に関する新しい技術動向が多かったように思われる．

たとえば，
1. ひげぜんまいを**シリコンウェハー**，あるいはカーボンファイバーで作ったもの[133]．

---

[132] 図 2.82 にはここで議論している内端曲線，外端曲線は描いていない．アルキメデス曲線の部分のみを描いた．

§2.16 温度補正の歴史

2. がんぎ車，アンクルを DIP[134] 方式によるシリコンウェハーから作ったもの[135]．あるいは新しい電鋳方式による Ni，あるいは Ni-P 材料のもの．
3. てんわの素材を水晶ウェハーで作ったもの[136]．
4. 新しい脱進機を組み込んだもの[137]．
5. 12 振動ハイビートの発表[138]．

など，どれもなかなかの新しい技術的話題である．ここでは読者がその技術的な側面について学ぶ際，素養として知っておくべき基礎知識をご紹介する．

上記の話題，特に1，2，3に共通する，いずれ出てくる大きな問題は時計の温度係数[139]であると筆者は考える．時計の温度補正に関してはまだまとまった解説をしていない．まずその歴史を振り返ってみよう．そしてその進展を予測しよう．その理解の上でこれらの話題をみるとまた新しい視点が生まれるのではないだろうか．

2.16.2 温度係数の歴史

繰り返しになるが，機械式時計の歴史は脱進機の歴史といってよい．それほど脱進機が重要な部分なのであるが，温度係数も 18 世紀以降の時計の歴史の中では負けず劣らず開発の重要な項目であった．17 世紀までは金属が温度で伸び縮みすることはないと考えられていたのに対して，18 世紀初頭から金属にも熱膨張があるということがわかり，水銀温度計の発明がなされて以来，**ロバート・フック**が当時の時計師たちへ温度変化が時計の進み遅れに影響することを忠告し，それが急激にさまざまな研究を刺激し，時計にあっても温度変化に対する対策が取られるようになった．**図 2.83**[140] はトーマス・マッジ（**図 2.84**）が初めてレバー脱進機を発明してそれを搭載させた時計である．この

---

133) Breguet 社，Ref. 5197．このキャリバーはアンクル，がんぎ車をシリコン材で作り，ひげぜんまいもシリコンウェハーで作るというもの．脱進機形式は従来どおりのクラブツースレバー脱進機であるが，注油不要といっている．シリコン材でのひげぜんまいは外端や内端など一体成型（DIR 方式）で，ひげぜんまいとしての動作上の各種のメリットを訴求している．特許申請中とのこと．
134) Deep Ion Photoetching．半導体プロセスで一般的に使われているフォトリソグラフィー技術を利用した時計部品サイズでの加工方式．アスペクト比を大きくし，深さ方向の距離を大きくして，平面的には今までの機械加工ではほとんど不可能な複雑な形状のいわば打ち抜きを可能とした工程．
135) Ulysse Nardin 社，Ref. 1600-100．同社のアニバーサリー160 Limited Edition として発表されたもの．脱進機は Dual Ulysse escapement といい，数年前に Freak として発表された脱進機構成を素材もニッケル燐合金によるフォトリソグラフィー・エッチング方式で幅広く改善したものを搭載．またひげぜんまいもシリコンか，カーボンファイバーかを検討対象とし，今回はカーボンファイバーを搭載して発表した．したがって，素材から脱進機の改良から意欲的な進歩として評価される．
136) Gideon Livingstone 氏（独立時計師）の発表．新しい機械時計用の調速機．てんぷとしてはてんわ素材に水晶ウェハーを使用し，ひげぜんまい材料にカーボンファイバーを使用する形式，およびその方式を実現したクロノグラフ腕時計を発表した．この項，Horlogical Journal, April, 2006, p. 138 から引用．
137) Audemars Piguet 社，Tradition of Excellence collection Cabinet No. 5 Perpetual Calendar Dead beat second Power Reserve, Ref. 26066PT. 00. D028CR. 01．ツイン香箱，7 日巻きの腕時計．新しい脱進機にはほぼジョージ・タニエルズ氏の同軸脱進機の改良型と見られるものを搭載．ツールビヨン調速機．ひげぜんまいが 2 本あって，外端ひげ持位置を 180° 反対方向に位置させている．大変に凝った新しい各種の技術を盛り込んだもの（同社発表資料，「新たな脱進機の登場」による）．
138) セイコーインスツル社発表．自動巻ムーブメント D58 の開発として発表，展示．岩手県，雫石高級時計工房発としている．8 振動によるムーブメントとほぼ同様な持続 72 時間を持つ意欲的な発表．なお，セイコーホールディングスとしてはクレドールブランドにスプリングドライブ・ソヌリという時打ちを発表した．これも技術的にはかなり高度であり，また繊細な美しさを追究した製品といえるであろう．
139) 腕時計の温度特性の全体を温度係数と呼んで理解している人が多いので，まずここでは温度係数という用語を使った．正しくは温度特性というべきである．温度変化による歩度や振り角の変化は以後，温度特性という用語で統一した．温度係数は本文にもあるとおり，ある 2 点の温度点での歩度の差，品質特性として使用する．
140) "The Watch from its origins to the XIXth century", Catherine Cardinal 著，Wellfleet Press N. J. U. S. A., p. 95 から．

図 2.83　シャルロッテ女王の時計
トーマス・マッジ 1759 年製作．あおり量調整による温度補正つき，大きな弓の形状の部品の中央付近から伸びた金属部品がひげぜんまいに接触する．初めてレバー脱進機が搭載された時計として有名．

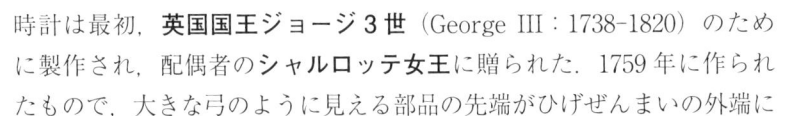

図 2.84　トーマス・マッジ (1715-1794)

図 2.85　シャルロッテ女王 (1744-1818)

時計は最初，**英国国王ジョージ 3 世**（George III：1738-1820）のために製作され，配偶者の**シャルロッテ女王**に贈られた．1759 年に作られたもので，大きな弓のように見える部品の先端がひげぜんまいの外端に接触し，その接触距離が温度によって変化することで温度補正をする．現代的にいえば緩急針におけるひげぜんまいのあおり量を温度で変化させる懐中時計であった．この時計には図でははっきり見えないが，ひげぜんまいが 2 本ある．脱進機はマッジの発明になるレバー脱進機，今のクラブツースレバー脱進機の原型が初めて使われた時計としても有名である．また，てんわのあみだは 3 本あり，また緩急針の調節にはねじ式マイクロメーターが使われているなど，現代の時計師にも興味を引くであろう装置がいろいろある．この時計に関する資料には国王との間に立ったブルール伯爵とマッジとの間の 1772 年から 1787 年までの書簡が残されている[141]．その最初のところには次のようなことが記されている．「……最近 1 日 1, 2 分遅れるようになったとのこと，マッジがシャルロッテ女王（Charlotte of Mecklenburg-Strelitz：1744-1818，**図 2.85**）[142]に申し出て時計を返してもらい，開けてすぐわかったことは温度補正をする部品，ピンが理由はわからないがその一方の端まで動かされていた．それをきちんと動作するように直したら日差偏差 2 秒以内という最初の状態になった．しかし歩度そのものは 1 日 16 秒も遅れるようになっている．振り角が落ちている．それを直すには数日あればいい．女王は少し遅れても悪くはとらないはずと決めて分解掃除をした．中間に入った貴兄には

---

[141] "It's about Time", P. M. Chamberlain 著，Richard Smith, pp. 20-37 に詳しくこの時計に関するやりとりが掲載されている．日差偏差が 2 秒以下とは 250 年前の時計の性能としては驚異的な値である．

[142] 前掲書 "It's about Time", p. 28 に Gainsborough によるポートレイトからとある．

望遠鏡を届けるよ……」などといった内容である．ここで説明されていることから，この時計が 250 年も昔のものであるにもかかわらず，温度補正がよく行われ，日差偏差が現代の時計に比べても劣らない大変小さな値になっていることや，油の調子で歩度が遅れるようになったなど，現代の腕時計の調整と同様な経過が記されている．250 年前にこのようなやりとりがあったとはまことに驚きである[143]．

温度補正をした時計の歴史として紹介すべきものとして次に挙げるものは，現在ドイツ屈指のブランドとして復活している A. Lange & Söhne 社のクロノメーターである．**図 2.86**[144] は同社製 1809 年の経線儀に搭載されている温度補正のリムを設けたてんぷである．先端に重りねじがついたＳ字形のリムはバイメタル金属でできていて，温度が上がればＳ字リムが縮んで重りねじがてん真に近づき，てんわの慣性モーメントを小さくして，時計の歩度を進ませるというものである．てんぷは全体ではかなり重そうである．ひげぜんまいはシリンダーひげとなっている．

ふたたび温度補正をひげぜんまいのあおり量で調節する懐中時計に戻ろう．**図 2.87**[145] は同年代のロンドンの時計師**トーマス・アーンショウ**の 1801 年と彫刻のある懐中時計で，この時計では温度が上がれば図 2.87 に大きく見える「角砂糖ばさみ」の先端のすきまが小さくなり，あおり量が少なくなって時計は進むようになる．角砂糖ばさみの本体は外側が黄銅，中側が鉄のバイメタルとなっているに違いない．ひげぜんまいの巻数は 5〜6 巻ほどと，ずいぶん少ないように思われる．角砂糖ばさみ全体の位置を調節するために地板円周に目盛が刻んである．

あおり量調節による温度補正の 3 番目として**アブラハム＝ルイ・ブレゲ**（Abraham-Louis Breguet：1747-1823）によるものを挙げよう（**図 2.88**[146]）．緩急針から約 90°の角度をもつ 2 つの金属板 F（図

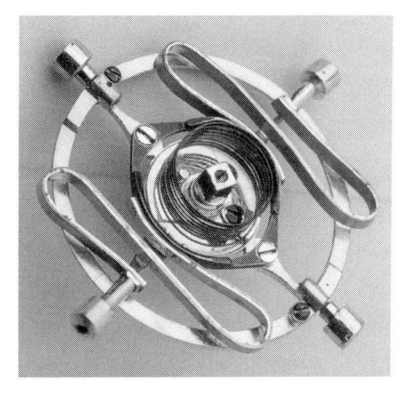

図 2.86 懐中クロノメーター No. 5 のてんぷ
A. Lange & Söhne 社，1809 年．

図 2.87 「角砂糖ばさみ」をもつ懐中クロノメーター（再掲 図 2.23）
"Thomas Earnshaw"(London) 1801 年の銘がある．

---

143) 前掲の文献の冒頭の章は脱進機という表題であり，その最初に取り上げられている時計がこの図 2.83 の時計なのである．同書の著者 Chamberlain がもっとも紹介したかった歴史的なこの時計に関する調査経過やマッジの修理メモなど，現代の機械時計の研究者にとっては絶対に見逃せない．同氏が機械時計の歴史の中でもっとも紹介したい記事と思われる．

144) "A. Lange & Söhne", Reinhard Meis 著，Callwey Verlag München, p.29 より懐中クロノメーター No. 5（1809 年 Johann Heinrich Seyffert, Dresden 作）．あみだの根元のねじは緩急用のちらねじ．

145) "Pocket Watches", Reinhard Meis 著，Schiffer Publishing PE U.S.A., 1980, p.206 より．製作は 1801 年頃．Thomas Earnshaw のサインがある．ひげぜんまいを温度補正用の緩急針ではさんでいる．温度が上がればはさむ間隔が狭くなり，あおり量を少なくする構造．Breguet にも同様な温度補正方法を採用した時計がある．

146) 前掲 "It's about Time" p.237 Some Variations in Escapement Chap. 12. この本ではブレゲのシリンダー脱進機として紹介されている．図ではてん真の下端はルビーの切り欠き円筒で支持される．このすきまでがんぎと噛み合う．振り角は 180°以下の小さな値とならざるをえないが，振り止めがてんわについている点にも注意．またこの時計の下ほぞの軸受，穴とほぞ下端との同時受の複雑なルビーの石は，1800 年頃にこの加工ができたのはブレゲのみで，加工方法をブレゲは大変秘密にしていた．また，軸受に貴石を使用したのはブレゲが最初と考えられている（同 p.362）．

図 2.88-1 アブラハム＝ルイ・ブレゲ（1747-1823）の温度補正てんぷ外観

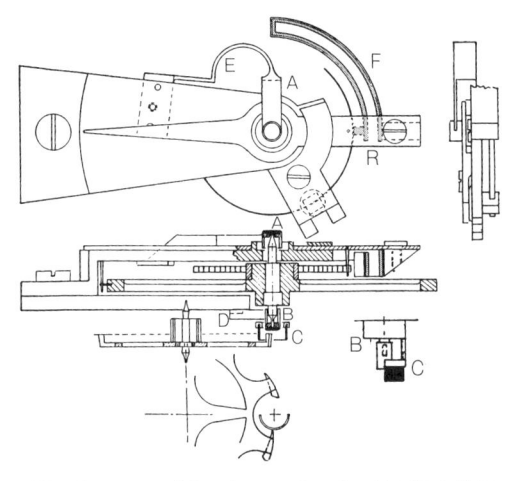

図 2.88-2 アブラハム＝ルイ・ブレゲの温度補正方式
ひげ棒におけるあおり量を温度で調節する，シリンダー脱進機．

2.88-2 参照）が取り付けられており，その先端にひげ棒 R がある．この 2 つの金属板がバイメタル（外側が黄銅，中側が鋼）となっていて，温度が上がるとひげ棒がてん真の方へ寄り，あおり量が小さくなって歩度が進む仕組みである．

なお，ついでに経線儀の開発で知られているジョン・ハリソンは温度補正に関してはどのようにしていたのであろうか．イギリスとパリで場所は違うが，同時代である．**図 2.89** はハリソンの H4 であるが，その方式を示す[147]．緩急針からひげ持までの固定区間のひげの長さを温度によって調節する方式である．図 2.89 では緩急針の竿は右側が黄銅，左側が鋼で張り合わされたバイメタルでできており，温度が上がれば緩急針は左の方へ曲がり，ひげぜんまいが短くなり，歩度が進む．温度が下がれば緩急針は右の方へ曲がるからひげの有効長が長くなり，歩度は遅れるように調節される．

緩急針のひげに接触する部分は現在と同様な 2 本のひげ棒であって，その間隔は固定であった．この 2 本のひげ棒の距離はちょうどひげぜんまいをはさんでしまう，少ないすきまの状態であるだろうと筆者には思われる．したがって，あおりの様子はあおり量を調節する形式ではなく，片あおりなどの細かな様子は変化しているであろう．

また，ひげの固定区間のちょうど中間点には**サイクロイドピン**と名づけられたピンがあって，このピンによってひげの固定区間の位置を精密に調節できるようにしてある．図 2.89 の下辺にある押さえばねという部品，その先端が接触しているサイクロイドピン調節レバーという部品はねじによって精密に位置を調節できるようになっている．このような複雑な構造を温度補正のためにハリソンは準備したのである．

なお，ハリソンの時代のひげぜんまいの長さはこれらの図をいくつか見てわかるようにいずれも短い．図 2.89 ではなんと 3 巻半である．これは温度補正を強く利かせるためにもこうしたのではないかと思われるが，ひげぜんまいの両端を固定することによる振動周期のずれ（現代の日本ではこれを平等時性と称している）への配慮はまったくなかったようである．

ここまでに登場した，ひげのあおりで温度補正をする方式は，温度補正の強さを調節する機能を持っていない．これに対して次項に説明する切りてんぷ方式は温度補正の強さを調節する機能を積極

---

[147] 経線儀，歴史とその発展 "The Marine Chronometer", Rupert T. Gould 著，The Antique Collectors' Club Ltd. London, 1989, p. 72 から．

的に持たせ，しかも比較的簡単な構造とした点で，一歩
前進した方式である．なお，この切りてんぷ方式の次に
出てきた，現代の主流であるひげぜんまい自身が**温度補
正機能**を持っている**恒弾性材料方式**は，温度補正の強さ
を調節することはできない．もっともそのような調節を
行う機構を開発してそれを搭載する試みが今まで行われ
なかった．この点で，切りてんぷの方式が現在ではもっ
とも機能的には優れている方式なのではないかと思われ
る．1960年代まで天文台で行われた時計のコンクール
では，ほとんどのものでこの方式が使われた．

2.16.3 現代の温度補正

現代の時計の温度補正の方法は，

1. **バイメタル**切りてんぷ方式
2. **恒弾性材料方式**

の2つである．2の方式はひげぜんまい材料を恒弾性材料[148)]とすることで，てんわの温度上昇による膨張，つまり歩度の遅れをキャンセルする方式である．この方法については追って詳しく解説をするので，今回は1の方式について述べよう．

バイメタル切りてんぷ方式（以下，切りてんぷと略称）はてんわ自体をバイメタルで作り，温度の変化にしたがっててんわの慣性モーメントを変化させるものである．温度が上がればリムがてん真に近づき，てんわの慣性モーメントを小さくして時計を進ませるようにする．てんわにちらねじを取り付け，ちらねじの位置を調節することで温度補正の強さを調節する．**リムの切り口**に近い部分（**図2.90**でKまたはK′の部分）に近いほど温

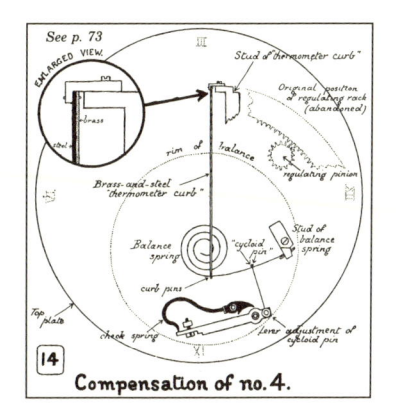

図2.89 ジョン・ハリソンがH4に採用した温度補正方式
ひげ固定区間を温度によって調節する．

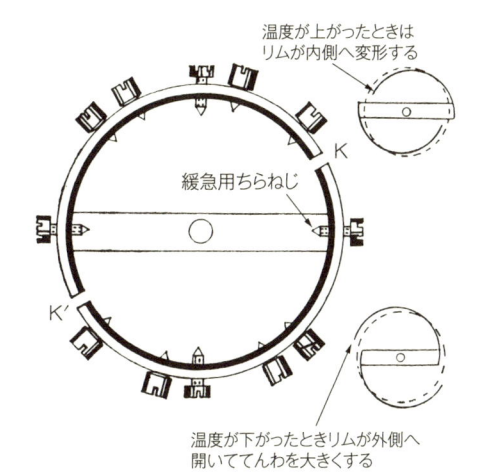

図2.90 バイメタル切りてんぷ方式
温度が変化するとてんわのリムが変形する．

度による位置の変化が大きいから，ちらねじをその方に近づければ温度補正の強さが強くなり，温度が上がったとき，てんわの慣性モーメントがより小さくなる．つまり，より進みになる効果をもたらす．てんわのリム上にはちらねじ位置を調節できるように，載っているちらねじの数よりも多くのちらねじ用のねじ穴が刻んであるのが普通である（**図2.91**）．温度補正の強さをもう少し正確に調節するときはちらねじの大きさを2, 3種類準備しておき，大きなちらねじを切りてんぷ先端Kに近づければそれだけ補正が強くなる．図2.91にその様子を説明した．説明図ではてんわリムを直線的に表してあるが，実際は図2.90のように円形に配置されている．5→4へのちらねじは小さいから8→7よりも効果は小さくなる．一点鎖線はそこにねじ穴が切ってあることを示す．これらの温度補正のた

---

148) 恒弾性材料とは温度変化があっても弾性率，ヤング率が変化しないという意味であり，そのような性質の金属を指す．磁性材料にあって，ある温度領域に関してはそのような性質が望め，その温度領域を時計の実用温度領域，つまり常温で発揮する材料が20世紀初頭に開発された．

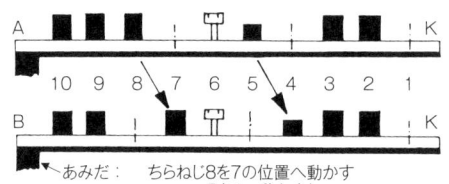

図 2.91 ちらねじの動かし方

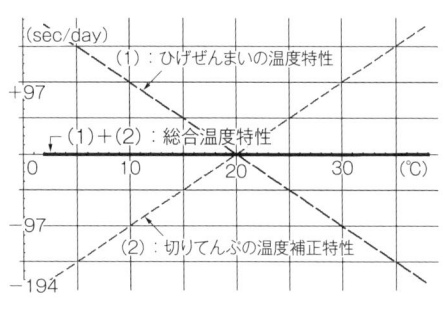

あみだ：ちらねじ8を7の位置へ動かす
5を4へ動かすと
それだけ補正が強くなる
温度補正の調節の仕方：A→B補正が強くなる

図 2.92A 切りてんぷの温度補正の性質
直線的である．

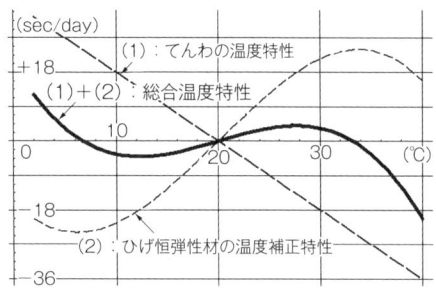

図 2.92B 恒弾性ひげ材料による温度補正の
様子（総合温度特性）

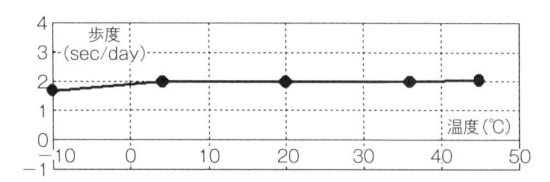

図 2.93 バイメタル切りてんぷによる温度補正の例

めのちらねじの移動による姿勢差の修正にはちら座を用いるのが普通である．

さて，この切りてんぷの方法は現代の多くの時計ではあまり使われなくなった．しかし，超高級品では相変わらず使用されているようである．現代の一般の時計の多くは**恒弾性材料**のひげぜんまいを用いる2の方法を採用している．その理由は取り扱いが簡便でまた安価であること，さらに恒弾性材料は錆びない，磁気に対しては鉄ひげよりはるかに反応が弱い，などいろいろメリットがあるからで，ほとんどの機械腕時計に使われるようになった．しかしながらこの**恒弾性材料方式**は温度補正に関しては最良の方法とはいえない．精密な温度補正はむしろこの一昔前の切りてんぷの方がはるかに精密な補正をしてくれるのである．また温度補正を時計の組み立てベンチで調節できる．そのために，現代の方法とした．また，この方式の結果が優れているもう一つの理由は，黄銅も鋼もその弾性係数はどちらも温度特性としては直線性があるからである（**図 2.92A** 参照）．鉄ひげ，バイメタル切りてんぷ，どちらも時計が使われる温度領域では金属組織は変態を起こさない．したがって，膨張も硬さの変化も一定なのである．これが素晴らしいことなのである．しかし，鉄のひげぜんまいは錆びる．また，磁気に大変弱い．鉄はもっとも磁気に感じやすい材料である．また切りてんぷは取り扱いに相当な注意が必要である．作り方も難しく，やりようによっては経時変化も大きい，製造原価も高いなど，2の恒弾性材料方式と比べてこれまた欠点の方が多いといわなければならない．

図 2.92A，B に切りてんぷ方式と恒弾性材料による方式との比較を示した．図 2.92A は切りてんぷ方式のものである．ひげぜんまいのばね定数の温度による勾配，つまり温度特性は切りてんぷの温度による慣性モーメントの変化の勾配，つまり切りてんぷの温度補正の特性によりぴったりキャンセルされる．切りてんぷの温度補正特性が直線であるのが特徴である．この温度補正勾配を修理ベンチ上で調節できるのである．このことは天文台コンクールのような超精密なクロノメーターの競争の場面では決定的になる．したがって，もし今も天文台コンクールが継続されていれば相変わらず切りてんぷが上位を独占することであろう．**図 2.92B** は，2の恒弾性材料方式の場合であって，ひげぜ

んまいの温度補正特性はほぼ製造段階で決まる特性であり，図に示すようにその特性は曲線的である．この理由はこの図のような温度領域内でひげぜんまい材料の内部の金属組織が温度によって変化していき，変態を徐々に起こす．つまり金属組織学的な変態を利用して補正特性を作り出しているからである．この結果，総合温度特性は図 2.92B に示すように曲線で表されるようになる．時計の組立調整時点ではこのあたりの様子は調節することはほとんどできないといってよいのである．

　参考までに切りてんぷの時計でコンクールに出品するような時計の温度補正の例を図 2.93[149] に示す．前述したように直線性が良いので，全体の温度補正が良ければ中間温度でも精度良く調整できて図 2.93 の場合はなんと歩度は 0～0.5 sec/day 内にすべて入ってしまう．温度係数の値で 0.001 sec/day/deg[150] のレベルまで，コンクールでは競争する結果になっていたのである．

§2.17　温度補正と金属材料

　温度係数の歴史に続き，ここでは「温度補正」をテーマに取り上げたい．温度補正は近年の歴史の上でどのように扱われ，文献にはどのように記されてきたのだろうか．青木保著『時計学』を参考に切りてんぷの製造方法を学ぶとともに，スイス，フランス，日本での研究の歴史を紹介する．温度補正の改善は時計の精度追求において，きわめて重要な問題だということが理解できるはずだ．

2.17.1　補正てんぷ──時計学の古典から

　引き続き温度補正について解説をしよう．これまでに述べたように，温度補正の問題は近代的な時計の改善の歴史の中できわめて重要なものの一つである．したがって，これらが歴史的にはどのように扱われてきたかを解説しておくことがこの問題を理解する上では重要になってくる．

　図 2.94 は青木保著『時計学』．図 2.95 はこの本にある補正てんぷの図である．さらにこの部分で解説してある文章を，少し長いかもしれないが紹介しておきたい[151]．

　§　645　補正天府
　　（1）　構造と機能
　　　温度が變ると，天府輪の直径が變り，従つて，廻轉半径 R が變化する．而して温度が高まれば，R が増すから振動週期が大きくなり，(642・2式，642・3式)[152]，時計は遅れる．反対に温度が

---

[149] 1967年頃セイコーがニューシャテル天文台へ提出したコンクール時計．温度係数の値で 0.001 [sec/day/deg] の桁までいった例である．このような値は恒弾性材料では二次温度誤差まで含めると現在ほとんど製作不可能である．

[150] 図 2.93 の場合，全温度領域で温度差が 0.3 秒に入っていれば温度計数値は 0.3/32=0.01 sec/day/deg であるが，コンクールでは実測日差を 0.01 sec/day まで測定しており，データ上では 4℃ と 36℃ の日差の差が 0.01 sec/day などというものも結構出ている．もし 0.01 sec/day であれば，温度係数値は 0.01/32=0.00032 sec/day/deg という値になってしまう．天文台の成績表示規定によってこれは 0.000 sec/day/deg と表示される．日本からの出品にもこのようなデータは出ていた．

[151] 青木保著『時計学』，p.228 から．

[152] 参照されている式は以下のとおり．

$$T = \pi \sqrt{\frac{12mR^2L}{Ebt^3}} \tag{642.2}$$

$$T \propto \sqrt{\frac{R^2}{Et^3}} \tag{642.3}$$

ただし，T：周期，m：てんぷの質量，R：てんわの回転半径，L：ひげぜんまいの長さ，E：ひげぜんまいのヤング率，b：ひげぜんまいの幅，t：ひげぜんまいの厚み．

低くなれば週期が短くなつて，時計は進むことになる．勿論それには，Rばかりでなしに，ばねの彈性率E及厚みt，長さL，幅bの變化も影響するのであるが，それ等を一緒にして，溫度が1℃高まると，1日に11秒遲れるのである．

溫度が高まると，彈性率Eは減り，ばねは弱るから，時計は遲れることになる．そこでそれに對抗して週期を一定に保つには，天府は溫度が高まるにつれて，小さくならねばならない．補正天府（compensation balance）は，そのために考へられたものである．

圖645・1［図2.95］は，懷中時計に用ふる補正天府の構造を示す．之は二種金屬を重ね合せて作つたリム卽ち輪，と腕とから出來てゐる．而して普通，リムの內層は鋼で，外層は眞鍮，又腕は鋼である．リムの周には等間隔に，多くのねぢ孔を穿ち，頭の大きいねぢが嵌めてある．此ねぢのことをちらねぢと稱へ，重さを加減し，重心の位置を規正するための役をする．圖に示す通り，輪は腕の近くで切斷されてゐる．依つて之を切り天府といふ．

図2.94 『時計学』
青木保著，1937年発行．

眞鍮の膨脹係數は，鋼よりも大きいから，溫度が高まると，切斷した輪の端が內方に曲がり，逆に溫度が下れば外方に出る．

輪のねぢ孔は，普通30あつて，16〜18個のちらねぢが使つてある．ちらねぢの位置は，天府を各異の溫度で試驗した結果で變へるのである．ちらねぢは金，又は眞鍮である．ひげにパラヂウムを使つた場合には，ちらねぢを切斷部に集め，それでも尙重さが足りないことがある．その時には，白金ねぢを使つて重さを增さねばならないことがある．その他の條件では，白金ねぢは唯裝飾だけに用ひられるのである．

時計を冷凍器の中に入れて遲れ，熱して進むならば，過量補正（over compensation）であるから，それを直すには，ちらねぢを切口から遠ざけ，輪の固定端卽ち付根の方に移せば良い．逆に，熱して遲れるならば，ちらねぢを切口の方に動かすべきである．重みが付根に集れば，輪の膨脹によつて小さい重量が動かされることになるから，廻轉半徑の變化が少なくなるのである．

斯樣にして，ひげの彈性變化及天府の寸法變化による，僅かな變化をも，出來るだけ修正する樣に，廻轉半徑の自動的變化を行ふのである．

（2）二種金屬天府の製法

二種金屬天府に使つてある眞鍮と鋼の厚みの割合をどうして置けば佳いかについては，從來多くの硏究がある．眞鍮と鋼だけでなしに，色々の金屬を組合せた場合，希望條件を滿足するための硏究*が既に行はれてゐる．此等の努力の結果吾々の場合眞鍮と鋼との厚みの比は3：2又は2：1で良いことになつてゐる．大切な點は，材料が曲ることに對して，等しい抵抗を與へ，曲率の變化が均等になることである．若しさうでないと，兩金屬が，その接合面で異つた長さになつて，最大感度が得られなくなるのである．

二種金屬は，半太又は鑞附けにすることもあるが，今廣く行はれてゐる方法は，次の如くであ

＊（原注）（1） Y. von Villarceau, Recherches sur le mouvment et la compensation des chronomètres.（1862）
　　　　（2） Prof. Gg. Keinath, Beimetalle, ATM Lieferung 58 April 1936.

先づスタンピングの方法で，小さい鋼の圓板を作る（圖645・2 (1)[図2.96]）．其序に，中心に孔を穿かして置くと佳い．此鋼板を鏃造して圓溝を作る(2)．次に此圓溝にボラックスを入れ，その上に，眞鍮輪を嵌め(3)，爐に入れて熱すると，圖(4)の如く眞鍮と鋼とが完全に熔着したものが得られる．之から鏃造によつて，(4)に示すものから(5)の如きものを削り出し，それから更に加工して仕上げるのである．

以上，長い引用をしたが，切りてんぷの製造方法についてしっかりと記述した文献はあまりないと思うので，全体を紹介した．機能と構造に関しては先に主な部分の解説をしたが，実は作り方に関しては現在においても結構新しいように思われる．また切りてんぷ自体が現在使われていないように思われる向きもあるかもしれないが，一部の高級腕時計には依然として切りてんぷは健在であり，その製造方法にはここに記述されている方法で作れば大変優れたものができると思われるからである．

なんと，100年近く昔の製造方法が現在に至るまで通用するようである．また，ここでは原文で使われている旧漢字やかなづかいも可能な限り原本のとおりにしておいた．この方が古さが味わえて面白い．

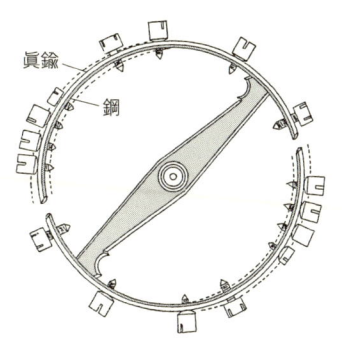

図 2.95　補正てんぷ
『時計学』p. 228 から.

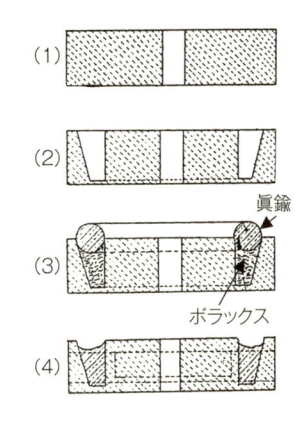

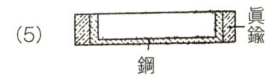

図 2.96　バイメタルてんぷの作り方
同書 p. 230 から.

2.17.2　温度補正——研究の歴史

温度特性の改良はここまでに述べたものだけでなく，実はこの200年くらいの歴史の間に5段階くらい前進した．ともかく精密な補正をしなければ，時計としての要求精度に応えられない．1日に数秒の狂いがあればクロノメーターとしての精度は問題になる．仮に時代をジョン・ハリソンの時代に戻しても1日に数秒の狂いがあれば経度をそれで測定するとなれば問題になる．したがって，温度補正の問題は，場合によっては目にはまったく見えない時計の改良ではあるが，1800年代から1900年代前半までに実はいろいろな進展があったのである．昭和年代からこうした解説が日本時計学会誌も含めてあまり行われてきていないので，ここで解説をしておこう．

時計の温度補正の改善の歴史は上に述べたような長い時代間隔では次のようになる．

1. 1759年　H4[153] に採用された**ハリソン**によるバイメタル金属による緩急針位置の修正

ハリソンは緩急針をバイメタルで構成し，温度上昇によってひげぜんまいが短くなるように工夫をした．ハリソンに限らずこうした工夫の実際の姿はこれまでにいろいろ紹介した．ブレゲも同様な工夫をした．ブレゲの場合はあおり量を温度で調節する，つまり温度が上昇したときにはあおり量を減らす工夫をした．これらもこの領域の工夫として分類できる．機械的な温度補正の第一段階である．

---

153)　時計産業史の会で遠山正俊氏はH1に採用されたと書いておられるが，1759年という年からもH4が正しいと思われる．

前節では主としてこの段階の紹介をいろいろとしたことになる．

2. 1764 年　**ピエール・ル・ロワ**（Pierre Le Roy：1717-1785）の水銀補正てんぷ

ル・ロワは水銀とアルコールを満たしたガラスチューブをてんぷに取り付け，温度上昇で水銀がてんぷの中心方向に移動しててんぷの慣性能率を小さくするようにした．水銀補正てんぷの発明である．

3. 1775 年　**フェルディナント・ベルトゥー**（Ferdinand Berthoud：1727-1807），ウールリッヒ・デント（Urlich Dent）による切りてんぷの二次温度誤差[154]の発見

ベルトゥーはバイメタル切りてんぷを搭載したマリンクロノメーターで，0℃と30℃で歩度を合わせても15℃で歩度が合わず，約 2 sec/day 進んでしまうことを発見した．

4. 1889 年　**シャルル・エドアール・ギョーム**（Charles Edouard Guillaume：1861-1938）（フランス）二次温度誤差の解決，Invar の発見

Invar（インバー）とは鉄 Fe とニッケル Ni の合金で，この組成比率によって線膨張係数が変化することを発見（**図 2.97**），弾性係数の温度係数が正にもなることを発見した．温度によって試料の長さが変わらない，つまり線膨張係数がゼロになる組成比率を発見し，Invar と名づけた．長さが変化しない比率は，27Ni-73Fe，44Ni-56Fe であった．

5. 1913 年　シャルル・エドアール・ギョーム Elinvar の発見

ギョームは (4) の鉄ニッケル合金にクロームを添加して，36Ni-12Cr-52Fe の組成で**弾性率の温度係数**がゼロになることを発見（図 2.97 の C 点）してこれを **Elinvar**（エリンバー）と命名，後年，ギョームはこれにさらにタングステン W（<4%），炭素 C（<1%）を加えて硬くし，マンガン Mn（1～2%）を加えて加工性を向上させた．

6. 1913 年　**ポール・デテシェイム**（Paul Ditisheim：1868-1945）（スイス）微少補正てんぷの発明

同年，ギョームによって発見された恒弾性材料 Elinvar をひげぜんまいに用いて**図 2.98** のようなバイメタル小片をてんぷの一部に取り付けて温度係数を微少調整できるてんぷを発明した．

7. 1925 年　**増本量**（日本）Co の新変態点の発見

　　1931 年　増本量（日本）SuperInvar の発見

日本の金属研究者，増本量博士は 1925 年にこうしたヨーロッパの研究に対抗してそれまで性質のはっきりしていなかったコバルトに着目し，試料の純度を極力上げ，測定法を改良したりして新しい格子変態を発見した．この知見をもとに，Fe-Ni-Co 系の合金の線膨張係数をしらみつぶしに調べ，1931 年 63.5Fe-31.5Ni-5Cr 合金で Invar（$\alpha = 1.2 \times 10^{-6}$）より線膨張係数の小さいこと（$\alpha = 0.1 \times 10^{-6}$）を発見，**SuperInvar** と命名した．

これらの合金の特性，線膨張係数がゼロになる現象の原因については多くの学者が研究をしたが，

---

[154] 中間温度誤差（middle-temperature error）ともいう．前出の青木保著『時計学』ではこの用語で解説をしている．中間温度誤差とは本文にもあるとおり，2 点の温度で歩度が同じでもその中間の温度で歩度がずれてしまうことをいう．この原因は黄銅や鋼の膨張が一定ではなく，温度によって膨張率そのものが変化することが原因であるが，本文の例にもあるように日差で 2 秒程度，すなわち 2/86400 ≒ 1/40000 程度の膨張率の変化である．これでも時計にとっては見逃しがたい状態にある．それが恒弾性材では時計が通常使われる常温領域，5～40℃の間で弾性係数そのものを変える金属学的な技術であるから，制御してこの値を小さくすることも可能ではあるが，ひげぜんまいのロットごと，あるいは時計の品種ごとにそのような大きさ以上に変化することもしばしばである．つまり中間温度誤差は恒弾性材の方が大きくなる可能性が高い．これに対して黄銅と鋼で構成する切りてんぷは二次温度誤差が上に述べたようなレベルであるのではるかに小さい方が多い，という印象を受けている．恒弾性材という現代的な材料は錆びず，切れない．耐磁性でも切りてんぷの方式よりはるかに良い状態にはなったのだが，この点ではやや劣った技術領域へ立ち戻った感がある．ハリソンが温度補正を行って以来，180 年ほど経過するが，事態はそれほど改善されているといえるであろうか．

なかなか説明がつかなかった．1931年に増本博士は，**強磁性体**には普通の金属と同じ膨張と，磁性としての**磁気歪み**とがあって，その2つの合計が金属全体の熱膨張として観測されることに着目．したがって，磁気歪みが温度変化によって変化する温度領域（これをキュリー点付近という）では温度上昇によって磁気歪みが減少し，その収縮と通常の金属の膨張とが打ち消し合って膨張係数がゼロになる，という理論を打ち立てた．この理論を拡張していくとElinvar現象，すなわち弾性係数の温度変化に関しても，弾性係数は応力と歪みとの比率であるから弾性係数はかえって増大する[155]．したがって，弾性率を不変にすることも可能であるということになる．これを恒弾性と名づけ，増本の法則と称するようになった．

8. 1937年　**ピエール・シェブナン**（Pierre Chevenard：1888-1960）（フランス）**Metelinvar**の発見

シェブナンはElinvarのばね特性を改良する目的でモリブデンMo（1.5%）を添加してMetelinvarを開発．この合金はばね特性が良好で，二次温度誤差が小さく，磁気の影響も少ない合金であった．

9. 1937年　**シュトラウマン**（R.Straumann）（スイス）**Nivarox**の発見

スイスのシュトラウマンはElinvarのクロームCrの代わりにモリブデンとベリリュームを用いたNivarox（36Ni-6Mo-1Be-56Fe）を開発．Nivaroxは常温での弾性係数の温度係数がゼロに近く，バネ特性が良好，磁気による影響も少なく，錆びにくい合金で恒弾性材料として現在もNivarox社から供給されて広く使われている．

10. 1944年　増本量（日本）**Co-elinvar**の発見

上記7に述べたいきさつから増本博士はCo合金にもエリンバー現象，すなわち弾性率の温度係数がゼロになる現象があるはずと予測し，Fe-Co-Cr合金に関して多数の試料を作って調べた結果，1944年についに恒弾性特性を示す合金を発見し，Co-elinvarと命名した．この発見における組成比，Coが多量に含まれるものは加工しにくく，これにニッケルNiを添加（16.7%，28.6%）したところ，加工性が良くなり，さらに恒弾性を示す領域も広がった．これが現在日本で製造されているひげぜんまい材料である．

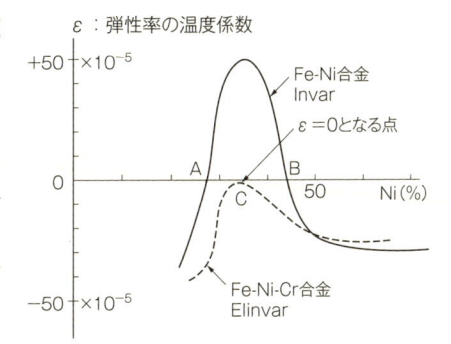

図2.97　ギョームのInvarの発見を示す図　横軸，Niの含有率を変えるとヤング率の温度係数が変化することを発見．

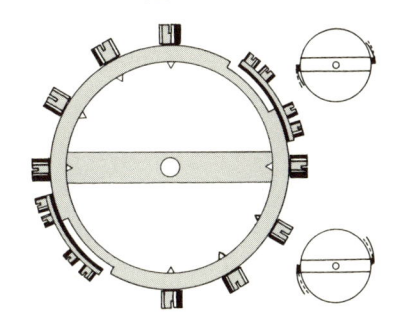

図2.98　微小バイメタル片により調節する方式

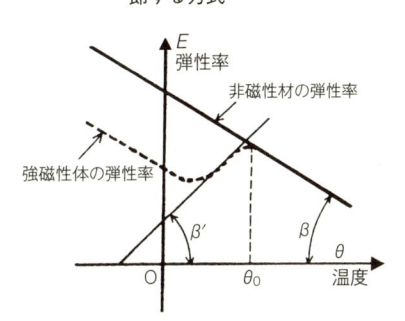

図2.99　恒弾性材の性質を説明する図　キュリー点温度 θ_0 付近では強磁性体の弾性係数は磁性を失う温度範囲で増加する（$\beta'>0$）．一般には非磁性体では $\beta<0$ で，温度が上がれば柔らかくなる．

---

[155] これを ΔE 効果という．

2.17.3 まとめ

以上長々とひげぜんまいの研究について解説をしてみたが，読んでいてあくびが出たかもしれない．要は金属をいろいろ研究して機械時計用のひげぜんまいに適した金属を作り上げたということであるが，ポイントは磁性材料の性質を利用してその弾性係数の温度係数がゼロになる状態を作り出したということにある．これらの歴史はいずれも1900年代の前半であり，以降大きな進展がなされていない．一方，磁性材料そのものの研究は近年になっていろいろ進展している．それにもかかわらず，その応用が機械式時計のためにはほとんどなされていないというべきであろう．また，先にも述べたが，この恒弾性材料による方法は磁気歪みの変化する領域，キューリー点付近の温度領域を時計に使用される温度領域，すなわち常温になるようにして利用している．しかし，この温度領域は時計の使われる温度領域に比べてまだ狭いので，補正の結果は切りてんぷと鉄のひげぜんまいによる方法に比べて，**温度補正の精密**さではまだ不足しているのである．したがって，この磁性材料による恒弾性材料の方法は未完というべき状態にあり，さらにこの方面の研究が行われてしかるべき状態にある．

一方，機械時計の新しい動向としては2006年度のバーゼルフェアにも見られるように，ひげぜんまいの金属材料の改良とは無縁な領域，水晶材料のSiO$_2$や，カーボンなどの材料をフォトレジスト材料と深い化学研磨，エッチング方式（Reactive Deep Ion Etchingという）で切り出す方式による加工方法が取りざたされるようになった．金属関係の研究はどこにいったのであろうか？ 脚注154）でも述べたように，現在の機械時計技術の領域の中で金属関係が遅れている，他の技術に比べてアンバランスになっていると筆者は感じている．

§2.18 日欧のひげぜんまい理論の比較

一口に"ひげぜんまいの調整"といっても，日本とヨーロッパとではそのやり方が大きく異なっている．また，等時性理論の普及では，戦後，時計の研究で独自の歴史を刻んだ日本が数段先を進んでいることがわかる．では，この差はいったいどこから生まれたのだろうか．ヨーロッパと日本の時計教科書も比較しながら，等時性に対する取り組みと認識の違いを浮き彫りにしたい．

2.18.1 ひげぜんまいについて

ひげぜんまいはアルキメデス曲線という渦巻きの形をしている．腕時計にはこの形がもっとも使いやすい形なのだが，てんぷを静止位置へ戻す復元力を正確に出すこと，このためには不都合なことが多い．内端はひげ玉という部品に溶接されて（**図2.100**）てん真に固定され，途中は渦巻きがだんだん大きくなり，外側はひげ持に支えられる（**図2.101**）．この構造は誰もが知っているが，この働きに関する研究の歴史が日本とヨーロッパではその事情が大きく違う．歴史をひも解いてみるとおもしろいことがわかるのである．どうも日本はひげぜんまいに関しては独特の歴史を持っており，そのためにこの約50年，ヨーロッパとは違った歩みをしてきたといわなければならない．その事情を紹介しようと思う．ひげぜんまいだけでなく，脱進機に関してもかなり違う，そこにも触れよう．

2.18.2 ひげぜんまいの理論の歴史

ひげぜんまいの理論として欧米でよく知られている文献に"Mémoire sur le spiral réglant des chronomètres et des montres"（by Édouard Phillips, 1861；腕時計とクロノメーターの調速用ひげ

§2.18 日欧のひげぜんまい理論の比較

ぜんまいに関するメモ)[156]がある．この文献はひげぜんまいの端末曲線の条件，これをフィリップスの条件というが，これを明確にした．この条件を満足する端末曲線を持っていれば，ひげぜんまいが等時性を保つものとして知られる．これが150年前にすでに明らかにされ，時計学校でも教えられていた．これらの事情がグロスマンの『理論時計学』（脚注50）参照）に紹介されている．

この文献の著者は初代ル・ロックル時計学校長となった**ジュール・グロスマン**（Jules Grossmann[157]：1829-1907）とその息子の**ヘルマン・グロスマン**（Hermann Grossmann[158]：1863-1928）である．この文献の序文はカスパリ（M. C. Ed. Caspari[159]）が書いており，その内容がまたなかなか素晴らしく，ヨーロッパの時計技術の発展経過に関して一流の理解が示されている．1656年にてんぷの調速機にひげぜんまいを初めて用いたクリスチャン・ホイヘンスから**ピエール・ル・ロワ**，フェルディナント・ベルトゥー，さらにブレゲへと時計の実験的歴史がつながり，さらにこのグロスマンへと時計の技術と理論の伝承が行われてきた経過が書かれている．その中でこのグロスマンが時計技術の広範囲にわたってその理論的な裏付けをしたことをカスパリはその功績としてたたえている．この本をその意味で理論面では重要な文献として青木保先生（東京大学名誉教授）は取り上げられ，翻訳されたのだと思う．青木先生は1937（昭和12）年頃にこの本を手にされ，第二次世界大戦の終戦後になって翻訳を始められ，出版にこぎつけられた．独学のフランス語でたどたどしいとご自分の語学力を謙遜しておられるが，確かに最初の方はどことなくぎこちない．しかし，この本だ，という目の付けどころは間違いのないものであった．しかも付録には**調速機・脱進機の衝突問題**にもふれ，今も顧みられない領域にも紹介の労を執られている．これらを含めてわれわれ日本人はヨーロッパの時計の理論の歴史には結構親しく触れられる環境にあったといわなくてはならない．グロスマンの**『理論時計学』**は幅広い時計技術の領域をわかりやすく数値計算を使って説明してあることが特徴である．

さて，この中で気がついたことを述べてみよう．それはグロスマンの『理論時計学』では等時性関係の理論の取り扱いが複雑な計算のままになっていることである．計算結果を三角関数を含む級数の

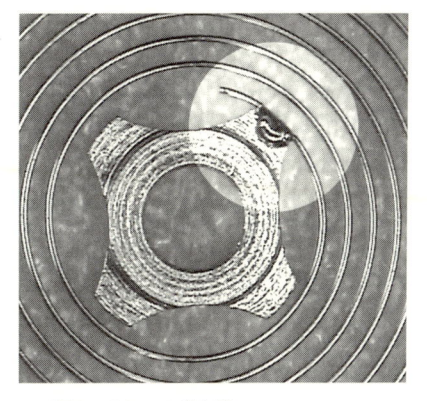

図2.100 ひげ内端
溶接でひげ玉に取り付け．

図2.101 ひげ外端
ひげ持に接着で取り付け．

---

[156] 前掲（脚注50）『理論時計学』J. グロスマン・H. グロスマン著．
[157] 名前からもわかるようにドイツ人の時計師だが，ほとんどをスイス，ル・ロックル時計学校で過ごした．理論と実際の両方に優れた手腕を持っており，時計の幅広い領域でわかりやすい理論を説いた．内端カーブの発明者，また内外端固定の影響（巻込角）に関しても理論化をした．
[158] この息子の方はニューシャテルの時計学校の校長になっている．
[159] カスパリ効果として知られるひげぜんまいに関する理論の発明者．内外端のなす角度が90°または270°のときに等時的になるとした．

これから
$$dt = \sqrt{\frac{A}{M}} \frac{d\alpha}{\sqrt{(\alpha_0^2 - \alpha^2) + \frac{2P\lambda}{M}(\cos\alpha - \cos\alpha_0)}},$$

これを積分して
$$T = \pi\sqrt{\frac{A}{M}}\left[1 - \frac{P\lambda}{M}\left(\frac{1}{2} - \frac{\alpha_0^2}{2^3 \cdot 2 \cdot 1^2} + \frac{\alpha_0^4}{2^5 \cdot 3(1 \cdot 2)^2} + \frac{\alpha_0^6}{2^7 \cdot 4(1 \cdot 2 \cdot 3)^2} + \frac{\alpha_0^8}{2^9 \cdot 5(1 \cdot 2 \cdot 3 \cdot 4)^2} \cdots\right)\right]$$

これは Ed.Phillips の解いたものである*.

* 解法は付録3に説明してある.

図2.102A 立等時性・てんわの片重り計算式(ヨーロッパの場合)『理論時計学』より.

$$\delta = -\frac{mgr}{K} \cdot \frac{J_1(A)}{A} \cos\phi \quad \cdots\cdots (1)$$

δ:振動周期の誤差
m:片重り質量
g:重力加速度
r:片重りの回転中心からの距離
A:振り角
$J_1(A)$:1次のベッセル関数
K:ひげぜんまいのばね定数

図2.102B-1 立等時性・てんわの片重り計算式(日本の場合)

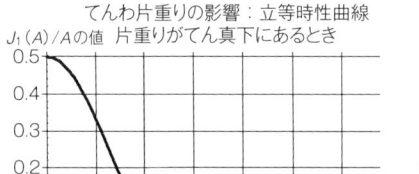

図2.102B-2 立等時性・てんわ片重りのグラフ(日本の場合)

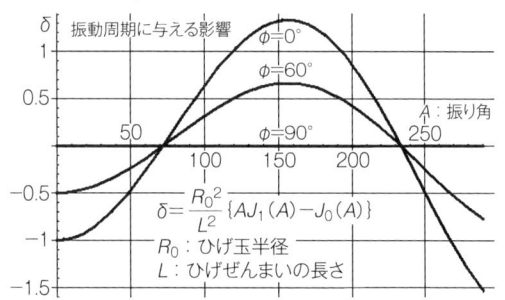

図2.103 平等時性・巻込角の影響を表すグラフ

$$\delta = \frac{R_0^2}{L^2}\{AJ_1(A) - J_0(A)\}$$

R_0:ひげ玉半径
L:ひげぜんまいの長さ

形のままで示した.単純なことなのであるが,これでは覚えにくい.**図2.102A**[160] に示す級数がその一例で,これはてんわの片重りの計算結果を示した例である.**図2.102B-1** の式と比較されたい.こちらは日本での理解であって,ベッセル関数を使って簡単な表現[161]にした.数式上では1項目になって理解しやすくなっている.この式ならばそんなものかと鵜呑み,丸覚えができるだろう.これは筆者の憶測だが,このことがその後のヨーロッパの時計教育の中で等時性理論が普及しなかった理由なのではないかと思われるのである.図2.102B-1では単純な第1項である関数$J_1(A)$ってなんだ,とは思うが「仕方がない,ベッセル関数というんだ,振り角Aが決まれば決まるものさ,様子は**図2.102B-2**を見てくれ」でいいのである.同図は220°で横軸を横切るグラフである.このグラフからてんわの片重りがどう利くか,振り角が大きいときよりも小さい領域で影響が大きくなるのはすぐわかるし,その量的な関係はグラフを見ればわかる.この習慣が日本ではむしろ根づいているのである.てんわの片重りを取るには振り角を小さくすれば姿勢差が大きくなるから簡単だということがこのグラフからよくわかる.

---

160) 『理論時計学』p.457,第728節,平立差の調整・てんわの片重りによる姿勢差から.
161) 桜井好正教授による「時計の指示差の一原因について」精密機械,Vol.15,11,12号,1948年,p.16.グロスマンは理論面での専門家ではなかったので,いわば計算経過の途中までしか表せなかったのではないかと思われる.

2.18.3　日本の時計理論の歴史

一方，日本の時計理論関係では過去にどんなことがあったのか振り返ってみよう．終戦後，無資源国日本の生きる道は小資源，高付加価値による輸出以外に産業のあり方はないという考え方から時計関係でもいろいろな会社が興された[162]．商工省をはじめ大学，研究機関もこれに関心を深め，おおいに業界を支援する動きが起きた．とくに機械試験所を中心に時計に関する研究会[163]が開催され，時計品質向上のための時計コンクールが機械試験所朝永良夫氏の提案で開催された．機械試験所の研究会では時計の理論面の研究が行われ，**蓮沼宏**[164]，桜井好正両教授らによる機械時計の理論，とくに等時性に関する理論（巻込角とひげぜんまいの重心移動），**大島康次郎**教授による脱進機誤差の研究などの理論が出た．これらは数年経ってからは**黒沢守儀**氏のひげの重り付け技術（1961年）や安部健次氏のひげぜんまいの偏心やてん真びつによる平均値違い（1963年）などの新しい研究へと成長していった．なかでも蓮沼宏教授の等時性の研究レポート（**図2.103**，**図2.104**）は平ひげの等時性をベッセル関数でまとめた点，理解しやすい平等時性という用語で覚えやすい形にした点が結果的には大変重要だったのである．平があれば当然立等時性としての理解のまとまりが出てくる．そこにてんわの片重り，ひげぜんまいの重心移動や，**偏心の影響**，平均値違い，重り付けなどの理論が並んだのである．さてここで注目すべき点はこの人たちの学者としての水準である．蓮沼宏氏は東京大学の物理工学科主任教授であり，青木保，大島康次郎両氏なども精密工学科の主任教授であった．いずれも日本の頭脳の最高水準の方々だったのである．このレベルの人たちが時計理論の構築に関わったのである．したがって，難なくその理論構築は行われ，わずか3,4年で終わってしまったのである．機械時計に関係する学問領域は比較的狭い．主として精密工学という機械系の領域であったから，このような短時間でできあがってしまったというべきなのだろうか．もっとも学問領域，あるいは研究領域は終了するということは通常はない．常に新しい問題が展開して，進展していくものであるから終了したという表現はあたらないが，当時の時計業界からの要請に応えるための理論構成としては，いわば簡単にすませてしまった，こういえばよいだろうか．日本の頭脳の最高水準が関わった機械時計理論だったのである．

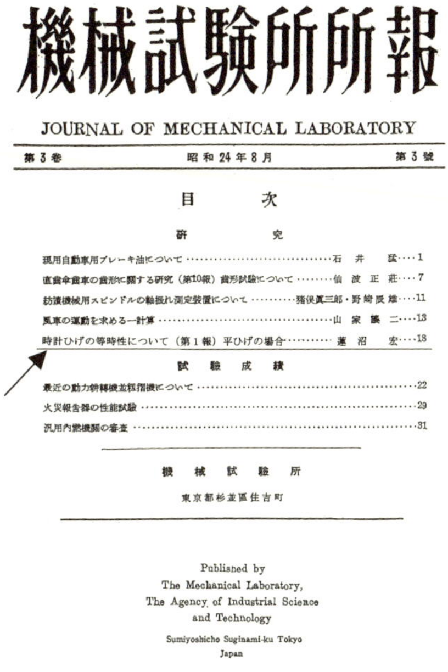
機械試験所所報

JOURNAL OF MECHANICAL LABORATORY

第3巻　昭和24年8月　第3號

目　次

研　究

現用自動車用ブレーキ油について……石井　猛…1
直歯傘歯車の歯形に關する研究（第10報）歯形試驗について……仙波正莊…7
紡績機械用スピンドルの軸振れ測定装置について……猪俣眞三郎・野崎辰雄…11
風車の運動を求める一計算……山家譲二…13
時計ひげの等時性について（第1報）平ひげの場合……蓮沼　宏…18

試驗成績

最近の動力耕耘機並粗播機について……22
火災報告器の性能試驗……29
汎用内燃機關の審査……31

機械試驗所

東京都杉並區住吉町

Published by
The Mechanical Laboratory,
The Agency of Industrial Science
and Technology
Sumiyoshicho Suginami-ku Tokyo
Japan

図2.104　平等時性の理論・研究報告

これが昭和30年代から40年代の日本の産業界に広くわき上がった品質管理の普及とともにこの理論面の普及が時計業界に浸透していった．それまでは組み立て工場で手探りで行われていた組み立て

162)　雨後の筍のごとく，といわれた戦後の時計会社には次のような名前がある．(株)第二精工舎，東洋時計(株)(オリエント時計(株)の前身)，大日本時計(株)(現シチズン)，(株)英工舎，服部時計店工場精工舎，東洋時計(株)上尾工場，東京時計製造(株)，(株)栄計舎，(株)農村時計製作所（リズム時計工業(株)の前身)，手塚時計(株)，愛知時計電機(株)，明治時計(株)，尾張時計(株)，高野精密工業(株)，日本時計(株)，大阪メーター製造(株)，石原時計(株)．『SEIKOの戦後時計史』より．

163)　時計技術懇談会．1949年から4年間行われた．

164)　東京大学工学部物理工学科元主任名誉教授，計測自動制御学会論文賞に蓮沼賞が設置される．応物系の日本の主導役であった人．

調整がその根拠がはっきりした方法へと改められていった．ひげぜんまいに関しては平等時性，巻込角の管理が新しく導入され，てんわの片重りの取り方も明確になり，時計の精度が飛躍的に向上していったのである．

したがって，今思えばこれらの中でも機械試験所が主導した時計理論の研究が日本の時計産業の大きな進展の原動力となった点がどうもヨーロッパの事情とはおおいに違うということに気づかされる．これらは**文部省の科学試験研究費**[165]の支援を得て行われた．日本の政府が時計産業に対してこうした支援を当時は行ったのであった．これが今考えれば大変重要な金メダルであった．日本の最高頭脳を使って機械時計の理論面の総ざらいと構築をしたのだから．

このような事情はヨーロッパにはないように思われる．グロスマンの『理論時計学』以降，大きなまとまりのある時計理論研究は特にない．

また，今述べた日本の時計技術，理論面の研究はヨーロッパに翻訳されて紹介されることもなかったように思われる．関係しそうな日本の科学技術刊行物としては**国際時計通信**（1960年創刊），**日本時計学会会誌**（1957年創刊）などがあるが昭和20年代には設立されていない．その時代は雑誌「**精密機械**」，「**機械試験所所報**」などであった．世界に知られない，しかし時計理論に関しては大変重要な活動がすでに日本にはあったのである．日本の方は常日頃ヨーロッパの動向には十分注意をする，常にウォッチしている状況であったのに対して，ヨーロッパ側は最初から日本という後進国の動向には注意が向かなかったと思われる．日本側も積極的に翻訳をして日本の動向を伝えるという習慣は当時はなかったと思う．どこまでもヨーロッパから学ぶことが先決であり，いかに追いつくかであった．そのことが天文台コンクール参加[166]という年代まで続くのである．**天文台コンクール参加**は1964（昭和39）年からである．この当時は日本産業界は品質管理の徹底という大きな嵐に巻き込まれていた．アメリカで始まった**統計的品質管理**，**デミング賞受賞**，という栄誉を目指して日本中の主要な企業が取り組んだ時代である．戦後復興の最重要な基幹管理技術，統計的品質管理で日本は世界一になっていった．時計工業もそれに参加し，この動きの中で固有技術ではこの昭和20年代からの時計理論の普及をはかり，その国際比較としてはスイスの天文台コンクール参加をして上位入賞となり，この天文台コンクールの中止にまで及んだ．スイス勢に初めて日本の時計産業の勢いを実感させることになった．それだけではなかった．その時期にはすでにクオーツ化が時計産業全体を襲いつつあり，時計産業全体に対してその影響の方がはるかに大きかった．この嵐に隠れて機械時計技術の優劣はほとんど関心の対象にはならなかったように思う．今となってみれば，この終戦後の混乱期にスタートした時計産業育成の動きの中に，すでにヨーロッパを凌駕する時計技術の研究成果があったわけで，特に機械時計の理論面でそれが優れているなどという評価はほとんど認識されなかった．むしろ機械時計の生産技術の方に流れ作業や組み立ての自動化が行われたことや，**脱進機の無調整化**なども優れた開発であった．このような動きに比較して注目すべき機械時計の理論の構築はこれら以前にすでにできあがっていた感がある．ともかく必要な底辺として時計産業の育成を促した点はいま眺めれば白眉の焦点と評価してよいと思われる．この時期にいわば金メダルをすでに取っていたといえる．その一例が巻込角，脱進機誤差という理論なのである．

しかし，翻って現在の機械時計の産業上の趨勢を見ると，スイスが高級品市場のほとんどを席巻し，

---

[165] 学振95小委員会の一分担事項であった．
[166] 1964〜1968年参加．東京オリンピックの年に初参加した．

§2.18 日欧のひげぜんまい理論の比較

日本の機械時計のシェアは大変低い．なぜこれほどの大きな差を現在は生んでしまったのであろうか．この件に関しては，また別の機会があれば論ずることにしたい．とりあえずは底辺となった時計理論面で顕著な違いのある部分を紹介しておこう．

2.18.4 巻込角，等時性と脱進機誤差

日本の時計技術の中では平等時性，巻込角という用語は日常茶飯事のこととしてその後は使われるようになった．「巻込角が0°では平等時性は立ちすぎる」「振り角220°でてんわの片重りの影響がなくなる，220°前後で影響が反転する」「ひげの重心移動はその220°で最大になる」などの知識は，組み立て現場の人たちには常識としてたたき込まれた感がある．脱進機誤差という用語も早くから自然に使われるようになっていた．

まず，巻込角[167]という言葉に注目してみよう．この言葉はスイス時計教科書[168]など，どこにもそれらしい言葉がないのである．ある言葉は**ピンニングポイント**（pinning point, point of attachment）である．この言葉の直接の意味は時合わせ（**図2.105**）の際，ひげぜんまい内端をどこで留めるか，の意味である．

図2.105　時合わせ
時合わせ台でひげ端末をこのようにピンセットでつかむ．

ここで一応時合わせ方法を振り返っておこう．内端がひげ玉に入る場所（pinning point）を変更すると，ひげぜんまいの外端と内端のなす角度（巻込角）が大きく変化する．たとえば内端を切りつめて角度を90°変化させたとしよう．これで時合わせすると同じ周期になるようにするにはひげぜんまいの外端，緩急針の位置は同じ距離だけ外側へ動かすことになるが，その移動はてん真から見ればわずかな角度しか動かない．外端はてん真から遠いからそれだけ，外端と内端のなす角度が変化するわけである．これを利用して内外端のてん真から見たときの角度，すなわち巻込角を変更することができる．スイスの時計学校ではこのようにしてこの角度を0°となるようにせよと教えている．この時合わせの教え方は理解がしやすい．ひげぜんまいの内端（ひげ玉と接続する点）と，外端（緩急針）の，てん真から見た方向を一致[169]（**図2.106**，**図2.107**）[170]するようにせよということであるから巻込角0°にせよということで作業の目標は理解しやすい．このような作業を，**ピンニングポイント**を合わせるという．一般にはこの巻込角が0°では実は等時性は立ち過ぎになる．したがって，この作業はあおりを行うことが前提になっている．日本の理解では巻込角で等時性の立ち方が決まると考えるから巻込角そのものをいくらにする，という目標ができるのに対して，ピンニングポイントの影響をどう理解すればよいかに関して統一された見解のない環境ではそれができない．問題はここにある．

---

[167] 巻込角を翻訳すれば pinning angle となるだろう．スイス WOSTEP 教科書ではこの角度を practical counting point と表現している（図2.107）．

[168] スイスのニューシャテル市にある WOSTEP 時計学校，ここに refreshers course という，全世界の時計修理の拠点で作業する人たちのためのコースがあり，その人たちのための教科書 The theory of Horology（英文）が1999年にできあがった．これを指す．時計修理の現場の人たちのための教科書であれば，それほど理論面は必要ないという編集方針があるのかもしれない．

[169] 図2.106に示す方法は時合わせ台で行うときのものであるが，ここにあるル・ロワの式は目安である．式の中で分母の3は実際は OQ/OP であるから最近のひげは5に近い．また第2項の-60（度）は外端取り付けに必要な角度（図2.107に説明する固定角）を内端角度で表現したもの．ここも概略の値である．総じて計算をしないですませようとする意図があるようである．

[170] ひげの外端に相当する場所は緩急針がある場合は固定区間（ひげ持ちと緩急針の間）の途中であるとする見解は古くからあった．緩急針であおらせてある場合は当然であろう．その部分をスイス時計教科書ではこれらの図のように指摘してある．

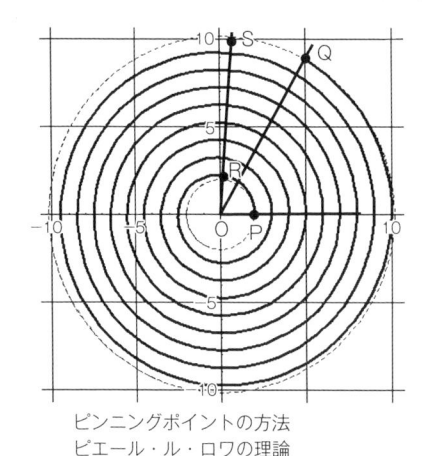

ピンニングポイントの方法
ピエール・ル・ロワの理論
[A+A/3]−60°=B
A：上の図で∠QOP：最初の状態のひげ巻き出しと緩急針位置
内端を巻き出し点から角度Bのところで切り取り，ひげ内端部を式中の60°分曲げてひげ玉に入れ直せば，内端と緩急針位置が一直線ORSになる．

図2.106 ピンニングポイントの実際
内端を変更すると外端も移動するが，ここにある式に従って角度が変化する．

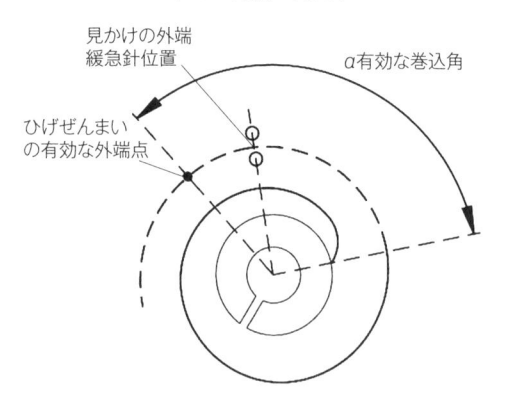

図2.107 平等時性・巻込角影響説明図
固定区間に有効な外端があると説明している．

ともかく，「巻込角が変われば等時性が変わる」その様子は図2.103のようになると日本では修理するレベルでも教えられる．この言葉で全体を理解させる．

さらにもう一歩つっこんで「等時性」という言葉そのものの使い方が違うようにも思われる．日本は等時性という言葉で「振り角が変化したときの歩度の変化の様子」をいう，と明確に教えてしまう．欧米ではIsochronismという言葉で「歩度の振り角特性」そのものという理解は少し無理なのかもしれない．どうもこのあたりがはっきりしないのである．結局このあたりの違いが大きくなっているのではないか，これが筆者がしばらく教鞭を執ってきたなかで得た日欧の違いである．これは筆者だけの新説かもしれない．したがって，問題提起とでもしておこう．等時性という言葉で歩度の振り角特性そのものを指してしまう日本のこの習慣が，大きく時計修理，調節の技術を動かしてきたのではないだろうか．

さらに脱進機誤差（escapement error）がある．この訳語は英語をネイティブにしている人には多分通じない．この訳語では「脱進機の動作1回につき，確実にてんぷは1振動するし，輪列の方もその分きちんと刻み回転する．その関係にはどんなミスも起こらない．したがって，脱進するという動作は1回も狂わない．なのになぜ脱進機誤差か」．これが多分，ネイティブに対する語感であろう．escapement errorでは正しい訳語ではないのかもしれない．influence of escapement to the period of oscillation of balance-wheel & hairspring systemでなくてはならないのかもしれない．なお，スイス教科書では脱進機誤差の説明タイトルは **Disturbance caused by the escapement**

である．この意味は「脱進機による乱れ」である．脱進機が接続されることで振動周期はある理論どおりに変化するのであって，予測できない偶然の乱れでは決してない．ともかく理論的に解明のできている影響であり，関係なのである．この語感からも理解に対する態度の違いがわかるであろう．その理論が昭和20年代に日本では確立していたのである．

なお，平等時性に対しては「**カスパリ効果**」，ひげぜんまいの重心移動に対しては「**グロスマン効果**」という名前をスイスでは与えている．教科書の紙面はカスパリ効果とグロスマン効果についてはそれぞれA4で1ページ程度しかない．いかにも簡単な説明をしている．

日本では時計教科書の全体の中で等時性という項目が主眼である．教科書の内容を動力・輪列・脱進・調速などと領域を分けて比重を見ても脱進・調速が全体の3分の2，その中でも等時性が大半を

§2.18 日欧のひげぜんまい理論の比較

占める．これに対してスイスは等時性を直接説明するページがはっきりわからないほどに分散している．等時性とは調速機の振動周期が一定であることをいう，といった原則的な理解が主となってしまい（**図 2.108**のように），実際の調速機がどのように振動周期一定からはずれるのか，という部分を等時性という言葉からすっかり離れて説明しているのである．

以上，日欧の時計理論上の取り扱いの違いについて触れた．用語が違うという点で大きく異なるのであろうが，それ以上に理論上の理解が確定している環境とそうでない環境との違いによるところが大きな理由ではないだろうか．ここではそれを大きな論点として問題提起をしたことになりそうである．

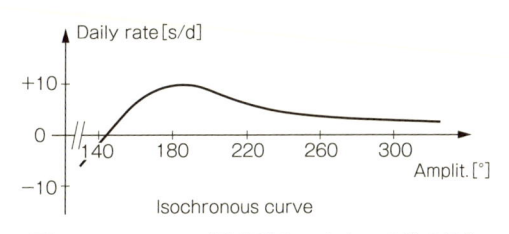

$$T = 2\pi \sqrt{\frac{I}{M}}$$

図 2.108 スイス時計教科書によくみる等時性曲線
上の式は振動周期を表す式であるが，等時性を表す式はどこにも紹介されていない．日本は前掲図 2.102B-2（p.154）のように覚えろ，という教え方であった．

第3章
どのように振り角は決まるか

§3.1 機械時計のエネルギー

　ぜんまいによって蓄えられた機械式時計のエネルギーは，てんぷに至る各部においてどれほどの割合で消費されているのだろうか．メカニズムを通して時計の力学を初歩の段階から解説していきたい．本節では力の本質から仕事・パワーまで，力学を理解するための基礎的な準備をしていこう．

3.1.1 機械時計のエネルギーの使い方

　機械時計を動かすエネルギーはぜんまいから香箱車，輪列[1]，脱進機を経ててんぷにまで伝わっていく（**図3.1**）．この過程でどのようにエネルギーが失われていくか，その様子を短くいえば，ぜんまいのエネルギーの約5〜15％は輪列の摩擦によって失われ，さらに脱進機というやっかいな部分で50〜60％を失い，てんぷに到達するエネルギーは30％程度になる．システム全体のエネルギー伝達効率は30％程度ということになる（**図3.2**）．

　表輪列は増速輪列であるから，減速輪列よりは効率が悪い．ほぞの潤滑や，歯車の歯面の摩擦，嚙み合いの状態などによって効率が下がり変動も大きくなりやすい．

　脱進機はがんぎ，アンクルが毎回加速と停止を繰り返し，がんぎ，アンクルの得た運動エネルギーは毎回すべて失われる．エネルギーの伝達方法からいえば大変問題なやり方で

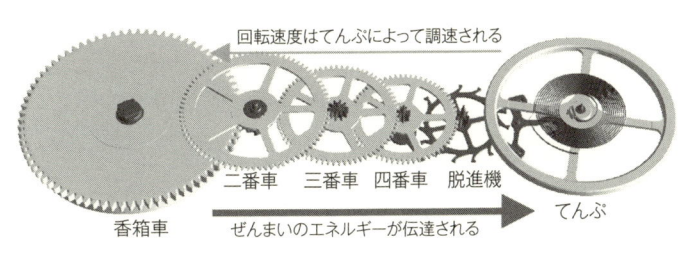

図3.1　表輪列
香箱（1番軸）からてんぷ（7番軸）まで．

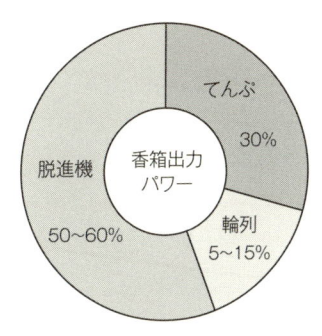

図3.2　ぜんまいのエネルギーの使われ方

---

[1]　もちろん裏輪列も，場合によってはクロノグラフ輪列も輪列負荷の中に勘定される．これらの負荷があるときとないときではてんぷの振り角が変化する．このことで時計師たちはその調子を知る．時計師たちの判断は常にこのてんぷの振り角の様子を見ることで行われる．

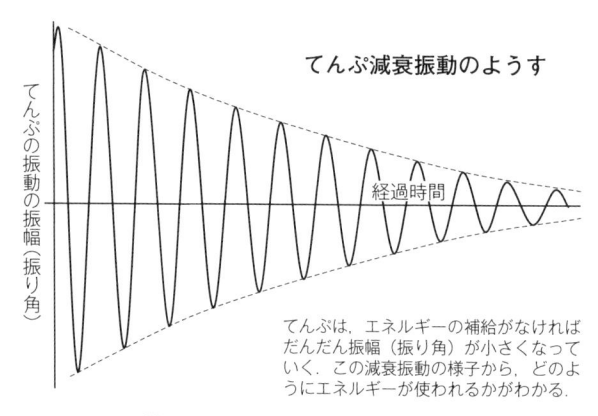

図3.3 てんぷの減衰振動のモデル

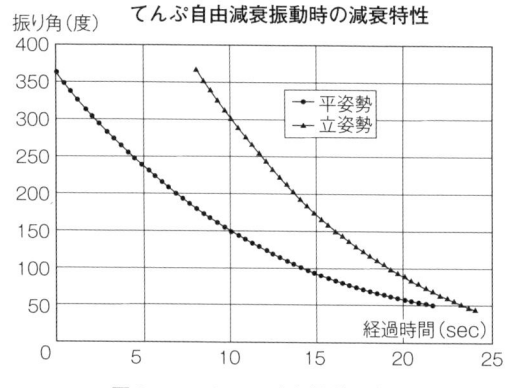

てんぷ減衰振動のようす

てんぷは，エネルギーの補給がなければだんだん振幅（振り角）が小さくなっていく．この減衰振動の様子から，どのようにエネルギーが使われるかがわかる．

図3.4 てんぷの減衰振動の実際

てんぷ自由減衰振動時の減衰特性

はある．

最終ステージのてんぷは回転往復運動をする．もっとも振れた点（振り角となる瞬間）で一瞬停止し，その保有するエネルギーはすべて**位置エネルギー**となるが[2]，ひげぜんまいの復元力によって振動中心に向かって落ちていき，振動中心ではもっとも回転速度が速くなり，てんぷの**保有エネルギー**はすべてが**運動エネルギー**となる[3]．このようにエネルギーの保有形態は運動エネルギーと位置エネルギーの間で交換して変化するが，保有エネルギーの総量はどの瞬間でもほぼ同じであり，その大きさは振り角を観測すればわかる．振り角がてんぷの保有エネルギーの総量を示している．

よく振っているときはわれわれは時計が元気がいいといって安心をする．通常，ぜんまいから伝えられたエネルギーを補充することによっててんぷの振り角が一定に維持されている．

これをわれわれは常に見ており，この状態には親しく接している．しかし，てんぷにおけるエネルギーの消費実態はエネルギーを補充しない状態を観察することでその詳細が実は測定できるのである．てんぷにエネルギーを補充しない状態とは，てんぷを自由減衰状態としたときをいう．アンクルを取りはずして，てんぷをピンセットなどで振り角360°くらいの位置まで持っていき，離してやればてんぷは振動を始めるが，その振幅はどんどん減っていきしまいには止まってしまう．この振動状態を**自由減衰振動**（**図3.3**）という．この状態を詳細に観察する[4]（**図3.4**）ことで，てんぷのエネルギー消費実態をつかむことができる．

振り角は毎回その大きさを変化させていくから，その測定には上手な道具が必要である．このあたりは専門技術的な話に入ってしまうのでここでは割愛するが，エネルギーの消費実態はこのようにし

---

[2] ひげぜんまいが曲げられたことにより，ひげぜんまい自身の中に歪みがたまっている状態を位置エネルギーという．そのエネルギー Ep は $Ep = 1/2 \cdot K\theta^2$ ここで，K：ひげぜんまいのばね定数，θ：振動中心からの回転角，である

[3] 運動エネルギー：Em は，振り角：A_0，てんぷの慣性モーメント：I，角振動数：ω_0（$\omega_0 = 2\pi/T$ T：周期）とすれば，$Em = 1/2 \cdot I\omega_0^2 (A_0^2 - \theta^2)$ である．この値は $\theta = 0°$ のとき，最大振り角時の位置エネルギー $Ep = 1/2 \cdot KA_0^2$ に等しい．最大振り角時，振動中心時に限らず，運動エネルギーと位置エネルギーの和 $Em(\theta) + Ep(\theta) = 1/2 \cdot KA_0^2$ である．

[4] 図3.4は10振動の腕時計のてんぷに関して観察した実際のデータである．プロットは0.4秒ごとに観察したデータであるから，4振動ごとの振り角を測定記録したことになる．図は平姿勢と立姿勢について表示されており，減衰振動での振り角値そのものを時系列に並べた．この図だけからははっきりしないが，立姿勢の方が早く減衰し，平姿勢の方が減衰が遅い．平姿勢の方が長く振動する．Q は当然平姿勢の方が大きく，立姿勢の方が少し小さな値になる．この減衰振動のデータを分析すると，固体摩擦抵抗（てん真ほぞの摩擦）と粘性摩擦抵抗（てんわが空気をかき回す抵抗と，てん真ほぞが潤滑油をかき回す抵抗）とにそれぞれに分析することができる．本文にもあるようにこのような基本的な分析が優れた機械時計を生む研究になる．

て測定することができ，エネルギーの消費する最終ステージのてんぷ系の性質が明らかにされる．今回はこのような全体像を理解する基礎を解説し，併せてその面から見た問題点を拾ってみよう．

てんぷの自由減衰振動は，てんぷが高性能であれば長く続く．音楽の方で使う音叉，440 Hz 程度の周波数であるがこれを振動させ，その音でコーラスなどの音調を調整するものがあるが，あの音叉は響かせると結構長い間鳴っているのを聞いたことがあるだろうか．あのように長い間鳴っている音叉は性能が良い．てんぷも同じで，自由減衰振動が長く続くものは性能が良い．この振動の良さを Q[5] という．

Q とは**振動系の共振の良さ**を表し，英語の Quality の頭文字からとったものである．Q が大きければ補充するエネルギーは少なくてすみ，同じ振り角を維持させるのに必要なエネルギーも少なくてすむ．その目安となる値である．

てんぷは振動した結果，使ったエネルギーをすべて熱としてその付近へばらまいている．空気をかき回し，てん真ほぞの潤滑油をかきまわす[6]．その結果，空気や潤滑油はほんのわずか温度が上がったかもしれないが，その温度はどのくらいか，測った人はまずいないであろう．ともかく，てんぷは仕事はしない．エネルギーそのものに関しては何もしない．振動するだけで，もらったらもらったまま，それでおしまい，消費してしまう．

時計も機械ではあるが，普通，機械といわれれば動力を使って何か仕事をするものである[7]と理解される．しかし時計は仕事はしない．仕事はしないがご存じのように時計は時刻を指し示す．時計はもっとも古い情報機械であり，情報機械の始まりでもあるだろう．情報は時刻であるが，これを支えるエネルギーという側面ではどんなメカニズムになっているのか．どのくらいのパワーが使われているか，ここからは，これらに関するまず基礎的な知識をおさらいしていこう．まずは，力学の初歩から解説していこう．

3.1.2 力の表現を正確にすると…

時計の動力源はぜんまいにある．まず力とは何かを説明しよう．今，10 kg の錘があったとしよう．

---

[5] 機械系の振動においては，1周期の間に系に蓄えられるエネルギーを，系から散逸するエネルギーで割ったもので，この値が大きいほど振動が安定であることを意味する．てんぷでは保有エネルギーは振幅（振り角 A）の2乗に保有エネルギーが比例するから $Q=\pi A/\delta A$ で定義される．ただし，δA：1周期で失う振り角．

[6] てんぷのエネルギー消費要因としてはここに掲げた要因を理解していれば一応よいのであるが，実際のてんぷではひげぜんまいの材料それ自身が完全な弾性材料ではないことを重要な事象と考えなければならないことがわかってきた．ひげぜんまいはそれ自身が摩擦を持ち，それが歪みの大きさによって変化する．時計の動作状態でいえば振り角の大小によって変化する．いわば等時性に関係してくるのである．ひげぜんまいの材料自身が完全な弾性材料とはいえない．金属材料それ自身，摩擦を持っている．いわば材料そのものが Q 値を持つわけである．そしてその値が歪みの大きさに関係がある．大きくたわませるとひげぜんまいの材料内部の摩擦量が大きくなり，たわみが小さければ摩擦は小さい，という現象である．てんぷのひげぜんまいとしての動作状態としてこれが無視できない．完全なフックの法則は成り立たないと考えなければならない．それほどに実は機械時計の材料への要求は厳しいものがあるわけである．通常は少しくらいこの摩擦の様子が変化しても何も問題はないのであるが，時計の振動系のような精密な系の構成材として使われる場合には問題となることなのである．ここでも思い起こしてほしいのは振動周期に 10^{-5} の精度が必要ということである．ひげぜんまいの弾性係数（ヤング率）が 10^{-5} の精度で安定でなければならない．このような精密な要求に対して金属組織が均一でないということが問題になってくるわけである．

[7] 古典的な定義
　機械とは，次のような性質をもつ人工の道具である．
　　※ 外からの力に抵抗してそれ自身を保つことのできる部品を組み合わせてできていること．
　　※ 各部品が相対的かつ定められた運動を行うこと．
　　※ 外部から供給されたエネルギーを有効な仕事に変換すること．

目方が 10 kg であるという．ここで，10 kg とはこの物体が示す重さをいい，力の大きさを指している．これを明確に表現するには 10 kg 重といえばよい．記号としてはっきり表現するには質量の単位の 10 kg と，重さを言い表す 10 kg を 10 kg 重，あるいは 10 kg wt などと区分すればはっきりする．

みかん 400 g が 500 円だとして「みかん 400 g で 500 円」と書いたときは 400 g のみかんそのものを示すことは誰もが当然として理解しているであろう．しかし，一般には 10 kg と書いたとき，これが錘の質量か，それとも錘が示す重さをいっているのかははっきりしない．表現したいことが「重さ」ならばこのように 10 kg wt などと少し記号を増やして書かなくてはならない．しかし 10 kg の目方の物体はいつでも 10 kg だけの重さを示し，それだけの重さ・力を感じさせる．これがいつものことである．この物体が 1.6 kg の重さを示す世界[8] など滅多にあるものではないから 10 kg と書いて 10 kg wt の力を代表させてほとんど支障はない．この解説のように基礎的な話をするときには間違えないように kg wt とここでは書いておこう．

ともかく，力と質量は次元が違う．力は力であり無形のものであり，質量とは異なる．力は物質を動かせるものとしての表現をしなければならない．

10 kg wt という力は質量 10 kg の物体が示す重さである．重さの発生する理由である重力は地球にある．巨大な地球が地上にあるどの物体にも重力を働かせるからだ．地表面上ではどんな物体にも重力が働いており，実は毎秒毎秒 9.8 m/sec だけ速度を増加させるように働いている．地球上はそのような重力場なのである．この速度を増やしていく割合のことを加速度というが，この加速度は地球上では一定である．この**重力場**にある物体にはいつも重力が働き，放っておけば毎秒その速度を 9.8 m/sec だけ増加させる．その**加速度**は物体の大きさには関係なくいつも一定，ということは物体が大きければそれだけ巨大な力が物体に働き，どんどん加速する．正確にいえば物体の質量に比例する．$F = mg$ で表されるのであって，m なる質量の物体にはいつも力 $F = mg$ が働く．その結果 g だけの加速度が発生する．地球上ではこの g に相当する部分を**重力加速度**といい，つねに 9.8 m/sec^2 の大きさになる．繰り返すが物体の質量 m と力の大きさ F がいつも比例する．重い物体ほど大きな力がかかる．一般に力とはこのような性質を持っているのである．力とはこれしか表現の方法がないともいえる．力は目には見えない．10 kg の物体は目に見えるがこの力の大きさは目には見えないというべきなのである．

力の表現がそのようになっているのであれば，質量の表現 10 kg で力を表しては実は力の表現は間違っているのであって，それをごまかして 10 kg wt と書いたとしても実は正しい次元で表現しているとはいえない．$F = ma$ に従う表現をしなければ正しい次元による表現にはならない．wt は英語で「重さ」という単語 weight を省略したものである．加速度は 9.8 m/sec^2，9.8 m/sec/sec と書くことはまあいいとしよう．毎秒毎秒 9.8 m/sec だけ増加するという意味である．

さて，このようなわけだから 10 kg wt は 10 kg の物質に作用する重力の大きさであり，さらに

---

[8] 実は月面上に 10 kg の物体を持っていくと，持ち上げるときには地球上での重力の 1/6 倍しかないから 1.6 kg の重さしか感じない．しかしこの 10 kg の物体を動かそうとすると，10 kg の質量を感じるから 1.6 kg の重さしか感じないわりには動かす方は重いと感じるはずなのである．10 kg の質量は月面上でも地球上でも同じであるから，動かそうとするときは 10 kg の質量・慣性を感じる．これを慣性質量と表現して重量の 10 kg と区別することができる．てんわの慣性モーメントは慣性が決め手であり，ここでいう慣性質量を決めている方の質量がてんぷの振動周期を決めている．重量ではない．したがって，月面へてんぷ振動系の機械時計を持っていっても振動周期は変わらない．時計全体の重さは宇宙飛行士が感じる腕時計の重さが 1/6 になっているにもかかわらず，てんぷの振動周期は変化しない．時計の進み遅れもいわば地球上と同じになるはずである．なお，てんわの片重りなど，外部の重力に起因する姿勢差は当然大変少なくなってしまうだろう．てんわの片重りは地球上での大きさに比べて 1/6 になっているからである．

§3.1 機械時計のエネルギー

$F = mg$ を使って $F = 10\,\mathrm{kg} \times 9.8\,\mathrm{m/sec^2}$ と書くことが正確な表現となる．この式は 10 kg の物体に働いて 9.8 m/sec² だけの加速度を発生させる力と理解することができる．ここで $10\,\mathrm{kg} \times 9.8\,\mathrm{m/sec^2}$ は数値と次元をまとめて $98\,\mathrm{kg\,m/sec^2}$ と書けばきれいになった．これが 10 kg wt という力の正しい表現である．10 kg wt $= 98\,\mathrm{kg\,m/sec^2}$，これで力 10 kg wt の正しい**次元表現**となった（**図 3.5** 参照）．

このように力の話は力そのものが目に見えないだけあって，理解しにくい．しかし力は物理上の所在としては明確であり，そのことだけに力学という学問領域があるくらいである．ここからは古典的な力学の領域での力とは何かを時計技術者向きに書き換えてみる．

3.1.3 回転力（トルク）・仕事・パワー

香箱車はぜんまいに蓄えた力を回転力として蓄える．まず回転力とは何か，これを説明しよう．たとえば竿の先端に 10 kg の重さの錘を竿の回転軸から 1 m 離れたところに取り付けると回転力が発生する．回転力は錘の重さに比例するだけでなく，錘の取り付ける場所，竿の長さにも比例する．それでこの回転力を $10\,\mathrm{kg} \times 1\,\mathrm{m} = 10\,\mathrm{kg\,m}$ などという．

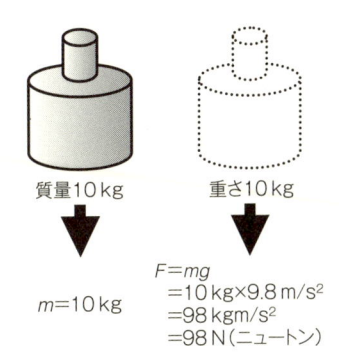

図 3.5 質量と重量の違い

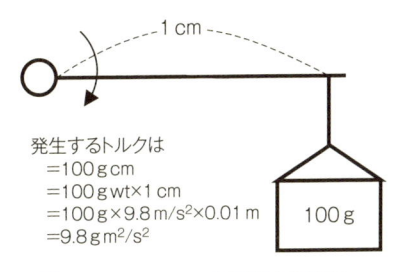

図 3.6 100 g cm の正確な表現は…

先に述べたように香箱車にぜんまいが入っていて，これを巻き上げると紳士用の時計では約 100 g cm のトルクが発生する．100 g cm とは 100 g の錘を 1 cm の竿の先に付けたとき発生する回転力である．100 g 重という力は $F = mg$ という公式から力として正式に書くと $F = mg = 100\,\mathrm{g} \times 9.8\,\mathrm{m/sec^2} = 980\,\mathrm{g\,m/sec^2}$ という表現になる．さらに回転トルク 100 g cm をこのやり方で表現するとなると 100 g 重 $= 980\,\mathrm{g\,m/sec^2}$ という力に 1 cm という記号を掛け算で書き加える．

1 cm $= 0.01$ m であるから単位を揃えて $980\,\mathrm{g\,m/sec^2} \times 0.01\,\mathrm{m} = 9.8\,\mathrm{g\,m^2/sec^2}$ となる．100 g cm というトルクはきちんと表現すると $9.8\,\mathrm{g\,m^2/sec^2}$ という表現になるが（**図 3.6** 参照），100 g cm という表現の方が実際的である．100 g の物体を 1 cm の竿の先に付けたときの回転力，という意味が字を読めばわかるから感覚的で理解しやすい．しかしこの数値を使ってさらに物理的な事情を計算するときには，$9.8\,\mathrm{g\,m^2/sec^2}$ という表現を使っていかなければならない．たとえばこの回転力によってどれだけの仕事が行われるのか，あるいはどれだけのパワーが出るのか，などといった計算である．たとえば 100 g cm のトルクを出している香箱が 1 回転したら，どれだけの仕事をするのか，計算してみよう．ここでは**仕事**と**パワー**の表現ルールを示しておこう．仕事とは力 F に逆らって距離 s だけものを動かしたとき，

$$\text{仕事} = \text{力} \times \text{距離} \qquad W = F \times s$$

で定義される．また**仕事率（パワー）**とは単位時間になす仕事量をいう．毎秒どれだけの仕事をするか，その速さをいう．式では仕事 W を t だけの時間になしたとき，パワー P は

$$\text{仕事率（パワー）} = \text{仕事}/\text{時間} \qquad P = W/t$$

で定義される.

これにしたがって，香箱の半径が1 cmとし，**図3.6**のように100 gの錘がぶら下がっていると考え，香箱が一回転して錘を持ち上げたとすると香箱の動く距離は$2\pi \times 1\,\text{cm} = 2\pi\,\text{cm} = 2\pi \times 10^{-2}\,\text{m}$，なした仕事$W$は力$F \times$距離$s$であるから$W = F \times s = 980\,\text{gm/sec}^2 \times 2\pi \times 10^{-2}\,\text{m} = 1.96\pi \times 10^{-2}\,\text{kg m}^2/\text{sec}^2 = 1.96\pi \times 10^{-2}\,\text{Nm} = 1.96\pi \times 10^{-2}\,\text{J}$(ジュール)[9], [10]である.

香箱1回転に7時間かかるとしよう．するとこれだけの仕事を7時間かけてするのであるから香箱の仕事率（パワー）は$P = W/t = 1.96\pi \times 10^{-2}\,\text{J}$(ジュール)$/7\,\text{h} = 1.96\pi \times 10^{-2}\,\text{J}$(ジュール)$/(7 \times 3600\,\text{sec}) = 2.44 \times 10^{-6}\,\text{J/sec} = 2.44\,\mu\text{W}$（マイクロワット）と計算される．機械時計の香箱は$2\sim 3\,\mu\text{W}$のパワーで表輪列以降を駆動していると計算される．

3.1.4 まとめ

本節は力の本質から仕事，パワーまで，力学の理解の基礎的な準備にページを割いた．最後は香箱のパワーを計算したが，このようにパワーを表現すると，アナログクオーツの消費パワーと比較することができる．一般にアナログクオーツでは消費電流は約$1\,\mu\text{A}$であり，電力としては$1.5\,\mu\text{W}$ほどである．ほぼ同じ桁のパワーでアナログクオーツも動いているのであるが，最近の技術動向としてはアナログクオーツの方が機械時計よりも少ないパワーで動いているといってよい．アナログクオーツではステップモーターが電力を機械的動力に転換しており，この部分で効率が良くなっている．アナログクオーツではてんぷに相当する機関，すなわち調速機は**水晶発振回路**であり，これに使われているパワーは桁違いに少なくなってしまった．**消費電流**では$0.1\,\mu\text{A}$，消費電力で表現しても$0.15\,\mu\text{W}$である．機械時計のてんぷは$1\,\mu\text{W}$ほどのパワーが必要だが，水晶発振回路は桁が1桁少なくてすんでいる．アナログクオーツの消費パワーはほとんどがステップモーターを経由して輪列やカレンダー負荷を駆動することに費やされる．そのステップモーターの技術が良くなっているので，全体の消費パワーが$1\,\mu\text{W}$，優れている場合は$0.5\,\mu\text{W}$レベルにもなっている．その意味ではクオーツの技術が機械時計よりも上回っているといってよいであろう．

§3.2 てんぷでのエネルギー消費

ここでは，機械式時計におけるエネルギー消費の実態を解き明かそう．まずはてんぷをアンクルから切り離して，その振動の様子を単体で観測する方法を述べる．てんぷの自由減衰振動にはどのような特徴があるのか．また，てんぷの振り角はなぜ小さくなっていくのか．その理由を姿勢，摩擦といった側面から明らかにする．

---

[9] この値はトルク$100\,\text{g cm}$に回転した角度$2\pi\,\text{rad}$を乗算して表現しているともいえる．この方が一般的であって，回転する場合の仕事はトルク×回転角度と理解した方がよい．
[10] SI（MKS）単位系では
　力の単位をN（ニュートン）という．1 Nの大きさは$1\,\text{N} = 1\,\text{kg m/sec}^2$となる．
　仕事の単位をJ（ジュール）という．1 Jの大きさは$1\,\text{J} = 1\,\text{Nm} = 1\,\text{kg m}^2/\text{sec}^2$となる．1 Nmは1（ニュートンメートル）と読む．
　仕事率（パワー）の単位をW（ワット）という．1 Wの大きさは$1\,\text{W} = 1\,\text{J/s} = 1\,\text{Nm/sec} = 1\,\text{kg m}^2/\text{sec}^3$となる．

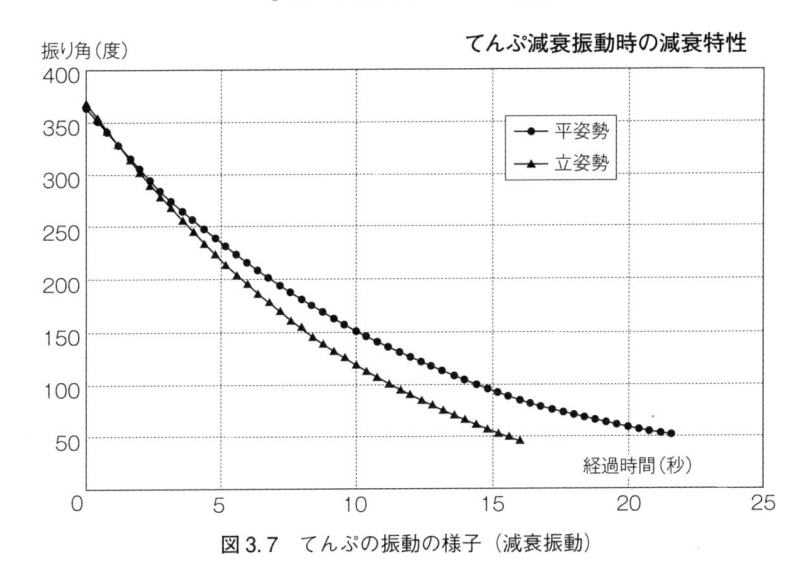

§3.2 てんぷでのエネルギー消費

てんぷ減衰振動時の減衰特性

振り角(度) 縦軸、経過時間(秒) 横軸
凡例：● 平姿勢、▲ 立姿勢

図 3.7 てんぷの振動の様子（減衰振動）

3.2.1 てんぷの振動の様子

ここまで，てんぷの振動の様子についてほんのわずか紹介した．ここではその詳細を述べていきたい．

図 3.7はてんぷの**減衰振動**の様子を示した図[11]である．アンクルを取りはずし，ピンセットなどで最初360°くらいにてんぷを回転させピンセットを離してやると，エネルギーが補充されないからこのように減衰振動をする．

カーブが2本あるが，早く減衰する方が立姿勢，ゆっくり減衰する方が平姿勢である．この図のプロットは5秒間で12.5回であるから1プロットは0.4秒ごとである．この時計は10振動なので，0.4秒とは4振動（2往復）の時間であり，4振動ごとに振り角がどのように変化していくかを表した図である．

このようなデータはあまり見かけないが，てんぷの振動は実はこの姿がもっとも正確にその性質を表すのである．修理ベンチではWitschi社の測定器Watch Expertで歩度や振り角を測る，などが一般的であるが，Watch Expertは時計の刻音，脱進機の動作する音を頼りにして測定するから，いわば脱進機を介して測定するのであり，てんぷ単体を測定しているわけではない．脱進機が係合することによっててんぷの振動はそれなりの影響を受ける．すでにそれらに関しては**脱進機誤差**という，と解説をしたが，この脱進機誤差の影響を取り去ったてんぷ振動の様子は，直接にはこの図のように振動を観察することによってしか調べることはできない．そしてここからその様子を分析して何かに役立つ程度にまでデータを取るのがいわば正統的なやり方である．しかしこれがなかなかできない．さらにAの時計のてんぷとBの時計とではどちらがてんぷとしては優れているだろうか，などという比較はなかなかできない．ご存じのように時計の正確さの要求は厳しい．繰り返しになるが，日差1秒とは相対的な誤差としては86,000秒に対する1秒であるから$1/86400 = 1.16 \times 10^{-5}$である．こんな高精度のレベルで何か調べなければならない．

---
11) 図3.4と同じである．前掲図では2つの曲線を少し横方向にずらして描いたが，今回はどちらも同じ横軸位置，原点からスタートさせた．これで平と立で減衰の時間が，この時計では4：3位の比率であることがよくわかる．

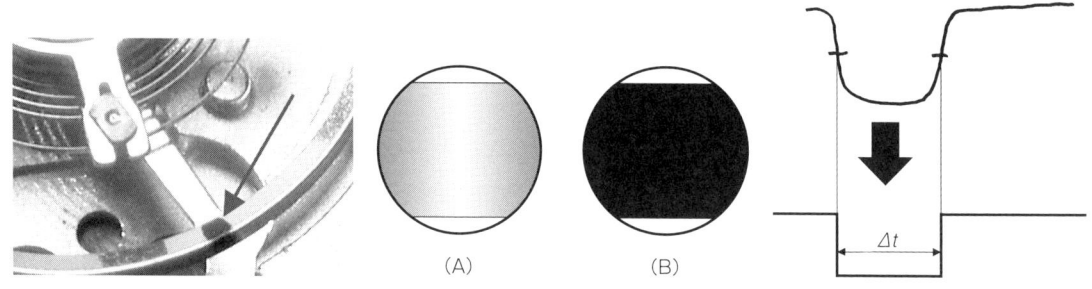

図 3.8 てんぷリム上の印　　**図 3.9** 顕微鏡の視野の様子
　　　　　　　　　　　　　　　てんわリム上の印を検出して
　　　　　　　　　　　　　　　明るさが変化する．
図 3.10 検出信号波形・電圧波

　振動周期に関しては刻音があれば Watch Expert で測定ができる．いわばやさしい．しかし刻音が出ないときはどうしたらそれが測定できるだろうか．もちろん現在のエレクトロニクス技術を駆使し，それなりの道具を用意すれば比較的やさしい話なのであるが，ともかく，測定の方法を具体的に解説すると次のようになる．

　図 3.8 ではてんぷに印を付けてある．てんわリムの一部分を黒く塗り，顕微鏡でこの黒く塗った部分が視野いっぱいに広がるように覗く．他の部分が見えるときは明るい（**図 3.9（A）**）が，黒く塗った部分が視野いっぱいに広がった瞬間は視野全体が暗く（**図 3.9（B）**）なる．そのような明るさの変化をフォトトランジスターなどで検出してやり，フォトトランジスターの出力回路に電圧変化（**図 3.10**）として取り出す．この電圧波形を見ると，暗い部分が通過する時間 Δt は大きく電圧が変化し，ひとつのパルス波形となる．このパルス波形のパルス幅 Δt はてんぷの回転速度に当然関係し，パルス幅はおおよそ振り角に反比例する．したがってこのパルス幅を別の測定器で測定し，その結果から計算を行って振り角値に直す．その結果を示したものが**図 3.11** なのである．この黒く塗った部分のてん真から見た角度を m とするならば，脚注にも書いたようにこの部分が顕微鏡の前を通過する時間はだいたい次の式のようになる[12]．

---

[12] てんぷの振動は次の式（3.1）のように表される（図3.11参照）．この式はてんぷの回転角度とその角度にいる時刻との関係を表しているともいえる．記号の説明をすると，

θ：てんぷの振動している瞬間的な角度（振動中心からの回転角）．
A：振り角（物理でいう振幅）．
f'：てんぷの振動数（5振動などという時計用語．$f'=2f$
ここで f：物理でいう振動数）．
t：時間．振動中心を通過するときを $t=0$ とする．以上のように記号を決めると，
$$\theta = A\sin(2\pi ft), \quad \text{あるいは} \quad \theta = A\sin(\pi f't) \tag{3.1}$$
振動中心から $m/2$ だけ回転した角度を通過するときの時刻を $\Delta t/2$ とすれば，式（3.1）にしたがって
$$\frac{m}{2} = A\sin\left(\pi f'\frac{\Delta t}{2}\right) \quad \therefore \quad \frac{m}{2A} = \sin\left(\pi f'\frac{\Delta t}{2}\right)$$
ここで三角関数 $\sin$ の逆関数 $\sin^{-1}$（アークサインと読む）を使って
$$\pi f'\frac{\Delta t}{2} = \sin^{-1}\left(\frac{m}{2A}\right) \quad \text{したがって} \quad \Delta t = \frac{2}{\pi f'}\sin^{-1}\left(\frac{m}{2A}\right) \tag{3.2}$$
と表される．ところで，$m/2A$ は1よりもかなり小さな値であるから $\sin^{-1}(m/2A)$ は $\sin^{-1}(m/2A) \cong m/2A$ と近似してよいことがわかっている．したがって式（3.2）は
$$\Delta t = \frac{2}{\pi f'}\cdot\frac{m}{2A} = \frac{m}{\pi f'}\cdot\frac{1}{A} \tag{3.3}$$
となり，Δt：黒い部分が全部通過する時間は振り角に反比例することになる．

§3.2 てんぷでのエネルギー消費

$$\Delta t = \frac{2}{\pi f'} \cdot \frac{m}{2A} = \frac{m}{\pi f'} \cdot \frac{1}{A} \tag{3.3}$$

$$A = \frac{m}{\pi f'} \cdot \frac{1}{\Delta t} \tag{3.4}$$

式 (3.3) でその時間 Δt は振り角 A に反比例する.

ここに π：円周率，f'：**時計用語の振動数**，m：黒い印のてん真から見た角度，となるから，測定した時間間隔 Δt から式 (3.4) の計算を行えば振り角 A がわかることになる.

以上が測定の方法の一例である．もっとも黒く塗る，などという印は付けなくてもてんわのリム，あるいはあみだを画像としてとらえ，その画像処理からスピードを直接取り出すこともできるに違いない．現在の技術からすれば，時計のてんわがどんなスピードで走っているかなどはいわば単純な計測である．検出は簡単なことに違いない．このようにてんわのスピードを検出してそのデータから振り角の大きさを推定するのである．

さて，**図 3.11** のように測定ができるとして，その物理的な事情をここで理解しなくてはならない．てんぷの減衰振動の理由を検討してみよう．てんわは空気の中を動くから空気が抵抗するであろう．その抵抗の仕方はスピードが速いほど大きい．スピードがなければ抵抗がない．このような抵抗の仕方をする．これを**粘性摩擦**という.

一方，てん真のほぞの**軸受**には**静止摩擦**が考えられる．平姿勢を考えよう．てん真の下ほぞ端面はてんぷ軸受の受け石によって受けられている．接触している．これにてんぷの重量がかかる．その摩擦はてんぷが重いほど大きい．比例すると見てよい．その摩擦は静止摩擦と考えられ，スピードによらず一定の摩擦力となる．てんぷが重いほどその摩擦力が大きくなる．軽ければ小さくなる．ここには**潤滑油**が供給されているから摩擦係数は小さいかもしれないが，性質としてはスピードと関係のない部分，これを静止摩擦と考えるわけである.

また，このほぞの周囲には潤滑油があって，できるだけその摩擦を少なくするようにしてある．この潤滑油はてん真ほぞが回転すればそれにしたがって一緒に回るであろう．この抵抗はてん真の回転速度に比例するような事情が起きるであろう．その摩擦の仕方はてんわのリムが空気をかき回すのと同じ性質を持つわけで，粘性摩擦の一つになる.

てんぷが回転しようとすると以上説明したような抵抗があり，これによっててんぷの振動が減っていくのである．

てんわが空気中を走ることによる粘性摩擦，ほぞと受け石や穴石との間で起こす静止摩擦，この２つを想定して，さて，てんぷの振動はどうなるか，を検討すれば物理面からの検討となるわけである．この具体像を示すのが図 3.7 である．したがって，この図からどのように分析すればこうした粘性摩擦や**固体摩擦**が見えてくるのか，考えてみよう.

それには振動の減少の仕方が図 3.7 ではどのようになっているかを調べればよいのである．図 3.7 を見ると振り角の減少の仕方は横軸位置，つまり経過時間の大きさで変化している．横軸の位置が右によればよるほど減少の速さは小さくなっている．横軸の位置に従って振り角が変化する．右にい

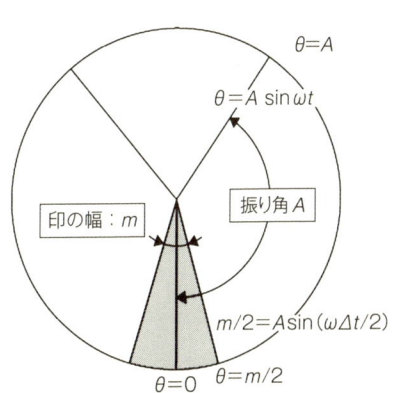

図 3.11 てんわリム上の印の角度 m と通過時間 Δt と振り角 A の関係

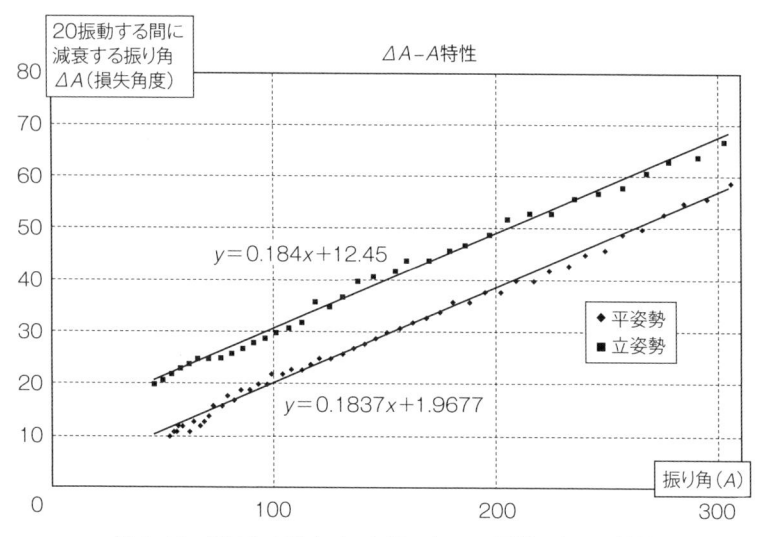

図 3.12 振り角の減少 ΔA と振り角 A の関係：ΔA-A 特性

けばいくほど振り角は小さい．当然その減少の仕方，大きさも減る．つまり減少の大きさは振り角に比例するのであろうか．これを調べるために，横軸に振り角を取り，縦軸にはその振り角のときにどのくらい振り角減少が発生するか，減少する大きさがわかるグラフを作ってみよう．この見方で**図3.7** を見直してみよう．**図 3.12** が実はその分析をした図である．図 3.12 は図 3.7 での各プロットに関して次のような操作をした．たとえば，てんぷが振り角 200° のところではその 200° になるまでの過去 20 振動分でどれだけ振り角が減少したのかを計算した．1 振動が 0.1 秒であるから 20 振動とは 2 秒間に相当する．200° に至る 2 秒間ではいくら減少したのか，それをデータから拾って縦軸の値とした．この操作を図 3.7 の一番右から左まですべてのプロットについて丹念に計算して図に示した．

図 3.12 は図 3.7 と同様，平姿勢と立姿勢に関する．それぞれはほぼ直線上に分布したのでこの直線を近似する直線を描き入れ，縦軸，横軸の値をそれぞれ x, y として直線を表す式も描き入れた．プロットした結果はほぼ直線上にデータがつながった．これは何を意味しているのであろうか．

まずプロットの近似直線の式を見て次のようなことがわかる．式は $y = ax + b$ の形になっている．これは**図 3.13** のように直線は縦軸を b で横切ることを意味している．そして直線の勾配が a であることを示している．グラフ上のどの点も P, Q, R の記号で書いた線分を見てわかるように，縦軸方向の長さは $PR = PQ + QR$ であるから，振り角の減少分は PQ：振り角に比例する部分と QR：切片の長さ $= b$ という一定な部分との和であることになる．これを実際の物理的な事情で理解してみると，前述したようにてんわの**空気をかき回す抵抗**がこの PQ の部分，振り角に比例する成分であり，QR という成分がてん真ほぞの静止摩擦である一定成分と考えてよいのではないだろうか．

実際，立姿勢の直線は切片の値が大きい．$y = ax + b$ の直線の式の切片 b の値は 12.45° という値である．つまり実際のものに即して理解すると，20 振動で 12.45° という値だけ減少するという意味である．これから 1 振動では $12.45/20 = 0.62°$ 減少する，という意味になる．

実際時計をいじっている方にとってこの値は納得できるであろうか．てんぷは 1 振動すると約 0.6° その静止摩擦によって一定に振り角が減少する，という理解になるが納得できるであろうか．別の点も見てみよう．**図 3.12** で横軸：振り角 300° では振り角の減少値は 68° くらいであるから 1 振動では

§3.2 てんぷでのエネルギー消費

68/20＝3.4°の減少と計算できる．1振動ごとの減少はここでは3.4°であり，これならてんぷの減衰状況を観察したことのある人には納得できるであろう．実際このくらいである．

そしてその減少は PQ は振り角に比例する部分，QR の一定の部分は振り角に関係ない固定の部分，とに分けられる．このような分析になる．振り角に比例する部分とは，先ほど説明したてんわが空気をかき回す部分，粘性摩擦の部分である．また，振り角によらない一定な部分は，てん真ほぞが受け石，穴石と接触して発生する摩擦の成分，**静止摩擦抵抗**の部分である．振り角300°付近では振り角に比例する部分，

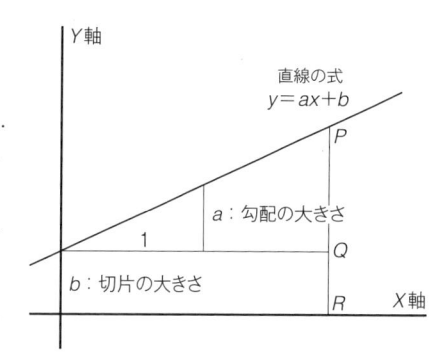

図3.13 直線の式：係数 a, b の意味

粘性摩擦としててんわが空気をかき回す成分が約85％くらいを占め，静止摩擦成分はその残りの15％ほどであることがわかる．振り角150°あたりでは振り角比例成分と一定成分との比率はほぼ3：1くらいの比率になることもグラフから容易にわかる．

図3.12はこのように，てんぷのエネルギーの消費実態をかなり正確に示すことがわかったであろう．平姿勢についても見てみよう．切片の値は1.96であるから1振動あたりでは1.96/20＝0.098，つまり平姿勢では1振動あたり0.098°しか**固体摩擦抵抗**，ほぞの底面で発生する静止摩擦抵抗はないと計算される．ほんのわずかであることがわかる．そして振り角が増えればもちろん，立姿勢で計算した直線の勾配とほとんど同じ勾配で振り角減少分が増えていくのであるから，これも納得できる話ではないだろうか．空気をかき回す抵抗はてんぷの姿勢に関係なく縦でも横でも同じであろう．てんぷの表面は時計の姿勢とは無関係である．てんぷの表面が空気に接してそれで抵抗を受けるのであるから姿勢には関係ないのは当然である．それがこの図3.12にはしっかり示されている．勾配の値を比較してみると平は0.1837，立は0.184とほとんど等しい．これも納得できるデータといえよう．

このように図3.12を分析してみると，この図からてんぷの振り角減少の実態がかなり正確に捉えられているといってよい．また，てんぷのエネルギー消費の実態はてんわが空気をかき回す粘性抵抗とてん真ほぞの**静止摩擦成分**で考えてほとんど間違いないともいえるわけである．

以上がてんぷを脱進機と関係なしに，てんぷのみでその運動の実態を分析した事例である．

さて，その物理的な理由はここに述べたものであると断定できるかは，やや予断を許さない点がある．仮説を出そう．粘性摩擦はてんわが空気をかき回す抵抗と説明したが，ほぞに注油された潤滑油の部分もこの中に入っているであろう．ならばそれはここで見つかった粘性抵抗の何割であろうか．この問いには図3.12のデータからだけでは分析ができない．つまり粘性抵抗として眺めた実態はこの他に要因はないのであろうか，こう尋ねられるとそれには図3.12だけでは分析はできないという他はない．

これらに答えるには実際の潤滑の様子を変えてみて実験する，データを取ってみるということをすればよいであろう．てんぷほぞの潤滑油を重いもの，軽いもの，などと変えてみれば図3.12の直線の勾配 a の値が変化するであろう．その様子からほぞの潤滑油の影響を論ずることができることになる．

以上のようにこの分析の仕方で，てんぷのエネルギー消費実態が分析できるといったんわかれば，これを利用してさらにエネルギーをできるだけ消費しないてんぷの設計が可能となるに違いない．

最近のバーゼルフェアではカーボン材や，シリコン材，あるい石英など，非金属材料がひげぜんまいに利用されたという話題が聞かれる．**図3.12**の視点でこれらを眺めるといったいどのようにこれ

らの材料は評価できるのであろうか．興味深いところである．

§3.3 てんぷのエネルギーと Q の関係

ここでは，てんぷでのエネルギー消費の実態についての解説をふまえて，振動系の良さについて述べていこう．時計の精度の良し悪しはてんぷの共振の鋭さ Q（Q=クオリティ）が基本的要因をなす．そこで，この共振の鋭さ Q と注入するエネルギーの関係，さらには粘性抵抗，静止摩擦との関係を解説し，最後にてんぷの振動を表す方程式を紹介する．

3.3.1 てんぷのエネルギー消費の実際

ここまで，てんぷのエネルギーの消費の仕方，その性質を紹介した．その結果は図 3.12（ΔA-A 特性）のとおりであって，振り角の大きさによって変化する部分である粘性摩擦抵抗と，変化しない一定の損失の部分である静止摩擦抵抗とに分けられることを説明した．そしてその実際のメカニズムは振り角に比例する成分のてんわの空気抵抗と，振り角にはよらない一定な成分であるてん真ほぞの静止摩擦であると推定される．また，この推定はそれほど間違いではないが，時計精度の要求水準が 10^{-5} レベルであることを考えると，要因はこれだけであると断定することはできないということも付け加えた．ここでは振動系の良さに関する一般的な評価方法について触れていこう．ともかく，図 3.12 はこれらの事情を実に適切に表したグラフなのである．その意味では例示だけでなく，時計ごとにこの様子がどう違うかを比較検討すれば，さまざまなことがわかると思われる．

3.3.2 共振系の良さ：Q

てんぷは単振動系であって，その共振の鋭さが時計の精度の基本的要因である．この共振の鋭さとは外乱があったとき，その振動周期が変動しないような性質を意味し，時計にあっては当然その精度に直結する性質と考えてよい．

一般に振動系における共振の鋭さを表す目安を Q で表す．Q は今まで，本書のいろいろなところでふれた．Q は Quality という英単語の頭文字からとってあり，「品質」という意味である．Q 値とは振動の状態を現す数．無次元数であり，1 周期の間に系に蓄えられるエネルギーを，系から散逸するエネルギーで割って求められる．この値が大きいほど振動が安定であることをいう[13]．てんぷの場合，脱進機からエネルギーを毎回受け取って振動するが，毎回のエネルギーの受け取り量に対してその Q 倍のエネルギーを保有した状態で振動しているという意味になる．

表 3.1 に機械式腕時計のてんぷの Q 値の概略を示した．この表でわかるように機械腕時計では Q 値は 100～400 程度であり，紳士用の腕時計の方が婦人用の小さなムーブメントよりも大きな値を示し，時計師の方々が実感するように紳士用の方が進み遅れが安定している．その目安がこの Q 値で代表できるのである．そしてこの Q 値は振動数と直結しているといってよい．また，次のように理解するとてんぷの安定性の目安としてはわかりやすいかもしれない．Q が大きいと脱進機 1 回あたりの注入エネルギーが少なくなる．**図 3.12** でこれを示そう．

図 3.12 の横軸 300°あたりのデータに注目してほしい．てんぷは 300°振っているときには平なら

---

[13] 本文にある式（3.8）がその定義式である．

§3.3 てんぷのエネルギーとQの関係

表 3.1 時計の種類とその振動系のQ値

時計の種類	振動数（振動系の）	Q値	備考
婦人用機械腕時計	5, 5.5, 6, 8, 10	60～120	
紳士用機械腕時計	5, 5.5, 6, 8, 10, 12, 16, 20	100～450	図 3.14 のてんぷは振り角 300°で Q=330（平）280（立）
懐中機械時計	5, 5.5, 6, 8, 10	200～600	
音叉腕時計	360	3,000	
水晶腕時計	32,768	30,000	

ば 57/20 = 2.85°[14]，立ならば 68/20 = 3.4°分のエネルギーを，脱進機の動作 1 回あたり，つまり 1 振動あたり，注入しなければならない．Q が大きいということはこの減衰する分が少ないということである．平の場合，300°−2.85° = 297.15°はてんぷが今まで貯めてあったエネルギー分である．脱進機は 1 回あたり，300°のうちの 2.85°分しかエネルギーを供給しなくてもよい，というわけである．この注入するエネルギーによる振動周期への影響は注入するエネルギーが小さいほどその影響は小さくなる．この脱進機の影響を**脱進機誤差**とよぶことにすれば，これは Q 値にズバリ関係していていいはずである．まったくその通りなのであって，脱進機誤差は Q 値に反比例する[15]．Q の大きい時計はこのあたりで姿勢差の基本的な部分が良くなってしまう．調整がしやすいということにもなるのである．

なお，時計の進み遅れが安定している，という実感は実は**携帯精度**が良いことを実感しての話である．Q が大きいと外乱がやってきたときの振動周期の変動がそれに比例して小さくなるのである．

てんぷという振動系にとっては脱進機からのエネルギー供給も外乱である．ただし，毎回ほぼ一定[16]

---

14) 図 3.12 で横軸 300°のところで直線は縦軸 57°（平），68°（立）のあたりで通過することが読み取れる．つまりこのてんぷは自然減衰するときに 300°の振り角では 20 振動分で上記の数値だけ減衰するのであるから，計算上，1 振動あたりでは本文にあるように 57/20 = 2.85°（平），68/20 = 3.4°（立）だけ減衰するのである．脱進機は毎回これを補充していることになる．振り角が増えればこの減衰する振り角は増えるから（直線が右上がりになっているから），ぜんまいトルクに見合った振り角で当然ながら振り角が決まる．つまり安定して振っているてんぷはこのグラフにある縦軸にある振り角分だけつねにエネルギーが補充されているのである．

15) 脱進機誤差 EE と Q の関係は次のとおりである．脱進機誤差量は Q と振り角に反比例する．もっとも Q は振り角により変化する．実際は Q の 2 乗くらいに反比例すると理解した方がよい．

16) ほぼ一定とは実は輪列のトルク変動によって完全な一定力が供給されているわけではないことをいった．まず知っていただきたいことは，てんぷの振り角は仮に 1 回だけ脱進機からのエネルギーが絶たれたとしてもここで説明するようにわずか 2.8°程度しか落ちないということである．この点で，修理に携わる方々はほとんど誤解している点があるといってもいい．それはいま述べたように脱進機からのエネルギーが絶たれたとしても 2.8°しか変化しないのであるから，このことを噛みしめると時計の振り角の変動の大きさに対する鋭い観察眼が生まれてもよいであろう．たとえば 1°振り角が急に落ちたとしよう．これはよくあることではないだろうか．てんぷのあみだをしっかり眺めていると，あるとき急にあみだの位置が変化して 1°くらいは落ちたことに気づいた方がおられるであろう．すると，脱進機から供給されたエネルギー量は 2.8°に対して 1°であるから脱進機からの総エネルギーの 3 分の 1 くらい変化したことになる．下手すればこの 2.8°に対して 2°あみだの位置が変化したとすると，7 割近くもトルクが下がったということになる．輪列のトルク変動としてそんなに大きな変化があってはならない．あるはずがない．これがいわば常識なのであるが，これにだまされているのである．実際の振り角では 1°の急峻な変化はおおいにありうるのである．したがって，ほぼ一定という言葉はどうも怪しいことになる．このへんがトルク変動に対する誤解なのである．歯車は良くできている．振り角の変動はそのように大きいことはありえない．なるほどこの言葉は間違いではないのであるが，このように大きなトルク変動はあるはずがない，といったら実はすでに誤解になってしまうのである．振り角の変動がこの程度に収まっているのだからトルク変動はたいして大きくはないと．ここには実に大きな誤解がある．てんぷの振り角は**図 3.12** の時計の場合，前掲した減衰曲線を振り返るとわかるのであるが，振り角が半分になるまでの時間は 8 秒程度である．ということは 8 秒くらいかかって変化するようなゆっくりしたトルク変動に対しては，そのトルク変動の半分程度，振り角は応答するということになる（式 3.7）．輪列の変動の中には 1 番 2 番の噛み合いのように 6 分くらいかかって変化するトルク変動もあるが，がんぎの歯が 1 枚だけ寸法が具合悪く，その歯が噛み合ったときはトルク変動がはなはだしく大きいということもある．このがんぎ歯がおかしいということは振り角だけ見ていると，その歯が噛み合ったときだけに見られる振り角変動が一瞬起こって，振り角は 1.5°落ちたかもしれない．がんぎの歯は極端かもしれないが，四番歯車の歯に 1 枚だけ問題があって，その歯が噛み合ったときだけ，急にトルクが落ちるとしよう．四番歯車は仮に 60 枚の歯があるとする

の外力であり[17]，携帯時の外乱のようなばらつきがないだけであって，その影響（外乱の受け方）は脱進機も外乱振動も同じなのである．Watch Expert で歩度を測定するとき，歩度の測定時間を2秒や4秒などと短くすると，表示される測定結果が大きく変動することをご存じだろうか．この歩度変動が実はここに説明するエネルギー供給の実態を表す変動なのである．表輪列による駆動はほぼ一定な駆動をしているという理解とはかなり違う実態なのである．

3.3.3 てんぷの保有エネルギーと振り角との関係

脱進機の毎回のてんぷへのエネルギーの授受はどのくらいか，これをいま例示したようにてんぷの振り角で表現してみよう．脱進機の1回の駆動で ΔE だけ，エネルギーが供給されるとしよう．これをてんぷの振り角で表現すると次のようになる．まず振り角とてんぷの保有エネルギーに関しては次のような関係式がある．てんぷが振っているとき，保有エネルギー E は式（3.5）で与えられる．

$$E = \frac{1}{2}KA^2 \tag{3.5}$$

式（3.5）を微分して

$$\Delta E = KA \cdot \Delta A \tag{3.6}$$

$$\therefore \frac{\Delta E}{E} = 2\frac{\Delta A}{A} \tag{3.7}$$

ここで記号の意味は，E：てんぷの持っているエネルギー，K：ひげぜんまいのばね定数，A：振り角，ΔE：エネルギーの変化分，ΔA：振り角の変化分である．

さて，式（3.5）を次のように理解しよう．てんぷの保有エネルギーは振り角の2乗に比例する．そして振り角の変動分 ΔA とてんぷの保有エネルギーの変動分 ΔE の関係は式（3.6）のように計算される．式（3.5）と（3.6）から保有エネルギーの変化率 $(\Delta E)/E$ と振り角変化率 $(\Delta A)/A$ の関係は式（3.7）のようになり，振り角変化率はエネルギー変化率の半分になる．この半分になることに注意しよう．

これらの式の意味を時計の実際上の感覚で理解してみよう．310°振っているてんぷは270°のときの何倍のエネルギーを持っているであろうか．計算は簡単で，$(310/270)^2 = 1.32$ つまり32%も大きいのである．270°振らせるぜんまいのトルクの32%増でなければ310°は振らせられないのである．このように振り角が大きいところではエネルギーの変化が大きい．わずかな振り角の増大に対しても

と，その歯が噛み合っている時間は1秒である．この1秒間は振り角が急激に落ちるとしてもわずか1秒間であるから振り角は結果的にはそれほど落ちないうちに次の歯に噛み合いが移ってしまい，トルクは正常となり，振り角も正常に戻る．このような場合，トルク変動がかなりあって振り角として見える変化量で2°観察できたとすると，ここに説明している2.8°の7割近くになる．このような事例は実は数多くあるのではないだろうか．そしてトルクがこんな大きさで変化すれば振動周期はどうなるであろうか．当然大きな変化を受けることになる．いわば駆動トルクの変動で発生する脱進機誤差の変動（これを**動的脱進機誤差**とよぼう）は，ほぼ一定なトルクの供給というイメージからは違う，はるかに大きい歩度変動として捉えられなければならない代物なのである．

[17] 脚注16）で図3.12の場合は，と述べた．図3.12のてんぷは紳士用腕時計で10振動の高級品の場合である．基本特性としては機械腕時計のトップクラスの品質のものである．Q の値で300は下らない，いわば相当な高級品であるから，300°振っているあたりで，3°程度しか落ちないのである．普通なら4°ないしは5°落ちるであろう．このあたりは注意して理解いただきたい点である．図3.12から Q 値の計算はたとえば次の通りである．300°振っている点で，振り落ち量 $\delta A = 2.86$，$A = 300$ であるから本文式（3.15）から

$$Q = \pi A / \Delta A = 3.142 \times 300 / 2.86 = 330$$

となる．

大きなエネルギーの注入が必要である．

これを象徴する話がある．スイスの独立時計師の中にはぜんまい全巻きの平姿勢の振り角をなんとしても300°振らせなくてはと考えて実行している人がいる．また，ぜんまい全巻きの振り角をそうした高い振り角に維持して問題のないようにするには輪列のトルク変動をしっかり押さえなければならない．その理由は振りあたりの問題があるからである．単に脱進機の調子を良くするだけではだめで，ざらまわりの品質をそこまで高めなければ実現することはできない．このような事情をそれにふさわしいレベルまで持ち上げて，そうしてぜんまい全巻きの振り角をしっかり振らせて時計の元気さを保つということにこだわるのである．このように高い振り角にする理由は何か，それはてんぷに持たせるエネルギーをできるだけ高めたい，この一点である．これが時計のいろいろな点での耐久力に絡むからである．またこれがいわば時計を高価にする理由にもなるのであろう．こうした事情は時計関係者以外にはあまり理解されにくい事情の一つかもしれない．

上に紹介した Q という用語は式 (3.8) のように定義されている．また式 (3.9) に示すように，同じ ΔE：入力エネルギー，言い換えれば同じぜんまいトルクに対しては，てんぷが保有する振動エネルギーが Q に比例する．あるいは式 (3.10) に示すように入力エネルギー ΔE の Q 倍が振動中の保有エネルギーに比例すると理解してもよい．式 (3.11) のように振動中のてんぷの保有エネルギーは入力エネルギーの Q 倍であるとも理解してよい．

$$Q = 2\pi \frac{E}{\Delta E} \tag{3.8}$$

ここで，式 (3.5) を代入すると

$$\therefore \quad \Delta E = 2\pi \frac{E}{Q} = \pi \frac{KA^2}{Q} \tag{3.9}$$

$$\therefore \quad Q \cdot \Delta E = 2\pi E = \pi KA^2 \tag{3.10}$$

$$\therefore \quad E = \frac{Q \cdot \Delta E}{2\pi} \tag{3.11}$$

3.3.4 てんぷの運動と粘性摩擦，静止摩擦との関係

さて，外力がてんぷに作用することでてんぷの運動が決まる．直線運動の場合は物体の質量（慣性）に対してどんな力がかかるかで物体の動きが決まった．これは以前に説明したとおりである．同様に回転体では回転体に働く力が回転体の慣性力 $I\alpha$ につりあう．式でいえば次式のように書くことができる．

$$\tau = I\alpha \tag{3.12}$$

ここで，α：回転加速度，角加速度という，I：慣性モーメント[18]，τ：作用したトルク．

このてんぷに働く外力 τ を数学的に記述すれば表3.2のようになる．表3.2は物体の直線運動の場合と回転運動の場合を比較しておいた．てんぷの運動を決める式，これを運動方程式という．これは表3.3の式 (3.13) のとおりになり，その解は式 (3.14) のようになる．式 (3.14) は運動の初期条件として，最初てんぷをある程度の角度 A_0 だけひねっておき，その状態から初速0で離してやった

---

18) 回転体の慣性は慣性モーメントとよばれる．回転軸から距離 R だけ離れた点にある質量 M の物体の回転軸まわりのモーメント I は $I = MR^2$ で与えられる．この式には R^2 となっているので，2次モーメント：距離・半径の2乗に比例する．てんわの場合，質量 M のてんわリムがてん真から R だけ離れていればこのてんぷの慣性モーメントは MR^2 になる．

表 3.2 直線運動と回転運動の比較

要因	直線運動	回転運動
運動方程式	$F=ma$	$\tau=I\alpha$
変位	x	θ
物体	質量 m	慣性モーメント：$I=mr^2$
加速度	a	$\alpha=\dfrac{d^2\theta}{dt^2}$：角加速度ともいう
物体の慣性力	ma	$I\alpha=I\dfrac{d^2\theta}{dt^2}$
外力	力：F 例　重力　mg	トルク：τ 例　ひげぜんまいの復元力：$-K\theta$
摩擦力	静止摩擦力：　$-R$ 粘性摩擦力：　$-F\dfrac{dx}{dt}$	静止摩擦トルク：　$-R$ 粘性摩擦トルク：　$-F\dfrac{d\theta}{dt}$

表 3.3 てんぷの運動方程式とその解

てんぷの運動方程式	$I\dfrac{d^2\theta}{dt^2}=-F\dfrac{d\theta}{dt}-K\theta \mp R$	(3.13)
自然減衰運動としての解	$\theta=A_0 e^{-\mu t}\cos(\omega t-\delta) \mp r$	(3.14)
記号	記号の物理的な意味	
I	てんわの慣性モーメント	
F	粘性摩擦係数	
K	ひげぜんまいのばね定数	
R	静止摩擦トルク	
$\mu=\dfrac{F}{2I}$	粘性摩擦係数	
$\omega_0=\sqrt{\dfrac{K}{I}}$	基本角速度	
$\omega=\sqrt{\omega_0^2-\mu^2}$	実際の摩擦のあるときの角速度	
$r=\dfrac{R}{K}$	てん真ほぞの静止摩擦角度	
t	経過時間	
θ	てんぷの回転角度	
A_0	初期の振り角	
δ	粘性摩擦の有無による角速度の違い	$\cos\delta=\dfrac{\omega}{\omega_0}$

とき，つまり**自由減衰振動**をさせた場合を示す．振幅，振り角は $e^{-\mu t}$ に比例して次第に減衰していく．振動の周期は少し粘性抵抗の影響を受けて，角速度がごくわずか少なくなるが，通常の機械時計の場合はあまり変化はない．次第に振り角が小さくなり，静止摩擦抵抗と粘性摩擦抵抗の両方の影響を受けて振り角が下がっていき，最後には止まる．単純な自由減衰振動がこうして数学的に記述できるのである．

さて，前述の Q はこれらの振動の要素とどのような関係があるかを明確にしておこう．1周期ごとの振り角の減少値 ΔA，てんぷの失うエネルギー ΔE を求めると式（3.15）のようになる．また Q との関係は式（3.16），（3.17）で表される．式（3.15）の分母を見るとこれは1周期で失う振り角であり，この値の20倍が**図 3.12** での縦軸の値に相当する．

$$\Delta A = A e^{-\mu T} + 4r = \mu T A + 4r$$
$$\Delta E = K A \Delta A = \mu T K A^2 + 4rKA$$
$$= \frac{2\pi^2 F}{T} A^2 + 4RA \tag{3.15}$$

ここで，T：てんぷの振動周期 [sec]，$4RA$：静止摩擦によって1周期に失うエネルギー，$\frac{2\pi^2 F}{T} A^2$：粘性摩擦によって1周期に失うエネルギー．

したがって，Q は式（3.16），（3.17）のようになる．

$$\therefore\quad Q = 2\pi \frac{E}{\Delta E} = 2\pi \frac{\frac{1}{2} K A^2}{\frac{2\pi^2 F}{T} A^2 + 4RA} \tag{3.16}$$

$$= \pi \frac{A}{\Delta A} = \frac{\pi A}{\mu T A + 4r} \tag{3.17}$$

3.3.5　Q と静止摩擦，粘性摩擦の関係

以上のように運動方程式を立て，解を求めると結果は至極当然な正弦波の振動式となり，振り角はだんだん減衰していく振動となった．そして Q という指標は式（3.16），（3.17）で表された．この式の分母の中に粘性摩擦と静止摩擦が入っている．式（3.17）の方がわかりやすい式ではないだろうか．分母は粘性摩擦による1往復振動で失う振り角であり，静止摩擦ではいつも r だけの角度を引きずって回転し，第1項の μTA は振幅の減衰を表す $e^{-\mu T}$ が現れている．比較的覚えやすい形をしている．

3.3.6　まとめ

とうとうてんぷの振動を表す方程式まで紹介する結果になった．なかなかこうした基本にまでふれるチャンスはないから一度くらいふれておこうと考えた．またこのような基本は多分，どんな時計の基本的な研究や改善に対しても必ず関係するはずである．振動数の選択などはその最たるものである．最近は8振動が腕時計の振動数の主流になっているようであるが，周辺の技術が進展するとこの振動数もさらに上がっていくであろう．その理由はやはり携帯精度に対しては，なんといっても振動数が支配的に影響する（図1.87参照）からである．Q を上げるという指針は古今東西，どんな将来であっても変わらない．美しさという魅力をいつもまとっている機械時計という狭い領域にあって，なお驚くべき Q がこれからも実現していくのであろう．

第 4 章
どのように歩度は測られるか

§4.1 刻音

　ここからは，時計の刻音について解説しよう．チクタク・チクタクと鳴る，いわば時計の鼓動である．この音はいったいどのような仕組みで生じるのか．また，調速機の振動数とはどんな関係があるのか．そして，良い刻音，悪い刻音とは？　いままでほとんど着目されてこなかった時計の刻音を解析し，波形と精度の関係や，その利用方法について考えてみよう．

4.1.1 美しい時計の刻音

　時計のチクタクという音，日本語では刻音であるが，仏，独，英語ではなんと呼ぶか用語を並べてみると[1]，

　　仏　　bruits de la montre（時計の騒音）

　　独　　Geräusch der Uhr　（時計のざわめき）

　　英　　noises of a watch　（時計の騒音）

であり，いずれの国の言葉でも騒音と考えている．

　さて，刻音を時計の刻む音楽の拍子と理解してみよう．騒音とは思わないからいろいろな気づきがここにある．

　図 4.1 は，提灯ひげとクロノメーター脱進機を搭載している懐中時計[2]である．クロノメーター脱進機は片側駆動，したがって聞こえてくる刻音も片方は大きい音で，もう一方は小さい音である．この時計は5振動で秒針は0.4秒ごとに1回動く．

　その刻音波形は **図 4.2** のようになっている．はずし石が掛けがねをはずして駆動する方（**図 4.2-1**）は大変大きな音がするが，反対の掛けが

図 4.1　クロノメーター脱進機

---

[1] "Dictionnaire professionnel illustré de l'horlogerie", p.114 による．
[2] このような時計はかなり珍しい．スイス製で Schwob et Freres Co. と銘がうってある．山田柳造氏（元人間国宝）から譲り受けたもので，推定100年以上前の製作と思われる．最近分解掃除をしてきれいな波形が観測できた．したがって，ここにご紹介する波形はクロノメーター脱進機の刻音波形としても珍しいものになるだろう．

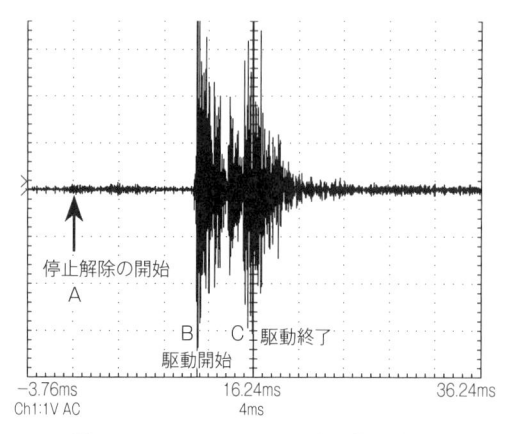

図 4.2-1　クロノメーター脱進機刻音 1

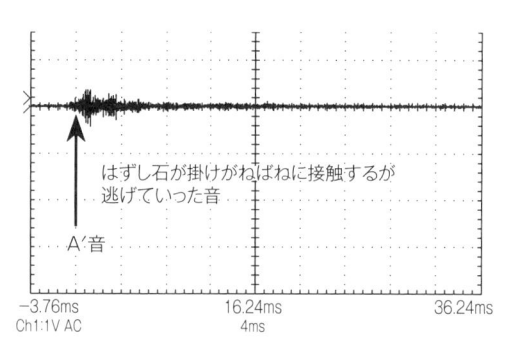

図 4.2-2　クロノメーター脱進機刻音 2

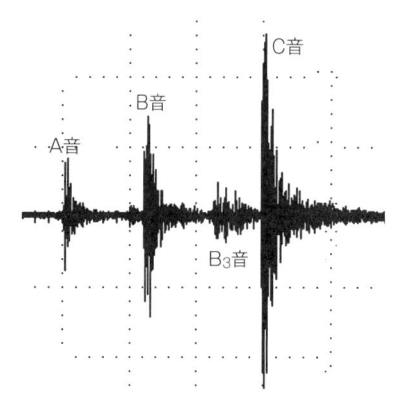

図 4.3　クラブツースレバー脱進機の典型的な刻音

ねばねをかすめて反対方向へ逃げていくときは，大変小さな音しか出ない．時計の刻音はこのようになっている．

　刻音のテンポ，これはてんぷの**振動数**によって決まる．振動数とはこの刻音が 1 秒間に聞こえる回数のことをいい，5, 5.5, 6, 8, 10 などがある．5 振動の時計は音楽の速さの用語でいえばアレグレットの付近（もっとも刻音一拍を 16 分音符として）にあるが，すると，

　　5 振動…allegretto　　5.5 振動…allegro　　6 振動…vivace　　8 振動…molto presto　　10 振動…????

と表現できよう．5 振動は心地よい．心を和ませるペーソスがある．8 振動ではすでに音楽の領域を超える molto presto である．10 振動は聞けばわかるが，まるで機関銃の音である．機械音であり，聞くに耐えない．聞くのがバカバカしい．しかし，時計としての性能は別で，5 振動に比較してはるかに良い精度をもたらす可能性がある．高性能の時計に高振動が採用されるだけの理由がある．

　一般の時計の刻音はどうか，それをご覧いただこう．一般とはクラブツースレバー脱進機の時計をいう．その音響波形は**図 4.3**のようになっている．刻音は主として 3 つの部分からなっていて，それぞれ

A 音：振り石がアンクル箱先にぶつかる音，停止解除の音．

B 音[3]：がんぎ車の歯先が爪石の衝撃面に衝突し，駆動が始まる音[4]．

C 音：がんぎが落下し爪石の停止面に落下，およびアンクル竿がどてピンにぶつかる音，

とされる．この音の出るメカニズムを図 4.4 に示した．言葉で説明すれば上に述べたとおり，脱進機の動作そのものを表現しているといってもよい．しかし，この波形のすべてに必ず説明がつくかと問わ

3）　実際の刻音はかなり複雑でいろいろな動作が含まれる．B_1：がんぎが退却するが，爪石の衝撃面に追いついてぶつかった際に出る音，B_2：アンクル箱が振り石の左側面（入り爪側衝撃）に追いついてぶつかる音と，とりあえず分類しておく．

4）　図 4.3 には B_3 音とあるが，これは爪石衝撃面衝撃からがんぎ衝撃面衝撃に交替するときに発生する音で，とくに出爪衝撃ではがんぎ衝撃面衝撃に移るときはがんぎ車の方が速く回転しないと追いつかない．一度がんぎ歯は爪石面から離れて，少し遅れて爪石に到着し，衝撃を再開する．そのときの音を B_3 とここではいった．がんぎ車の遅れは比較的小さく，アンクルもがんぎも両方とも動いているときの衝突であるから，音響レベルも小さいのが普通である．

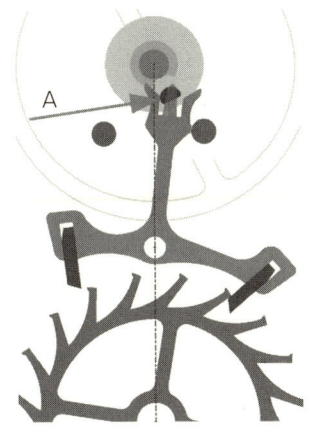

図 4.4-1　A 音
振り石が箱の側面に当たる音．

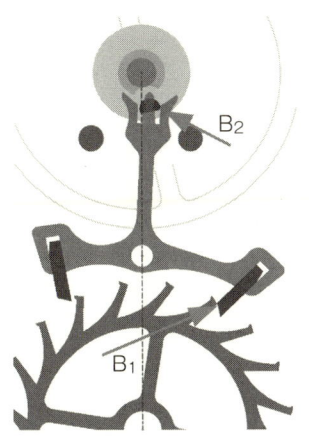

図 4.4-2　B 音
衝撃開始の音．がんぎの歯が爪石の衝撃面に当たる音 B_1，箱が振り石の側面に当たる音 B_2．

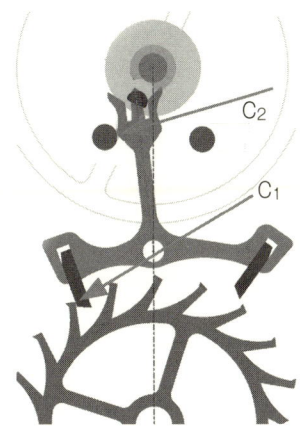

図 4.4-3　C 音
爪石が停止面に当たる音 C_1（落下），アンクルがどてピンに当たる音 C_2．

れば，これにはまだいろいろな余地がある．図 4.3 に示した例は紳士用の国産 5 振動の腕時計であって，この波形は長年培われた品質を示し，脱進機の動作としてはまったく完全といっていい理想状態の時計である．

このような時計は長く使ってもまったく問題が発生しない．大変に澄んだきれいな音の例である．また，アンクル体が焼き入れした鋼鉄で薄いものなど，欧米の高級品に見かけるが，きれいな高い音[5]を出す．脱進機の動作が正常であり，ばらつきがないときは刻音の構成はいつも安定していて，響きも良い．てんぷの振りが良ければそれだけ元気な音を聞かせてくれる．刻音を聞けば振りもわかる．

4.1.2 刻音の性質

実はこの刻音を利用して時計の診断がいろいろできるのであるが，現在あまり利用されていない．時計の測定器，最近一般によく使われている Watch Expert では刻音波形を観測できるようになっていない．したがって，刻音を見ようとするならば，電子機器のシンクロスコープ，オッシロスコープとマイクロフォンとを接続してやらなければならない[6]．工夫がいる．こんなわけで修理技術としてほとんど浸透していない．

Watch Expert では，観測用の端子が実は測定器背面のコネクターに出ていて，そこへアンプとマイクロフォンを接続すれば観測はできる．しかし，この面倒なことをやって，時計状態を確認しようという人が少ないのである．筆者はそうした状態は改善すべきだと考えている．

さて，刻音から何がわかるのか基本的なことをおさらいしておこう．

---

5) きれいな刻音は Witschi Expert 付属のスピーカーからは聞こえない．多分，同測定器では聞こえてくる音の音質にはまったく配慮していないためと思われる．もっとよい音の聞こえるオーディオアンプが望まれる．マイクロフォンの方も音の高忠実度再生を目的とはしていないから，ほとんど低音は聞こえない．この意味でむしろ耳で直接聞いた刻音ははるかにきれいである．アンクルの材質や，周囲のムーブメント内に残る余韻など，通常はほとんど聞こえない．

6) 直接時計のマイクロフォンをオッシロスコープへ接続しても波形観測には感度が足りないのが普通である．一段アンプを介して接続しなければならないだろう．アンプといってもわずか 20〜50 db 程度のアンプでいいので，現在の電子部品環境では大変容易である．

- A音は振り石が最初に箱に当たる音

この音がしっかり出ていないと振り石が箱にきちんと当たっていないことになる．また，歩度は通常，この音同士の間隔から測定される．歩度の測定に利用される理由は，アンクルが第二停止状態でいつも一定な位置にいること，てんぷの方はその一定位置のアンクルにぶつかるので，もっとも安定した間隔になる，これが主とした理由で歩度の測定に利用されるようになったが，電子機器の技術としてはこの音が一連の刻音の最初にある点で利用しやすいという事情もあろう．

- A音がきちんと出ていることが大切

A音は振り石がアンクルの箱に当たる音であるが，アンクルの箱の側面にしっかりと当たらないと音がきちんと出ない．たとえばアンクルの箱が短いか，振り石が倒れてアンクルから離れていると，振り石がアンクル箱先に当たるとき衝突の方向が安定しない．そのためA音が小さくなったり，その付近に雑音が発生する．時計修理上は歩度の観測がしにくくなり，歩度変動が大きく見える事態も起きる．図4.5はA音が大変大きな例で，やや大きすぎる．これはアンクルの慣性モーメントが大きすぎるからである．

図4.6はアンクルの材質は鋼でおそらく焼き入れをしてあると思われるものである．アンクルの箱の側面にはオリーベが取ってあり，振り石との接触が大変安定している．時計のユーザーにはまったく知られない部分に十分に手をかけて時計の動作を安定にしてある．大変良い音がするかなりの高価格品である．

このようにA音はアンクルが軽いほど小さい．衝撃が小さいからである．もちろん，上に述べたように振り石との衝突はしっかりと箱側面に当たらないと良い音にはならない．

- C音は衝撃終了，どてピンにぶつかる音

C音は衝撃を終了してがんぎ車の歯が反対側の爪石の停止面にぶつかる音と，さらにアンクルの竿がどてピンにぶつかる音で構成される．その両方はほとんど一致した時刻と理解してもよいが，実際の刻音波形ではそれらが分離していることも多い．A音とC音の時間間隔はほぼ，てんぷが脱進機に拘束されている一定の角度（拘束角）を通過する時間とみなせるから，この時間の長さを測って振り角を求めることができる．歩度測定器の振り角表示はその応用例である．C音は一番大きな音になる．それはアンクルとがんぎの両方の大きな慣性を持った物体が停止する衝撃で出る音だからである．

- いろいろな雑音のないこと，その他

表4.1にも載せてあるが，ABC音以外にもいろいろな音が観測できる．それらから脱進機やてんぷまわりの様子を知ることができる．剣先と小つば，くわがたと振り石，ひげとまわりの部品，てん受，二番車，ひげぜんまい同士の接触，さらにあおりの状態，これらがいずれも刻音の中に一緒に観察できるわけである．表にもあるとおり，がんぎとの食い合いの様子も結構明らかになるようである．刻音には振り角の変動からは想像

図4.5 A音の大きな例

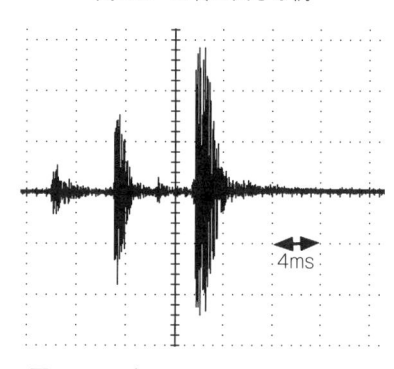

図4.6 A音しっかり
波形全体が非常に安定していて，雑音がない例．

表 4.1 刻音波形とその発生原因

刻音波形	波形説明	発生原因
	・AC 間が狭いほど振りがよい ・C 音は大きいほどよい	・正常な波形で時計はよく調整されている
	・A/B/C 音間が広い	・振り角不十分 ・ぜんまいトルクが弱い ・どてピンの開きすぎ
	・A/B 間が広い	・総停止量が大きい
	・A/B 間が狭い	・総停止量が少ない
	・全体に波形が汚い	・爪石無注油
	・A 音が大きい	・アンクルが重い ・アンクル箱に傷 ・振り石に傷 ・振り石がくわがたに擦れる
	・B 音が大きい	・爪石の衝撃面に傷 ・箱あがきが大きい ・ロッキングコーナーに傷
	・A/B/C 音の他に音が出る	・剣先と小つば，振り石とくわがたなどの接触
	・波形が丸い	・てん真ほぞがた ・耐震無注油

できないような大きな音量の変動がある．これは輪列の噛み合いによって脱進機，また調速機まで到達するトルクが変動するからと思われる．がんぎ車の歯の間隔がばらついていて，第二停止状態へ落下していく様子がばらつく．たとえばがんぎの歯が先に**爪石の停止面**に落下し，そのあとでアンクル

竿がどてピンに衝突する．これらのタイミングのばらつきが1回ごとの刻音の波形のばらつきとなって見えるようである．

特にてんぷ振り角が応答できない変動周期のものは刻音の変化の方に大きく変動が現れる．てんぷ振動数が高いと刻音波形はその大きさがますます変動するようである．それは脱進機の動作がてんぷの振動数に比例して速くなるからで，いろいろな寄生振動が起きやすい．それに対して5振動などの低い振動数では波形は非常にきれいになる．**図4.3**は5振動の時計の刻音波形で，もっとも美しい波形ともいえるが，実際に聞いた音も大変おとなしい澄んだ音を聴かせてくれる．

• **刻音の音域と芸術**

刻音の周波数成分としては高い周波数が多い．高齢になると，高い周波数の音はもう聞こえない．6,000 Hzの音ですらもうほとんど聞こえないし，8,000 Hz，まして1万Hzの音はまったく聞こえない．このような高い周波数が聞こえる若い読者は自分の耳で直接聞けばその刻音の美しさがわかると思う．夜更けの静かな場所で，研ぎ澄まされた耳で聞く．筆者もかつてそうした聴き取りを時を忘れて愉しんだことを思い出す．そのような神秘な音を聞くこと，これも機械時計の美しい領域といえるのではないだろうか．

なお，余談ではあるが時計の刻音の忠実な録音再生は技術的には今はかなり容易になっている．刻音は相当に高い周波数成分，おそらく20〜100 kHzくらいまでの高調波成分があり，音圧そのものは低いが，デジタル録音が直接誰にでも可能になった．ダイレクトエンコーディングといっている．その点では機械時計の美しい刻音の録音再生には問題があまりないようである．

この基本的な刻音以外に時計には時打ち（リピーター）というものがあり，時刻を報せるのに鐘の音を聞かせるものがある．チーン，チーン，チトン，チトン……などといえばよいか．なお，鐘の音は日本の鐘とヨーロッパの鐘の音で違いがある．鐘楼用の鐘，直径1 mもあるような大きな鐘は作り方が日本とヨーロッパとではだいぶ違うと聞いた．ヨーロッパの町々の鐘を聞き，その違いを味わうこと，これも時計屋の修行の一つといいたい．スイスの時計博物館にある，オルゴールの鐘と日本のお坊さんが鳴らす鐘，歌舞伎，三番叟に使う鐘，このあたりの違いもじっくり味わいたいものである．

4.1.3 刻音の利用

刻音を修理に利用するときは**表4.1**のように理解して利用されるのがよいだろう．この表は1960年代に現場組み立て関係者によって作られたものであるが，改良はそれっきり行われていない．一方，**図4.2〜図4.6**は最近観測したもので，電子機器の進歩によってかなり容易に観測と記録ができるようになった．しかしそれは研究的なベンチでの話であり，組み立て修理への応用にはさらに一段の改善が必要である．

§4.2 刻音によるコーアクシャル（同軸）脱進機の分析

引き続き「刻音」をテーマに取り上げる．前節ではこの音がどのような仕組みで発生するか，また調速機の振動数との関係を解析した．ここではさらに踏み込んで，コーアクシャル（同軸）脱進機の刻音と発生原理について研究していきたい．刻音の波形からいったいどんな結果が得られるのだろうか．また，スイスの計測機器メーカーによるクラブツースレバー脱進機の刻音波形と不具合の分析事例もあわせて紹介する．

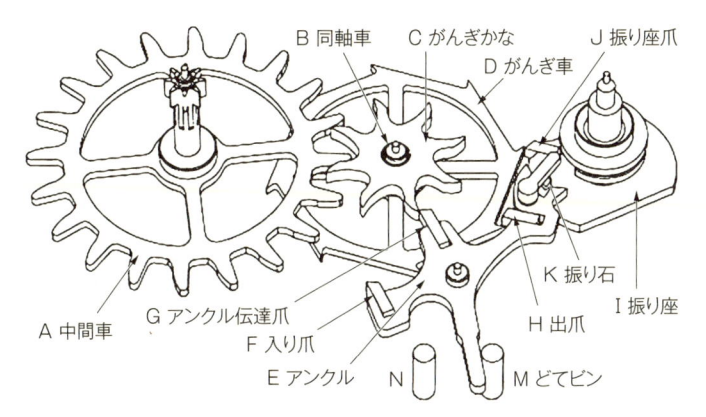

図 4.7 同軸脱進機全体図，部品名称など

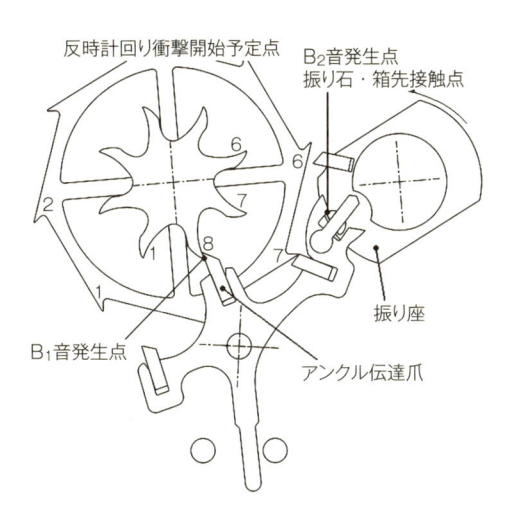

図 4.8 同軸脱進機動作図 A_2（仮想図）
図 4.9 からアンクルが時計回りに少し回転して出爪からがんぎ車の歯 7 がはずれたところ．その状態で同軸車だけを回転させた図．現実にはしかしこの図の状態は実現しない．

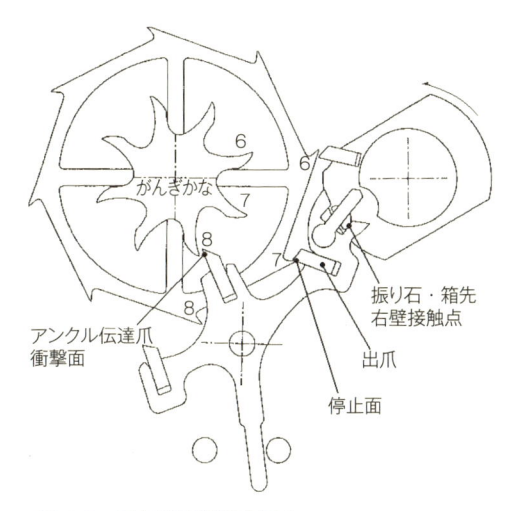

図 4.9 同軸脱進機動作図 A_1
図 4.10 の A 音の途中での配置．まだ停止解除の途中．アンクルはどてピンからわずかに離れている．

4.2.1 刻音による分析 1

刻音の概要を説明してきたが，ここでは刻音に関するトピックスを紹介してみよう．刻音は時計の動作状態を克明に表す．その事例を紹介しよう．

図 4.7[7] ～**図 4.13** をご覧いただきたい．最近開発され，実用に供されているコーアクシャル脱進機（以下：同軸脱進機）とその刻音である．**図 4.10**～**図 4.11** には刻音波形（アンクル経由駆動の場合），**図 4.8**～**図 4.9** にはその場合の動作説明図を掲げた．**図 4.10**～**図 4.13** の刻音波形は 2002 年に筆者が観測したものである．ここからいろいろな様子がわかる．なお，**図 4.7** には参考に同軸脱進機全景を掲げておいた．

---
7) OMEGA 社 2001 年新製品発表資料 "2500A" による．

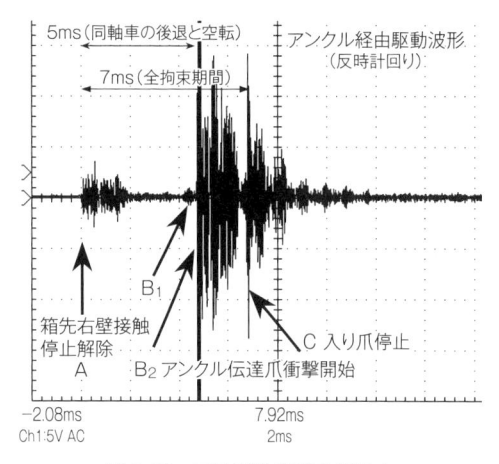

図 4.10 同軸脱進機刻音波形 1

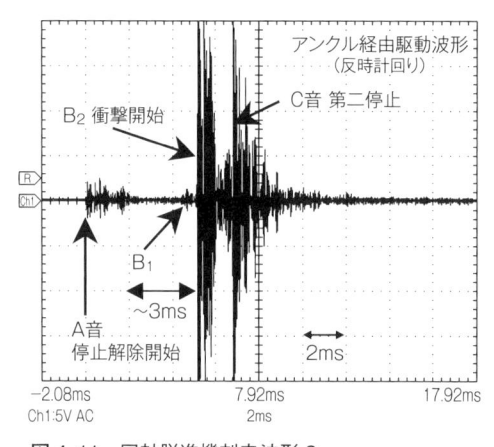

（図中ラベル）
- 5ms（同軸車の後退と空転）
- 7ms（全拘束期間）
- アンクル経由駆動波形（反時計回り）
- 箱先右壁接触 停止解除 A
- B_1
- B_2 アンクル伝達爪衝撃開始
- C 入り爪停止

図 4.11 同軸脱進機刻音波形 2
この図は図 4.10 と動作状態は同じだが，別のサンプリング結果．図 4.10 と比較して波形は C 音の後の残響の様子が少し違うだけで，ほとんど変わらない．動作が安定していることがわかる．

（図中ラベル）
- B_2 衝撃開始
- アンクル経由駆動波形（反時計回り）
- C音 第二停止
- B_1
- ~3ms
- A音 停止解除開始

図 4.10 では刻音それぞれの発生理由を説明した．同軸脱進機の動作は右回り（がんぎ車直接駆動）と左回り（アンクル経由，がんぎかな駆動）では大きく違う．**図 4.9** は停止状態であるが，アンクルが右側のどてピンからわずかに離れている．振り石は箱先右壁に接触し，これから停止解除がさらに行われる様子を示す．正確には出爪ではまだがんぎ車の歯 7 が停止面から離れていない．停止解除の途中である．

この状態は**図 4.10** の中で刻音 A の中間あたり，左端から 1 ms 付近であろう．その音が約 2 ms 続いている．A 音の発生原因は振り石が箱右壁に接触した音である．さて，その次の長い空白の時間約 3.5 ms は何をしている間であろうか．この空白の後，B 音の大きな音が発生している．まずがんぎかなの歯 8 がアンクル伝達爪に衝突し B_1 音が出ている．さらにアンクル箱先左壁が振り石に衝突して B_2 音が出ている（図 4.8，図 4.10，図 4.11）．最初の音 B_1 が小さいのは，すでに動いているアンクル伝達爪にやっと同軸車が追いついた音だからである．衝撃は大変少ない．したがって衝突の前後で両者の回転速度の変化も大変少ない．この音の後，1 ms 弱の間隔をおいて発生した大きな**衝撃音 B_2** は箱の左壁が振り石に衝突し，慣性の大きなてんぷに衝撃が伝わったときの音である．B_2 音の衝撃の大きい理由はがんぎ車，がんぎかなの両方からなる慣性の大きい同軸車が，てんぷの大きな慣性を担う振り石に衝突した結果だからである．要するに，慣性の大きい物体同士が衝突した音なので大きな衝撃音が起きたのである．停止解除の時は引きにより後退していた同軸車がぜんまいの力で加速され衝撃寸前には大きな速度を持っていた．それがこの衝突で急激にてんぷの速度まで減らされたから大きな音になったのである[8]．

ここで説明を繰り返そう．3.5 ms という空白の時間，同軸車は無駄に回転した．その時間だけ，同軸車はぜんまいからの力によって加速させられていた．この加速されたエネルギーがほとんど無駄になったのである[9]．それから約 3 ms ほど経過して C 音の発生がある．これは衝撃を終了してがん

---

[8] がんぎが追いついてアンクル，ひいてはてんぷと一緒になる衝突は，衝突後は両者がいっしょになって動くという事情から完全非弾性衝突と見てよい．つまりがんぎの持っていた運動エネルギーが一瞬にしてほとんど失われてしまう．正確にいえばがんぎの慣性モーメントを Mg，てんぷの慣性モーメントを Mb とすると失うエネルギー比率は $Mb/(Mb+Mg)$ となる．てんわの慣性モーメント Mb はがんぎに比べて格段に大きい（1：100 など）．したがって，それまで加速したほとんどの運動エネルギーがなくなってしまう．なくなるエネルギーは音響エネルギー，熱エネルギーとなって消えてしまうのである．その音響エネルギーがここでは刻音として観測できるわけである．

[9] このあたりの事情はクラブツースレバー脱進機とは大きく違っている．図 4.18 を見てほしい．クラブツースレバー脱進機

ぎ車の歯1が入り爪に衝突した音 C_1 で，その音響レベルは2番目に大きい[10]．大きな運動量を持った同軸車が止まったのだ．この音はアンクルが左側のどてピンNにぶつかる音 C_2 とも理解できるがその区分はここでは明確ではない．どてあがきが少なければ C_1 と C_2 はほぼ同時に発生する．図4.10の場合は1 ms以内の音響部分がこれに相当すると理解してよい．その後の音の部分は C_3 として，とりあえずその他の振動，残響部分としておこう．図4.11は図4.10と同じ動作刻音の他の例である．

さて，このように刻音の動作を分析したとき，その結果が図4.8の脱進機の動作図が説明する状況とは大きく違う点を発見することができる．図4.8は出爪による停止解除が終了した時点で同軸車だけを回転させ，がんぎかなの歯8をアンクル伝達爪に接触するところまで回転させた図なのである．この状態は図面上はできること[11]であって，実際は刻音が示すとおり，同軸車がアンクル伝達爪に追いつくのに3 msほどの時間を使ってしまう．その間にアンクルの方もてんぷと一緒になって回転しているのであるから，アンクルが拘束角の半分くらい回転してしまった後で，やっと同軸車がアンクル伝達爪に追いつき，アンクルを駆動する動作になる．それも追いついてからは同軸車とアンクル，さらにてんぷもそのままくっついて一緒になって動く．剛体の衝突としては**完全非弾性衝突**の形態となっている．衝突面には潤滑油が施されているであろう，これらも衝突を非弾性的にしてしまう．がんぎ車の歯先は

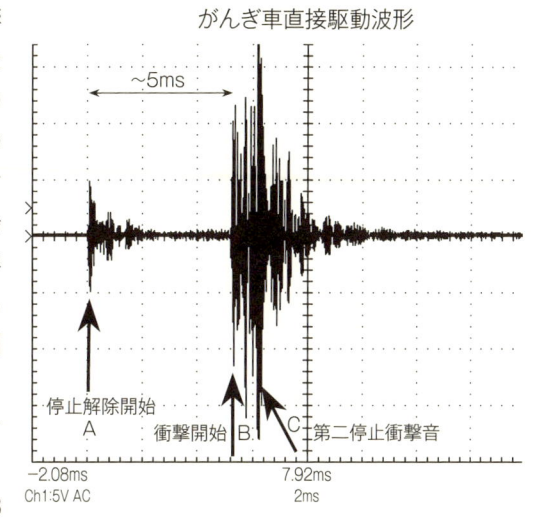

図4.12 同軸脱進機刻音波形3

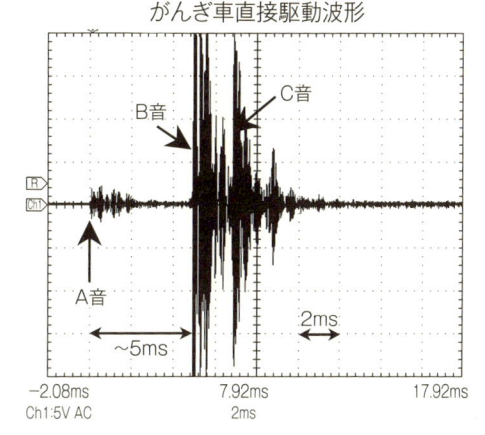

図4.13 同軸脱進機刻音波形4
図4.12の別のサンプリング結果．
ここでも動作の安定が見てとれる．

とんがっていて，微視的には弾性変形をしているようなことも考えられる．この衝突は1日に 86400×4 回，1つの爪に対して繰り返し行われる．ともかく気の遠くなる回数繰り返されてなおかつ，それが安定して行われなければならない．時計の脱進機は，動作を安定して行わなければならないという宿命をもっている．

の刻音であるが，B音の大きさはそれほど大きくはない．したがって，それだけがんぎ車からのエネルギーの損失が小さいということを意味する．同軸脱進機はこの点でもクラブツースレバー脱進機よりも損をしているといわねばならない．クロノメーター脱進機も同様で，図4.14にあるとおり，衝撃開始の音は大変大きい．これはそこでの衝突損失が大変大きいということを示す．同軸脱進機の場合，同軸車の慣性が大きく，てんぷに追いつかないのでこのようになってしまう．

10) この音の音響レベルが大きい理由は大きな運動量を持つ同軸車の回転が停止するのに大きな力が必要だからである．高速で回転している物体が急激に停止する（推定だが0.1 ms程度の時間で停止する）のである．これはいろいろな部分に振動をもたらし，音もいろいろ発生する．

11) てんぷを取り除き，アンクルをピンセットで動かしてもこの状態を作ることはできる．クラブツースレバー脱進機の第一停止と同じであるが，第一停止は衝撃終了時点のみ，同軸の方は衝撃開始時点と終了時点と2つある．

図 4.14-1 クロノメーター脱進機刻音 1
(再掲 図 4.2-1)

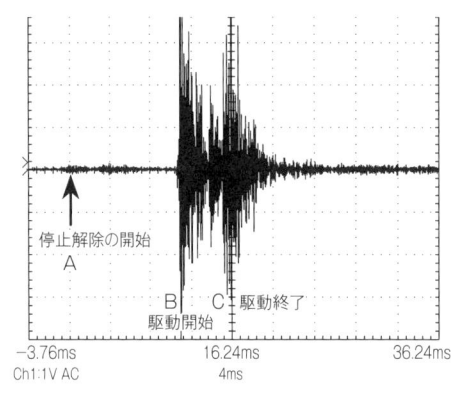

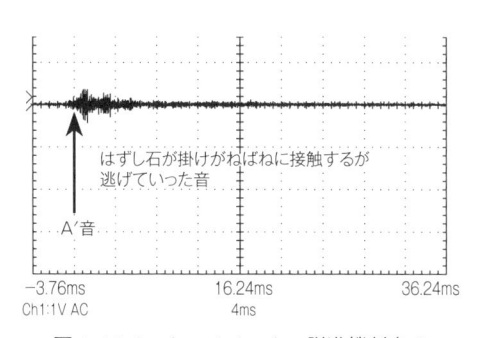

図 4.14-2 クロノメーター脱進機刻音 2
(再掲 図 4.2-2)

[図 4.14-1, 4.14-2 共通] クロノメーター脱進機は片側駆動．したがって，聞こえてくる刻音も片方は大きい音で，もう一方は小さい音である．この時計は 5 振動で秒針は 0.4 秒ごとに 1 回動く．その刻音波形は図 4.14 のようになっている．はずし石が掛けがねをはずして駆動する方 (図 4.14-1) は大変大きな音がするが，反対の掛けがねばねをかすめて反対方向へ逃げていくとき (図 4.14-2) は大変小さな音しか出ない．

当初はこの同軸脱進機は無注油を標榜していた．現在は注油を指定されている．この変化は**経線儀のクロノメーター脱進機**と事情が少し違うようである．はっきりしていないが，どうも上に述べた事情が腕時計に応用されるときはさらに厳しいものになっているに違いない．

ともかく，停止解除開始の A 音と衝撃開始 B 音との時間間隔は刻音波形から見る限り約 5 ms も離れている．停止解除に要する時間を 2 ms としてもその後の 3 ms ほどは同軸車が空転しているらしい．さらに衝撃が開始してから 2.5 ms ほどで今度は大きな衝撃終了の C 音がやってくる．これだけ理解すると，刻音を見て時計の動作状況は大変詳細に分析できることがわかるであろう．

4.2.2 刻音による分析 2

図 4.9 をもう一度ご覧いただきたい．アンクル伝達爪衝撃面はすぐ目の前にあるがんぎかなの歯 8 との間に少しすきまがある．このすきまは**衝撃開始時点**で同軸車が通過しなければならない距離であるが，いわば衝撃開始時にこれだけ同軸車が落下する距離といえる．クラブツースレバー脱進機のときは停止面と衝撃面は 1 つの爪石内での話であったが，同軸脱進機の場合は停止を司る爪石は出爪，衝撃を司る爪石はアンクル伝達爪と，別々の石である．したがって，そこには少し距離の余裕を持たせなければならない．

要するに衝撃開始時点で落下が必要なのである．この落下は当然同軸車がアンクルに追いつく，てんぷに追いつくときに，こなさなければならない距離となる．この事情は，クラブツースレバー脱進機にはなかった事情である．さらに箱あがきがある．箱右壁側にいた振り石が今度は箱左壁によって駆動されるのであるから，ここにあがきがあればこの分だけアンクルは無駄な回転をしなくてはならない．この部分はクラブツースレバー脱進機も同様（箱あがき）であった．それでもこれらが一緒になって同軸車の空転時間 3.5 ms の理由になる．できるだけ空転をなくしたい．しかし，同軸車の慣性モーメント，衝撃前の落下，箱あがき，これらが合計して**脱進機効率**を下げるのである．

以上，同軸脱進機反時計回り，アンクル経由駆動の実際を眺めてきた．これほどに詳しく時計の動

§4.2 刻音によるコーアクシャル（同軸）脱進機の分析

作がわかる．刻音はなかなか有用であることが理解できたであろうか．

4.2.3 刻音による分析3

同軸脱進機の動作のあと半分に関しても一応説明をしておこう．**図4.12**はがんぎ車から直接振り座にある振り座爪を駆動するときの刻音波形である．衝撃開始時点の小さな波形B_1音がない．しかし，B音が始まる時刻は**図4.10**と変わらない．また終了する時刻，C音の位置も変わらない．要するに拘束角の半分は同軸車が空転し，拘束角の後半でやっと衝撃ができている[12]．アンクルはてんぷと同軸車とが直接力をやりとりしている間は一緒になって動くが，力はほとんどかかっていない．したがって，刻音形状は正常であればこのようにアンクルの動きに関する刻音はほとんど観察するものがない．すっきりしている．したがって，**クロノメーター脱進機**の刻音（**図4.14-1**）と酷似しているといってよい．A音は，たしかにアンクルを経由してがんぎ車の引きをはずさなければならないから，一応の音響レベルを持っている．これに対してクロノメーター脱進機はデテントにあるはずしばねをはずす音しかしないから，A音の音響レベルは極端に小さい（**図4.14-2**のA'音）．この点だけがクロノメーター脱進機と違う．しかし刻音全体はよく似ている．同軸脱進機がクロノメーター脱進機の一種であることも頷ける．

図4.15は停止解除をしているときの図であるが，振り石が箱左壁に接触してアンクルを反時計回りに回転させようとしている．しかし，入り爪ではがんぎ車の歯がまだ停止面上にある．この図は，停止解除の始めである．**図4.16**はこの動作が進行して，入り爪停止面上のがんぎ車歯1がはずれたところでがんぎ車

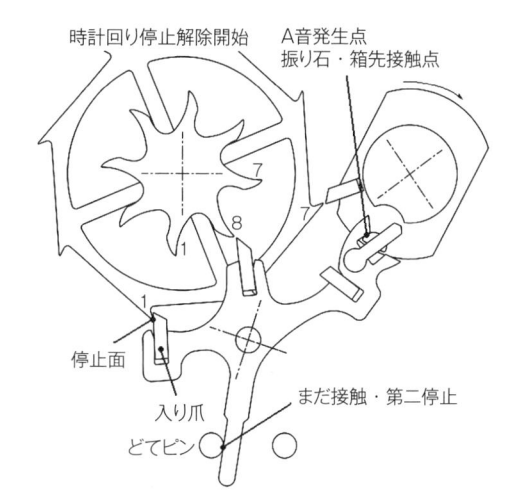

図4.15 同軸脱進機動作図 B_1

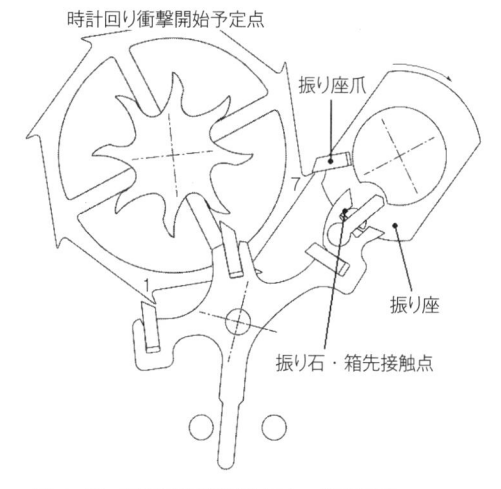

図4.16 同軸脱進機動作図 B_2（仮想図）
入り爪による停止が解除されたときのてんぷとアンクルの状態で同軸車だけを回転させ，がんぎ車の歯7が振り座爪に接触するまで回転させた図．その回転をさせる前はこの図では歯1が入り爪停止面の位置にいたはずであるから，歯1の位置を見る限り同軸車はかなり回転（落下）しなければならない．

だけを回転させ，振り座上の振り座爪にがんぎ車の歯7が接触した状態を図にしたものである．図4.8と同様，この状態は図面上では実現できるが実際は存在しないであろう．図4.15でがんぎ車の歯7が振り座爪とはすきまを隔てて対峙しており，そのすきまは衝撃開始時点で取り崩さなければならな

---
[12] この拘束角の後半でやっと脱進機からの衝撃が実現しているという点は，脱進機誤差に対してはまことにありがたくない点である．クロノメーター脱進機でもこのことがいえる．同軸脱進機の図面上の動作では振動中心の手前に衝撃前半があり，静的な駆動角度はどちらもなかなか良い角度配分であった．問題は同軸車が追いついていないことなのである．これは同軸車が軽くなれば解決するものである．徹底的に軽い同軸車とすればよいのである．

い**衝撃開始時の落下**である．なお落下角はがんぎ車とがんぎかなの相互の取り付け角度に依存する．もちろんがんぎの歯1枚1枚の位置の誤差もこの落下角の重要な要因であるから，製造上の難しい点となるに違いない．

なお，引きに関しても説明を添えておこう．アンクルはがんぎ車からの力によって引きを作っていなければならない．クラブツースレバー脱進機と，そのあたりの事情はまったく同じである．入り爪の停止面，出爪の停止面，どちらも引き角を作ってあり，このことによって同軸車は停止解除動作のとき，必ず後退する．この引きがあるから衝撃開始が遅れる，その事情もクラブツースレバー脱進機と同じである．

4.2.4 クラブツースレバー脱進機の刻音波形と分析

表 4.2 はスイス時計測定器メーカー Witschi 社の解析マニュアルから抜粋して作製した[13]．日本のメーカーでの分析例はすでに紹介したが，スイスの分析例として比較されると面白い．

どちらにも共通した理解があって当然であるが，てんぷ穴石が不良でその接触によって出る雑音（記号10）と理解したところは愉快である．

図 4.17，図 4.18 にはドイツの高級時計の調速機と刻音波形を載せた．この事例では刻音波形は大変きれいな様子を示している．模範的な刻音波形である．

以上，刻音に関する知識，分析の仕方を紹介した．一般時計修理の現場では現在あまり利用されていないが，その観察環境は比較的簡単に構築することができるので，刻音に関する応用範囲はさらに広がっていくであろう．これによって機械時計の修理や品質がさらにレベルアップすることを期待している．

図 4.17　美しいてんぷまわり
　　　　ドイツ製の時計である．このようなてんぷの動きにつれて刻音が出ている（図 4.18 にこの時計の刻音を示した）．
　　　　写真提供：リシュモンジャパン（株）A. ランゲ＆ゾーネ

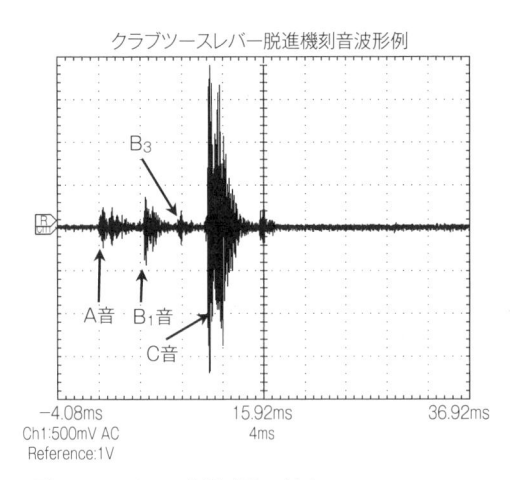

図 4.18　ドイツ高級時計の刻音
　　　　クラブツースレバー脱進機の模範とすべき刻音．波形は大変すっきりとして脱進機の動作状態は大変素直．B_3 はがんぎ衝撃面衝撃へ移行するときのわずかなジャンプ音による．

§4.3　刻音と歩度の測定

　機械式時計の基本的特性である歩度と振り角．なかでもその動的な特性についてはまだあまり知られていない．振り角が変動するとき，てんぷの挙動はどうなるのか？　そこで本節では偶発的な問題を除外した上で，どの時計にも一般的に発生する動的な特性として重要なものを解説しよう．

---

13) "Training Course: Measuring Technology and Troubleshooting for Watches", Witschi Electronics Ltd. より．参照 URL: http://www.witschi.com/download/Training.pdf

§4.3 刻音と歩度の測定

表 4.2 刻音分析事例（スイス Witschi 社）

記号	刻音波形	症状・分析事例
1		・食い合いが浅い （総停止量過少）
2		・食い合いが深い （総停止量過多）
3		・停止解除が強すぎる （引き角過大）
4		・余計な摩擦 （くわがたと振り座の擦れ，爪石衝撃面，がんぎ車のロッキングコーナーに傷）
5		・剣先と振り座の擦れ
6		・くわがたあがきが少ない
7		・振りが弱い
8		・てんぷほぞがた過大
9		・くわがたに振り石が接触 （振り当たり）
10		・てんぷほぞ磨き不良 ・てんぷのあがき（がた）がきつい
11		・てんわの擦れ ・ひげぜんまいの擦れ
12		・がんぎ歯が爪石衝撃面に落下

4.3.1 調速機の動的な特性[14]

ここからしばらくは歩度と振り角の変動について解説を試みよう．歩度と振り角の関係は等時性，つまり機械時計の基本特性であるが，その動的な特性に関しては比較的知られていない．動的な特性とは，たとえば振り角が変動するとき，てんぷはどのような挙動をするかという領域である．それを歩度変動という用語でその一面を解説したが，ここで詳しくこのあたりをみてみたい．

腕時計を携帯しているときは，その動的な特性が非常に重要になるであろうことはその言葉からも想像できるであろう．卑近な例ではあるが，ひげぜんまいは携帯中にはとてつもなく大きな振動や衝撃を受けて時計の精度に常に大きな影響を受けていると考えなければならないのである．ひげからみという事故はある器種について大量に発生すればそれはクレームになるが，個々の時計について見れば，年中発生していても発生しては正常に戻りまた発生しまた正常な状態へ戻る，この繰り返しをしている可能性がある．このような事態が多くの時計で発生していてもおかしくないのである．使う人もほとんど気がつかない，たいして狂わない，あるいは少し狂ってもそんなものだと思っている，結局誰も気がつかない，つまり事故扱いにならない（これを事故といえるならば，ほとんど設計上の問題ではあるが）．もちろん良い設計をしていればそのようなひげからみを発生させないようにもできるだろう．しかしすべての時計がそのような配慮をしてあるかといえば必ずしもそうとは限らない．こんなものも動的な特性の一場面である．

ここではこうした偶発的な問題ではなく，どの時計にも一般的に発生する事態に関する理解として取り上げなければならないもの，動的な特性として重要なものを解説していこう．時計理論の分野としても，ここは今まであまり取り上げられていなかった領域である．

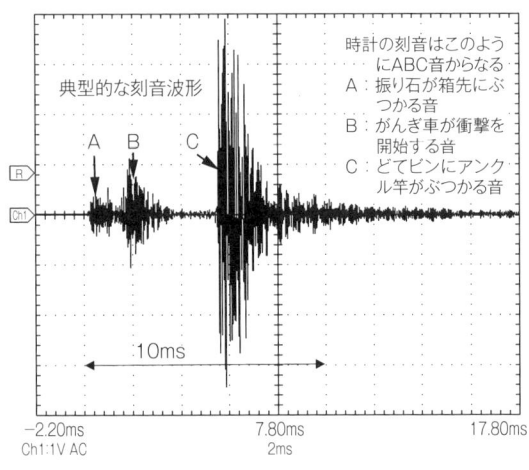

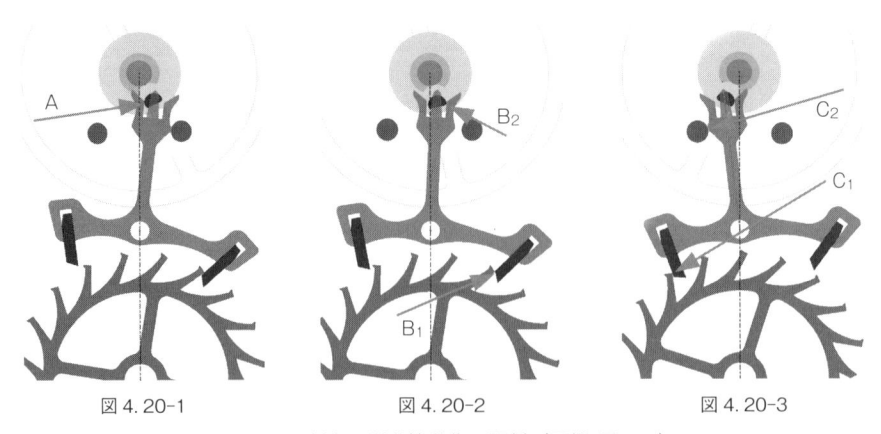

図4.19 典型的な刻音波形①

図4.20-1　　**図4.20-2**　　**図4.20-3**
図4.20 刻音と脱進機動作の関係（再掲 図4.4）

---

[14] すでに刻音に関しては解説したが，ここでは歩度と振り角変動に関連する事項を解説する．調速機系の動的特性として解説するのは初めてになる．

動的な特性とは，簡単にいえば歩度変動，振り角変動という領域である．振り角の変動は時計を静止させておいても表輪列によって引き起こされる．その結果，てんぷの振動周期，歩度も変動する．さて，ここでいう歩度とは実測ではなく，測定器によって測定されるものをいう．この観測系に関しても実はいろいろな問題があるのである．それで，前段階として測定器で捉えられる歩度や振り角の情報源である刻音について，やや詳しく説明をしておこう．

図4.21 箱あがき

4.3.2 刻音波形と脱進機の動作

刻音は脱進機の動作状況を克明に示すものである．**図4.19**に刻音波形の典型例を示す．A音は振り石がアンクルの箱先へ入ってきて，箱にぶつかったときの音（**図4.20-1**）である．このときに発生する音は図4.19のAのように小さい．次に現れるのが**B音**でこれはがんぎが爪石の衝撃面に接触して出した音（B_1, **図4.20-2**）である．この音が発生する部分は爪石の衝撃面やがんぎ歯の歯先であろうが，衝突音そのものが互いの速度差で発生するのであるから発生する音は比較的小さい．また，この音とその次に発生する箱が振り石を蹴っ飛ばした音（B_2, 図4.20-2）とが一緒になる．箱の中では振り石は少し遊

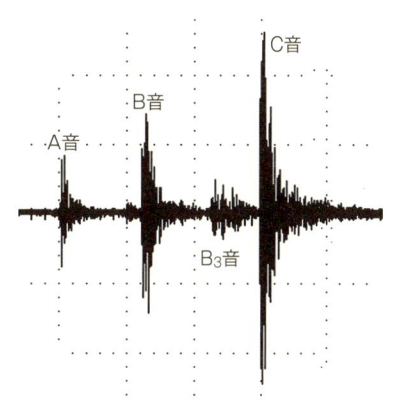

図4.22 典型的な刻音波形②
（再掲 図4.3）
B_3音が明瞭に入っている．

びがある（箱あがき，**図4.21**）．振り石が箱あがき分だけ動いて箱の反対側の側面にぶつかるのであるから，これもそれほどの速度差はない．したがって，箱あがきが少ないときはまったく観測できないことも多い．

B_2音が見えるときは，箱あがき分だけ時間がずれているはずである．図4.19の場合ではほとんど観測できないから，この時計の場合は箱あがきが少ないといってよい．図4.19ではB音の長さが少し長い．その後半には箱が振り石に接触して発生した音も入っているのである[15]．

別の時計の例であるがB_3音が明瞭に現れている例を**図4.22**に示した．B_3とは衝撃が爪石の衝撃面からがんぎの衝撃面へ交替するときのがんぎのジャンプによって発生する音である（脚注15）と図4.22参照）．図4.22の場合は停止解除に要する時間（AB間の距離）と衝撃に向けられた時間（BC

---

15) B音はこのB_1, B_2だけでなく，B_3音がある．**図4.23**を見るとわかるように，爪石衝撃面衝撃からがんぎ衝撃面衝撃へ交替するとき，がんぎ車の方の速度が速くならなければならない．がんぎの衝撃面が爪石のリービングコーナーに追いつかなければならないのである．図では縦軸はてんぷの受け取るトルクとあるが，受け取るトルクが大きいとは対応するがんぎ車の速度が上がっているという意味でもある．縦軸をがんぎ回転速度と理解しよう．がんぎ衝撃面衝撃への交替時点でがんぎ車の回転速度が速くなっていなければトルクは図のようには上がらないのである．がんぎの歯は爪石衝撃面と離れて遊んでしまう．がんぎ車の速度はこの図4.23のように瞬間的に変化できるわけがない．がんぎ車は重いからだ．したがって実際の動作ではてんぷへ伝達されるトルクは図4.23のようには上がらないのである．一瞬がんぎ歯は爪石から離れる．しかしやがて追いつく．このとき衝突音が起きる．これがB_3音である．これに対して最初の爪石衝撃面にがんぎ歯のロッキングコーナーが追いついて発生する音，B_1音の発生の際は，いったんがんぎ車が後退（recoil）してから起きるからそのジャンプ量が大きく，その結果，速度差も大きい．それで音も大きい．これに対してB_3音の方はがんぎ車が後退する必要はない．したがって，すぐに追いつき，衝突音も小さい．実際の刻音ではこの音が観測できない場合も結構ある．図4.19はその事例であった．B_2音に関しては本文で述べたとおり，箱あがきの分だけB_1の時点から遅れて発生する音，約$100\,\mu s$ほど遅れて発生する音である．音は区分できないことも多い．

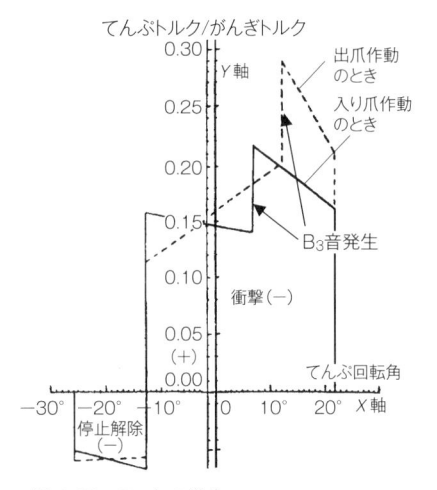

図 4.23 B_3 音の発生
爪石衝撃面衝撃からがんぎ衝撃面衝撃へ移行するとき，がんぎ車は回転速度が速くならなければならない．

間の距離）とが 4：6 くらいの比になっていて，図 4.19 に比べて脱進機効率が低いことが想定される．B_3 音は C 音まで引きずっている．爪石のリービングコーナーががんぎの衝撃面上を擦っていくとき，潤滑油がなくなってきていて，擦りながら音を出している様子と見てよい．しかし全体には大変良く整備されていて，ごみや汚れのない理想的な動作をしている．

　一番大きな音は **C 音**である．図 4.19 でもその音は衝撃的に発生している．余韻がきれいである．図 4.19 の時計は実は 10 振動の時計である[16]．図 4.19 の脱進機はしっかり調整してあり，これでも見事な動作をしているのである．その見事な，とはどこからわかるか．まず ABC 音の配置の様子を見てみよう．A 音と C 音の時間間隔は約 5.8 ms，約 1,000 分の 6 秒である．この時間の間にてんぷは脱進機の拘束をすべて終えた．脱進機の拘束角はこの時計の場合，約 50°程度として計算すると振り角が 270°くらいであることがわかる．

これで全体の調子がわかる．次に A 音と B 音の時間間隔と B 音と C 音の時間間隔を比較してみる．AB 音の間隔は 2.0 ms，BC 音の時間間隔は 4.0 ms，つまり停止解除に要した時間に対して衝撃実行時間が 2 倍ある．これは脱進機の動作として実際の比率がこうであったという証拠である．脱進機の動作を詳しく知るためには，設計上の動作角度を知る必要があるであろう．そして設計上の動作角度で脱進機の動作を知ったつもりになるのであるが，実際の動作はこの設計上の動作角度とは相当に違うのである．しかしまず設計上の動作角度を知ろう．設計上では停止解除角度に対して衝撃角度がどのくらいあるか．クラブツースレバー脱進機の動作をこのようにアンクルの作動角で復習してみると，**第二停止アンクル作動角** 6.5°，**衝撃開始角度** 3.5°，次に**衝撃終了角度**（第一停止アンクル作動角）5.5°という典型的な理解に照らしてみて，停止に要する角度は 3°，衝撃に要する角度が 9°，比は 3：9 であるから停止解除角度は衝撃に要する角度の 3 分の 1 となる．したがって，もしこの角度の比率どおり作動すると考えると，AB 音の時間間隔と BC 音の時間間隔とが 1：3 とならなければならない．しかし実際はこのような幾何学的な設計上の角度の比率どおりに脱進機が動作しないのは図 4.19 のとおりである．刻音が示している．なぜこのように違うのか．それはがんぎの後退があるからである．がんぎ車は停止解除の最終段階でしばらくの時間，退却をしているから，AB 音の時間間隔は停止解除に要する角度 3°を経過する時間だけではなく，その退却の時間が追加されるのである．この退却に要する時間は設計上では計算には入っていない．この退却の時間はがんぎ車の慣性モーメントと引

---

[16] 一般に 5 振動と 10 振動を比較すると，刻音から見た脱進機の動作は 5 振動の方がはるかに優れた動作をしている．10 振動ではひげやアンクルに寄生振動が発生し，一般に波形が汚い．図 4.19 の刻音 C の終縁に見られる波などはその典型例である．図 4.22 ほどのすっきりした波形の 10 振動にはまだお目にかかったことがない．このことは振動数が 5 から 10 へ 2 倍になったことで，脱進機周辺の部品はすべて 2 倍の振動速度で駆動されるのに対して，これに見合った部品強度や共振点の改善などが行われていないことを意味する．この意味では現在の高振動時計は未完成であるといってよい．ここに述べたような批判が可能なことも，刻音という材料が優れた情報源である一つの理由である．多分，一番の問題点はひげぜんまいの寄生振動の共振点である．正常なひげぜんまいの伸縮ではなく，その他のモードの共振点はほとんど改善されるような配慮は今まで何もされてこなかった．そのような配慮が設計上必要であるとはまったく考えられてはいないからである．

き角（正確にいえば後退する速度）で決まる．したがって，後退してから爪石に到着するまでの時間は比較的一定の時間が必要となってしまう．一方，衝撃に費やされる時間，BC音の間隔は振動数に反比例する．衝撃時の動作速度は振動数に比例するからである．普通，振動数が違う時計であっても脱進機の動作角度はほとんど同じである．したがって振動数に反比例してBC音の駆動時間は小さくなる．実際は図4.19の場合で1：2程度になっている．脱進機の実際の動作には振動数によらない時間，がんぎ車の後退に要する時間がある．これを考慮すると，停止解除に要する時間は振動数を上げてもあまり減らないのに対して，衝撃に要する時間は振動数に反比例して小さくなるのである．

このような解説をしてみると，実は相当に図4.19の場合は優れた脱進機動作となっているのであるが，刻音波形に見慣れていないとこのような感想は生まれてこない．一般の時計技術者にもそのような感覚が得られる環境を持つべきであると筆者は主張したい．この図4.19のような脱進機の調整状態のままで，振動数が5振動だとするとAB音の時間間隔に対してAC音の時間がはるかに大きくなり[17]，概算してみるとAB/ACの時間は1：4くらいの比率になるであろう．つまり，停止解除に要する時間が大変に小さく見えることになる．言い直せば，爪石の食い合いも極端に小さく調節してあるのである．箱あがきも非常に小さい．多分，アンクルほぞがたも大変小さいであろう．ともかく，10振動でこれだけ整然とした刻音ができている様は相当に優れた時計なのである．

以上，説明したように刻音から脱進機まわりの様子がかなり克明に探れるのである．しかし現在の時計技術者に許された環境としてそのような利用ができないまま，しないままであるのはなぜであろうか．理由は先導すべきメーカー側の技術者の怠慢にあるのか．日本ではこの脱進機の動作音を刻音とよぶが，欧米では時計の雑音（p.179参照）とよばれている．しかし刻音は時計技術者にとっては不必要な雑音などでは決してない．最近の新しい時計測定器には刻音波形を表示するようにしたものが出てきた．これらを前述したような観察に利用してほしい．

4.3.3　歩度の測定

通常このような刻音を利用して機械時計の歩度は測定される[18]．刻音全体の一番最初の音，A音は前節で述べたように，振り石が箱先へ入ってきて箱とぶつかる音であるから，てんぷの振動のみでその時刻が決まる．その後の脱進機動作と一応は切り離して考えられる．電子回路上の操作としても，この刻音波形の一番先頭を利用することは最もやりやすいことである．どちらかといえばこの後者の理由によって，また多少はその前に述べたように，てんぷが振動中心付近へ来た最初の音であることを利用して，振動周期を測定するようになった．てんぷは左右に振るからすぐ隣り合わせの刻音は右行きと左行きの音となり，直接歩度の測定には使えない．片振りの影響がある．これを排除するために1つおきの刻音を利用すれば片振りの影響を免れることになる．刻音は2本の軌跡になる．これがそれぞれ右行きと左行きの刻音であることは明瞭である．これを見て片振りを取り去ることができるから重宝である．いまのWatch Expertでも液晶パネルの表示画面上で同様の刻音軌跡が見られ，や

---

[17] 約2倍になる．
[18] ここで"通常"といったのは，時計の刻音を利用しないで機械時計の調速機系の振動周期を測ることはもちろんできるからである．光学的な装置を作っててんわリムの動きを検出し，これから振動周期，歩度などを計算表示する方法は研究所やメーカーの内部では行われている．脱進機誤差の測定をしようとすればこのような装置は必須である．ごく最近の事例ではスイスのhaute ecole arc ingenierie（arc高等技術専門学校）という学校にはレーザー光でてんぷの振動を測定する装置があるという．時計の刻音を使う方法はマイクロフォンさえあればいろいろ工夫ができ，安価であり普及したが，時計関係の測定器は今後はこれだけにとどまらないであろう．

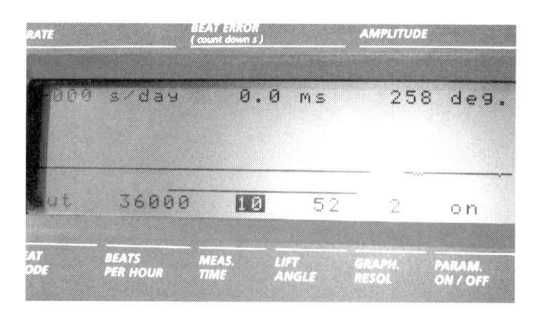

図 4.24 Watch Expert での表示の様子
片振りがまったくない事例. 歩度も 0 sec/day を示し, 片振り時間も 0.0 ms となっている. これは図 4.19 の時計の場合.

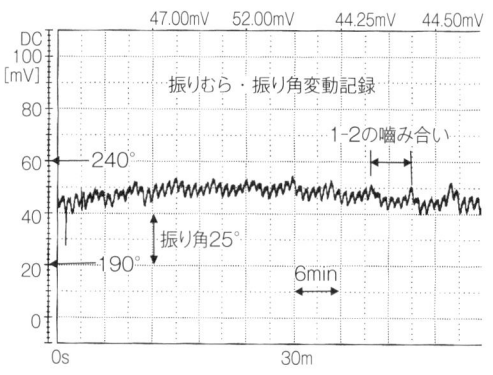

図 4.25-1 振り角の変動の様子, 約 60 分間
（再掲 図 1.89-1）

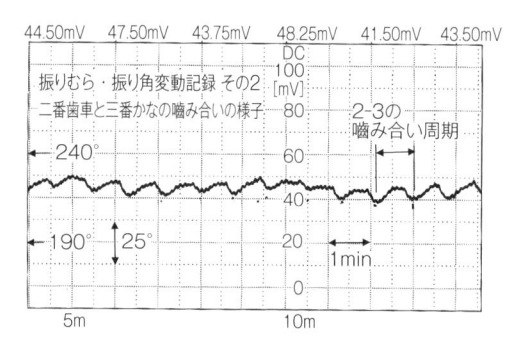

図 4.25-2 振り角の変動の様子, 約 10 分間
（再掲 図 1.89-2）

はり 2 本の筋になり, 片振りを取ればこの 2 本の線の間隔を狭めることができ, 片振りを取り去ったときはこれが 1 本の軌跡になることはご存じの方が多いであろう（図 4.24 [19]）はその一例）. 刻音波形は重要な時計に関する情報源であるとして懐かしむ方が多い. そして数値表示される歩度の値だけでは不十分なのだ, この刻音軌跡が大変重要なのだと主張される方も結構いる. ともかく, 刻音軌跡は時計の状態を示す重要な情報源として厳然として確立されているといってよいであろう.

さて, 歩度の測定はこの A 音を利用して測る. ある A 音と 4 秒間先の A 音, たとえば 5 振動では 20 個分先の A 音との時間間隔, 1 番目の A 音と 21 番目の A 音の時間間隔を測って歩度を指示するようにしたとしよう. これで 4 秒間平均歩度を測定したということになる. この 4 秒間を測定時間という. 現在の測定器では, 1 番目の刻音と 21 番目の刻音との時間間隔だけを利用しているが, その間にある 2 番目から 20 番目までの刻音はなぜ利用しないのだろうか. 昔のビブロやタイムグラファーでは, 記録紙上の刻音軌跡の傾きをその上に設けた目盛つきのカーソル円盤を回して読み取った. このときはいわば途中にある刻音の記録も一応計算に入れている. 結果としては 1 番目と 21 番目の刻音で読み取れる傾き, つまり歩度であるが, これとほぼ同じデータを読み取っているかもしれないが, よく使い慣れた人はそうではない. 途中の刻音の様子もきちんと組み込んでカーソルを回しているはずだと主張されるであろう. 現代のエレクトロニクスによる測定器 Watch Expert などでは, そのようなことはしない. 単純に 1 番目と 21 番目の刻音の時間間隔を取り上げて測定し, 途中の刻音の時刻などは利用しないままである. これでは測定器の開発状況としては不十分なのである. 確かに, 1 番目と 21 番目の刻音発生時刻は, 結局は途中の刻音データを加味したとしてもその**測定時間**の平均歩度になる. つまり途中の刻音の間隔がどのようにばらついても結局平均値は変わらない. その意味で, 正しい結果を表示

---

[19] 図 4.24 では片振り値として 0.0 ms と表示しているが, これではどんな角度だけ実際てんぷは傾いているのかがぴんとこない. 実際その取り扱いは各人各様でどのように利用されているか, 扱いにくい測定結果である. ほんとは片振り角度は 1°ある, などと表示してほしいところである. 左右の刻音の時間間隔を直接表示するなどというのは幼稚といってもよい. 振り角の値を測定器は表示しているのであるから, 左右の刻音偏差時間とを使って片振り角度を表示するサービスをなぜやらないのであろうか. これなども測定器メーカーに本当の時計技術者がいないかの印象を与える.

している．しかし次のようにするとどうであろうか．途中の刻音を利用してもっと小さい周期で歩度の測定をしてみる．4秒間の間ではこの時計は10往復振動したのであるから0.4秒間平均歩度ならば10個のデータが出る．この10個のデータがどのようにばらついたかを表示してみたらどうであろうか．これは実は重要な情報になる．安定した，問題のない時計では，このばらつきは小さな値になるであろう[20]．

この先は以降で解説するとして，まずここでは振り角の変動をグラフで例示して読者の参考としよう．**図 4.25-1** は振り角の変動をグラフに示したものである．横軸は経過時間を，縦軸には振り角を示す．図4.25-1ではグラフの全体が約1時間であり，6分間隔で上下する変動が見える．これは香箱と二番かなの噛み合いによる変動である．そしてこの6分間隔で変動する波の中に細かな波が見える．これは二番歯車と三番かなとの噛み合いによる変動を示す．そして**図 4.25-2**がその二番歯車と三番かなとの噛み合いを広げて見せている．噛み合い周期は51秒ほどである．図4.25-2ではこの2-3の噛み合い1周期の中にさらに細かい変動が見える．これが三番歯車と四番かなとの噛み合いである．

§4.4 歩度と振り角の実際

ここまで，歩度は振り角によって変化し，振り角がどのように変化するのかを説明してきた．以下では最新の測定器を使って，実際に振り角のデータがどんな様子で表示されるのかを示しながら，歩度と振り角の変動の実態を解説していく．

4.4.1 振り角と歩度の新しい測定と表示

測定器で測定する歩度はその**測定時間**の大きさによって内容が大きく変わる．歩度は1日あたり何秒ずれるか，という単位で表示されるが，1日にわたって実測する場合は**実測日差**という表現が測定内容を誤解しにくい点で便利な表現である．歩度という場合は何秒間の平均歩度かで測定内容は大きく変わる．測定時間が長ければ，その時間の長さよりも短い歩度の変動は吸収されてその影響は小さい．測定時間よりも長い時間にわたる**歩度変動**が測定結果には影響する．このように測定時間によって内容が変化するのである．

歩度は振り角によっても変化する．振り角の変化がどのようになるかはすでに紹介した．振り角の変動の一例をふたたび**図 4.26**に示す[21]．振り角はこのように変化する．この**振り角の変動**や歩

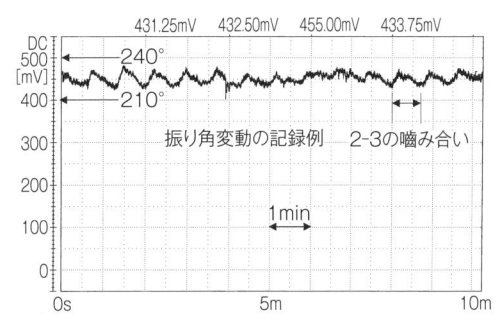

図 4.26　振り角変動のグラフ，約10分間

---

20) 最近のスイスの時計測定器 Watch Expert III では歩度と振り角のばらつきを示すモード（VARIO という）が作られている．これによると，振り角の変動幅が使用者にわかるように表示されていて，一歩前進した感がある．たんなる目盛だけでなく，図4.25のように表示してくれるとさらによいのだが．

21) この図4.26の測定結果はいわば筆者の手製の測定器による．スイス製品でアンプリメーターという振り角計があった．1960年代の製品であるが，これにオペアンプICを使った電圧増幅器をこの測定器の出力端子に接続し，その出力結果を記録計に描かせたものである．図4.26は本文の中の時計Bの振り角変動で，二番かなと三番歯車の噛み合いがよく観測できる．かなが偏心していて，かな1回転で1周期の変動振幅が変調されていることがわかる．

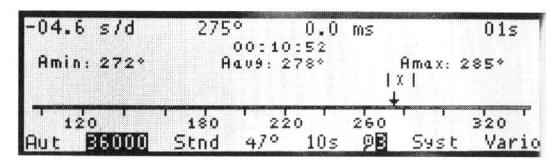

図 4.27　振り角変動の表示 1，約 10 分間

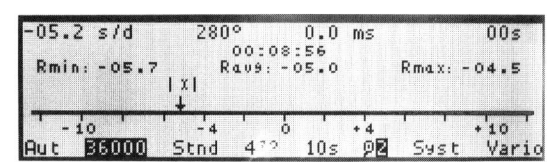

図 4.28　歩度変動の表示 1，約 10 分間

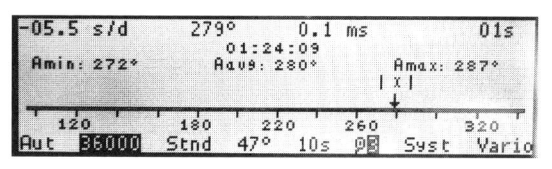

図 4.29　振り角変動の表示 2，約 1 時間半

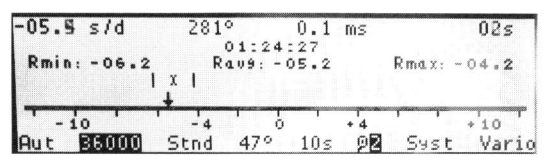

図 4.30　歩度変動の表示 2，約 1 時間半

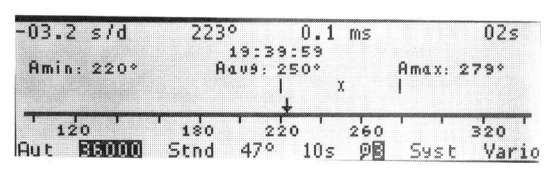

図 4.31　振り角変動の表示 3，約 19 時間

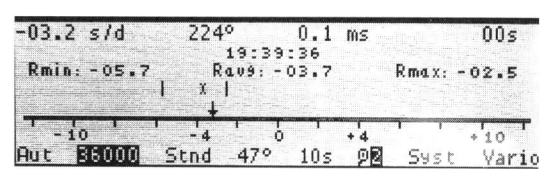

図 4.32　歩度変動の表示 3，約 19 時間

度の変動の様子を，最近の測定器では表示できるようになってきている．変動・ばらつきそのものを表示するようになってきた．その紹介をしよう．

図 4.27～4.28 がその例である．図 4.27 ではいろいろなデータが表示されている．一番上段には現時点での測定結果，歩度が − 4.6 sec/day，振り角が 275°，**片振り幅**が 0.0 ms，測定結果が 01 sec 後に更新されることを示す[22]．表示の中央には振り角の目盛がある．その目盛の上に現在の振り角の値が矢印で表示され，その左右両側に振り角の最大値，最小値が示される．横軸一線上の位置で振り角の変動の大きさが一目でわかるようになっている．最大値 Amax は 285°，最小値 Amin は 272°，平均値 Aavg は 278° と数値表示もされている．この測定を行っている経過時間が上2 段目の中央に表示されていて，10 分 52 秒間，現在の測定が続いていることが示されている．一番下は測定器全体の測定条件（パラメーター）が表示されていて，左端は Aut：振動数決定が自動で行われるオートモード，カーソル（反転）の場所には振動数が 36,000（10 振動），拘束角が 47°，歩度の測定時間は 10 秒間，表示そのものを **VARIO 形式** と称していること，p3 とはその VARIO 表示形式の 3 ページ目（振り角の表示）であること，などである．

以上の表示は新しいもので，見たことのある方はまだ少ないかもしれない．測定器としても新しいもの[23] で，これを取り上げるのは宣伝をするようなことになるが，歩度変動のことを説明するにはやむをえない．歩度や振り角の変動を表示する測定器として格好のものだと思ったので取り上げる．

図 4.28 もまったく同様であるが，中央の表示内容が歩度になっている点が図 4.27 と違う．表示パラメーター下段で p2 となっていて，2 ページ目，これは歩度の表示であること，しかも**測定レンジ**が ± 15 sec/day の表示であることを示す．正確な時計の場合，表示レンジを狭くして見やすくなる

---

22)　正確にはこの表示は表示画面最下線上にある測定時間，図 4.27 では 10 s と表示されているがこれと関係していて，歩度の測定が 10 秒間測定となっているが，この経過の中で，あと 01 s だけ経てば表示が更新されることを示すようになっている．この測定器では 10 秒間の平均歩度を 2 秒ごとに更新して表示する．

23)　ここで紹介している測定器は Witschi 社の Watch Expert III というもの．

よう工夫してある．

これらの**図 4.27**，**図 4.28** を見て，この時計は約 10 分間の間に歩度は −5.0 sec/day を中心にして +0.5，−0.7 sec/day 程度しかばらつかなかった[24]，振り角は 278° を中心にして約 ±7° ばらついていた，ということがわかる．表示単位が 0.1 秒単位を選択できるようになっていることも新しい．この時計の歩度のばらつきは大変小さいことがわかる．いわゆる**タイムグラファー**で記録紙に記録をすると曲がりは大変小さいはずである．

図 4.29，**図 4.30** はこのような測定を 1 時間半続けたときのデータを示す．歩度の変化の範囲が ±1.0 sec/day まで増えた．振り角は ±8° ほどばらついた．さらに**図 4.31**，**図 4.32** では同じ測定を約 20 時間続けてみたところ，歩度は −3.7 sec/day を中心にして +1.2，−2.0 sec/day ほどに広がった[25]．振り角は 20 時間経過して 220° へとかなり低下し，その 20 時間経過での振り角の平均値は 250°，最大値は 279°，最小値は 220° であると表示されている（図 4.31）[26]．

以上が新しい測定器で歩度や振り角の変動を記録，表示した様子である．これに対して，**図 4.26** はまったく古典的なアナログ表示である．測定器を設計する立場からいえば，図 4.26 は大変わかりやすいグラフ表示であり，横軸は時間を示し，縦軸は振り角の大きさを示す．大変わかりやすいが，縦軸を歩度にした記録は実はあまり見かけない．歩度は 1 sec/day といえば相対精度では 1/86,400 であるから大変小さな値であり，こうしたわずかな誤差を検出して表示する測定器はそれ以上に正確でなければならないし，測定器の内部には測定される時計よりも何か正確な原器がなくてはならない．その原器（正確には源振系）は実際は水晶振動子が中心にある水晶発振回路である．その様子は一般の電子機器とまったく同様であって，結構手間がかかる．コストにも関係しよう．一方，表示素子も結構重要であって，それなりの表示画面の緻密さが必要である．しかし，現在はスマートフォンや液晶テレビの時代であるから，作ることに技術的な困難は比較的少ないように思われる．いずれ図 4.26 のような表示をする歩度・振り角測定器が出てきてもよい．バーゼルフェアではすでにそのような測定器が紹介されていてもおかしくないと筆者は感じている．

図 4.27 以下の表示では表示ドット数の少ないパネル[27] に，必要ないろいろな表示を盛り込んである．振り角がどんなふうに変動しているかを見るにはやはり図 4.26 の方が理解しやすい[28]．振り角の変動の大きさを表示しようというとき，そのデータがたくさんある場合は，ばらつきの大きさを表示するもっともオーソドックスな方法は，統計的な表示，つまり平均値と標準偏差[29] などを表示するのがもっとも意味が明瞭な表示であるが，最大値，最小値がどんな値かを知らせるのは理解しやす

---

24) この結果を従来のビブログラフ，あるいはタイムグラファーで記録紙を見ると曲がりがないはずである．つまりまっすぐな刻音軌跡を見せるはずであろう．
25) 20 時間も経過して歩度が当初に比較して（つまりぜんまいをいっぱい巻いたときに比べて），わずか 1～2 秒程度しか変化しない，振り角は約 60° 落ちているにもかかわらず，という時計は大変優れた時計であることにお気づきであろうか．機械時計の水準としてこれだけの振り角変動にあっても歩度が変化しないという時計は相当に精度の良い事例である．ここに説明している事例ではすべて歩度は 0.1 sec/day の桁で議論されているが，その時計の品質がそれにふさわしい事例である点にも注目してほしい．
26) この結果からもこの時計の性能の良さがわかるわけである．通常，これほどに歩度が変化しない時計はなかなか見つからない．
27) このスイスの測定器の液晶表示パネルのドット数は 256×48 ドットである．この測定器の価格は結構な値段であるのに対してなぜこんな分解能の表示パネルにしたのか，理解に苦しむ．
28) 図 4.26 の変動の波形の様子からその原因である輪列の嚙み合いの場所，たとえば 1-2 の嚙み合いであるか，2-3 の嚙み合いであるかなどが本当に一目でわかるから，図 4.26 の方が今回ここで紹介する新しい測定器の表示よりはるかに優れているわけである．図 4.26 の場合，大きな波が 1-2 の嚙み合い，小さな小波が 2-3 の嚙み合いであることがわかる．
29) 平均値はいいが，ばらつきは本来は分散というデータを示すのがオーソドックスである．分散とは標準偏差の 2 乗をいう．

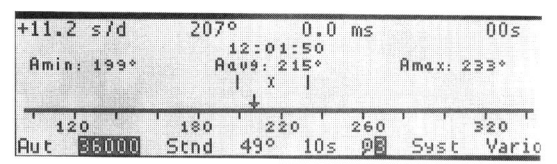

```
+11.2 s/d      207°      0.0 ms        00s
                      12:01:50
Amin: 199°      Aavg: 215°      Amax: 233°
                       | x |
       120    180    220    260    320
Aut  36000    Stnd    49°    10s   03  Syst  Vario
```

図4.33 時計B・振り角変動の表示4，約12時間

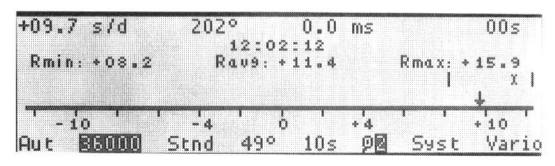

```
+09.7 s/d      202°      0.0 ms        00s
                      12:02:12
Rmin: +08.2     Ravg: +11.4      Rmax: +15.9
                                    | x |
       -10    -4    0    +4    +10
Aut  36000    Stnd    49°    10s   02  Syst  Vario
```

図4.34 時計B・歩度変動の表示4，約12時間

い点ではもっともなところがある．測定器内部の処理も単純である．

ともかく，時計の測定器にもこのように歩度や振り角の変動に着目して表示できるものが出てきたことは喜ばしい．歩度や振り角の変動の様子を知ればその時計の正確さがわかるという感覚でいいのであるが，逆にいえばこのような表示から時計の品質上の欠陥を露出させることにもなるわけである．しかし，これは測定器のあるべき使命でもある．また，振り角や歩度の変動は時計の調整とは切っても切れない関係にあり，このことを正確に理解しておかなくてはよい調整はできない．

念のため事例としてさらにもう1件見てみよう．**図4.36**は振動数は10振動であるが，市販された紳士用腕時計（時計B）である．測定の経過時間は12時間2分で，振り角は233°から199°まで34°落ちたのに対して（**図4.33**），歩度は+15.9 s/dから+8.2 s/dまで変化した（**図4.34**）．歩度の平均値は11.4 s/dであった．表示時点では歩度は9.7 s/d，振り角は202°である．振り角の変化幅は図4.33にグラフで示されている．歩度の変化の様子も図4.34の矢印でこの12時間での平均値（最大進み歩度+15.9 s/d，最大遅れ歩度は+8.2 s/dであったこと），が数値で表されている．**図4.32**の場合（時計A）での20時間の経過時間中での歩度の最大進み，平均，最大遅れがそれぞれ−2.5 s/d，−3.7 s/d，−5.7 s/dであったこと，その変化幅はわずかに3.2 s/dしかないのに対して，図4.34の時計Bの場合は歩度の最大進み，最大遅れの差が7.7 s/dであったから，時計の精度，安定性という点では図4.32の方が圧倒的に優れていることがわかる．今までの測定器ではこのような比較はできなかった．このように歩度や振り角の変動の様子に着目してそのデータをはっきり表示することが

表4.3 歩度と振り角の変動の比較表

歩度・振り角変動の比較表	歩度（sec/day）	歩度変動幅（sec/day）	振り角平均値（度）	振り角変動幅（度）	測定時間 長	中	短
時計A	$-3.7^{+1.2}_{-2.0}$	3.2	250°	59°	20 h		
	$-5.2^{+1.0}_{-1.0}$	2.0	280°	15°		1.5 h	
	$-5.0^{+0.5}_{-0.7}$	1.2	278°	13°			10 m
時計B	$+11.4^{+4.5}_{-3.2}$	7.7	215°	34°	12 h		
	$-4.9^{+0.7}_{-0.8}$	1.5	278°	14°			10 m
時計C	-17^{+20}_{-16}	36	262°	64°	20 h		
	$+25^{+5}_{-6}$	11	254°	31°		1.1 h	

---

30) 時計Cは中国製．しかしムーブメントは古いスイス製品であると思われた．

§4.4 歩度と振り角の実際

図4.35 テストした時計A

図4.36 テストした時計B

図4.37 テストした時計C

時計としての性能を明瞭に表すことになるのである．

市販の大変安い時計（時計C[30]）も含めてこの3個の時計の比較をまとめてみたのが**表4.3**である．

時間をかけてこの新しい測定器で**図4.27**，**図4.28**のような測定をしたものをまとめた．時計AとBは持続が40時間程度しかない古い手巻きの腕時計である．

表4.3で時計Aは長時間の経過があっても歩度が変化しない．その変化幅は振り角が60°近く

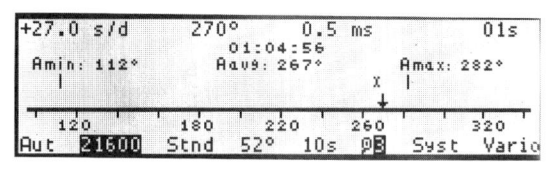

図4.38 時計C・振り角変動の異常な例，約1時間経過

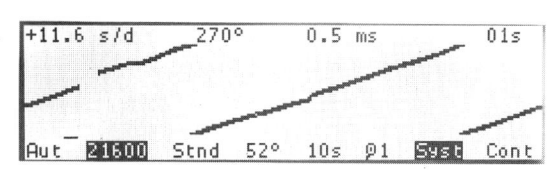

図4.39 時計C・刻音軌跡の表示

変化してもわずかに3秒程度である．時計Bは8秒程度変化するが，時計Cは36秒も変化していることがわかる．時計Cは歩度の平均値の様子から振り角が下がると40秒ほど遅れていくが，時計AとBは振り角が下がっても歩度が遅れていかないことが見て取れる．以上の様子がこの歩度測定器でわかるようになった．特に測定の経過に要した時間[31]（表では測定時間）がこのように明記されることも新しい．振り角の変動幅が表示されることも新しい．従来の測定器では瞬間的な振り角の値が次々と出てくるが，その経過やばらつきは表示されなかった．図4.27〜**図4.34**までの表示でわかるように振り角の変動の様子が見られるようになった．

これで輪列の様子もわかるはずである．その事例として時計Cの測定結果，**図4.38**を見ていただきたい．この振り角変動の様子はおかしい[32]．振り角の最小値がなんと平均値に対して150°ほども低い．輪列のどこかに異常があり，振り角の低下をもたらしているはずである．

---

31) 冒頭に述べた測定時間とは歩度を測定するときの時間間隔であって，その時間内の平均歩度を測る結果になるが，ここでの経過時間とは測定全体に要した時間をいう．この測定器では冒頭の意味の測定時間は測定パラメーターとして別に設定することができるようになっている．はじめに測定時間が10秒にセットされていると説明した部分がそれである．従来のWatch Expertでもこれが選択できるようになっている．表4.3の測定に要した経過時間とは，そのような測定を何度も繰り返して歩度や振り角の変動を調べた．その全体の経過時間をいうから機械時計であればその分，ぜんまいはほどけ，振り角が下がっていく．その経過時間であるから，等時性曲線に親しんでいればすぐわかるように，等時性曲線の振り角の小さい領域へと測定する部分が動いていく．そのあたりの性質をこの表はある程度示すことになる．

32) 実はこの時計Cに対して何度もこうした測定を繰り返したが，当初は振り角のこのような異常な低下はなかった．ところがあるときからたびたびこの振り角の極端な低下が検出されるようになった．その原因は，ゴミが原因であろうと推察している．

図 4.39 は従来どおりの表示：時計 C の**刻音軌跡**を表示した場合を示す．この測定器では従来通りの表示ももちろん行うことができる．図 4.39 では刻音軌跡のスピードを通常のスピードを1として 1/2, 1/4, 1/8 の3通りを選択できる．そのうちの 1/8 を選択した場合を示した．歩度の変動の様子がいわば曲がりを拡大した結果となって，その事情がいくらかわかるようにもなっている[33]．歩度の表示も 0.1 s/d 単位を選択したから，この部分も新しい．

4.4.2 歩度変動の本当の原因

歩度変動の原因は振り角変動にある．その様子を前節で詳しく紹介したようなものであるが，これが従来の認識であった．しかし振り角の変動によるとしても等時性を平らに仕上げた時計で，なぜこんなに大きな歩度変動が観測されるのか，と疑問に思った経験はお持ちではないだろうか．いくら等時性を平らにしても歩度変動が減らない．測定器で測る歩度は実測日差で測定できるような歩度ではなく，はるかにばらつきが大きい[34]と思っておられる方が多いと思う．ぜんまい全巻きで，平歩度を緩急しようとするとき，いったい歩度をいくらと見るか，それに時間をかける場合が結構あるだろう．その理由は測定器で観測できる歩度の値が結構ばらつくのでその影響を避けたい，その意味で時間をかけているのではないだろうか．この部分には振り角と歩度の全体の関係，等時性曲線として理解できることでは説明がつかない歩度の変動があるのである．

§4.5 歩度・振り角変動の原因

等時性を均一にした時計でも，歩度測定器では大きな変動が観察される．それは歩度測定器が，瞬間歩度を測っているためであり，そこには等時性曲線では説明できない歩度の変動がある．その原因となっている動的脱進機誤差について，ここに解説をしていこう．

4.5.1 測定器が測定する歩度はいつも大きく変動する

歩度変動の原因は振り角変動にある．等時性を平らに仕上げた時計でも，歩度測定器で測定する歩度の値は結構大きくばらつく．たとえば全巻き平歩度が +3 sec/day で，全巻きから 24 時間後には振り角が約 40° 落ちるがそれでも +7 sec/day に調整してあるとしよう．40° の振り差で 4 sec/day しか変化しない．このような歩度と振り角との関係（等時性）の調整をしてあれば，振り角 1° あたり，4/40 = 0.1 sec/day/deg しか変化しないことになる．一方，振り角の変化の大きさは約 15° 程度，大きく見ても 25° くらい．この振り差と等時性の勾配から計算できる歩度変動はレンジで 25° ×

---

33) 図 4.39 では中央付近に刻音軌跡が急に進みに曲がっているところがある．これなどはこの部分で歩度の測定結果が大きく変動したデータとなるはずである．刻音軌跡の左 1/4 のあたりにも大きい遅れを示しているところがある．ここも大きな遅れデータとして出ているはずである．通常の表示（この測定器メーカーの表現でいえば CONT と名づけているモード）でもこのようにパラメータ選択をすれば，ある程度歩度と振り角の変動の様子はわかる．

34) たとえば図 4.32 のデータではその事例が出ているのである．歩度の変化範囲を見てほしい．20 時間にわたる歩度の平均値に対して上側のばらつき範囲は +1.2 s/d，下側はなんと −2.0 s/d もある．平均値に対してどうしてそのような偏りが発生しているのであろうか，と考えていくと，ここにその秘密が隠されているのである．この時計 A の等時性は低い振り角の領域にわたってかなり平らであって，振り角の変化に対応した歩度変化分ではこの −2.0 s/d という変動分は説明がつかないのである．等時性曲線の傾きだけでこの −2.0 s/d を説明しようとすると振り角の変動が約 50° 近くなければ説明がつかない．この時計の振り角変動は測定器で見ている限りそんな大きな変動ではない．実はここである．ここに歩度変動の実態を深く理解するための鍵がある．

0.1 = 2.5 sec/day となる．それなのに歩度測定器で観測する歩度の値は +8 sec/day から −2 sec/day くらいまで変化している．このように等時性曲線を平らにしてもそれでも大きな変動が測定器の上では観察されるのである．このように等時性曲線から計算できるような小さな歩度変動にならないのはなぜか．これに気がついた方が大勢いるはずである．

多くの方は**歩度測定器**上ではこのような歩度変動を見せるが，実測するとそのような大きな変動はしない，等時性曲線を平らにした効果はきちんと出ているので問題はない．そのように安心しているかもしれない．すると歩度測定器は何を測っているのか．歩度測定器で測る歩度は瞬間歩度だから，ばらつくのは当然であると片づけてしまっている方もおられるであろう．ではなぜ瞬間歩度がこのようにばらつくのか，等時性を平らにした効果はないのか，このことをここでは説明してみよう．

4.5.2　てんぷの振り角がトルク変動に追いつかない

いくら等時性を平らにしてもこのように歩度変動が減らない．ここには振り角と歩度の全体の関係，等時性曲線では説明がつかない歩度の変動がある．一言でこれを説明する原因は「動的脱進機誤差」である．

表輪列のトルク変動の速さはその嚙み合いの場所によって違うから，この速さの違いでてんぷへの影響が違う．このトルク変動分に対しててんぷの振り角も常に変動するが，その応答の様子はトルク変動の速さで異なり，追いつかない成分があればあるほど歩度変動が大きくなる．追いつかない分だけ脱進機誤差全体が変動する．追いつかないトルク変動に対してはまったく違う挙動を見せるといってもよい．どんなに等時性曲線を平らにしてもこの動的な応答の様子はほとんど何も変化しないのである．この部分を**動的脱進機誤差**という．この事情を次項以下に解説してみる．

4.5.3　てんぷの振動周期は外力によって影響を受ける

てんぷの振動周期は外力の影響を当然受ける．その外力の大きさ，方向で影響も変化する．外力が2倍になれば影響も2倍になる．外力が加速か減速かで影響も当然反転する．この考え方[35]から上の状況を分析してみよう．

今，あるてんぷが 270° 振っているとし，歩度は 0 sec/day に合わせてあるとしよう．脱進機はクラブツースレバー脱進機であって，脱進機誤差は全体としてはマイナスとわかっている．ここでもしアンクルによる駆動が突然なくなった瞬間[36]を考える．すぐに振り角は下がり始めるに違いない．1振動目には 268° となり 2 振動目には 266° となり，という具合に振り角は漸減していく．その様子はてんぷの自由減衰振動という姿である．その最初の状態，アンクルで駆動している状態で振り角 270° 振っているときの歩度が 0 sec/day で，突然アンクルがなくなったとき，このときの歩度は +12 sec/day と観測される．この場合，脱進機誤差は［アンクル駆動時の歩度］−［自然減衰時の歩度］=（0 − 12）sec/day = −12 sec/day と計算され，**脱進機誤差量**は −12 sec/day と理解する．

さて，動的脱進機誤差という概念はここにメスを入れるのである．アンクルがなくなる前の状態，振り角が 270° 維持されているときはてんぷが必要な分だけ，つまり消費エネルギーの分だけアンク

---

35) この当然の原理を「重ね合わせの原理」という．影響が外力の大きさや符号に比例する場合である．単振動系に対する外力の影響は当然であって，これも脱進機誤差の性質といってよいかもしれない．

36) 魔法でアンクルを，ふっと消し去るという場面を想像してくれればよい．そんなことは現実的にはありえないが，思考上そのようなことが起きたと考えてほしい．しかし似たような事情は実際はありうる．ぜんまいが突然切れたときである．アンクルへの駆動力が突然 0 になったときである．

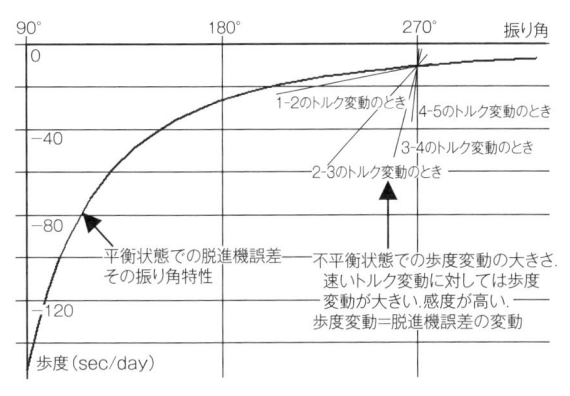

図 4.40　脱進機誤差の振り角特性

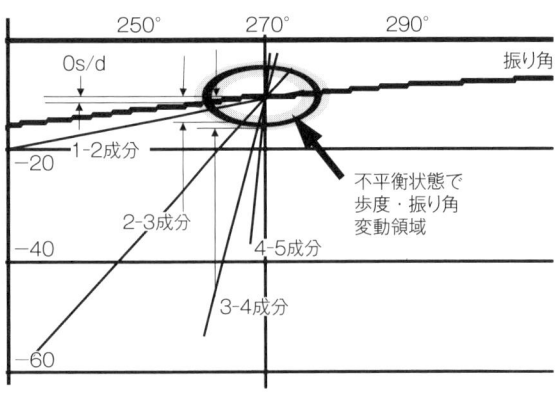

図 4.41　動的脱進機誤差の範囲

ルによってエネルギーを注入している状態であり，てんぷの消費エネルギーと入力エネルギーとが等しい状態である．しかしここから脱進機誤差を理解するのに，てんぷに入ってくるエネルギーの大きさが消費するエネルギーに比べて大きかったらどうなるか，小さかったらどうか，という状態での脱進機誤差の理解へ展開させるのである．ここで，振り角を見ればてんぷの消費パワーは常に観測できていることを注意しておこう．振り角を見ればそれでてんぷがどれだけのエネルギーを消費しているかは，いわば一目瞭然なわけであるが，てんぷへの入力パワー，これはどこにも観測する手段[37]がない．てんぷの入力と消費エネルギーとが等しい状態とは入力と出力とが等しいから平衡状態といえる．脱進機誤差はこの平衡状態のみでなく，不平衡の場合はどうなるか，ここへ理解を進めるのである．**平衡状態**では振り角は一定の値に維持される．それはいつもわれわれが見ている時計の状態ではあるが，われわれが見ている時計の状態もさらに詳細に見ると実は振り角は一定ではない．ぜんまいからてんぷまでの間には何段もの歯車の嚙み合いがあり，これによってトルク変動が起きる．この**トルク変動**によって振りむらが起き，年中，振り角の値が変動している．前述したように振りむらが 15°くらいあるのが普通ではないだろうか．それは入ってくるエネルギーがその 15°分だけ[38]大きくなったり小さくなったりしている証拠であるから，脱進機から供給されるエネルギーはその分だけ変動しているということになる．さらにここを突っ込んで，トルク変動にしっかり対応した振り角の変動になっているかを考えると，実はあまり対応していないといえるのである．その変動が速いと入力の変動分だけ出力のエネルギー，すなわち振り角は変動しているかといえば，そうではない．追従しているとは限らないのである．完

---

[37]　てんぷへの入力パワーは直接観測する手段がないというより，あまり研究されていないといえば正確である．一般にははっきり知られていない研究事項の一例を挙げよう．刻音の大きさである．刻音の大きさに関してはその要因が実はあまりよく研究されていない．刻音の大きさはアンクルがどてピンにぶつかる速さに対応している．どてピンにぶつかる刻音の部分は C 音としてよく知られている．C 音の音量は観測してみると一般にはかなり大きなばらつきがある．一番大きな振幅と一番小さな振幅の比は 1：3 以上，エネルギーのレベルでは 10：1 程度の比較ができるのであるが，アンクルの速さは本当にそのような大きなレベルで変化しているかどうか，その主要要因がトルク変動かどうか，確認した事例が今までない．そのような事情にある．

[38]　いま 270°振っていて，ここに 15°だけ変動しているとしよう．トルク変動は何%か．15/270＝5.5% トルクが変動している……と計算されるのではないかと危惧している．この計算は誤りである．トルク変動ははるかに大きな値である．脚注図 1 の説明にあるように 270°などという振り角領域では振り角変動の約 1.7 倍以上のトルク変動がなければならない．したがって，15°の変動があれば，輪列の嚙み合いによるトルク変動は 15/270×1.7＝9.4% くらいあると見なければならない．この話は，十分にてんぷが追従するような速度であっても話，平衡状態であっても話である．振り角のトルク特性は十分に寝ている（脚注図参照）．ましててんぷの振り角が応答できない速さでははるかにその比率は大きい．

全に追従しているのであれば，脱進機誤差は実は大きな変動をしない．実際の変動分は脱進機誤差にどのような影響があるか．この部分に対しては，実は従来の等時性曲線では表現されていない，まったく関係のない事柄があるのである．

図4.40のグラフは平衡状態での振り角と脱進機誤差の関係を表したものである．そして**不平衡状態に関してはほとんどその性質を表していない**[39]，そう表現した方がよいのである．この意味で等時性曲線も同じで，平衡状態の関係のみを表現しており，不平衡状態の歩度と振り角の関係はほとんど何も表していないのである．不平衡状態での歩度の変動は**図4.41**に示すように平衡した歩度・振り角の点を中心として茫洋とした楕円形の範囲で変動していると考えられる．

4.5.4 不平衡状態ではそれが原因で歩度が変化する

ではこの不平衡状態に関して理解を進めよう．思考実験として次のようなことを考えよう．アンクルが消え去るのではなく，今，振り角が270°振っているとして，アンクルからの注入エネルギーが振り角270°の維持に必要なエネルギーの半分に突然変化した場合を考えよう．半分のエネルギーとは振り角が何度のときであろうか．簡単な計算によって実はてんぷの保有エネルギーは振り角の2乗に比例することがわかっている．つまり**てんぷの保有エネルギー E** は

$$E = \frac{1}{2}KA^{2\,[40]} \tag{3.5}$$

と計算される．したがって振り角が $270° \times 1/\sqrt{2} = 191°$ のときにてんぷの保有エネルギーは270°のときの半分となるから，てんぷの振り角はもし入力エネルギーが半分になればこの191°をめがけて減衰していく[41]．そしてその経過の中で振動周期がどう変化するかを考えよう．注入エネルギーが0

---

[39] もう少しこの部分の性質を正確に表現すると，等時性曲線とは平衡状態での歩度の振り角特性を示したものであって，不平衡の場合は何も表現していない，こういっても差し支えない．この意味で，いくら等時性を良くしても振りむらによる歩度変動は抑えることができないと極論してもよいのであるが，そういってしまうと実はこれも誤りである．不平衡状態でのてんぷの性質は実はここでいう等時性の調整で変化するわけではなく，てんぷ系を単振動系として見たときの動的特性，つまり入力パワーが一定ではなく変化するときのてんぷの応答特性は，ここでいう等時性曲線の調節とはほとんど関係がないというのが正確な表現となる．単振動系の動的な特性とは入力パワーの周波数成分が自己の共振周波数と一致していないときの振幅特性をいうのであって，これはいわゆる等時性の調整ではまったく調節することのできない，いわばまったく天から授かった特性というべきである．しかし，振動系の良さ，すなわち Q の値はこれらに関係がある．よいてんぷはこの意味で外乱に対しては全体としては影響を受けにくいといってよい．脱進機誤差そのものが少なくなるのである．Q が2倍になれば必要なエネルギーは1/2になり，脱進機誤差の大きさも1/2になる．ここで説明する動的脱進機誤差も当然1/2になるといってよい．そのような性質は等時性調節をして調整できるという性質のものではない．てんわの慣性モーメントの大きさや，振動数，ひげぜんまいのばね定数などで決まるのであるから，設計時点で決まっているともいうる．さらに正確にいうならば，実はひげぜんまいのばね定数のみでこれらの性質が決まってしまうと極論してよい．てん真ほぞの様子，ほぞの直径や受け石，穴石，これらの仕上げ，またてんぷまわりの中具合なども当然関係があるが，これらが一定の水準にあるときでの比較をすれば，まったくひげぜんまいのばね定数こそがすべてを決める最重要因子なのである．

[40] ここでは，K：ひげぜんまいのばね定数（ひげぜんまいの強さ），A：振り角である．

[41] ここでめがけて，といったが，それに必要な時間はいくらであろうか．てんぷ減衰時間をこの際にも利用すればよい．てんぷ減衰時間とは振り角が360°から180°まで減衰していく時間と理解してほしい．つまり変化すべき振り角の前半部分に要する時間である．これが20秒かかるムーブメントで説明すると，入力エネルギーが270°から191°に落ちる場合はその減衰の前半1/2の部分は同じ時間，つまり20秒で到達するはずである．入力エネルギーが半分になってから20秒経てばその振り角は $1/2(270-191)=40°$ 落ちて $270-40=230°$ になっているはずである．

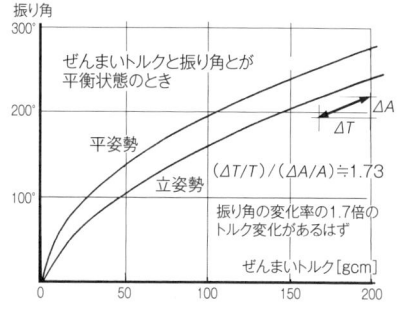

脚注図1　ぜんまいトルクと振り角の関係

になると先ほどの脱進機誤差量 $-12\,\text{sec/day}$ 分がなくなって，$+12\,\text{sec/day}$ てんぷの振動周期は変化した．つまり注入エネルギーが 100% 分変化すれば（減れば）12 sec/day 分進むのであるから，もし変化量が半分になれば振動周期の変化分も半分になる．脱進機誤差量も半分の $-6\,\text{sec/day}$ になる．振り角 270° の状態のままで歩度としては $+6\,\text{sec/day}$ となるはずである．そしてこのことは等時性の調整とはまったく関係がないこともわかるであろう．突然，つまりノータイムで入力エネルギーが変化する．てんぷはまったく応答できない．振り角は，のそのそと（その目安が減衰時間であって，減衰時間だけ経てば変化すべき振り角の半分だけ振り角が追従するが）変化するのであるが，振動周期の方はのそのそと変化するのではなく，突然であってもただちに変化する．それは瞬間的にも測定ができる．1 周期分，5 振動であれば 0.4 秒が 1 周期であるから，0.4 秒間の振動周期を測って歩度として測定ができる．一般に歩度測定器ではこの測定時間が選択できることを思い出してほしい．0.4，0.8，2，4，10，20 秒などと測定時間を選ぶことができる．したがって，歩度測定器で歩度を測る場合は，てんぷの 1 周期（5 振動であれば 0.4 秒）の倍数であれば適当な値で歩度を測定することができるのであるから，この思考実験では，振り角が 270° から 191° へ突然変化する経過で歩度測定器上にどのような値が表示されることになるであろうか．当然，思考実験中に求めた値，$+6\,\text{sec/day}$ の変化が捉えられてよい．この瞬間では脱進機誤差量が $-12\,\text{sec/day}$ から $-6\,\text{sec/day}$ へ，てんぷの歩度は $+6\,\text{sec/day}$ を示す．次の瞬間には振り角は 191° をめがけて変化し始める．振り角が減っていくであろう．そしてこの変化の速さはいま述べたとおり，**てんぷの減衰時間**が目安になって，変化すべき対象の半分に至る時間が減衰時間に等しいのであるから，20 秒かかるわけである．

　さて，このように理解しかけると，実際はそのような突然の変化は減衰時間ほど長く発生していると考えるのは実情とは違いすぎる．そのような変化は 1 秒などという短い間にすぐに変化していく．実際は減衰時間には関係ないほどに短い間にトルク変動は起こってしまう．もう少し思考実験を延ばしてみよう．入力エネルギーが 270° 分から 191° 分へ突然変化し，その状態が 1 秒間続いたが，すぐに入力エネルギーが 270° 分に戻ったとしよう．この場合は振り角はほとんど減る暇がなかった．減衰時間（**半減期**）が 20 秒の振動系では，1 秒間ではその振幅（=振り角）はほとんど変化せずに終わってしまうわけである．実際は 1 秒間ではその振り角差 79° の 1/40，約 2° 変化[42]したところでまた元の振り角へ戻っていく．振り角に関してはこのような経過の中で，てんぷの振動周期はどうなるのか．入力エネルギーが減った瞬間にすでに $+6\,\text{sec/day}$ へ変化した．そして 1 秒後これが仮に 262° 振っていたとして，ここでまた 270° 振るべき入力がきた．するとその振り角 270° に向かって振り角が回復していくのである．262° の消費エネルギー状態に 270° 分の入力エネルギーが入る状態であるから脱進機誤差量は $-12\,\text{sec/day}$ ではなくそれより少し多くなって，$-14\,\text{sec/day}$ などとなり，歩度は $0\,\text{sec/day}$ を通り越して $-2\,\text{sec/day}$ あたりまで変化していてもおかしくはない．

　つまり何のことはない，振り角がわずか（ここでは 2° とした）しか変化しないのに，振動周期は歩度で $+0\,\text{sec/day}$ から $+6\,\text{sec/day}$ へ変化し，1 秒後にはまた $+0\,\text{sec/day}$ へ戻っていく（しかも $-2\,\text{sec/day}$ を経由して）のである．ムーブメントを外から見ている観測者からすると，てんぷの振り角がわずかしか変化していないのに，歩度だけが突然変化するという事態を観測するわけである．これが実際の歩度測定器で**瞬間歩度**を観測しているときの実態といえるだろう．

　以上，振り角が一定であってもてんぷの歩度が変化する，という結果が得られるという説明をした．

---

[42] 減衰時間が 20 秒に対して変化を許した時間は 1 秒間．つまり変化率は $1/2 \times 79° \times 1/20 = 2°$，という計算をした．実際は変化の速さはこれよりも大きくて，変化のし始めではその 2 倍ほどである．

§4.5 歩度・振り角変動の原因

表 4.4　表輪列の噛み合い周期と発生する歩度変動の関係

表輪列噛み合い場所	噛み合い周期 (Tn)	Tn/τ ($\tau=20\mathrm{sec}$)	振り角変動の追従の度合い	歩度変動の大きさ (EE の勾配の大きさ)
$1^\#$-$2^\#$	約 5 分～6 分	15～18	100%	1
$2^\#$-$3^\#$	約 1 分～45 秒	2～3	80%	1.2
$3^\#$-$4^\#$	約 10 秒～7 秒	0.5～0.3	10%	10
$4^\#$-$5^\#$	約 1 秒	0.05	2%	50

第 3 列：Tn/τ は減衰時間に比べて噛み合いの周期がどのくらいの大きさか，その比を示す．ここで，τ：てんぷ減衰時間，EE：検討対象としている振り角における脱進機誤差量．したがって，Tn/τ が小さいときはてんぷの振り角がトルク変動に対応できないことを意味し，それだけ脱進機誤差を大きく変動させ，EE の振り角変化に対する勾配が図 4.41 のように大きくなり，大きな歩度変動として観測される．

等時性曲線によって振り角が決まれば歩度が一義的に決まるという状況ではまったくない．実際は図 4.41 の等時性曲線のグラフのように振り角と歩度の軌跡が一本線上にあるのではなく，これを囲む楕円上を移動する[43] ように変化するのである．これがてんぷの入力エネルギーと消費エネルギーとが一致していない，不平衡の状態での真相である．そしておわかりのように，実際のてんぷの振り角の変動はこの状態を繰り返す．この実相をもう一度見ていこう．

4.5.5　速い噛み合いの方が瞬間歩度を変動させる

表輪列の歯車の噛み合いは表 4.4 のように 1 歯の噛み合い周期がわかっている．てんぷの減衰時間がいま 20 秒であるとして，**1-2 の噛み合い**は 1 周期が 5 ないし 6 分であるからこのような長い周期で変動するトルク変動に対しては十分に振り角が追いついていくであろう．それが図 4.42-1 のように記録されたわけである．たぶん，その振り角の変動の追従の度合いは 100% であって，この点に関しては平衡状態と

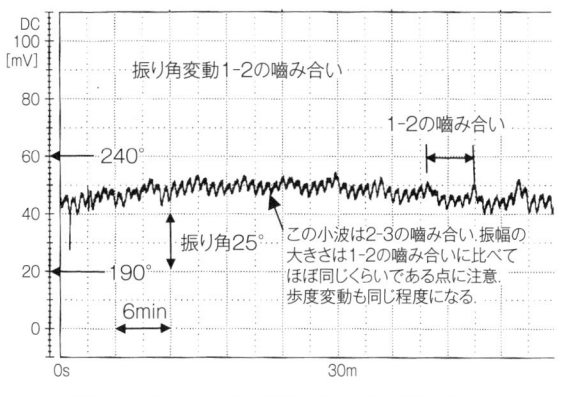

図 4.42-1　振り角の変動①　1-2 の噛み合い．

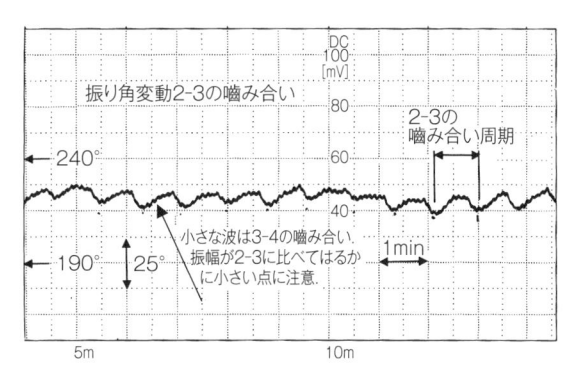

図 4.42-2　振り角の変動②　2-3 の噛み合い．

いえる．次の 2-3 の噛み合いを見てみよう（図 4.42-2）．2-3 は約 1 分程度であるからこれも減衰時間 20 秒に対しては結構長い．十分応答していると見てよいであろう．表 4.4 で振り角変動の追従の度合いは 80% 程度と示しておいた．平衡状態と見てよい．さあ，3-4 はどうか，この噛み合いは 7～10 秒程度であるから減衰時間が 20 秒のてんぷではあまり応答できない．20 秒かかっても変化すべき分の 1/2 しか応答しないのであるから 5～10 秒でトルクが変化すればその 1/4～1/10 くらいしか応答

---

[43] 図 4.40 に示すように楕円上を反時計回りに回転するように動く．さらに実際はトルク変動は刻々変化し，時々刻々と安定点，つまり楕円の中心点が移動して，てんぷの振り角はその安定点を追いかけながら移動していくわけであるから，がっちり描いた楕円があるわけでなく，ぼんやりとした楕円形の雲のように軌跡を描きながらこのグラフ上を移動している，と表現すればこれがもっとも正確な歩度と振り角の様子といえるのである．歩度と振り角の関係は一本の曲線上に乗っているという初歩的な理解から，ここではかなり時計の実態に近い歩度と振り角の関係の様子を描くところまで解説したことになる．

しない．反対に歩度変動の大きさははるかに大きくなって，1-2の変動に比べ10倍程度の歩度変動が発生するであろう．270°のときの脱進機誤差総量 −12 sec/day の5割から8割くらい，現実には変化してしまう．4-5の噛み合いはどうか，4-5の噛み合いは周期が1秒程度であるから20秒の減衰時間を持ったてんぷにとっては前述したようにほとんど追従できない．**表4.4**では追従の度合いを2%とした．実際には脱進機誤差の総量である −12 sec/day くらい変化してもまったくおかしくない．

　これらの結果，振り角の追従の度合いと発生する歩度の変化量をまとめて**表4.4**に示した．表4.4で振り角の追従の度合いが減るにしたがって，**歩度変動の大きさ**が平衡時の**脱進機誤差量 EE** に対してはるかに大きな値となることがおわかりいただけるかと思う．

4.5.6　表輪列の噛み合いの交替は大きな歩度変動をもたらす

　実際のトルク変動は噛み合いの1周期間に発生するものだけでなく，違う要素が入っている．その中で大きなものは噛み合いの交替時のトルク変動である．時計用の歯車には円弧歯形が使われ，このために噛み合いの交替の際のトルク変動が大きくなりやすい．歯形，歯車の径，軸間距離，関係する寸度に誤差があり，これが噛み合い交替時点の変動をもたらし，交替時点でのトルク変動が大きくなる欠点がある．この交替は噛み合い周期の1/10以下の時間で行われるから，急峻なトルク変動が発生する．急峻であればあるほど，歩度変動が大きくなる．**図4.43**をそのような例として掲げた．図4.43では矢印で示した部分が噛み合い交替点で，この発生は噛み合い1周期で1回ではあるが，急峻さは周期の時間よりもはるかに速い速度で起きる．**図4.44**は1歯の噛み合い経過で発生するトルク変動の様子を解析したものであるが，**噛み合いの交替時の変動が大きな成分を示す可能性がある**ことがおわかりいただけるであろう．

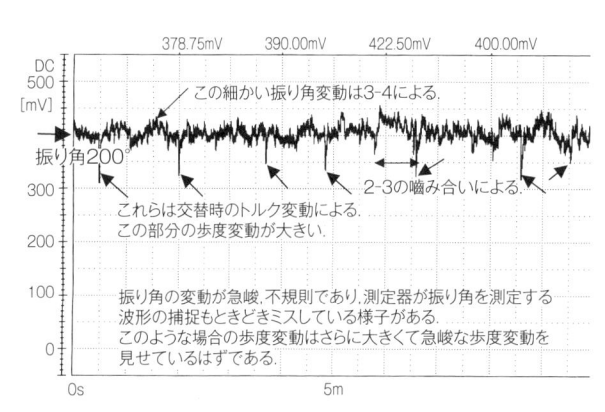

図4.43　瞬間的な振り角変動を行っている実例

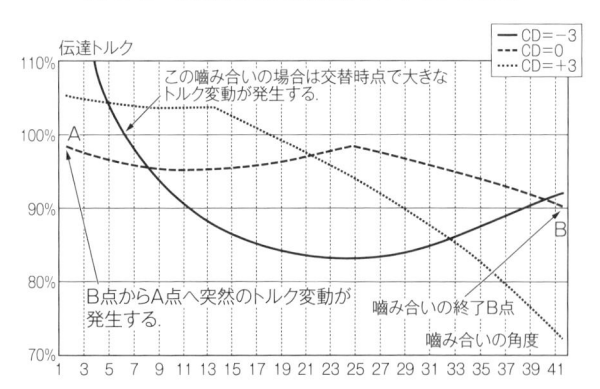

図4.44　1歯の噛み合い経過で発生するトルク変動
図中 CD とは Center of Distance：軸間距離の誤差量．表輪列の軸間距離が ±0.03 mm 変わると噛み合い交替時のトルク変動もかなり大きくなることにもご注目頂きたい．

4.5.7　まとめ

　以上，歩度変動はトルク変動が瞬間的であればあるほど，等時性とは無関係なレベルで大きな変動をする，その理由を述べた．よい時計であればあるほど，つまりてんぷの Q が大きいほど，てんぷに注入しなければならないパワーは小さくてすみ，その分だけ脱進機誤差の総量が少なくてすむので，この瞬間歩度の変動も小さくなる．またいわゆる分解掃除はこのようなトルク変動，歯車の噛み合いによるトルク変動を低くする点で相当な効果があるとも思われる．

第 5 章
これからの機械時計

§5.1 近年のイギリス時計事情

　ここではイギリスに外遊した筆者のレポートをお届けする．**ジョージ・ダニエルズ**博士との討論は筆者の長年望んでいたものであった．また，ジョン・ハリソンの発明によるグラスホッパー脱進機の歴史と構造についても解説する．

5.1.1 旅行の経緯

　腕時計など，機械時計といえば世間ではスイスだと思われている．しかし時計の発達を考えると，実はイギリスに，その歴史がスタートした技術が多い．**マリンクロノメーター**の開発はイギリスからである．ご存じのとおり，英国人のジョン・ハリソンがマリンクロノメーターを開発した．最近の機械腕時計の新しい技術として歴史に名を残すと思われるものとして同軸脱進機があるが，これもイギリスからである．ともかくイギリスが時計の歴史を引っ張ってきたのであって，スイスではない．ジョージ・ダニエルズもそういう．マン島の郵便局からは時計の歴史の中のエポックメイキングな発明，これがすべてイギリスからであることを賞した切手が発売されている（**図 5.1**）．国を挙げて時計の技術の歴史はイギリスなのだと賞賛している．

　同軸脱進機はイギリス，マン島に在住のジョージ・ダニエルズが発明した．スイスの Omega 社がそれを引き継ぎ，商品化している．これもその典型的な事例である．

　この同軸脱進機に関して，最近，筆

図 5.1 マン島郵便局発行の時計関係発明記念切手（2000 年発行）ジョン・ハリソン：グラスホッパー脱進機の発明，マリンクロノメーターの開発．トーマス・マッジ：レバー脱進機の発明．ジョン・アーノルド：軸掛けがね脱進機の発明．トーマス・アーンショウ：ばね掛けがね脱進機の発明．それに 2000 年のジョージ・ダニエルズ：同軸脱進機の発明が続いている．すべて英国人の発明である．

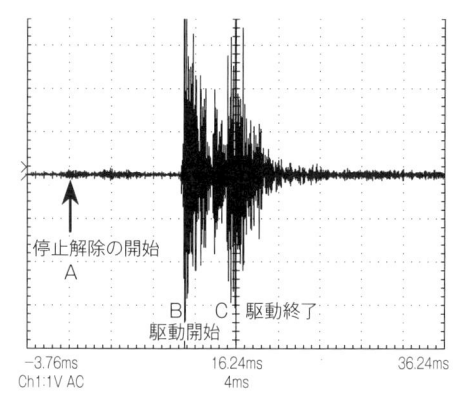

図 5.2 クロノメーター脱進機の刻音波形
（再掲 図 4.2-1）
駆動する回転方向の場合.

図 5.3 ロジャー・スミス社製品
ツールビヨンでクロノメーター脱進機付き懐中時計.

者がその動作状態を少し調べた．その詳細な様子は第4章で紹介したが，同軸脱進機はクロノメーター脱進機とほとんど同様な動作をしていることもわかった．つまり精度の良いクロノメーター脱進機を携帯時計に搭載しようという100年以上の懸案事項をダニエルズ博士はやってのけたのである．しかし，この精度の良い脱進機として知られるクロノメーター脱進機もその動作に実は精度が悪くなる問題点を抱えており，精度面ではクラブツースレバー脱進機とほぼ同等とみられるレベルになっている．その同じ性質を同軸脱進機も抱えていることがわかった．

脱進機の動作状態は，その刻音を観察することによって調査することが可能ではあるが，修理ベンチ上で刻音の観察が行われることは比較的少ない．それはそうした観察に適した測定系の準備が，現代でもあまり要請されていないからである．そのためか，文献上で精度のもっとも良いといわれる**クロノメーター脱進機**の動作も実は精度が良くなる動作[1]をほとんどしていない（**図5.2**参照）．このこともほとんど知られていなかった．

しかしこの刻音観察という視点で脱進機の動作状態を調査できることは昔から知られてはいた[2]はずだが，現在でもほとんど利用されないまま[3]であった．たまたま，同軸の刻音を調べたら精度が良くなる動作をしていないこと，これに付随して脱進機の能率も上がらないままになっており，**クラブツースレバー脱進機**とほぼ同レベルになっているということ，これに気がついた筆者はいち早くこのことを発明者自身のダニ

---

[1] ここでいう精度が良いという意味は脱進機誤差が少ない，という意味である．脱進機誤差とは脱進機が調速機と係合することによって発生する振動周期の誤差をいう．クラブツースレバー脱進機も同軸脱進機もクロノメーター脱進機もいずれもその誤差の符号はマイナスであり，脱進機があることで時計としての歩度は遅れる傾向を持つ．それは振り角が小さくなるほど増大し，90°以下の短弧では100秒以上にも及び，時計としての精度をはるかに脱するほどになるということが知られている．振り角が変動しても進み遅れが発生しない時計を作る．これが精度の良いという実際的な意味である．したがって，脱進機誤差の少ない方式を選びたい．ところがそれに対してクロノメーター脱進機であっても動作の実態を調べれば調べるほど，そのような性質があまりできていないことに驚くのである．

[2] 中具合の異常な動作状況を刻音波形から推定することに関しては比較的知られている．今までは刻音波形の利用はここまでであったが，今では本来利用しやすい技術的な環境になったはずである．けれども依然として利用されていないのである．

[3] 新しい時計の測定器，Witschi社のChronoscope MやVibrograph B600には刻音観察のモードが備えられている．したがって，こうした測定器が普及したときは刻音観察がもっと利用されるであろう．しかし刻音観察の結果，どのようなメリットがあるのかということに関してはあまり研究されていない．このように機械時計の技術にあってもまだまだ進歩するはずの部分が結構いろいろあるのである．

[4] 2006年6月の彼の手紙には，I have been unwell, but improving and began to work. と書いてあったからなお心配をしてしまった．

§5.1 近年のイギリス時計事情

エルズ博士に知らせた．彼と討論をしたかったからであるが，彼からはあまり正確な返事，討論となるべき返事はもらえないまま1年近くが過ぎ去ってしまった．彼は高齢だし，ひょっとして会わずじまいになってしまう[4)]のではないか，だんだんこの思いがつのり，どうしても会って話をしておかなければならない，この気持ちでとうとうイギリス行きを決めたのであった．出発間際でもダニエルズ博士に会える保証はない．マン島に行けば何とかなるかもしれない，と一縷の望みに託してそのまま出かけたのである．

マン島にはRoger Smith[5)]社（**図5.3**が製品例）がある．スイスのフィリップ・デュフォー氏はこのロジャー・スミス（Roger Smith）氏を頼って聞いてみたらどうか，スミス氏はダニエルズ氏の一番弟子だからと，そのように提案してくれた．もしダニエルズ博士自身が在宅していれば電話くらいは出てくれるだろう．それでもいい，もし都合がつけば訪問時間は取れるように旅行スケジュールを組んでおいた．

現地では結局Roger Smith社にも訪問が可能となった．メールのおかげである．彼は几帳面にメールの応対をしてくれ，自社社内の見学を許してくれ（**図5.4**），さらに親切にダニエルズ博士訪問前日には彼に電話をかけて訪問の応諾をもらってくれていたのであった．またダニエルズ博士邸まで道案内もしてくれた．

それまで彼との面識は一度もなかったが，こうして温かな応対をしてくれると人柄の温かさが身にしみてうれしい．Roger Smith社訪問の数日前には，マンチェスター付近のクロックメーカー，Sinclair Harding[6)]社にも訪問した．銀座シェルマンの磯貝吉秀社長の紹介で最初ここを訪れたのであるが，社長のボブ・ブレイ（Bob Bray）氏も初対面であったにもかかわらず，この彼も実に親切にわれわれ一行を温かく迎えてくれた．**図5.5**はその社内にあったジョン・ハリソンの**H1モデル**の大型ハイエンドモデル版

図5.4　ロジャー・スミス社社内での討論

図5.5　シンクレア・ハーディング社ハイエンドモデルH1

図5.6　ジョージ・ダニエルズ博士と庭園にて

---

5) http://www.rwsmithwatches.com/ 参照．正式な社名はRoger W. Smith Ltd.
6) http://www.sinclairharding.co.uk 参照．SINCLAIR HARDING (UK) LIMITED 5 Station Court, Park Mill Way, Clayton West, Huddersfield, West Yorkshire, HD8 9XJ, England. Manchesterから東へ約30km，West YorkshireのHuddersfieldsというところにある．

で，現代的に高精度に仕上げるために調整中の様子である．また彼にはその翌日の観光のためのホテルをお世話いただいた．

ダニエルズ博士自身もわれわれを大変快く迎え入れ，アトリエにも案内してくれ，また筆者のつたない英語での討論にも真剣に応じてくれた（図5.6）．通してこの旅で接触したイギリス人の方々はわれら日本人をよく歓迎してくれた．このあたりはどうもスイスとはひと味違うように思われる．イギリスへ行くと，スイスとは違った旅行事情，時計事情に出会えるであろう．

5.1.2 グラスホッパー脱進機の歴史

グラスホッパー脱進機[7]とは1726年頃までジョン・ハリソンが研究，発明した振り子時計用の脱進機であって，振り子にはその長さを温度変化に応じて伸縮させ，温度が上がれば縮むように，温度が下がれば伸びるように，補正する部分を加えた構造をも備えさせて，相当に正確な振り子時計を作っていたのである．このときの脱進機に，この名前を付けたのであった．ジョン・ハリソンは，若いときから引っ張り出されてかなりの時計の修理をさせられており，その経験から時計の大きな問題点は埃や油の劣化で時間が狂う，動かなくなる，ということであるのを知っていた．この問題に常に接触していたのである．この体験から正確な時計を作るには油の影響を受けない，とくに脱進機付近にそのようなシステムを作り上げなければならないと感じていたようである．その結果としてこのグラスホッパー脱進機が生まれたのである．この脱進機を使った時計は現代でも驚くような精度を当時，維持していた．文献[8]によれば「この時計は2個製作したが，それらは14年間動き続け，その精度は1ヵ月で1秒以下，すなわち月差1秒以下の精度を14年間保った．14年間の積算でも30秒以下の誤差しか発生しなかった」とある．この値は機械時計では，現代でも驚くべき精度として評価することができる．

このことがハリソンをしてマリンクロノメーターをやってやろう，という猛烈な闘争心をわかせたのである．ハリソンは大工であった．したがって，時計の歯車などを木で作った．歯車の歯を樫の木で作って植え歯したのである．こんな歯車の時計であっても上述のような精度が達成できていたとは実に驚異である．ちなみにこうした精度の測定はすべて天文観測によって行われていたのである．

このような背景からグラスホッパー脱進機が生まれた．そして上に述べたような精度をその時代に達成していたのであった．船の上で同じ程度の精度の達成は絶対できる，こう思ったに違いない．この目でH1の構造を見直してみると実に明確にそれがわかるのである．

そして現代のイギリス人もまた，さらにその先を追求しているのである．

Sinclair Harding 社はこのH1モデルの大型版（図5.5）を作っていた．そこには温度係数や振り角安定化に関する徹底的な改善を追求していた．次に訪れた Roger Smith 社にもグラスホッパー脱進機の試作モデルがあった．こちらは脱進機の動作をさらに軽快にし，安定性を徹底的に追求したもののようであった．その構造はここで報告することはできない．しかし，これらのイギリス人たちに

---

[7] グラスホッパーの意味は，グラスとは草のこと，ここをホップする，飛び跳ねるもの，つまりバッタ，いなご，こおろぎのことである．図5.7の脱進機の動作の様子を見ると爪 p, p' はがんぎ歯に飛びつき，またパッと飛び跳ねて離れる．この様子はイナゴと同じである．言い得て妙である．

[8] "Marine Chronometer, its History and Development" Rupert T. Gould 著，Antique Collector's Club, 1989, p.55. この本の著者 Gould の意見であるが，ハリソンの書いたものを見，またかなり大量の時計修理の体験からハリソンは絶対に摩擦を取り除くことがともかく最大の問題点である，という信念を持ったに違いない．この結果からグラスホッパー脱進機を発明するに至った，と書いている．

は脈々と先人の意志を追求する強烈な意志がある．

ジョージ・ダニエルズ博士邸にもグラスホッパー脱進機の柱時計があった．たぶん，ダニエルズ博士自身も若かりしときにこれを追求したに違いない．これほどイギリス人を駆り立てるグラスホッパー脱進機とはどんな構造なのであろうか．ハリソンの発明した構造に関しては文献で明らかにされているので，これを説明しよう．

5.1.3 グラスホッパー脱進機の動作

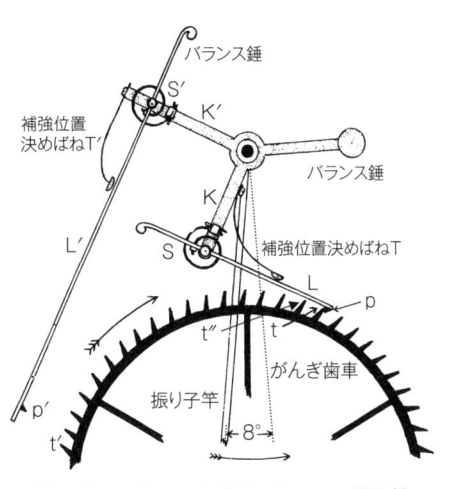

図5.7にハリソンのグラスホッパー脱進機の構造を示す．次のように動作する．

爪レバーL, L′はばねS, S′, および補強位置決めばねT, T′によって図のように直角になっている．いま爪pが図

図5.7 ハリソンのグラスホッパー脱進機

のようにがんぎ歯車の歯tに引っ掛かっているとして，矢印の方向へがんぎ歯車がぜんまいの力で動きつつあるとしよう．爪pは歯tに引っかかっているのではずれない．むしろ食い合いは深くなるような面の方向になっているので，はずれないで一緒に動き，振り子は右の方へ移動する．爪pの取り付けてある爪レバーLは，その取り付け腕Kに対して角度がだんだん広がるように，ここでは時計回りに回転していくが，爪pと歯tの摩擦ではずれない．本来は位置決め補強ばねTがあるからはずれたいのだが，噛み合いpとtが食い合っているのではずれることができない．

さて，もう一方の爪p′はだんだんがんぎ歯車に近づいてくる．そしてついにがんぎ歯車の歯t′に接触する．このとき，爪p′の衝撃面は歯t′に食い込むような方向に設定してあるので，食い込むにつれてがんぎ車を一瞬逆転させるのである．しかしこれは一瞬であって，これがいわばクラブツースレバー脱進機のがんぎ歯車の後退，引きに相当する．

このがんぎ車の後退によって今まで摩擦で接触が保たれていたがんぎ歯tと爪pとの接触は一気にはずれてしまうことになる．はずれて爪pは上の方へはねて上がっていくことになる．するともう一方の爪p′はしっかりとがんぎ歯t′と食い合いを続けることになり，がんぎ歯t′が爪p′を押していく結果になる．これは爪p′は歯t′を根元の方へ押すことであるから，そのままの接触が保たれている．爪レバーL′と三角レバーK′とのなす角度は直角から歪んでいき，本来歯t′から爪p′を離すように力が増加していくのであるが，爪p′と歯t′との食い合いによってはずれない．このまま歯t′に食いついたまま爪p′は動かされていく．しかしレバーL′が上方へ動くにつれて，三角レバーは時計回りに回転をしていくから，こんどは爪pががんぎ歯車に近づいてくることになる．結果としてがんぎ歯車の歯tの次の歯t″と接触を始めることになる．しかし，がんぎ歯t″と爪pとの接触が発生した途端に，がんぎ歯車の後退によって爪p′側がはずれることになる．爪p′は歯t′からはずれて飛び離れることになり，爪レバーLはこのがんぎ歯t″と爪pとの接触を保ったまま，爪レバーLと三角レバーKとの角度は直角からずれていく．三角レバーは反時計回りに回転させられていく．

以上が動作の概要であるが，微妙な動きをいろいろ利用しているところがきわめて天才的な設計といえよう．がんぎの後退，引きを利用して交替が行われる．また，がんぎ歯車と爪の滑りはない．はずれる瞬間，あるいは食い合う瞬間にはわずかな滑りがあるかもしれないが，他の脱進機にあるような本質的に必要な滑りではない．したがって，この脱進には潤滑が本質的に不必要ともいえるのであ

図 5.8 ハリソンの H1 再現ハイエンドモデルの内部（一部）

爪とがんぎ歯の間には，潤滑油などの粘性はむしろ脱進動作をばらつかせる害があるだろう．

一方，脱進機は振り子の振動中，つねに契合している．つまり自由式脱進機ではないのである．むしろ**完全拘束脱進機**である．調速機にとって，振動中心付近での脱進機との契合は比較的振動周期に対する影響は小さいといえるのに対して，振動の最大振幅の付近での契合はそのまま，大きな振動周期のずれをもたらす．これはエアリーの定理から明確である．完全拘束脱進機は通常では精度の良い脱進機とは考えられない．グラスホッパーでの爪の交替はこの振動の最大振幅の付近で行われる．したがって，この動作のばらつきは振動周期を大きくばらつかせるはずである．この原則からすればいわば逆転の発想ともいえる．

ハリソンは，このような脱進機を採用して先に述べたような驚異的な精度を実現した．そのことを可能にする技術的な補助は実は他にもいろいろあったのである（**図 5.8**）．決してグラスホッパー脱進機だけが性能が良いために時計全体の精度がよくなったのではないが，ともかく達成した精度はまことに驚異的であった．

§5.2 クロノグラフと発停誤差

クロノグラフ機構でもっとも重要なのは，いうまでもなくクロノグラフ針の動きを司る「発進・停止機構」にある．ここではこの部分のメカニズムを示しながらクロノグラフの作動する様子と針飛びの原因を解説していく．さらに，過去に実在した発停誤差ゼロの機械式ストップウオッチについても言及する．

5.2.1 クロノグラフ機構

ここでは少し，クロノグラフについて気軽にスケッチしてみよう．クロノグラフに関する詳細な説明は他に譲るとして，ここでは技術的なトピックスを紹介したい．まずは**図 5.9** をご覧いただきたい．腕時計の中の光景として突然このスナップはいったいどこの光景なのか，ととまどわれる方もいる[9]と思うが，単刀直入にクロノグラフの肝心な部分として見てほしい．

クロノグラフは腕時計にストップウオッチが組み込まれたもの，と理解すればよい．機械時計の場合，表輪列はいつも動いている．それに対してその動きをもらって[10]，ストップウオッチの秒針が

---

9) このムーブメントは Valjoux 7750 というスイスでは標準品ともいえるもので，ムーブメントの表側で自動巻輪列受（Automatic device bridge）をはずしたときに出てくるシーンである．わかりやすい視角で撮影した．通常は受に隠れてしまって見えないので，はずしても工夫してやっとこの光景に出会える程度である．

10) 表輪列の動きをもらわなくても自分で専用の調速機，脱進機，輪列を持つことはもちろんできる．通常の表輪列は 5 振動だが，ストップウオッチの方は 100 振動などというクロノグラフも可能である．しかし，これらはアナログクオーツであれば実現が比較的容易で，すでにあるのかもしれない．市場が純機械式での価値を認めるかどうか，である．

スタート，ストップ[11]するように作らなくてはならない．時計の動きとしての歯車の回転は動きっぱなしなのに対してどこかに輪列を作り，その輪列の方は動かしたり止めたりしなくてはならない．**図 5.9**，**図 5.10** はその**発進・停止のメカニズム**の一例を示している．

図 5.9 の歯車 A は時計の中央にある秒クロノグラフ車 (center chronograph wheel) である．この車の中心軸にストップウオッチの秒針が文字板側に[12]取り付けられる．軸にはハートカムがあり，このハートカムには規制レバー[13]が接触し，**帰零**（リセット）したときにハートカムの平らな部分が規制レバーにぴったり接触するまで[14]回転させられる．その状態で秒針を 0 秒と表示するよう「**針付け**」する．この車に噛み合う小さなかな B が見える．部品としては**揺動かな** (oscillating pinion) とよばれるもので，この揺動かなは，下の方で常動している四番車（図では隠れて見えない）と噛み合っている．つまりこの揺動かなはいつも回転している常動かなであるが，上端にある歯車の部分 B が図の A の歯車に噛み合うかそれとも離れるかで秒針が回転するか（発進しているか）しないか（停止しているか）が決まる．噛み合っているときはこのかなはきっと地板に垂直になっているのであろう．離れているときは歯車 A から離れる程度に斜めに倒れていることになる[15]．これが発進・停止の肝心な部分である．要は歯車同士が噛み合うか離れるかという動作でそれが行われる．

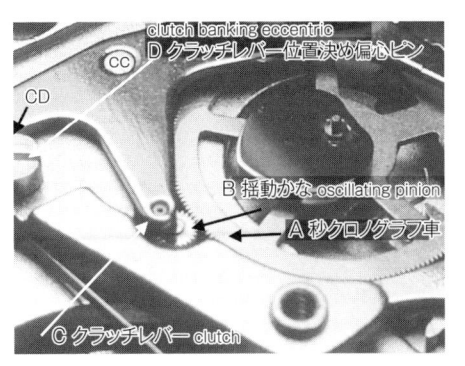

図 5.9 クロノグラフ機構
秒クロノグラフ車の噛み合い部分
その 1

図 5.10 クロノグラフ機構
秒クロノグラフ車の噛み合い部分
その 2

図 5.9 では噛み合っているときの揺動かなの噛み合い深さを決める**クラッチレバー位置決めピン**（偏心ピン）CD が見える．これを回転させることで A 歯車と B 歯車の噛み合い深さを調節し，がたやきしみのない噛み合いを実現する．

図 5.10 も同様な機構で，**四番クロノグラフ車**はいつも表輪列と一緒に回転している車であるが，これに噛み合う**中間クロノグラフ車**が，右の方へ前進して中央の**秒クロノグラフ車**と噛み合ったり離れたりする．図 5.10 では中央円形の部分のように離れているが，ここから中間クロノグラフ車全体が前進して噛み合う．このためにこの中間車の上下の受は全体が前進後退できる揺動受となっている．

---

11) スタート・ストップ・リセットの方が用語として現代的かもしれないがここでは発進・停止・帰零という用語で統一させていただく．なお，本書では帰零（リセット）に関する説明はほとんどしていない．
12) このスナップは地板の表側であるから地板側とはスナップでは下の方になる．もちろんこの車の中心軸は上端のみ見えるが通常この上端が上にある受のほぞ穴に挿入されているはずである．今は上端が空中に出ているからこの車の位置はふらふらで，やむをえず上に何となく向いているだけだ．なお揺動かなの上ほぞもこのスナップではクラッチレバーのほぞ穴からはずれてしまっている．
13) このレバーはこのスナップにはまったく見えていない．
14) 実は図 5.9 はほぼその状態ではある．ハートカムのへこんだ部分はこの状態で帰零レバーに接触する．
15) swing pinion 方式と呼ばれている．

図では見えないが，さらにその受の位置を正確に調節できる位置決めピンがある．秒クロノグラフ車の歯数は中間車の2倍になっているので，噛み合う際の噛み合い位置の変化，つまり秒針位置の針飛びは細かい方の歯の1ピッチ以下になるはずである．

これらの構造（特に図5.10）は，ムーブメント全体の外観の中でなかなか機械的な構造を主張した美しい部分ではないだろうか．図5.11[16]のように大変細かいモジュールの中央のクロノグラフ車，噛み合う歯車の三角形の歯形，など機械クロノグラフムーブメントの華といえるであろう．最近のムーブメントではこれらの上に自動巻機構が載っている．そうなるとほとんど見えなくなるので残念である．

図5.11 美しいクロノグラフ外観

発進・停止機構の説明は以上であるが，しかし付随していろいろなエンジニアリング的な問題がこの付近には山積している．それらの問題をいかに解決するかにクロノグラフ機構の種類や歴史がある．そのあたりの主要な問題を紹介していこう．

5.2.2 針飛び

秒クロノグラフ車は実際どのように動くか，よく調べてみるといろいろな問題がある．発進するとき，図5.9で揺動かなの歯車Bが中央の歯車Aに噛み合う．このとき，歯車の谷のどこに落ちるか，それは歯車Aの動きに対して発進の動作のタイミングによるのであって，内部の動きとは関係のない任意の時刻との関係であるから歯の落ち込む場所は予想ができない．理論的には大きくとも歯の間隔（ピッチ）より大きなずれはない[17]はずである．もしこのクロノグラフ車の歯数が200枚であったとしよう．すると歯の間隔（ピッチ）は0.3秒[18]表示の角度に相当するから，最大0.3秒までの針飛び，それも前進方向にも後退方向にも発進時に発生する可能性がある．実際手にとってクロノグラフ表示を発進させてみると，その程度の針飛びはあるように思われるであろう．ひどいときは0.8秒ほども針飛びを起こすこともあるが，これはいま述べた単純な歯の噛み合いの偶然だけでは説明がつかない．これらを総称して針飛びと呼ぶことにしよう．図5.9の場合，揺動かなは噛み合う相手の大きな歯車に対して歯数はわずかであるから，もし噛み合うために前進しつつあるかなにわずかでも回転トルクがあれば，それは噛み合う相手の歯に対して比較的大きな角度のばらつきとなる．揺動かなの軸受部分にがたが大きい[19]場合や，上下の軸受でがた量が違う，軸が移動するときに作る移動平面が相手の歯車軸に対して立体的に平行になっていない，中央の秒クロノグラフ車の摩擦ばねが，発進時に規制レバーがはずれるときに少しスプリングバックしてしまう．時計を操作するユーザーが

---

16) BREITLING社の8型ムーブメント．50年前の骨董品であるが，やはり美しい．
17) これを発停誤差といおう．いわば測定すべき連続的な時間間隔を歯車1ピッチに相当する時間の単位で数値化するときに起きる誤差，物理的には量子化誤差という．これに相当する．
18) クロノグラフ車は1回転60秒であるから1ピッチは60/200＝0.3秒である．
19) 図5.9ではクラッチレバーの先端の軸穴に揺動かなが入っていない．これはスナップを撮るために上側の受を取り去った状態だからで，実際はクラッチレバーの先端の軸受の穴の中に入っている．このほぞと穴とのがたが大きかったらどうなるであろうか．両方の歯車が噛み合いに入る際に斜めに力がかかるなどして回転力を発生し，回転してしまうおそれがある．

§5.2 クロノグラフと発停誤差

発進時に大きく時計を動かしてしまい，その衝撃で秒クロノグラフ車を回転させる衝撃となる，などさまざまな誤差が重なって発進時に余計なトルクを秒針軸に及ぼす．結果として秒針の発進時の秒針位置ずれが起きるのである．この針飛びは発進時だけでなく停止時にもある．

これらを回避するために時計メーカー各社はさまざまな知恵を絞ってきたのではないだろうか．

もちろんクロノグラフ付きの腕時計をアクセサリー程度にしか使っていない人たちもいるであろう．そのような人たちはこんな針飛びがあることに気がつかないかもしれないが，反対にしっかり社会的な業務に使っている人たちもいる．さまざまである．ともかく，針飛びを最初に述べた秒クロノグラフ車の歯車の1ピッチ以内の誤差に抑えることが，クロノグラフの組み立て調整における一つの目標といえるであろう．

ともかく意外にこの針飛び量は大きい．読者も身近にあるクロノグラフを少し詳しく観察するとよい．文字板上の秒針位置を注意深く見ながら発進・停止を繰り返してみると，もともと秒針の針付けが不正確でぴったり0秒の位置にいないこともあろう．あるいは秒針の発進する1回目の位置は結構ばらつくことに気がつくであろう．**図5.9**や**図5.10**の周辺の軸のがた，あがき，規制レバーの動きのそりなどで中途半端な回転力が発生したりして，そのような結果を生むのである．しかしここに述べたがたやそりなど，いずれも100分の5ミリ以内のことであるからちょっと見てもわからない．ともかく発進停止の際に正確な作動以外の成分をいかに小さくするかで，見かけの秒針の針飛びは変わるのである．

5.2.3 発停誤差ゼロの時計

10振動のクロノグラフで考えよう．この時計は連続的に流れている時間を0.1秒単位で切り刻み，いわばデジタル表示している．この時計のストップウオッチを発進停止させて，たとえば0.28秒，0.23秒の時間を測ったとする．これを0.1秒単位で表示するならどう表示しなければならないか．0.28は0.3秒，0.23は0.2秒と表示するのが正しい．つまり正確な四捨五入ができればよい．ところが，発進する時刻が秒針の動く時刻と無関係な場合は，**図5.12**で示すようにどのように頑張っても±1カウントの誤差は免れない．すなわち，

0.28秒を測ったとき…0.2秒表示（－1カウントの誤り）か，0.3秒表示（正しい）

0.23秒を測ったとき…0.2秒表示（正しい）か，0.3秒表示（＋1カウントの誤り）

となる．機械時計のクロノグラフではまだ存在していないと思われるが，ストップウオッチでは実は図5.12で説明した±1カウントの誤差を完全に取り除いた，つまり完全な表示を達成した機械時計がある．このような±1カウントの誤差をここで発停誤差といおう．この誤差をなくすには"コロンブスの卵"的な，実際は比較的簡単な工夫で実現するものなのである．そ

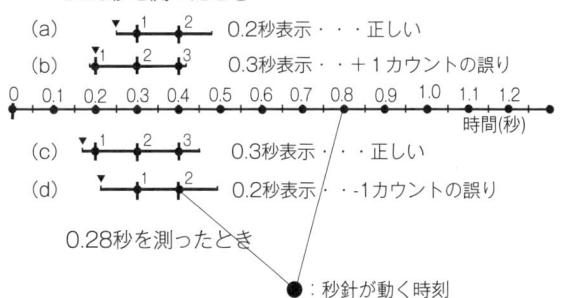

図5.12 発停誤差
時計のてんぷは0.1秒刻みで●の時刻に秒針が動く．これに対して(a)のように0.23秒で発進▼・停止▲すると，1と2のところで秒針が動いて0.2秒の測定結果になり，正しい表示となる．(b)の場合は発進▼・停止▲して1,2,3で秒針が動いて0.3秒の測定結果になる．これは＋1カウントの誤差となる．測定時間が0.28秒の場合を(c),(d)に示す．同様な誤差が出るがこの場合は0.2秒表示が－1カウントの誤差となる．

図 5.13　発停誤差のない
　　　　ストップウオッチ

図 5.14　ハートカムのあるてんぷ

図 5.15-1　てんぷ規制レバー（発進）

図 5.15-2　てんぷ規制レバー（停止）

の実例は図 5.13 の東京オリンピックで使われたストップウオッチ[20]である．その内部は図 5.14，図 5.15 をご覧いただこう．図 5.14 はてんぷの振り座付近を見たもので，振り座とてんわの間にハートカムが入っている．図 5.15-1 はてんぷ下ほぞの入る地板付近である．大きな規制レバーがあり，図 5.14 のてん真のハートカムを押さえるように待ちかまえている．図 5.15-2 はその規制レバーが前進した様子を示す．動作は次のようになる．停止状態ではこの規制レバーがそのハートカムを押して，てんぷの振り角位置を 150° あたりへ持っていっている．振り石はもちろん箱の中には入っていない．発進時にはこの規制レバーが図 5.15-1 の位置にまで戻るだけである．てんぷは 150° 付近にひねられているから，その位置から初速 0 でスタートする．この初速 0 でスタートするところがみそである．するとこのてんぷは 10 振動なので，つねに発進時点から 0.05 秒経過したときに脱進機が作動して秒針位置は 0.1 秒の位置へ進む．その後は普通の時計のように運針が行われる．つまり秒針が 0.1 秒の位置にいる時間帯は 0.05〜0.15 秒の間であり，0.1 秒表示時間帯なのである．このように 0.1 秒表示の時計として理想状態で表示する結果になる．$0.1n$ 秒（n は経過した時間の任意の整数，n カウント目という意味）を表示している時間帯は，常に $0.1n-0.05$〜$0.1n+0.05$ 秒だけ発進時から経過した時刻のときである[21]．

---

20) SEIKO キャリバー No. 892, 893, 894 など．本書表紙に飾ったストップウオッチ．これは 1972 年札幌オリンピックに使われたストップウオッチで，内部のムーブメントはここに説明するものと同じ．
　　なお，この札幌用は東京オリンピックから 8 年後に準備したものなので，外装デザインが一新され，視差の発生はまったく考えられない文字板針構造と，氷結しない工夫など，極めて洗練された逸品となったが，市販されなかった．ここに詳説する発停誤差も当然皆無．もっとも優れた機械式ストップウオッチ．日本の時計技術の最高峰の一つとして紹介するものである．
21) このようなことを仕組んだストップウオッチはこの時計が世界で初めてで，当時，特許が取得された．いままでのストップウオッチではてんぷに「蹴れ」（規制レバー）があり，スタート時はこの「蹴れ」によっててんぷは蹴飛ばされる．また停止時にはこの「蹴れ」によって蹴飛ばされながら停止する．この方式では「蹴れ」が動作する時刻は内部のてんぷの動きとは無関係であるから，どのようなてんぷ回転角で止められるかはわからない．スタート時には蹴飛ばされるので初速が加えられ，確実にスタートする．しかし，てんぷはどんなふうに止められたかは不明であるから最初の秒針の動きはスタート時刻とはいわば関係のない時間が経過したときに始まる．0.1 秒刻みであるから 0.1 秒以内（0〜0.1 秒）であることは確かだが，最初の 1 回目の動くまでの時間間隔は不明である．もっぱらその前の操作によっててんぷがどんな回転角で止まったかによる．これ

要は発進時刻に秒針の動く時刻を連動させてしまう．秒針は発進時刻から1振動の半分の時間（10振動では0.05秒）経過したときに動くようにしたわけである．これで表示している時間は測定している時間を正確に0.1秒単位に表示しているわけである．このように発進停止時の誤差は完全になくなり，残りは図5.12に説明した量子化誤差という部分だけになった．この完全なストップウオッチはその後発売もされていない．そのとき使われた製品を読者は骨董品市場で見つけられるだけであろう．

以上の事情を理解された方は，どのような価値をこの時計に見出すであろうか．いわば世界に現存するただ1つの完全な機械式のストップウオッチ[22]である．

1964年の東京オリンピックの公式計時はSEIKOが担当した．このきっかけを作ったのはこのストップウオッチであった．当時のオリンピック組織委員会のブランデージ（Avery Brundage：1887-1975）会長をして，東京オリンピックの公式計時担当をSEIKOと決めざるをえないレベルにまでしたのは，このSEIKOのストップウオッチであった．

当時の国際陸上競技連盟理事のポーレン氏が両手にストップウオッチを持って何回も同時測定をして，つねに同じ測定結果となった．まったく機差がなかった．これなら信用できるとして結局一切の公式計時をSEIKOに任せることになった[23]．

5.2.4 今後のクロノグラフ

ここに述べたような完全なストップウオッチ機能を持ったクロノグラフは現れるであろうか．その方法は明確である．調速・脱進機を時間計測用にもう1つ持ち，それに**図5.14**，**図5.15**のような仕掛けをすればよい．簡単な話である．現在の機械腕時計の市場動向をみるに，2005年のバーゼルフェアにはTag-Heuer社から100振動の手巻きストップウオッチ付きの自動巻腕時計，つまりクロノグラフが参考出品として展示された．てんぷを2つ設けたクロノグラフが出てきたわけである．そこへさらに東京オリンピック用ストップウオッチのようにまったく針飛びや発停誤差のない，完全なクロノグラフ[24]がいずれ出てきても当然だと思われる．

§5.3 スプリングドライブ

ここではまったく新しい調速機構，「スプリングドライブ」をテーマに述べたい．いま世界的に注目されているSEIKO独自のムーブメントについて，歴史的な意味から構造までを筆者ならではの視点から解説してみよう．

が従来のストップウオッチの問題点であった．同じものを2個用意して右手と左手にこれを持ち，同時に発進停止をしても表示時間が違う，機差が発生してしまうという当時のオリンピック委員会で問題にされた点がこの従来の方式では解決されないのである．ここで説明している図5.13の時計ではこのような機差はまったくない．この点について当時の評価関係者はびっくりしたに違いない．

22) 世界で唯一といっても機械時計の分野での話である．電子的なストップウオッチ（クロノグラフも含む）は回路上の操作でどのようなこともできるから，1,000円のデジタルウオッチでさえこのような発停誤差をなくすことができる．たとえ100分の1秒単位であっても最初の0.01秒表示を正確に0.005〜0.015秒にすることは簡単である．オリンピックの計時装置ではその程度まで正確にしなければならない競技があり，考え方，方法はまったく同じである．

23) このあたりのいきさつについては『The SEIKO BOOK』徳間書店，1999年，p.151に詳しい．

24) 「完全な」とは量子化誤差だけしかないという意味である．

5.3.1 新しい時計の正確な理解

ここでは新しい時計技術の解説をしてみよう．ある友人が筆者に次のようなメールをくれた．

「小牧さん，この間はご苦労様でした．いよいよ年の暮れですね．セイコー時計資料館でいろいろ付き合っているうちに勉強させられていますが，この間，気がついたら，小牧さんの念願である『脱進機誤差ゼロの脱進機』が実用化されていましたね．しいて名づければ純機械式水晶制御式非接触式磁気脱進機ですね．気がつきましたか？ その名は『スプリングドライブ』機械時計（エプソン）です．これで正しいでしょうか．何か誤解がありましたら，ご指摘ください．そこで質問ですが，あの時計のモーターは通常のAQに使われている例の2極ステップモーターでしょうか？ これを8Hzで回しているのでしょうか．連続運針だそうですね．つまりローターの回転を減速して秒針を駆動していることになりますね．このモーターについてコメントをください．よろしくお願いします」というのである．この友人とは長いお付き合いをしている．機械時計の設計の経験もお持ちの方であるが，電気と機械がこのように一緒になってしまうとなんだかわからなくなる，それがこの質問でわかる．"水晶制御式"だけは正しいが，その他の部分はほとんど間違いである．機械時計の専門家にとってもほとんど理解できないのである．日本独自の優れた時計，電子技術と機械時計技術を結合したスプリングドライブの正しい理解のため，筆の趣くままに書かせていただこう．

5.3.2 スプリングドライブの特徴

まずここで話題になっている時計，スプリングドライブ（図5.16[25]，図5.17[26]など）とはどんな時計なのか，これをまず解説しよう．スプリングドライブは，ぜんまいで駆動される電子機械腕時計[27]である．電池を使わない．すべてがぜんまいの力で動く．普通の機械時計と同じように香箱とぜんまいがあり表輪列以降すべてを駆動し，時分秒針を動かす．ここまでは機械時計と同じだが，表輪列の最終段にはレギュレーター[28]が連結されていて，これが回転して調速をする．調速だけでなく発電をする．そして内蔵する電子回路を動作させ，表輪列の回転にブレーキをかけて調速する．その電子回路には水晶振動子があり，これにしたがって調速をするから時計の精度はクオーツの精度となる．精度からいえば明らかにクオーツなのであるが，電子時計の重要な問題点，電池を不要とした，すばらしい発想のもとに開発された腕時計である．この仕組みの要点はアナログクオーツのステップモーターとほぼ同じ構造の**レギュレーター**[29]とそのシステムにある．これが表輪列の最終段，がん

---

25) 図5.16は自動巻スプリングドライブクロノグラフ（手巻つき/24時針つき〈GMT表示可能〉/平均月差±15秒〈日差±1秒相当〉/最大巻上げ時約72時間〈約3日間〉持続/石数：50石），パワーリザーブ表示つき．実に盛りだくさんの機能がついている．これだけついていれば純粋の機械時計とまったく同等といってよいであろう．

26) スプリングドライブ・ソヌリの仕様は以下のとおり．Cal.7R06，ソヌリ機構：（毎正時鐘打ち，3時間ごとの鐘打ち，サイレントの3種類の切替機構を搭載），アワーリピーター機能，パワーリザーブインジケーター：時計機構用，ソヌリ機構用各1個，巻き上げ方式：手巻，時間精度：平均月差±1秒相当（気温5～35℃において腕につけた場合），巻き上げ持続時間（時計機構）：約48時間（約2日間），直径：37.0 mm，厚み：7.0 mm，石数：88石，部品点数：630．なおこのソヌリの鐘の音はSEIKOのサイトの動画の中で聞くことができる．

27) この表現は筆者独自のコンセプトである．SEIKOのホームページを見ると違う表現をしている．「使う人の自然な力を動力源とする機械式腕時計の良さをベースにクオーツの最先端技術で精度を制御する……」と述べている．確かにそのとおりだが，開発当初のコンセプトは電池の要らないクオーツはできないかというものであった．

28) Tri-synchro Regulator, 構造は一般のステップモーターと同様であるが性能は発電機能を上げてありかなり違う．

29) トライ・シンクロ・レギュレーターと名づけてある．構造はまったくステップモーターと同じで，コイル・ステーター・ローターからなる．名前をこのように変更した理由を説明する．これを発電機として使えば，一般には発電機・ジェネレーター，動力機として使えばモーターといわなくてはならない．一般のアナログクオーツではモーターとしてこれを使い，ステップ状の信号にしたがって動かすのでステップモーターとよんでいる．またこのステップモーターは動かないときは外部の

図 5.16　自動巻でクロノグラフのスプリングドライブ

図 5.17　スプリングドライブ・ソヌリ

図 5.18　右上の部品がおりん，日本の鐘の音を出す部品

図 5.19　米粒と比較したガバナーの羽根の部分　これが空気抵抗により無音で回転を制動する部品．

ぎ車・アンクル・てんぷの代わりに接続されている．このステップモーターならぬレギュレーターが三役，運針・発電・調速といえばよいだろうか，これをすべて担当している．このあたりから一般には理解しがたいものに見えるであろう．さらにこの時計の針の動きはまったく完全な連続運針である．これも実は優れた特徴の一つといえる．

振動や衝撃によってローターが不必要な回転をしないようにする役目も持っていて，これも大変重要なもう一つの目的である．そのためにインデックストルクを大きくする必要がある．スプリングドライブの場合は発電機・ジェネレーターとして使っているが，目的は発電ではなく，その回転の制御にある．発電した電力を電子回路の処理を経て自分のコイルに印加してローターの回転制御をする．目的はむしろそのことにある．それでレギュレーターという方が正確である．制御信号は水晶発振回路で制御された電子回路の出力で行うから，結果として時計全体はクオーツの精度となる．またこのレギュレーターは一般アナログクオーツのインデックストルクに相当するトルクも発生しなければならない．一般アナログクオーツはステップ状の運針をするが，このスプリングドライブは一定速回転をする状態でありながら，この安全作用を行わなければならない．このような定速の回転調速を行い，外乱振動衝撃による回転数累積誤差をなくして実用化した携帯時計は世界に例がない．このあたりもいわば世界に冠たるレベルにある．スプリングドライブは電池のないクオーツであるともいえる．今回紹介したこのレギュレーターまわりのメカトロニクス技術は独自のハイレベルにあり，結果としてスプリングドライブ以外にこれほどの小さな電力（約 $0.1\,\mu\mathrm{W}$ 以下）を取り扱って定速回転の制御をしている例を筆者は知らない．ここに使われているいろいろな要素，コイルに使われている巻線技術も図 5.21B にあるような精密技術であり，コイルの磁芯にはアモルファスを使用（図 5.22），後続の集積回路にはエプソン独自の SOI が使われている．このレギュレーターを通過するパワー（約 $0.1\,\mu\mathrm{W}$ 以下）が桁違いに小さいことがスプリングドライブの制御システムの最大の技術的な特徴といえよう．ここまで小さなパワーをロス少なく伝える表輪列の部分にも，従来の機械時計に見られないような研磨や潤滑の配慮がしてある．電子・機械両面でまさに一級の技術を誇る製品である．

こうした大変独創的な構造を持つ時計であるが、ぜんまいで動作させるという一点で、電子時計というよりも機械時計の変種といった方がよいかもしれない。実際、ムーブメント外観を見ると機械時計とあまり変わらない印象を受ける。しかし、てんぷ・アンクル・がんぎ車がないのである。そのかわりに一方向にスムーズに回転する車がある。それが結構速い速度（8 rps = 480 rpm）で回転している。このあたりが「何だこれは」と思わせるのであろう。きらきらしたものが動く、という一般的な機械腕時計の印象とは違っており、いわばまったく静かな、何か動いているものがないほどの外観を呈している。

実は機械時計の変種という表現はここに潜んでいる技術の高さからいえばまったく当たらない。現代の時計技術の頂点をきわめているといって差し支えない。電子技術の領域でしかり、機械時計技術の領域でもしかり、最新技術をひそかに潜ませている。そうしたすぐれものなのである。SEIKOには伝統的にそうしたハイレベルの技術であってもなかなか上手に宣伝しないところがある[30]。このスプリングドライブは製品技術としては一つの頂点を築いているのであるから、それをユーザーに正確に知らせることが必要であろう。SEIKO独自の新しい製品領域として世界へ主張すべきものと思う。

技術的な製品領域の表現としては**電子機械ハイブリッド時計**といえば正しいのであるが、何か電子的な構造が入っていると、安物の領域の時計と一緒にされると考えているところはないだろうか。電子時計はすべて安物なのだ、こういった理解が現在は一般的でスプリングドライブもその一種、と思われがち、そんな理解がユーザー側にも販売側にもあるのではないだろうか。こういった皮相的な理解が横行しないように、ここにブランドを正しく維持する主張がほしい。世界一流のものがある、その理解のために、やや難しい、こうした製品技術を正しく広く知られるようにすること[31]、それがメーカーのなすべき役割であると思う。日本で誇れる時計技術、それがこのスプリングドライブだ、という意気込みをもっともっと感じさせてほしい。

5.3.3 スプリングドライブのメカニズム

以下少しその構造を説明してみよう。**図 5.20**にレギュレーターの構造を示した。回転するローター、ローターと同軸に一定速度を保つための慣性輪、それとコイルとステーターがある。これだけの装置である。ムーブの外観としてはこの慣性輪が目立つ。このレギュレーターががんぎ車の次の段、これを6番車といっておこう、この歯車からさらに一段増速して回転させるようになっている。機械時計の脱進機、てんぷに相当する部分がこのレギュレーターであると考え

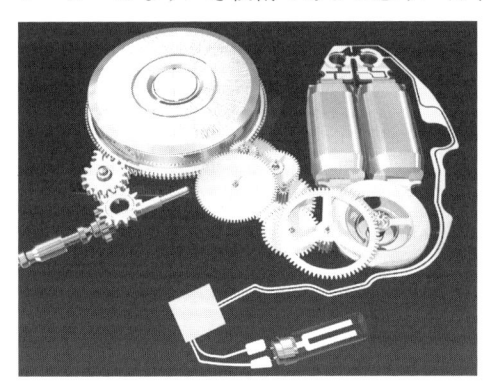

図 5.20 スプリングドライブの構造
ぜんまいで駆動されて動くが、クオーツによって調速されるのでハイブリッドシステムといえる。

---

30) 一例を挙げよう。かつて、内端カーブを設けた腕時計を製造販売したことがあるが、これなどもたいして長い期間を経ずして販売終了としてしまった。この内端カーブという技術はいずれ今後のヨーロッパの時計の中で最高級品には必ず出てくるであろう技術と筆者は予言をしておこう。

31) 先日インターネットでグランドセイコーを論じているブログサイトを見た。ここではSD（springdrive）などはいったい何だ、くだらない、アナログクオーツと同じようなもの、という理解しかなく、ここで説明しているような製品技術をほとんど知らないまま論じている。まことに読むに堪えない時計論議である。逆にいえば、いかにユーザーに自分たちの製品の良さ、技術水準の高さを理解してもらえていないかがわかる。販売サイドの努力はなかなか難しいともいえる。いわば、販売宣伝の結果を見るようなもので、極論すればインターネットのそうした会話を優れて理解された状況にすることが目標ともいえよう。

てもよい．単純な増速輪列であるから，レギュレーターは何もブレーキがなければ高速回転をしてしまい，ぜんまいはほどけてしまうであろう．レギュレーターにはコイルがあって，回転による発電[32]の結果である電流がコイルに流れ，その電流の力で実はブレーキを受ける．それで結果としては調速の役割を実行するようになっている．

このレギュレーターのローターをこのように機械的な力で回転させるとコイルには起電力が発生し，コイルの両端では電圧を観測することができる．つまり発電機となる．反対にコイルに電圧をかければローターには回転力がかかってモーターになる．この性質はスプリングドライブのレギュレーターでも一般アナログクオーツのステップモーターでもまったく同じである．しかし，一般のクオーツのステップモーターを持ってきて，そのローターをぜんまいの力で回転させたらどうか．一般のクオーツ用のステップモーターは実はなかなか回転しようとはしないであろう．それはローターとステーターとの間に強く働くローターを静止させる磁石の力（これを**インデックストルク**という）[33]が働いており，これに打ち勝つトルクでローターを回転させなければならないが，その力が大変強力である

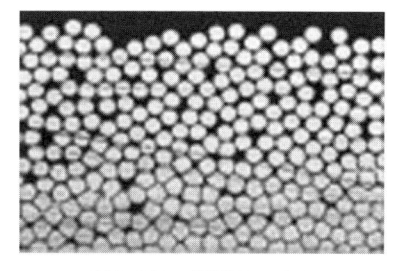

図5.21A　従来のコイル

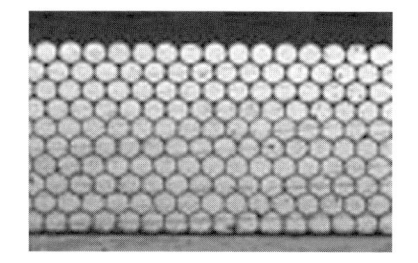

図5.21B　9R65用コイル

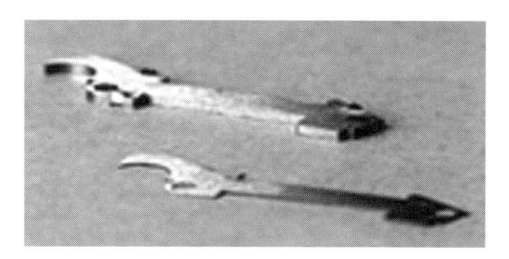

図5.22　レギュレーター用アモルファス磁芯

---

[32] 回転による発電は交流電圧であるが，コイルに流れる電流はその発電結果である電圧そのものだけが印加されるのではなく，その発電結果をいったん整流して直流とし，これを使って水晶発振回路を含む電子回路一式を動かした結果としての電圧をかけるのである．その波形はローターの回転による誘起電圧と重畳されて複雑な交流電圧となっているが，その界磁電圧の周波数が水晶振動子の周波数で決まるようになっている．この電圧のかかる様子は回転するローターにブレーキをかけるような位相で印加される状態になる．その結果，ローターの回転速度は水晶振動子の周波数に対応し，結局，時計の表示が調速された結果となる．したがって，調速の実行はレギュレーターが行うが，調速の速度の設定は水晶振動子が行っていることになる．機械時計では調速の実行は脱進機，速度の設定はてんぷが担当していた．したがって，この表現でいえばレギュレーターが脱進機に相当する．

[33] ステーターのコイルの両端に電圧をかけたとき，ローターが回転し始める電圧（Vd_{min}という）がインデックストルクに相応した指標となる．一般のアナログクオーツのステップモーターでは，この Vd_{min} を，時計の使用時に受ける外乱振動や衝撃の際，ローターが回転してしまわないようなレベルにしなければならない．これがクオーツのいわば安全作用を維持している部分である．インデックストルクはまた電圧をかけたときに発生するトルクの指標でもある．つまりモーターとしての効率をも代弁しており，Vd_{min} が小さいときはモーターの出力トルクも小さいので用途に適した最適な設計をしなくてはならない．一般のアナログクオーツに適したステップモーターと本文のレギュレーターとでは当然設計条件が違う．本文で述べたような実験はだいぶピントのずれた実験となるわけである．スプリングドライブでは発電機としての性能を一般のアナログクオーツのステップモーターに比べて約10倍程度にしなければ使えない．ここでも独自の技術開発を行ってある．独自の巻線技術（**図5.21**），アモルファス磁性体を使った磁芯（**図5.22**）など，目を見張る技術が潜んでいる．もう少しこのあたりを説明すると，レギュレーターの回転速度は 8 rps = 480 rpm であるが，一般のアナログクオーツのステップモーターの動作時の回転速度は 10 ms 程度の時間に180°回転するから，そのスピードは 50 rps = 3000 rpm に相当する．通常のステップモーターの約1/6のローターの回転速度である．電圧はこの回転速度に比例する．このように低い電圧しか発生しない上，さらにこれを電力として取り出して電子回路を動作させなければならない．通常の時計に使われる電圧 1.5 V で動作する集積回路を駆動することはさらに難しい．したがって，スプリングドライブでは動作電圧の極端に低い独自のSOI集積回路を開発して適用したのである．こうしたエプソンの総合技術を駆使していなければこうした製品の開発はできない．その典型的な事例と見ていただきたい．

224   第5章 これからの機械時計

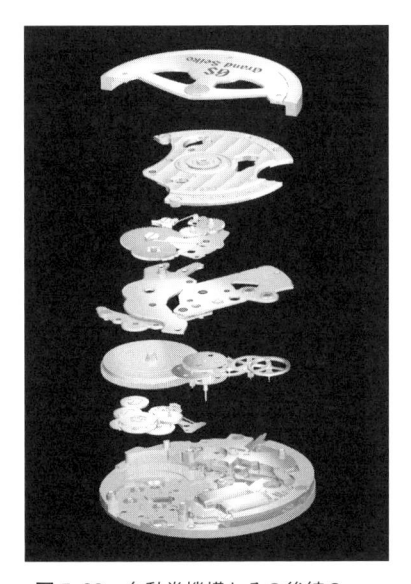

図5.23 自動巻機構とその後続の表輪列の様子
通常の機械時計と同様であるが，がんぎ車・アンクル・てんぷがなく，その代わりにレギュレーター（鉄芯とコイル，ローターからなる）が座っている．表輪列はこのレギュレーターによって調速される．

ことを，もし実験をすれば気がつくであろう．これに対してスプリングドライブでは増速して弱くなった力で回転可能なようにインデックストルクを弱く設計し，長時間の持続を持たせるようにした．さらに回転によってコイルから効率よく電力を取り出す発電機としての働きをさせ，その電子回路からの指令どおりにローターの回転回数[34]を保つ，という芸当をしている．このようにぜんまいの力で輪列を動かし，なお最終段のレギュレーターから効率良く電力を取り出し，その回転速度を水晶振動子による制御で行う．したがって，この付近の制御技術がスプリングドライブの新しいハイテクとして理解すべき部分なのである．脚注33）でも述べたように，この中の電子回路部分にも機械的部分にもひそやかにハイテク技術が使われている．

5.3.4 スプリングドライブの歴史的な意味

以上がスプリングドライブの動作の概要であるが，スプリングドライブでは動力がぜんまいであるにもかかわらず，しかも電池がないのに電子回路がある，という点で簡単には理解しにくい．電池がないのになぜ電子回路が動くのだ，という簡単な質問に答えるのが難しいからだ．ここにこそスプリングドライブの本来の特徴があるのである．

電池を使わない水晶時計が作れないだろうか，というのがこの時計の開発経過からいえば最初の発想であった．世界で一斉にクオーツを使うようになったとき，全世界で使われる電池の数を考えると膨大なものになる．酸化銀電池を使うとするなら，銀という貴金属を膨大に使用しなければならない．これは地球の資源保護の観点から大きな問題になるはず，と当時のエプソンの開発陣は考えた．アフリカやインド，電池の供給など考えられない地域で使える水晶時計，電池の要らないクオーツ，これが本来のスプリングドライブのコンセプトであった．電池の要らない電子時計はできないのか，そんなバカなものはできない，という常識に立ち向かってたった1人の研究者[35]はこのコンセプトの実現を実に執拗に捨てなかったのである．多分その発想から製品化まで足かけ30年くらいになるのではないだろうか．図5.16，図5.17に見られるように現在のSEIKOブランドはスプリングドライブを高級時計として性格づけしている．なるほど現在開発できているスプリングドライブはこれでいいかもしれない．だが，彼が生きていたらまだ本来の目標であるアフリカやインドで使える安いクオーツをこのシステムで作ろうというかもしれない．

秒針が連続運針である点もその美しさで見逃せないのではないだろうか．機械時計はたとえ何振動であっても結果的には時を刻んで時を表示する．これに対してスプリングドライブは実は時を刻んでいないで時を表示する．まったくスムーズな回転のレギュレーターによって時を表示する．完全に連

34）回転回数を指令どおりにするという動作が，時計としての安全作用に相当する．これを1日や，1月などという時間の長さの累積回転数で評価されるのが時計の宿命である．スプリングドライブのレギュレーターの品質はこれで決まるといってよい．
35）エプソンの代表的開発者故赤羽好和氏である．

続的な運針をしているのである．いわば完全なアナログ調速による腕時計という表現をしてもよいであろう．時間そのものはまったく連続的なものである．この意味で腕時計の歴史[36]の中では独自な立場に立ったのではないだろうか．

5.3.5 スプリングドライブの脱進機誤差

さて，本節冒頭の友人のメールの言葉の中でもう一つ話題にしなければならい点は脱進機誤差という言葉である．脱進機誤差とは機械時計での用語であって，クオーツ時計では脱進機誤差という用語はあまり聞かれない．しかしスプリングドライブを機械時計として見るならば，脱進機誤差という点はどうなるのか，これが質問の主旨であろう．脱進機誤差とはてんぷ調速機の場合ははっきりしていて，脱進機がてんぷと係合しているために発生する振動周期のずれをいう．スプリングドライブでの源振は一般のクオーツと同じで水晶発振回路であるから，ここには脱進機誤差といわれるようなことはないのか，ここをはっきりさせておこう．

クオーツでは進み遅れを調節できるトリマーコンデンサーがあった時代がある．トリマーコンデンサーは電子回路側の定数を変化させて，発振周波数を調節するものである．発振周波数は機械的な水晶振動子の定数と発振回路の回路定数とが一体となって決まる．トリマーは回路定数を調節するのであるから，いわば脱進機誤差を調節するようなものという表現をしてもよい．**水晶発振回路**では脱進機誤差がないのではなく，まったくどっぷりと電子回路定数と一体となって100％拘束[37]されているといってよい．もっともこんな表現は機械時計屋には通じるが，電気回路技術者にはむしろわかりにくい話に聞こえるであろう．以上で友人の指摘した問題点はおおかた解説できたかと思う．

5.3.6 スプリングドライブの安全作用

さて，ここでもう一つ話題としたい点は時計としての安全作用というべき点である．この点は質問者はむしろ気がついていないのだが，実は携帯時計の歴史的な意味でも非常に重要な部分なのである．スプリングドライブはクラブツースレバー以外の脱進機を腕時計に適用して実用化させたという点で，時計の歴史に重要な一里塚を提供したことになると思われる．スプリングドライブでの安全作用とはもっぱらレギュレーターの回転回数と水晶から指示された回数とを完全に一致させるということに相当する．これまでの脚注でも述べたが，エプソンの技術者は自動制御技術を駆使してかなりの精度にまでこれを追い込んでいるが，筆者はクラブツースレバー脱進機に比肩するレベルにまでいっているとは見ていない．しかしクラブツースレバー脱進機以外の脱進機で実用化されているものがほぼない状態で，ここまで実用化に成功しているという点ではすごいことをやったと思う．またこの観点

---

[36] 音叉時計はスムーズな運針を見せていたが，機構的には音叉の振動 360 Hz に従った，1 秒間で 360 回の間欠運針をしていた．この意味で完全な連続運針ではなかった．完全に連続的な運針をする時計は掛け時計などにはある．同期電動機による運針である．スイスの鉄道の駅にある赤い秒針をご存じであろうか．あれもスムーズに動いていたがこれも同期電動機によるものであろうか．

[37] 発振回路では回路側の全体の性質を進みの影響とさせることも遅れの影響とさせることも自由に調節が可能である．水晶振動子が接続される端子から眺めた発振回路の性質を誘導性（インダクタンスの性質）か，容量性（キャパシタンスの性質）か，つまり進みの影響にも遅れにも自由に可能である．あるいは影響をまったくなくすことも可能である．一般には水晶発振回路のコストを削減して量産性を良くすることを要請されているから，こうした部分での拘束の仕方には特に要請はない．IC 全体でコストを 5 円以下にするなどという要求下では，いわば何の細工もしない．一般にも実際はきわめて単純で，十分に入力インピーダンスの大きなオペアンプで発振回路を構成すれば，それで電子回路側の影響を無視できるようにもなる．いわば脱進機誤差は電子回路技術上では原理的にはまったく自由自在である．

図 5.24A　レバー脱進機が初めて搭載された懐中時計 Thomas Mudge による．1759 年製作．

図 5.24B　現代の時計 これはスケルトン彫刻を施してあるが，それほど高価な時計とは思われない．ある時計店の記念品である．

からみると一般のアナログクオーツのステップモーターも実は素晴らしい安全作用を実現しているものといわなくてはならない．どんな安価なものでもこのステップモーターが狂って指示がめちゃくちゃになって問題だ，と論じられることがない．ここではステップモーターのインデックストルクが実は重要な品質となるのである．

§5.4　機械時計の今後の課題

ここでは，長年にわたって研究されてきた時計の精度について論考したい．まずは筆者が 1967 年にまとめた機械腕時計の精度に関する問題点を参照しながら，調速機まわりが現在までにどの程度進歩したかを見ていくことにする．

5.4.1　機械腕時計の精度，その進展の様子

本書で多くのページを割いて解説した内容は主として機械腕時計の精度に関するものであった．機械腕時計の構成[38]はこの 200 年間大きな変化はしていない，という珍しい技術環境を維持している．

エレクトロニクス技術は変化の速い技術だが，これに比べると機械時計技術はまったく考えられないような悠長な技術環境というべきであろう．たとえばクラブツースレバー脱進機がこの 200 年間近く，それも 20 世紀にはほとんど変わることなく使用されているのはその典型的な事例である．このような環境のせいであろうか，約 40 年前まで時計の開発の現役だった筆者が，2010 年になって機械時計の研究論文を出した[39]などという，いわば異常な事態が起きるのである．

---

[38]　香箱車から表輪列，脱進機，てんぷという主要構成のことをここではいう．もちろん個々の要素には進歩した点はいろいろある．しかし，一見して 200 年前の機械時計と現代の機械時計の構造の様子はほとんど変わらない，という意味である．

[39]　「ひげぜんまいの重心移動の理論と実際——内端カーブの効果の最適化」，日本時計学会誌，Vol. 54, No. 202, pp. 1-10, 2010. 実は筆者が時計技術から他の技術領域へ移動したのは 45 歳頃で，正確には 40 年くらい前までが時計技術の現役だった．上の論文はつい最近の研究によるいわば時計技術への復帰版である．

図 5.24A はレバー脱進機を発明したイギリス人，トーマス・マッジの製作した約 250 年前の懐中時計であって，現在ロンドン郊外のウィンザー公博物館に所蔵される，携帯時計の歴史上では最重要の遺品[40] である．これと現代の懐中時計（図 5.24B）とを比較すると，図 5.24A ではムーブメントの大きな部分を温度特性を良くするための大きな弓が占めている点[41] だけは印象としては大きく違うが，この他の部分は実はほとんど変わらないのである．

この長い間技術が変わらないことを象徴する話に蛇足を付け加えよう．筆者が今年，学会へ提出した論文はひげぜんまいに関する論文であるが，つい最近のこの新しい技術を取り入れたとしてもひげぜんまいはアルキメデス曲線のままであり，図 5.24A の時代のひげぜんまいと見かけ上はたいして変わらないのである．たしかにこの 200 年間の進歩を振り返れば，調速機の温度特性を良くするためにひげぜんまいの材料が変わった，てんぷはバイメタル切りてんぷである必要がなくなった，そのくらいが見かけ上大きく変わった点であるが，今後も多分，アルキメデス曲線のひげぜんまいは変わらずに存続する[42] であろう．

1967 年に筆者は日本時計学会で「腕時計の性能の進歩と将来の展望」という記事[43] を発表していた．そこにある展望の内容は現時点に適用してもほとんど変更する必要がないとも思われることが書いてある．まず表 5.1 をご覧いただきたい．表 5.1 はこの 1967

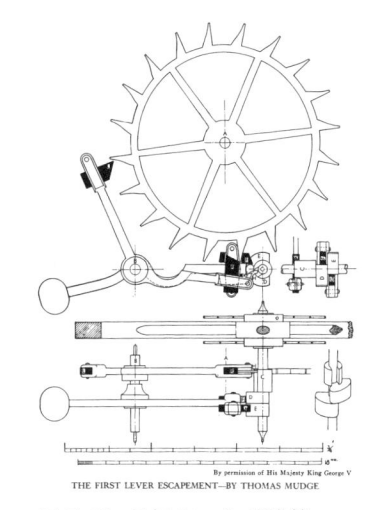

図 5.25 最初のレバー脱進機（トーマス・マッジ）この脱進機の駆動面は全部爪石側になっている．

図 5.26 1967 年，Le Locle, Robert Charrue 氏宅にて ミニッツリピーターの製作依頼をした．

---

40) この時計はレバー脱進機を搭載した最初の懐中時計であって，レバー脱進機に関する世界の最重要遺品といえるであろう．現在ロンドン西域のウィンザー城のロイヤルコレクションとして保管されている．インターネット上で文字板表側を見ることができるが，ケースは金，ムーブメントには "Thomas Mudge London 1759" と刻印があり，直径 54mm，厚さ 17mm，世界で最初にレバー脱進機が搭載されたものとしてもっとも有名である．マッジが発明した最初のレバー脱進機を搭載し，マイクロメーター式の緩急装置があり，温度補正のための弓なりのバイメタル梁構造が見える．ひげぜんまいが 2 本あり，てんぷの上と下に装着されている．てんぷのあみだは 3 本，てんぷ受けは 4 本ブリッジとなっている．通常の観光ではこの時計の見学が可能かどうかは未確認である．ロンドンの主要なホテルからはウィンザー城への観光ツアーができるようになっている．

41) この温度特性を良くするための方策，これは現代の時計では表 5.1 などに述べたように大きく進歩した部分である．そしてこれらも実はすでに 90 年前にはできあがっていたのであるから，機械時計のムーブメントの様相は実に長い間変わらなかったのである．なお，図 5.24B の現代の時計との比較をきちんとすると，それはもちろんいろいろな違いはある．振動数が違う，等時性の様子も考え方もまったく異なっているともいえるほどに違う，など多くの違いが挙げられるが，脱進機がレバー脱進機で変わっていないということ，これが大きなポイントであって，時計の歴史は脱進機で作られている，というとおりなのである．

42) ここでひげぜんまいの様相が大きく変わった過去の歴史上のポイントを挙げると，①本文で述べたように材料が恒弾性材料に変わったこと，②巻き数が多くなって安定したこと，③外端は巻き上げと平ひげのどちらかになったこと，これだけである．④実は内端は論文にもあるとおり，いわば忘れ去られたごとく，ひげ玉に取り付けられている．

43) 「腕時計の性能の進歩と将来の展望」日本時計学会誌 Vol. 41, No. 1, pp. 6-28, 1967.

表 5.1 時計の精度に関係すると考えられる，調速機まわりの細かな構造要因

番号	機械腕時計の精度に関する関係項目 検討・改善すべき項目・問題点	A：よく進歩した	B：少し進んだか	C：ほとんど進歩していない
1	てん真のほぞ径・真円度		(○)	
2	てん真の端面形状，端面平坦度			○
3	てん真の端面の磨き，垂直度			○
4	てん真のほぞのがた，あがき			○
5	穴石の穴の真円度，粗さ			○
6	穴石のオリーベ形状，硬さ			○
7	耐震枠，組軸の位置の再現性			○
8	受石の位置の再現性			○
9	ひげ材質		○	
10	ひげのエイジング，安定性，表面粗さ		○	
11	ひげのピッチむら，形状誤差		○	
12	内端カーブ形状	(○)	○	
13	内端取り付け		○	
14	ひげの縦振動共振点			○
15	ひげ玉の片重り，強度，径			○
16	ひげ棒の磨き，形状		○	
17	ひげ棒におけるひげの横取り付け歪み			○
18	ひげの縦取り付け歪み			○
19	緩急針の形式，安定性		○	
20	振り石の断面形状，垂直度			○
21	テンパーカラー		○	
22	振り石の磨き			○
23	アンクル箱磨き，円弧形状			○
24	てんぷの動的バランス			○
25	てんぷの片重りの角速度特性			○
26	あみだ断面形状			○
27	切りてんぷ鑞付け密着性		○	
28	てんぷの表面粗さ，表面張力			○
29	蝋の材質，焼きばめ温度，方法			○
30	ちらねじの配置，ちらねじ流体抵抗			○
31	受け足と受け穴のはめあい公差		○	
32	切りてんぷのエイジング			○
33	遠心力による変形，安定性			○
34	切り口形状，切り口位置			○
35	アンクル体材質，反発係数		○	
36	アンクルイナーシャ		○	
37	アンクル体回転摩擦係数			○
38	潤滑油		○	
39	アンクルの真について			○
40	穴石，オリーベ形状（すべての穴石）			○
41	がんぎ歯むら	○		
42	がんぎピッチむら	○		
43	脱進機潤滑のための保油処理		○	
44	爪石先端のR，アンクルの寸度公差			○
45	アンクル重心位置			○
46	がんぎ車のイナーシャ，重量		○	
47	どてピン材質，径			○
48	どてピンの垂直度		○	
49	地板，受，の通り違い			○
50	空気の湿度，気体の種類			○
51	地板，残留内部応力			○
52	がんぎ車の真について			○
53	ひげの外端形状，巻き上げ高さ			○
54	ひげの外端の取り付け方法		○	
	合計	2	17	34

項目名は当時のままであるが，評価は今回新しく書き加えた．進歩したものが本当に少ない．

年の記事の中の表で，主として調速機まわりの精度に関する細かな構造要因・問題点を列挙したものである．項目の表現はかなり乱暴で，いま眺めると恥ずかしいのであるが，敢えてそのままとしておこう．ともかく40年前と現在とであまり違わない，ということを明らかにしたいのである．

表にはこの40年間でどの程度進歩したか，それぞれの問題点，要因を，雑な評価で申し訳ないが，現代の視点から評価区分してみた．かなりよく進歩したと思われる項目はわずかに3点，ほとんど進歩していない，まったく手がついていないと思われる件数の方が半数以上あることがわかるであろう．たとえば，「アンクルほぞがた」は精度にどう利くか，これを理論的に明らかにした報告は現在に至るもまだ出ていない．その技術的な理由は次項に述べておいた．

また，前述の1967年の報告の中で筆者は次のようにも述べている．

「機械腕時計はその構造の簡潔さ，洗練さのために，今後も現在の構造をほとんど変えないで存続するに違いない．構造の骨子は18世紀頃からほとんど変化がないが，新鮮さをまったく失っていない．機械時計は性能面だけでなく，その生産性，経済性，堅牢性，保守性，アフターサービスの容易性など，優れた面を多々持っている．機械腕時計はなかなか滅亡しないのではないかと思われる」

1967年という年はニューシャテル天文台クロノメーターコンクールが終了した年であり，時計業界の趨勢としてはクオーツが大きく発展していこうとしている年であった．この数年後にはクオーツ腕時計が出始め，時計業界は大きく変化していく．ご存じのとおり，日本がこのクオーツ化を引っ張っていった．筆者自身もクオーツの開発のためのスタッフとして実はすでにその中心にあった．前述の記事は学会誌からの要請によってこの題目を引き受け，書いたのである．

実は筆者はこの頃まで，スイス出張の折にはツールビヨンや複雑懐中時計の技術導入に密かに動いていた時期でもあった．しかし，クオーツ化の中心スタッフとして据えられるや，それどころではなくなる．機械時計のことは忘れてしまった，というくらいに渦中に埋没していったのである．このわずかな金額の稟議書，機械時計の研究投資も完全に無視されたことを覚えている．当時のこうした動き[44]がもしも行われていれば，はるか数十年後には大きく花が咲くと考える人は実は誰もいなかったのであった．この稟議書も筆者にとっては忘れがたい思い出となっている．

約40年前に見通した機械時計の将来はその後どうなったか，ご存じのとおり機械時計は滅亡しないどころか，現在では高級時計市場のほとんどの範囲を占めている．クオーツという嵐自体も大きく変化したが，クオーツにはムーブメント[45]という美しいものがない点が，身に付けるものとしての性格に大きな違いを見せ，そのことが理由か，ムーブメント価格はまったく安くなり，むしろ商品性格が機械時計とは違う状況，成熟した状況となっている．

ここではさらにこれからの機械時計の発展はどうなるのかを多少論じておきたいのである．

時計の精度はどうなるか，**表5.1**のように解決しなければならない問題が実は山積している．しかし今までの100年と同様，今から100年経っても解決しないという事態もありうると思う．

---

[44] 当時検討していた複雑時計はツールビヨンでミニッツリピーター（分の桁まで音で時を知らせるリピーター）であった．その現物を見せてもらい，これを1台発注したいと申し出たが，トップの許可が得られず，立ち消えになった．

[45] ムーブメントとは「動くもの」，という本来の意味がある．クオーツには見かけ上，動くものはない．ステップモーターはもちろん動く部品であるが，丸いローターが一瞬のうちに回転しても少しも面白味がない．エプソンのスプリングドライブでもレギュレーターといわれるローターが一方向等速回転すると，何かが動いたようにみせる工夫をしなければ，ちょっと見にはわからない．機械時計はちらちら動くてんぷがあり，がんぎやアンクルの動きはちょっと見でもすぐ動いていると直感的にわかる存在である点が，商品としての性格に大きな影響をもたらしている．

その理由は，この表のような問題点を技術屋として地道に解決しようということになると，実は相当なエネルギーが必要であるからである．いずれも労多くして益少なし，といえるが，事例をアンクルほぞがたにとって事情を少し次項に説明する．しかし，これらの問題点を効果的に片づけてしまうと，機械時計の精度はおそらく 10^{-8} のレベル，今まで考えられなかったレベルの精度，今のクオーツと同等のレベルに達するであろう．

5.4.2 アンクルほぞがたに関しては

もともと，アンクルほぞがたがどのように時計の精度に利くかを理論的にただす方法が明確になっていない[46]．おそらく実験的にその実態を調べて，そこから理論的な追求方法を立案し調査する，というステップを緻密に進めなければなるまい．このこと自体がかなりエネルギーを要する，時間と費用がかかる．またその解決がもたらす調速機側の効果も事前にはなかなか予測しがたいものがある．時計の実際の調整者は経験上このように利くだろうという予測はある．しかし，それも一律なものとはいいがたい．このような事情からアンクルほぞがたに関する研究はいわば忘れ去られて長年月経過し，これからもきっと同様に長年月経過することもおおいにありうると思う．誰か篤学な研究者が出てきて，その事情を極める，そうすれば一段進歩するであろう．そして同様な事情は**表5.1**の多くの項目に関していえるのである．

5.4.3 これからの機械時計の開発

一般に機械時計の精度に関しては，すでにクオーツが開発され，それが安く供給される現代の事情の下では，研究としての魅力は，機械時計しかなかった昔に比較すれば大きく性格を変え，趣味の問題になったともいえるであろう．しかし2010年の論文にも書いたが，新しくわかった内端の処理を行えばその時計は明らかにそれだけ正確になるのであるから，精度という時計の本来の性能に関する限り，よい時計，あるいは高価な時計は，その手法を取り入れてより精度の高い時計として商品化されていくようになるはずである．

商品としての訴求をどこに求めるかはブランドの問題でもあるから，単に技術的には可能でも取り上げないブランドももちろんあるだろう．同様な考え方が表5.1のたくさんの問題点に関してできる．しかしいったい機械時計はどこまで正確になっていくであろうか．その先の姿も実は40年前にすでにコンクール時計がいわば先見せしているのである．このあたりの詳細を最後に説明しておこう．

§5.5 コンクール時計に見る機械時計の可能性

本書の最後に，1960年代に筆者が研究した天文台コンクールのデータやムーブメントを公開し，今後の機械式時計の発展について述べたい．

---

[46] 2，3，わかっている考え方を説明すると，567の直線を垂直にしたとき，5番，がんぎ車軸が上になる姿勢ではアンクルほぞがた分だけ爪石食い合いが浅くなり，立姿勢の等時性がその分だけ立つ，すなわち平立差が少なくなる，といえる．立同士の姿勢差にも当然その影響が出てくる．また振り石とアンクルとの食い合いはてんぷとアンクルとのほぞがた量の違いによって変わるが，振り石と箱との食い合いが変化した分だけ等時性に影響があるはずである．この程度のことがわかっているだけで，それを実験的にその大きさを確かめた事例は筆者は寡聞にして知らない．調整者の意見では，少ないほど良い，調子が良い．がたが大きければそれだけ問題の発生が多くなり，振りが悪くなる，姿勢差が増える，などである．

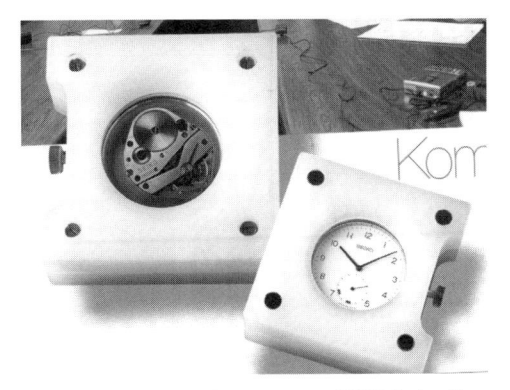

図 5.27 第二精工舎コンクール時計提出時の姿 直方体の枠に収められている．これで6方姿勢に静置することができる．ムーブメントが見えるが実際はここもパーマロイの耐磁版に覆われて提出された．

図 5.28 諏訪精工舎のコンクール時計 2度目の設計による試作ムーブメント．香箱車が巨大であり，二番車位置がかなり偏心していることがわかる．てんぷは高振動化によりスペースが小さくなっている．

5.5.1 これまでの機械時計の精度とその事例

「いったい機械時計はどこまで正確になっていくのであろうか．その先の姿を実は40年前にすでにコンクール時計がいわば先見せしている」こう述べた．その実際をここに紹介して，それから今後の機械時計の精度の行方を占ってみよう．

ここで言及したいのは，この1960年代のコンクール時計の姿勢差が，現時点で市販されている多くの製品に比べても桁違いに良かったという点で，これだけである．

しかし，そのデータを見ていると，姿勢差だけではなく，多くの評価項目が相当にレベルが高かった．これが1960年代に実現していたことを現在の読者に確実にお伝えしておかなくてはならないと気がついたのである．脚注[47]に1967~1968年の2年間での日本のクロノメーターとスイス製品との競合状況をまとめておいた．これが2011年現在では40年以上前のことであり，あまりに古く，これを知

---

[47] 1967年，1968年のコンクール成績（スイスと日本の競争状況）概要（ここでは腕時計部門のみの説明）．1968年のジュネーブ天文台コンクールでは諏訪精工舎の成績は，**時計個別賞**で機械時計の1位から7位まですべて諏訪精工舎，稲垣篤一，小池健一両氏．この機械時計のトップ：稲垣篤一氏の得点は58.19というもので，このデータはおそらく現在も破られていない．まったく世界最高の値である．**調整者賞**でも1位は稲垣氏，2位小池氏．1人の調整者が作った評価項目別成績でも姿勢平均偏差（4個）の平均値が0.091 sec/day，これも世界最高の成績である．日差平均偏差（4個の平均値）でも0.036 sec/dayでこれも規則施行以来の最高の値となった．1967年度のニューシャテル天文台のコンクール成績は**企業賞**1位OMEGA社，2位第二精工舎，3位諏訪精工舎，4位LONGINES社，5位ZENITH社．調整者賞1位はOMEGA社 Joseph Ory，2位第二精工舎 野村壮八郎，3位OMEGA社 Andre Brielmann，4位第二精工舎 井比司．時計個別賞では1~3位OMEGA社（N=1.73, 1.87, 2.00），4，5位第二精工舎（N=2.04, 2.11），10位以内に第二精工舎は4点入った．さらにこれらのコンクールには提出時期が遅れているためカウントされない諏訪精工舎からの提出品5個があり，これをニューシャテル天文台の受け付けた期間では1968年度の成績として眺めると，その成績はN=1.39, 1.63, 1.78, 1.78（本文の表5.2：S1N-68~S4N-68）であったから，1967年度のオメガの1位の成績を寄せつけない，あまりにも素晴らしい成績だったのである．これだけニューシャテルとジュネーブの両方を舞台として日本の提出したコンクール用クロノメーターの成績が良くては母屋を貸したスイスとしては立つ瀬がないであろう．なお，1968年度のジュネーブ天文台の報告にはシリーズ賞（調整者賞）を初めて受賞した人として，諏訪精工舎の上記2人（稲垣，小池両氏）だけでなく，中山きよ子氏が入っている．女性の調整者が賞されることもおそらく初めてではなかったか．これらの方はすべて定年退職されている．

らない読者が多いと思う．この 20 世紀の技術がどんなレベルだったかを知ることで，現代の機械時計技術の，少なくとも精度に関して，どのあたりまで実現できるものなのかが理解できるであろう．

ニューシャテル天文台は 1967 年，**ジュネーブ天文台**は 1968 年でコンクールを停止した．両天文台のクロノメーターコンクールは本来スイス国内の時計産業を振興させることが目的であったはずであるが，1964 年から日本が参加．この外国品（日本の時計）の成績は初年度はたいしたレベルではなかったが，急速に良くなり，最後はあまりにも良く，むしろ日本の時計の宣伝になってしまう．これではスイス国内の奨励にはならない．それで，コンクールのためのクロノメーターの競争ではなく市販製品こそ対象とすべきだ，などの論争が起きたとして，これらのコンクールを停止したのであった．日本はスイスの土俵を借りて十分に力試しをさせてもらったのである．表 5.2[48] は諏訪精工舎，第二精工舎両社からスイスの天文台へ提出したクロノメーターの最終年度の成績の全貌である．

表 5.3 は天文台クロノメーター規格，スイス公認時計歩度検定局：BO 規格，それとセイコーのグランドセイコー規格を比較．さらに 1968 年の日本から提出したクロノメーターの実績データ 1 件をあわせて比較した．II 列群がコンクールでの評価項目，B 欄がその実績である．これを項目別に現在の目で比較評価してみよう．

- **日差平均偏差 E**

日差平均偏差[49]とは同じ条件下，つまり同じ姿勢，同じ温度での日差のばらつきを意味するもので，この E は**天文台規格**では 0.75 秒以下となっている．これに対して，BO 規格は 4 秒まで許されるから，天文台規格に比べれば，相当許容範囲が大きい．ところが当時のセイコーの提出品（1968 年ニューシャテル天文台へ提出した 1 位のクロノメーター：表 5.2 では S1N-68）の実績はなんと

---

48) 成績の表示，技術周辺状況
 1. 諏訪精工舎・第二精工舎は現在のエプソン，セイコーインスツルである．
 2. 時計番号の見方は S：諏訪精工舎，D：第二精工舎，N：ニューシャテル天文台，G：ジュネーブ天文台，67：1967 年度，68：1968 年度提出を意味し，数字 1, 2, 3, 4 は順位番号 1～4 位を意味する．Omega 社から 1 点（1967 年度腕部門で第 1 位となったもの）のみ参照比較を目的として記入しておいた．
 3. コンクールにおける賞は以下のとおり．個別賞：時計 1 個 1 個に対して与えられる賞，企業賞：同一企業から提出された上位 4 個のクロノメーターの成績に与えられる賞，調整者賞：1 人の調整者が提出した 4 個のクロノメーター成績に与えられる賞，などである．
 4. 減点値とは時計全体の成績として定めた計算式による数値で，ニューシャテル天文台の場合は $N=21E+30C+4.5P+1.2R+2/3S$ という数式 N（減点値）で与えられる．理想の減点値，目標は $N=0$ である．N 値は小さいほど理想的な時計ということになる．ジュネーブ天文台の場合は $G=60-(24E+60C+6P+1.2S+1.2R)$ という数式 G（評価値）で与えられ，理想の評価値は $G=60$ となる．これらの式を構成する評価項目・記号は，日差平均偏差 E，温度係数 C，二次温度誤差 S，復元差 R，姿勢平均偏差 P からなり，この項目は両天文台で共通（記号は N, G の順）となっている．なお，表 5.2 の数値は両天文台の 1967, 1968 年報から採ったものであるが，表示された数値とそれから計算される評価数値とは必ずしも一致しない．たとえば日差平均偏差 E は実際の日差の測定は 0.001 sec まで行われているが，表示単位は 0.01 sec（歩度では 0.01 sec/day まで，年報にはここまでしか表示されていない．ともかく，時計の成績が良すぎて表 5.2 のように有効数字が 1 桁（たとえば 0.03 sec）となってしまい，その表示されていない下 1 桁の部分の数値によって減点値の数値が大きく変化してしまうからである．減点値の数式計算ルールさえ，もう変更しなければならない状況となっていた．また，当時のわれわれの時計歩度測定器はビブログラフ VS500 などであり，この測定器は感度を 10 倍とすることができ，0.1 秒の桁まで読み取り測定ができた．このおかげでこうした調整ができたのであるが，平成の現在に至るも 0.1 秒台の測定は最新の Watch Expert III でやっと表示されるようになった．しかもコンクール上位の成績は 0.1 秒台ではなく 0.01 秒の桁で争われていたのである．この点で見てもコンクールのレベルは現代を超えていることがわかるのである．
49) 天文台クロノメーター検定では 45 日間，10 期に分かれている（p.234 の脚注表参照）．これらの各期の中でどのくらい日差が変動したか，その平均値をいう．

§5.5 コンクール時計に見る機械時計の可能性

表 5.2 日本のコンクール時計の成績

1967 年ニューシャテル天文台（N 天）成績

	N or G 減点値	E 日差平均偏差	C 温度係数	S 二次温度誤差	R 復元差	P 姿勢平均偏差
Ω-top-67	2.16	0.04	-0.016	0.04	-0.02	0.20
D1N-67	2.21	0.04	-0.024	-0.01	0.04	0.14
D2N-67	2.41	0.04	0.002	0.16	0.00	0.27
D3N-67	2.46	0.04	0.021	0.20	0.38	0.15
D4N-67	2.60	0.04	0.000	-0.08	-0.69	0.15

記事 1967 年 N 天第 1 位，1967 年 N 天 D 社提出上位 4 個．

1968 年ニューシャテル天文台成績

S1N-68	1.36	0.03	-0.001	-0.29	0.16	0.07
S2N-68	1.63	0.025	0.003	0.00	0.17	0.18
S3N-68	1.77	0.03	-0.010	-0.16	-0.01	0.16
S4N-68	1.83	0.04	0.001	0.02	-0.41	0.10

記事 1968 年 N 天 S 社提出上位 4 個．
この 4 個の日差平均偏差平均値は 0.036 と計算される．また姿勢平均偏差も平均値で 0.13．この値はおそらく現在でも世界のトップデータ．ただし 1968 年度は N 天はコンクールなしのため，計算値のみ．

1968 年ジュネーブ天（G 天）文台成績

							↓減点値N	減点値G↓	推定減点値
S1G-68	58.19	0.02	0.0066	0.13	-0.21	0.09	1.36		58.18
S2G-68	57.94	0.05	0.0022	0.07	0.00	0.11	1.66		57.92
S3G-68	57.70	0.05	0.0013	0.02	-0.37	0.10		2.00	57.65
S4G-68	57.33	0.03	-0.0109	-0.06	-0.35	0.13		2.00	57.35

注：上記 4 個は機械式腕で 1〜4 位独占，減点値は現在でもトップのはずである．
注：直上表は当時の天文台公式報告より抜粋して作成．項目表示値と成績/減点値計算不一致．
1) 日差偏差：毎日の進み遅れのばらつきは 0.01 秒台であること，
2) 温度変化に対しては 0.001 s/d/deg レベルにあること，
3) 姿勢差（姿勢平均偏差）も平均して約 0.1 s/d であること．最大姿勢差 0.2 s/d に相当する．

これが 1960 年代の日本の機械時計のコンクールでの水準である．現代の一般機械時計の性能と比較してかなり違う（はるかに上だった），まだまだ一般品が高精度になる可能性があることに気づくだろうか．
第二精工舎，諏訪精工舎から，1967〜1968 年，ジュネーブとニューシャテルの両天文台へ提出したコンクール時計の成績のほぼ全貌．表中の S1G-68 は現在でも世界一の減点値のはずである．

表 5.3 天文台クロノメーター規格などの比較とトップ成績データの比較

		(A) 天文台クロノメーター規格			(B) 提出品：S1N-68	(C) スイス検定局・種類 BC（地板表面積 -707 mm²）BO 規格		(D) GS 規格
	項　目	ジュネーブ天文台	ニューシャテル天文台	ブザンソン天文台	1968 年ジュネーブ天文台		規格値・優秀成績表付	
I	各期の平均日差	8.00	8.00	12.50		平均日差	-3〜+12	(-3〜+5)
	各期の日差平均偏差	1.50	1.50	2.50		平均日較差	4.00	2.00
II	日差平均偏差	e 0.75	E 0.75	1.25	0.03	最大日較差	7.00	4.00
	姿勢平均偏差	P 3.00	P 3.00	5.00	0.07	最大差（最大姿勢差）	16.00	8.00
	温度係数	ε 0.20	C 0.20	0.30	-0.001	温度係数	±0.7	0.40
	二次温度誤差	P 4.00	S 4.50	5.00	0.29	二次温度誤差	−	0.40
	復元差	γ 3.60	R 3.50	6.25	0.16	復元差	±7	0.50
III	水平垂直差	5.00	5.00	10.00		平立姿勢差	±10	7.00
	平裏平差	5.00	5.00	10.00		等時性	−	−
	各期の平均日差の最大値	9.00	−	17.50				

天文台規格，スイス検定局規格，セイコー GS 規格の比較．また 1968 年エプソンがジュネーブ天文台へ提出したトップのクロノメーターデータとの比較．エプソンの実績は天文台規格幅に比べて，はるかに小さな誤差になっている．

0.030 sec である．この値はおそらく現在でも世界最高の成績となっていると思う[50]．クロノメーターの規格幅，許容範囲の約25分の1，つまり2桁下である．この値を相対精度で表現すれば，約 3.5×10^{-7} となるから，クオーツの精度の近傍にいるといえる．機械時計の精度がこんな領域にまで到達できるのである．この日差平均偏差の改善には実は高振動化が大変有効であった．セイコーの提出品は当初は5振動であったが，最終年度ではいずれも10振動以上であった．なお，実際の携帯時の精度はここでいう日差偏差だけで決まるわけではなく，次に説明する温度係数やいろいろな評価指数で変化する．クオーツと機械式の携帯精度の大きな違いは，主として外乱振動衝撃に対する応答であって，これが振動数で大きく変化し高振動であるほど外乱の影響は小さい．もちろんクオーツの 32,768 Hz などという高振動に匹敵するようにはならないが，クロノメーターの検定試験である静置試験でこんな値までいくという点で，今後の機械式時計が実際の携帯精度でどのあたりまで向上するか．この過去の事例からみると，少なくとも現在よりは1桁は向上するであろうと思われる．たとえば携帯時の歩度の許容範囲を ±1 sec/day 以下にすることは十分に可能，これが次世代の機械式時計の目標となるであろう．これが筆者の最終的な感想である．

- **温度係数**

温度係数とは温度が変化したときの歩度変化に対する規格である．1℃の変化に対して天文台規格は 0.2 sec/day/deg（以下，s/d/d と省略）という大変厳しい規格である．ちなみに，この規格幅は現在の市販品が大概は ±0.7 s/d/d 程度にしか抑えていないから，天文台規格を適用すると8割以上が合格しない．さらに当時のコンクールの場面では 0.2 s/d/d どころか，表5.2 からわかるように 0.01～0.001 s/d/d のあたりで競争をしていた．どうしてこんな値が実現できるのか，その理由はてんぷを古典的な切りてんぷ[51] としていたからである．切りてんぷでは温度係数の調節ができる．またこの切りてんぷを構成する金属の温度に対する性質も大変素直に直線的である．直線性がよい．もちろん温度が上がれば柔らかく[52] なる．その変化がきわめて直線的なゆえに 0.001 などという成績が実現するのである．現在，この切りてんぷの腕時計はほとんど製造されていない[53]．しかし，もし現

---

[50] 1968年度のニューシャテル天文台ではコンクールは停止していたが成績証明書はそれぞれの時計に対して発行してくれた．その成績証明書に日差平均偏差の測定値として 0.030 が記録されている．これが現在確認できる世界最高のデータである（前後して日本からは市販品の10振動の腕時計を100個程度提出して天文台クロノメーターとして発売した．「天クロ」と略称していたが，これらの日差偏差は100個の平均で約 0.17 sec/day，当時 Girard Perregaux 社も10振動の時計を多数提出しており，この時計に対する天文台年報上の日差平均偏差の平均値は 0.18 sec/day で，前記のセイコー製品とほぼ同等であった．これらに対してもトップのデータ，S1N-68 の値は 1/5 になる）．日差偏差の主要な決め手は振動数と筆者は理解しているが，振動数だけが要因ではなく，このトップのデータがいかに優れていたか，上記の比較でも明らかである．なお，日本からはさらに振動数の高いもの（16振動）が提出されているから，当時のデータを綿密に調査するとさらに良い日差平均偏差 E の公的測定値が存在する可能性はある．

[51] この切りてんぷに関しては現在ほとんどのメーカーが研究をしていないと筆者は推察している．本文に述べたように要素となるバイメタル金属の選定の範囲は現在は幅が広がっているはずである．耐磁性に関してもかなり進展の余地はある．従来使われてきた金属材料の弾性係数の温度特性の直線性が非常に良いという性質は，機械時計の温度特性を良くする決め手なのである．

[52] たとえば黄銅と鋼を切りてんぷの材料に使う場合を考えよう．どちらも常温付近では金属組織の変態を起こさない．素直に柔らかくなっていくのである．この素直に，という点が本文でも力説しているように大変重要なことなのである．

[53] このような情勢になった理由は切りてんぷの製造が難しく，現代の製品コストに見合わない，そんな状況で中断している，といえば当たっているかと思う．

ニューシャテル天文台クロノメーター検定実測日程

期	日数	姿勢	温度
1	4	6U	20℃
2	4	3U	20℃
3	4	9U	20℃
4	4	DD	20℃
5	4	DU	20℃
6	1+4	DU	4℃
7	1+4	DU	20℃
8	1+4	DU	36℃
9	1+4	DU	20℃
10	1+4	6U	20℃

§5.5 コンクール時計に見る機械時計の可能性

在の技術環境で切りてんぷを作れば、ひげを切れない、錆びない金属で構成し、てんぷの方も錆びない金属を採用して行えば、はるかに安定な、温度調節可能な切りてんぷができるであろう。これに挑戦している企業はないようだ。ちなみに現在採用されているひげぜんまい材料 Nivarox や Co-elinvar は、将来的に見ても温度係数の点では切りてんぷ方式よりははるかに劣ることになる（**図 5.29**）。理由はこの材料の温度特性の非直線性にある。

現在のひげぜんまいは **ΔE 効果**[54] を利用したものであり、この効果はある温度範囲内では有効であるが、その範囲を超えると効果がなくなっていく。この方式では前記の直線性はあまり期待できない。従来の黄銅、鋼鉄などの単純な金属の方が直線性ははるかに良く、これを上回る現代的な材料開発には時間がかかるだろう。ここでは切りてんぷ方式という温度係数調節機構を見直すべきという点だけを指摘しておこう。図 5.29 はその違いを明瞭に見せるグラフで、上半分 (b) は現流の ΔE 効果を利用した恒弾性材料による方式の温度特性、下の部分 (a) は切りてんぷ方式、(a) と (b) では縦軸の目盛を見ればわかるとおり、まったく勝負にならない。切りてんぷ方式は見直されるべきであろう。

• 二次温度誤差

二次温度誤差とは 4℃ と 36℃ の歩度の平均値と実際の中間点 20℃ の歩度との差をいう。温度による変化が直線的ならばこの誤差はないが、図 5.29 上半分 (b) のように実際はまったく直線的とはならない。

天文台クロノメーター規格では 4〜5 sec/day 程度の誤差を許容しているが、これに対して実際の提出品では 0.4 sec/day 程度であった。他の評価項目の実際に比較して実はあまり良くないが、それでも直線性は相当なレベルにあり、図 5.29 の上半分 (b) のような

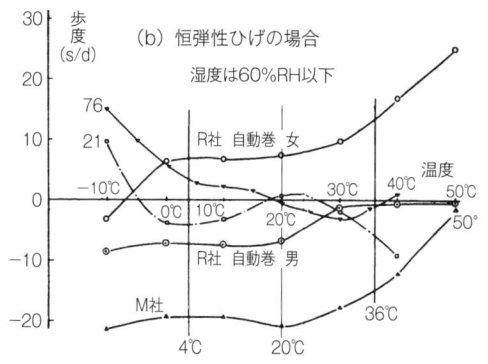

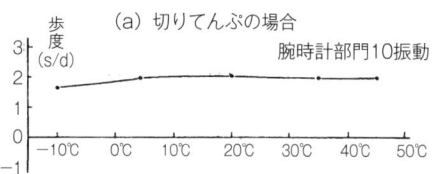

図 5.29 切りてんぷの広域温度特性
下半分 (a) が切りてんぷの場合、縦軸の目盛に注意。1 目盛が 1 sec/day である。しかも平らな温度特性を示す温度範囲が −10℃ から 50℃ にわたっている。上半分 (b) は恒弾性材料を使った市販の腕時計の温度特性。縦軸目盛は 10 s/d であることに注意。

図 5.30 ひげ棒の改善
ひげ棒の表面をルビーとして歩度の安定性を改善したもの。しかしこのように改善した緩急針よりも、緩急針自体のない構造がはるかに歩度の変動（日差偏差）は良かったのでこの構造は結局主流とはならなかった。現在、緩急針のない製品は多い。

---

54) ΔE 効果とは、磁性材料特有の性質で、キューリー点付近の温度範囲で磁性を失っていく温度領域（たとえばひげぜんまい材料では 0〜60℃）があり、この温度領域に限ってその金属材料の弾性係数が温度上昇とともに増加する。温度が上がっていくと磁性を失っていく分、弾性係数が復活していく。これを弾性係数 E が変化して増加していくという意味で ΔE 効果という。一般には固体は温度が上がれば柔らかくなる。ところが磁性材料ではこの領域だけは温度が上がっていってもむしろ反対に硬くなる領域すら作ることができる。この意味からこのような材料に恒弾性材という名をつけた。この利用が現代の機械式時計の大変重要な点であるが、本書にはこれをむしろ撤廃しなければ次世代のさらに良い温度特性の改善は望めないのでは、という筆者の提案がある。

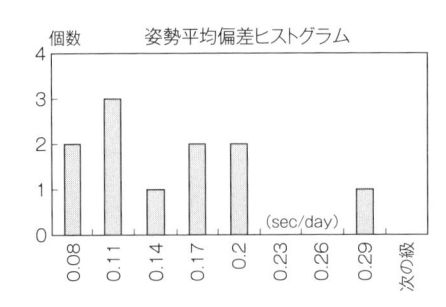

図 5.31 天文台クロノメーターの姿勢平均偏差の分布
1968 年，ジュネーブ天文台へ提出したクロノメーターの上位 11 個の姿勢平均偏差の分布である．最大姿勢差でも約 0.5 sec/day 程度に入っていた．

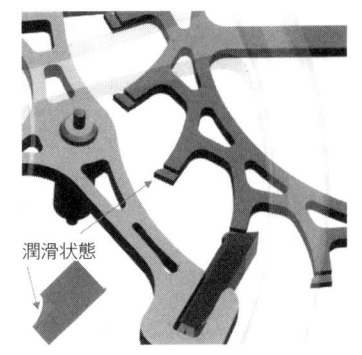

図 5.32 新しい脱進機の潤滑構造
がんぎ歯先を段付きとして保油性能を上げるというもの．

温度特性ではまず得られない領域であることは確かである．

• まとめ

以上 3 項目のみではあるが，現代的な評価をしてみた．全体に時計の進み遅れのばらつき，日差偏差の値が 0.01 sec/day の領域までいっているため，こうした評価が安定して行えるのである．したがって，全体にもっとも優れていたと評価できるのはこの日差偏差である．前述したように，この原因となる設計条件は振動数であって，これを高めた点でどこの製品も歩度のばらつきは大変小さくなったといえる．振動数を高めることは調速機系の良さ：Q 値を高めることであり，共振系の安定性を高める王道である．機械時計はクオーツのような Q の領域へ高めることは難しいと思われているが，過去のクロノメーター検定ではここに説明したレベルまで向上していたのであるから，あるいはその領域まで高めることも可能かもしれない．実際はてんぷ調速機系の周辺の動作のばらつきをいかに減らせるかであって，それが 40 年前ですらこの領域までいっていたのである．地道に改善に取り組むことができれば，機械時計はクオーツとほとんど同等の領域へ近づく可能性がある．

5.5.2 これからの機械時計精度の進展

前節で，調速機まわりの多くの課題にはどんなものがあり，それらがどの程度進歩したか，紹介した．また，多くの項目はほとんど置き去りにされており，これを解決しようとすると相当な努力が必要であることも述べた．時計工業はいずれこの基本問題も課題として取り上げるようになるとも思われる．参考までに**図 5.30** はひげ棒にまでルビーを使用して歩度の安定性を改善した事例，**図 5.31** にはセイコーから提出した 11 個のクロノメーターの姿勢差の分布状況を示した．**図 5.32** は脱進機の潤滑の改善として最近出たものである．また機械時計の調整に関する理論面での研究[55]もいくつかある．これらを取り入れることによって機械時計の精度は一層向上していくであろう．

---

55) 1.「ひげぜんまいの重心移動の理論と実際——内端カーブの最適化」小牧昭一郎，日本時計学会誌，マイクロメカトロニクス，Vol. 54, No. 202, pp. 1-10, 2010.

2.「てん真ほぞの立姿勢差におよぼす影響（平均値違い）の研究とその応用」小牧昭一郎，日本時計学会誌，マイクロメカトロニクス，Vol. 52, No. 198, pp. 76-85, 2008.

3.『世界の腕時計』 Vol. 78, pp. 121-125, ワールドフォトプレス，2005 年 12 月．

4. 本書§2.8に紹介した「ひげ重り付け」技術は図 2.46-2 のような実験結果を生んでおり，この章の天文台クロノメーターの調整領域に迫るところに踏み込んでいる．したがって，この重り付けの研究と実用化はこれからも見逃せない．

図表一覧

§1.1

図1.1-1　腕時計の基本構造①
図1.1-2　腕時計の基本構造②
図1.2　表輪列
図1.3　香箱の中にぜんまいが入っている様子
図1.4　ぜんまいの自然の姿
図1.5-1　香箱の中のぜんまい①
図1.5-2　香箱の中のぜんまい②
図1.6　りゅうずから香箱車まで：巻き上げ機構
図1.7　脱進機とてんぷの全体の様子
図1.8-1　振り石と箱先付近の立体図①
図1.8-2　振り石と箱先付近の立体図②
図1.9-1　脱進機の動作①　停止
図1.9-2　脱進機の動作②　衝撃
図1.9-3　脱進機の動作③　停止
図1.10　てんわとひげぜんまい
図1.11A　ホイヘンスのてんぷのイラスト①
図1.11B　ホイヘンスのてんぷのイラスト②

§1.2

図1.12　ムーブメント裏全景
図1.13　ムーブメント裏
図1.14　資料とした懐中時計：表示時刻切換え付き
図1.15　巻真の全景
図1.16　巻真にきち車を通して見た図
図1.17　きち車の乙歯とつづみ車の乙歯とが噛み合う様子
図1.18　つづみ車の角穴
図1.19　つづみ車の甲歯と小鉄車とが噛み合う様子
図1.20　きち車と丸穴車とが噛み合う様子
図1.21　ムーブメント表
図1.22-1　ムーブメント裏ほぼ全景①
図1.22-2　ムーブメント裏ほぼ全景②
図1.23-1　ぜんまい巻き上げ状態①
図1.23-2　針回し状態
図1.23-3　ぜんまい巻き上げ状態②
図1.24　1866年の特許公報
図1.25　特許公報に掲載されている切換え機構
図1.26　鍵巻き，鍵針回しの時計
図1.27　当時の特許公報一覧表

§1.3

図1.28　ぜんまいの自然な姿
図1.29　巻き上げ機構と香箱内部までの全景（再掲 図1.6）
図1.30　ぜんまいの内端と香箱真の突起
図1.31-1　切換え機構（巻き上げ状態）
図1.31-2　切換え機構（針回し状態）
図1.32　こはぜのいろいろ
図1.33　マルテーズ・クロス（巻き止め装置）
図1.34　香箱の中のぜんまい（再掲 図1.5）
図1.35　ぜんまいトルク線図（香箱回転数とトルクの関係）
図1.36　摺動手巻香箱（左）と自動巻香箱（右）
図1.37　自動巻香箱
図1.38　自動巻香箱のトルク線図
図1.39　固定香箱
図1.40　安全香箱
図1.41　均力車（fusee wheel）付きの香箱
図1.42　懸垂香箱

§1.4

図1.43　クラブツースレバー脱進機　各部名称
図1.44　アンクル全景
図1.45　がんぎ歯各部名称
図1.46　爪石各部名称
図1.47-1　入り爪側第二停止①
図1.47-2　入り爪側第二停止②
図1.48　停止解除開始
図1.49　停止解除中途1/2
図1.50　停止解除終了
図1.51　停止解除終了・がんぎ退却
図1.52　爪石衝撃面衝撃の開始
図1.53　爪石衝撃面衝撃の途中
図1.54　衝撃面交替
図1.55　箱あがき
図1.56　がんぎ衝撃面衝撃の途中
図1.57　衝撃終了
図1.58　第一停止
図1.59-1　出爪側第二停止⑨
図1.59-2　出爪側第二停止⑨′
図1.59-3　出爪側第二停止⑨″

§1.5

図1.60　入り爪側第二停止
図1.61　振り切り
図1.62　振り座と箱先の様子
図1.63-1　剣先あがき停止安全量
図1.63-2　剣先あがき＞くわがたあがき
図1.64　剣先あがき（アンクル角度）
図1.65　くわがたあがき
図1.66　くわがたあがき停止安全量
図1.67　剣先 - くわがたあがき交替点
図1.68　くわがたと振り石の平面同士がぴったり当た

る瞬間
図 1.69　外力は大きい矢印のようにやってくるが C_1 しか動けない
図 1.70　振り石の先端の R が接触する場所は，箱先の 1 点である
図 1.71　箱先あがき
図 1.72　箱あがき（再掲 図 1.55）
図 1.73　あがき量の関係
図 1.74　出爪側第二停止
図 1.75　半振り切り（衝撃面停止）
図 1.76　$a+b=c$ の関係

§1.7
図 1.77A　がんぎ・アンクル動作線図
図 1.77B　アンクル・てんぷ動作線図
図 1.78　てんぷ回転角と各安全作用

§1.8
図 1.79　かけがね脱進機
図 1.80　トーマス・アーンショウ（1749-1829）
図 1.81A　ばね掛けがね脱進機
図 1.81B　軸式掛けがね脱進機
図 1.82-1　剣先あがき
図 1.82-2　第二停止
図 1.83　アナログクオーツのステップモーター
図 1.84　ローターの向きが決まっている
図 1.85　ローターの向きを変えるには力が必要

§1.9
図 1.86　てんぷ
図 1.87　各種調速機系の外乱振動に対する応答特性一覧図
表 1.1　通常の機械腕時計の振動数
表 1.2　振り子時計の振動数
表 1.3　調速機の Q 値測定例一覧表

§1.10
図 1.88-1　美しいてんぷ①
図 1.88-2　美しいてんぷ②
図 1.88-3　美しいてんぷ③
図 1.89-1　振り角の変動の実例その 1
図 1.89-2　振り角の変動の実例その 2
表 1.4　表輪列噛み合い周期

§2.1
図 2.1　ひげぜんまいの取り付け方とその影響
図 2.2　巻込角
図 2.3　提灯ひげ
図 2.4　巻き上げひげ
図 2.5　バイメタル切りてんぷ

§2.2
図 2.6-1　平・裏平姿勢の等時性曲線 その 1
図 2.6-2　立 4 方姿勢の等時性曲線 その 1
図 2.7-1　平・裏平姿勢の等時性曲線 その 2
図 2.7-2　立 4 方姿勢の等時性曲線 その 2
図 2.8　時計用の測定器
図 2.9-1　Watch Expert での測定①
図 2.9-2　Watch Expert での測定②
図 2.10　振り角の目測
表 2.1　歩度と振り角の記録の仕方

§2.3
図 2.11　巻込角と平等時性の関係
図 2.12A　あおり
図 2.12B-1　あおり①
図 2.12B-2　あおり②
図 2.13-1　両あおりの効果
図 2.13-2　両あおりの実際
図 2.14-2　片あおりの実際
表 2.2　ぜんまい全巻き 6 方姿勢歩度測定結果の例
表 2.3　等時性の諸要因

§2.4
図 2.15　てんわの片重りの位置 φ
図 2.16　てんわの片重りの影響
図 2.17　てんわの片重り
図 2.18　姿勢が変わると片重りの影響は…
図 2.19　重り取り前の立 4 方等時性曲線
図 2.20　図 2.19 の振り角 160° での姿勢差ベクトル
図 2.21　重り取り後の立 4 方等時性曲線
表 2.4　全巻き 6 方歩度
表 2.5　全巻き 6 方歩度

§2.5
図 2.22A　蛇ひげぜんまい
図 2.22B　初期のひげぜんまい①
図 2.22C　初期のひげぜんまい②
図 2.22D　その他のひげぜんまい
図 2.23　トーマス・アーンショウの作った懐中時計
図 2.24　現代のひげぜんまい
図 2.25　ひげぜんまいから発生する偶力
図 2.26　正しいひげぜんまいの重心移動の様子
図 2.27　ひげぜんまいの重心移動によって発生する等時性カーブ（典型的な例）
図 2.28　6 時上が上通過横の時計の立等時性
図 2.29　懐中時計で上通過横は何時上か
図 2.30　間違ったひげぜんまい重心移動の図形

§2.6
図 2.31　機械時計の文献例
図 2.32　三角形の重心点 G
図 2.33　針金直線の重心点

図 2.34　針金円弧状の重心点
図 2.35　基本的なアルキメデス曲線
図 2.36　重心点付近の詳細図

§2.7
図 2.37　切り取られたひげぜんまい
図 2.38　切り取ったたひげぜんまいの重心点
図 2.39　円盤での重心点の求め方
図 2.40　切り取られたひげぜんまいの重心点
図 2.41　ひげぜんまいを省略して円で描いた場合の重心点と回転トルク
図 2.42　実際のひげ内端の固定の様子
図 2.43-1　ひげ玉までの仮想ひげの重心点とその方向：静止点
図 2.43-2　90°巻き締めたとき
図 2.43-3　180°巻き締めたとき
図 2.43-4　270°巻き締めたとき

§2.8
図 2.44-1　重り付きひげぜんまい
図 2.44-2　重りの位置
図 2.45A　重り付けの手順①
図 2.45B　重り付けの手順②
図 2.45C　重り付けの手順③
図 2.45D　重り付けの手順④
図 2.46-1　重り付け前の立4方等時性曲線
図 2.46-2　重り付け後の立4方等時性曲線
図 2.47　てんわの片重りの影響
図 2.48　ひげ重りの影響
図 2.49　ひげぜんまいの重心移動による等時性曲線
図 2.50　重り付きてんぷの総合等時性曲線（太線）

§2.9
図 2.51　クラブツースレバー脱進機の動作
図 2.52　脱進機誤差の符号
図 2.53　外力による歩度への影響
図 2.54-1　脱進機誤差の理論上の振り角特性
図 2.54-2　巻込角と脱進機誤差による影響

§2.10
図 2.55-1　平等時性修正前
図 2.55-2　立等時性修正前
図 2.56-1　平等時性修正結果
図 2.56-2　立等時性修正結果
図 2.57-1　てん真ほぞ先：平姿勢
図 2.57-2　てん真ほぞ先：立姿勢
図 2.58　脱進機誤差の平立差
表 2.6　全巻時の6方歩度

§2.11
図 2.59　てん真ほぞが真円でない場合
図 2.60　てん真が楕円のときのほぞの位置

図 2.61　てん真ほぞが楕円のときの影響
図 2.62　てん真にびつ
図 2.63　てん真にびつがあるときの影響
図 2.64-1　立4方等時性曲線①
図 2.64-2　立4方等時性曲線②
図 2.65-1　5-6-7 がんぎ下姿勢
図 2.65-2　5-6-7 がんぎ上姿勢

§2.12
図 2.66　てん真ほぞの影響：等時性曲線の様子（再掲 図 2.61）
図 2.67　てんわの片重りの影響：等時性曲線の様子
図 2.68-1　てん真ほぞ楕円形の場合，12時系列の歩度変化量
図 2.68-2　同，10時半系列の歩度変化と角度の関係
図 2.69　δ の最大値 δ_{max} を求める方法
図 2.70　てんわの片重り，方向との関係

§2.13
図 2.71A　P社腕時計・立4方等時性曲線
図 2.71B　P社腕時計・平均値違い曲線12時6時系データ
図 2.72　てん真ほぞ楕円の影響の様子（再掲 図 2.61）
図 2.73　てん真ほぞびつの影響の様子（再掲 図 2.63）
図 2.74　てん真ほぞのびつの位置
表 2.7　ある時計のぜんまい全巻き時の6方姿勢差
表 2.8　てん真ほぞびつの影響

§2.14
図 2.75　てんぷとひげぜんまい
図 2.76　アルキメデス曲線
図 2.77-1　静止時と巻き締めたときの比較
図 2.77-2　静止時とほどけたときの比較
図 2.78　内端曲線 設計例

§2.15
図 2.79A-1　昔からのひげくさびによる固定方法①
図 2.79A-2　昔からのひげくさびによる固定方法②
図 2.79B　最近の一般的なひげ内端の固定の様子（再掲 図 2.42）
図 2.80　巻き上げひげ
図 2.81-1　静止，自然状態
図 2.81-2　巻きほぐしたとき
図 2.81-3　巻き締めたとき
図 2.82-1　振り角 0°のとき
図 2.82-2　90°巻き締めたとき
図 2.82-3　180°巻き締めたとき
図 2.82-4　270°巻き締めたとき

§2.16
図 2.83　シャルロッテ女王の時計
図 2.84　トーマス・マッジ（1715-1794）

図 2.85　シャルロッテ女王（1744-1818）
図 2.86　懐中クロノメーター No.5 のてんぷ
図 2.87　「角砂糖ばさみ」をもつ懐中クロノメーター（再掲 図 2.23）
図 2.88-1　アブラハム＝ルイ・ブレゲ（1747-1823）の温度補正てんぷ外観
図 2.88-2　アブラハム＝ルイ・ブレゲの温度補正方式
図 2.89　ジョン・ハリソンが H4 に採用した温度補正方式
図 2.90　バイメタル切りてんぷ方式
図 2.91　ちらねじの動かし方
図 2.92A　切りてんぷの温度補正の性質
図 2.92B　恒弾性ひげ材による温度補正の様子（総合温度特性）
図 2.93　バイメタル切りてんぷによる温度補正の例

§2.17
図 2.94　『時計学』
図 2.95　補正てんぷ
図 2.96　バイメタルてんぷの作り方
図 2.97　ギョームの Invar の発見を示す図
図 2.98　微小バイメタル片により調節する方式
図 2.99　恒弾性材の性質を説明する図

§2.18
図 2.100　ひげ内端
図 2.101　ひげ外端
図 2.102A　立等時性・てんわの片重り計算式（ヨーロッパの場合）
図 2.102B-1　立等時性・てんわの片重り計算式（日本の場合）
図 2.102B-2　立等時性・てんわ片重りのグラフ（日本の場合）
図 2.103　平等時性・巻込角の影響を表すグラフ
図 2.104　平等時性の理論・研究報告
図 2.105　時合わせ
図 2.106　ピンニングポイントの実際
図 2.107　平等時性・巻込角影響説明図
図 2.108　スイス時計教科書によくみる等時性曲線

§3.1
図 3.1　表輪列
図 3.2　ぜんまいのエネルギーの使われ方
図 3.3　てんぷの減衰振動のモデル
図 3.4　てんぷの減衰振動の実際
図 3.5　質量と重量の違い
図 3.6　100 g cm の正確な表現は…

§3.2
図 3.7　てんぷの振動の様子（減衰振動）
図 3.8　てんぷリム上の印
図 3.9　顕微鏡の視野の様子
図 3.10　検出信号波形・電圧波
図 3.11　てんわリム上の印の角度 m と通過時間 Δt と振り角 A の関係
図 3.12　振り角の減少 ΔA と振り角 A の関係：ΔA-A 特性
図 3.13　直線の式：係数 a, b の意味

§3.3
表 3.1　時計の種類とその振動系の Q 値
表 3.2　直線運動と回転運動の比較
表 3.3　てんぷの運動方程式とその解

§4.1
図 4.1　クロノメーター脱進機
図 4.2-1　クロノメーター脱進機刻音 1
図 4.2-2　クロノメーター脱進機刻音 2
図 4.3　クラブツースレバー脱進機の典型的な刻音
図 4.4-1　A 音
図 4.4-2　B 音
図 4.4-3　C 音
図 4.5　A 音の大きな例
図 4.6　A 音しっかり
表 4.1　刻音波形とその発生原因

§4.2
図 4.7　同軸脱進機全体図，部品名称など
図 4.8　同軸脱進機動作図 A_2（仮想図）
図 4.9　同軸脱進機動作図 A_1
図 4.10　同軸脱進機刻音波形 1
図 4.11　同軸脱進機刻音波形 2
図 4.12　同軸脱進機刻音波形 3
図 4.13　同軸脱進機刻音波形 4
図 4.14-1　クロノメーター脱進機刻音 1（再掲 図 4.2-1）
図 4.14-2　クロノメーター脱進機刻音 2（再掲 図 4.2-2）
図 4.15　同軸脱進機動作図 B_1
図 4.16　同軸脱進機動作図 B_2（仮想図）
図 4.17　美しいてんぷまわり
図 4.18　ドイツ高級時計の刻音
表 4.2　刻音分析事例（スイス Witschi 社）

§4.3
図 4.19　典型的な刻音波形①
図 4.20　刻音と脱進機動作の関係（再掲 図 4.4）
図 4.21　箱あがき
図 4.22　典型的な刻音波形②（再掲 図 4.3）
図 4.23　B_3 音の発生
図 4.24　Watch Expert での表示の様子
図 4.25-1　振り角の変動の様子，約 60 分間（再掲 図 1.89-1）
図 4.25-2　振り角の変動の様子，約 10 分間（再掲 図 1.89-2）

§4.4

- 図 4.26　振り角変動のグラフ，約 10 分間
- 図 4.27　振り角変動の表示 1，約 10 分間
- 図 4.28　歩度変動の表示 1，約 10 分間
- 図 4.29　振り角変動の表示 2，約 1 時間半
- 図 4.30　歩度変動の表示 2，約 1 時間半
- 図 4.31　振り角変動の表示 3，約 19 時間
- 図 4.32　歩度変動の表示 3，約 19 時間
- 図 4.33　時計 B・振り角変動の表示 4，約 12 時間
- 図 4.34　時計 B・歩度変動の表示 4，約 12 時間
- 図 4.35　テストした時計 A
- 図 4.36　テストした時計 B
- 図 4.37　テストした時計 C
- 図 4.38　時計 C・振り角変動の異常な例，約 1 時間経過
- 図 4.39　時計 C・刻音軌跡の表示
- 表 4.3　歩度と振り角の変動の比較表

§4.5

- 図 4.40　脱進機誤差の振り角特性
- 図 4.41　動的脱進機誤差の範囲
- 図 4.42-1　振り角の変動①
- 図 4.42-2　振り角の変動②
- 図 4.43　瞬間的な振り角変動を行っている実例
- 図 4.44　1 歯の噛み合い経過で発生するトルク変動
- 表 4.4　表輪列の噛み合い周期と発生する歩度変動の関係

§5.1

- 図 5.1　マン島郵便局発行の時計関係発明記念切手（2000 年発行）
- 図 5.2　クロノメーター脱進機の刻音波形（再掲 図 4.2-1）
- 図 5.3　ロジャー・スミス社製品
- 図 5.4　ロジャー・スミス社社内での討論
- 図 5.5　シンクレア・ハーディング社ハイエンドモデル H1
- 図 5.6　ジョージ・ダニエルズ博士と庭園にて
- 図 5.7　ハリソンのグラスホッパー脱進機
- 図 5.8　ハリソンの H1 再現ハイエンドモデルの内部（一部）

§5.2

- 図 5.9　クロノグラフ機構
- 図 5.10　クロノグラフ機構
- 図 5.11　美しいクロノグラフ外観
- 図 5.12　発停誤差
- 図 5.13　発停誤差のないストップウオッチ
- 図 5.14　ハートカムのあるてんぷ
- 図 5.15-1　てんぷ規制レバー（発進）
- 図 5.15-2　てんぷ規制レバー（停止）

§5.3

- 図 5.16　自動巻でクロノグラフのスプリングドライブ
- 図 5.17　スプリングドライブ・ソヌリ
- 図 5.18　右上の部品がおりん，日本の鐘の音を出す部品
- 図 5.19　米粒と比較したガバナーの羽根の部分
- 図 5.20　スプリングドライブの構造
- 図 5.21A　従来のコイル
- 図 5.21B　9R65 用コイル
- 図 5.22　レギュレーター用アモルファス磁芯
- 図 5.23　自動巻機構とその後続の表輪列の様子

§5.4

- 図 5.24A　レバー脱進機が初めて搭載された懐中時計
- 図 5.24B　現代の時計
- 図 5.25　最初のレバー脱進機（トーマス・マッジ）
- 図 5.26　1967 年，Le Locle, Robert Charrue 氏宅にて
- 表 5.1　時計の精度に関係すると考えられる，調速機まわりの細かな構造要因

§5.5

- 図 5.27　第二精工舎コンクール時計提出時の姿
- 図 5.28　諏訪精工舎のコンクール時計
- 図 5.29　切りてんぷの広域温度特性
- 図 5.30　ひげ棒の改善
- 図 5.31　天文台クロノメーターの姿勢平均偏差の分布
- 図 5.32　新しい脱進機の潤滑構造
- 表 5.2　日本のコンクール時計の成績
- 表 5.3　天文台クロノメーター規格などの比較とトップ成績データの比較

索 引

[あ行]

青木保 85
あおり 73
あがき 24
アナログクオーツ 47
アーノルド，ジョン（Arnold, John） 209
安部健次 113, 125
阿部健次郎 113
あみだの位置 55
アルキメデス曲線 56, 89, 131, 140
アンクル 3
アンクル・てんぷ動作線図 35, 37
アンクルの箱 3
アーンショウ，トーマス（Earnshaw, Thomas） 44, 81, 82, 143, 209
安全香箱 18
安全作用 24, 41, 46, 225
位置エネルギー 162
1-2の噛み合い 207
入り爪 3
　　──側第二停止 19, 36
インデックストルク 47, 223
上通過横 83
裏押さえ 7
裏輪列 7
運動エネルギー 162
エアリーの定理 103, 214
英国国王ジョージ3世（George III） 142
エネルギー 161
　　──消費実態 171
　　──伝達効率 53
大島康次郎 155
押し上げ角 32
おしどり 10
乙歯 9
オトフィーユ，アッベ・ジャン（Hautefeuille, Abbe Jean） 81
表輪列 1
　　──噛み合い周期 58
　　──の噛み合いの交替 208
重り付け 97
　　──の実際 97

──の理論 99
オリーベ取り 28
温度係数 64, 142, 233, 234
温度補正 140
温度補正機能 145
温度補正─研究の歴史 149
温度補正と金属材料 147
温度補正特性 147
温度補正の精密さ 152

[か行]

外端曲線 139
外端点 136
外端は自由端 140
回転往復振動系 59
回転加速度 175
回転半径 147
回転力 165
外乱振動応答特性 52
外乱振動周波数 52
鍵針回し 13
鍵巻き 12, 13
角穴車 3, 14
角加速度 175
角砂糖ばさみ 143
角度の感度が2倍 121
かけがね脱進機 44
カスパリ効果 87, 153, 158
仮想のひげぜんまい 92
加速度 164
片振り幅 198
カーボン 152
噛み合いの交替時の変動 208
がんぎ・アンクル動作線図 35-37
がんぎ車 3
がんぎ衝撃面衝撃 22, 39
がんぎ退却 20
がんぎのロッキングコーナー 20
慣性能率 6
慣性モーメント 6, 175
完全拘束脱進機 214
完全非弾性衝突 187
かんぬき 8, 10, 11
機械試験所所報 156
機械時計の振動数 53
企業賞 231

帰零 215
きち車 3, 9, 14
強磁性体 151
共振系の鋭さ 172
共振のよさ 53
ギョーム，シャルル・エドアール（Guillaume, Charles Edouard） 150
切換え機構 7, 14
均力車 19
空気をかき回す抵抗 170
9時上の歩度 115
グラスホッパー脱進機 212
クラッチレバー位置決めピン 215
クラブツースレバー脱進機 43, 210
グールド，ルパート・T（Gould, Rupert T.） 212
黒沢守儀 155
グロスマン，ジュール（Grossmann, Jules） 88, 153
グロスマン，ヘルマン（Grossmann, Hermann） 88, 153
グロスマン効果 87, 158
クロノグラフ 214
　　──機構 214
クロノメーター脱進機 50, 112, 188, 189, 210
くわがたあがき 26, 34, 41, 42
経線儀 188
携帯精度 173
剣先あがき 25, 26, 34, 41, 42, 46
　　──角度 26
　　──停止安全量 26, 28
　　──量 28
懸垂香箱 19
減衰振動 53, 167
現代の温度補正 145
検定実測日程 234
減点値 233
顕微鏡 128
コーアクシャル（同軸）脱進機 184
拘束角 194
後退 37
恒弾性材料 146
　　──方式 145, 146

甲歯　9, 14
香箱　14
　　──角　3
　　──車　3, 14
　　──真　3, 14
　　──蓋　14
刻音　179
　　──軌跡　202
　　──による分析　185, 188, 189
　　──の利用　184
　　──波形　193
　　──波形と分析　190
国際時計通信　156
固体摩擦　112, 169
　　──抵抗　54, 171
固定香箱　17
固定端　136
小鉄車　7, 10
小鉄中間車　8
こはぜ　3, 15
コンクール時計　230

[さ行]

サイクロイドピン　144
最大姿勢差　123
3時上の歩度　115
ジェネバ・ストップ　16
シェブナン，ピエール（Chevenard, Pierre）　151
磁気歪み　151
軸受　169
　　──穴石　129
次元表現　165
仕事　165
　　──率　165
姿勢差　71
姿勢平均偏差　233
持続時間　16
下通過横　83
実測日差　197
実用振り角領域　126
自動巻用の香箱車　17
シャルロッテ女王（Sophia Charlotte of Mecklenburg-Strelitz）　142
ジャンプ　32, 37, 106
自由外端　95
自由減衰振動　53, 162, 176
　　──状態　102
重心点　88
自由端　136
12時上の歩度　115
10秒進む時計　132

重力加速度　164
重力場　164
シュトラウマン（Straumann R.）　151
ジュネーブ天文台　231
潤滑　171
　　──油　169
瞬間歩度　206
諸悪の根元はひげ玉　83
衝撃　35
衝撃音 B_2　186
衝撃開始角度　40, 42, 106, 194
衝撃開始時点　188
衝撃開始時の落下　190
衝撃終了　22, 39
　　──角度　194
衝撃面が交替する瞬間　22
衝撃面交替　38
衝撃面停止　28
消費電流　166
シリコンウェハー　140
真円度　115
振動系の Q　112
振動系の共振の良さ　163
振動系の振動周期　110
振動周期　6, 49, 60, 147
　　──の精度　49
振動数　48, 50, 53, 180
振動の中心以後　103
振動の中心以前　103
真の衝撃開始　21
真のあがき量　41
神保泰雄　87
水晶発振回路　166, 225
スタンピングの方法　149
スプリングドライブ　114, 219, 222
スミス，ロジャー（Smith, Roger）　211
スリッピングアタッチメント　18
スリップトルク　17
諏訪精工舎　113
正確さ　167
静止摩擦　112, 169, 171, 175, 177
　　──成分　171
　　──抵抗　171
精密機械　156
精密調整　127
線膨張係数　150
ぜんまい　14
総停止　29
　　──量　106
総巻幅　139
測定時間　196, 197, 206

測定レンジ　198
その他の平均値違いの原因　119

[た行]

第一停止　23, 29, 30, 39
　　──量　40, 106
退却　32
第二停止　23, 25, 29, 30
　　──アンクル作動角　194
　　──衝撃音　188
　　──量　106
タイムグラファー　198
楕円形　116
楕円ほぞ　113
脱進機　3, 4
脱進機効率　53, 188, 194
脱進機誤差　63, 102, 118, 167, 173
　　──の総量　107, 111
　　──の平立間の差　111
　　──の平立差　111
　　──量　203, 206
　　──量 EE　208
　　──EE　173
脱進機の調整　53
脱進機の無調整化　156
ダニエルズ，ジョージ（Daniels, George）　112, 209, 211
短弧　73
　　──で遅れ　72
　　──で進み　72
弾性係数　16
弾性率の温度係数　150
力の表現　163
中間クロノグラフ車　215
チュレ，イザック（Thuret, Isaac）　6
調整者賞　231
調速機構　51
調速機・脱進機の衝突問題　153
調速機の動的な特性　190
直交座標　93
ちらねじ　55
つづみ車　3, 10, 14
爪石　3
　　──衝撃面衝撃　21, 39
　　──の食い合い　108
　　──の停止面　183
　　──のロッキングコーナー　20, 37
爪の出し入れ　41
停止　35, 40
停止安全量　26, 28, 29, 33, 42
停止解除　20, 35-37, 40

──開始　20
──の終了　20
停止量　26
出爪　3
デテシェイム，ポール（Paul Ditisheim）　150
デテント　45
デミング賞受賞　156
デュフォー，フィリップ（Dufour, Philippe）　211
電子機械ハイブリッド時計　222
てん真あがき　109
てん真耐震軸受の調子　119
てん真のほぞの傷　127, 130
てん真ほぞのびつの位置　127
てん真ほぞがた　119
てん真ほぞの摩擦抵抗　54
てんぷ　5
　　──規制レバー　218
　　──のエネルギー消費　172
　　──の減衰時間　206
　　──の自由減衰運動　163
　　──の振動方程式　110
　　──の等時性　59
　　──の振り角の目視方法　68
　　──の保有エネルギー　174, 205
天文台規格　232
天文台クロノメーター規格　233
天文台コンクール参加　156
てんわの重り取りの実際　79
てんわの片重り　60, 76, 118
　　──の理論　76
てんわの慣性能率　49, 50
東京オリンピック　217
統計的品質管理　156
同軸脱進機　43, 209
等時性曲線のデータのとり方　67
等時性曲線の利用　70
等時性要因　70, 71
等時性を乱す要因　70
動的脱進機誤差　174, 203
時打ち　184
時計技能競技全国大会　126
時計個別賞　231
時計の進み遅れ　132
時計の良さ　50
時計の良し悪し　54
時計用語の振動数　168
どてあがき　30
取付け歪み　74
トルク　16, 165
　　──変動　58, 203, 204, 208
トンピオン，トーマス（Tompion, Thomas）　6

[な行]

内外端固定の影響　82
内端曲線　139
内端処理　96
内端は普通の固定方法　140
内端付近のひげぜんまい　95
中具合　21, 109
日差平均偏差　232, 233
日差偏差　233
二次温度誤差　233, 235
二種金属天府　148
日本生まれの調整技術　97
日本時計学会会誌　156
日本の時計理論の歴史　155
ニューシャテル天文台　232
粘性抵抗　171
粘性摩擦　110, 169, 175, 177
のぞき穴　29
乗り子　99

[は行]

バイメタル　144, 145
　　──切りてんぷ　56
箱あがき　21, 28, 40, 41
箱先あがき　27, 28, 33, 41
箱先と振り座の様子　119
蓮沼宏　155
発進・停止のメカニズム　215
発停誤差　214, 217
ばね掛けがね脱進機　45
針付け　215
針とび　216
針回し　12
　　──機構　8
ハリソン，ジョン（Harrison, John 1693-1776）　54, 144, 149, 209
パワー　165, 166
半減期　206
半振り切り　28, 31
引き　24, 25, 27, 30, 37, 46
　　──の力　23
ひげ具合　109, 119
ひげ形状の変形の実際　139
ひげ形状の変形ルール　138
ひげぜんまい
　　──の重心移動　63, 80, 84, 118
　　──の重心点　84
　　──の内外端固定の影響　71
　　──の内端　84
　　──のなすべきこと　82
　　──のばね定数　49

──のピッチ　91
ひげ内端の固定　135
ひげの重心移動による姿勢差　83
ひげ持　137, 139
左下がり　108
左ねじ　9
ピッチ　91
びつの振動周期に対する影響　128
微動装置　56
日の裏車　7
秒クロノグラフ車　215, 216
表示切換え　8
標準電波　132
平等時性　60, 72
平立差　107, 111
　　──の原因　107
　　──の真の原因　112
　　──のメカニズム　109
ピンニングポイント　157
フィリップス，エドゥワール（Phillips, Édouard）　81
フィリップスの条件　55, 96, 135, 152
復元差　233
復元力　132
複素座標　85
フゼー香箱　19
フック，ロバート（Hooke, Robert 1635-1703）　6, 81, 141
不平衡状態　205
振り　57
振り当たり　57
振り角
　　──110°　117
　　──138°　83
　　──135°　128
　　──150°　117
　　──220°　83, 99
　　──315°　127
　　──316°　99
　　──記録測定器　58
　　──の2乗に反比例　107
　　──の変動　58, 197, 198
　　──の変動幅　201
　　──や歩度の変動　200
振り切り　24
振りむら　57
ブレゲ，アブラハム＝ルイ（Breguet, Abraham-Louis）　143
分解掃除と振り　65
平均値違い　113, 115
　　──の定義式　119
平均歩度　196

平衡状態　204
ベッセル関数　87
ベルトゥー，フェルディナント（Berthoud, Ferdinand）　150
偏心の影響　155
ホイヘンス，クリスチャン（Huygens, Christiaan）　5, 81
補正てんぷ　147
補正天府　147, 148
ほぞの真円度　124
ほぞびつによる平均値違い　125
歩度測定器　203
歩度と振り角の変動　200
歩度の測定　195
歩度の振り角特性　65
歩度の変動　197
歩度・振り角変動の原因　202
歩度変数　197, 198
　　——の大きさ　208
　　——の本当の原因　201
保有エネルギー　162

[ま行]

マイス，ラインハルド（Meis, Reinhard）　81
巻き上げ鍵　12
巻き上げ機構　1, 3, 9, 13
巻き上げ形状　126
巻き上げひげ　55, 126
巻き上げ輪列　14
巻込角　60, 71, 118, 126
巻真　14
巻き止め装置　16
増本量　150
マッジ，トーマス（Mudge, Thomas）　6, 142, 209, 227
マリンクロノメーター　54, 209
丸穴車　3, 9, 14
マルテーズ・クロス　16
右ねじ　9
文部省の科学試験研究費　156

[や・ら行]

有効な巻込角　158
よい時計　54
揺動かな　215
四番クロノグラフ車　215

落下　22, 31, 35, 40
ランゲ，フェルディナント・アドルフ（Lange, Ferdinand Adolph）　12
理想のひげぜんまい　131

リムの切り口　145
りゅうず　14
理論時計学　153
レギュレーター　220
6時上の歩度　115
ロワ，ピエール・ル（Roy, Pierre Le）　150, 153

[欧文]

A. Lange & Söhne　143
Adolph Lange, Ferdinand → ランゲ，フェルディナント・アドルフ
allegretto　180
allegro　180
A音　180, 182, 196
B音　181, 189, 193
B_2音　193
B_3音　193
balance wheel　6
Berthoud, Ferdinand → ベルトゥー，フェルディナント
Breguet, Abraham-Louis → ブレゲ，アブラハム＝ルイ
bruits de la montre　179
Catherine Cardinal　6
Guillaume, Charles Edouard → ギヨーム，シャルル・エドアール
Charlotte of Mecklenburg-Strelitz, Sophia → シャルロッテ女王
Chevenard, Pierre → シュブナン，ピエール
CMW　103
Co-elinvarの発見　151
compensation balance　148
C音　180, 182, 189, 194
DIP　140
Disturbances caused by the escapement　103, 158
Ditisheim, Paul → デテシェイム，ポール
Daniels, George → ダニエルズ，ジョージ
Dufour, Philippe → デュフォー，フィリップ
EAGLE　48
Earnshaw, Thomas → アーンショウ，トーマス
écarts des échappement　103
Elinvar　150
escapement error　103, 158
$F=mg$　164

George III → 英国国王ジョージ3世
Geräusch der Uhr　179
Gould, Rupert T. → グールド，ルパート・T
Grossmann, Hermann → グロスマン，ヘルマン
Grossmann, Jules → グロスマン，ジュール
H1モデル　211
H4　149
Harrison, John → ハリソン，ジョン
Hooke, Robert → フック，ロバート
Horlogerie Théorique　153
Huygens, Christiaan → ホイヘンス，クリスチャン
Invar　150
Isochronism　88
JIS B 7010-2003　1
JIS用語　1
J（ジュール）　166
Mudge, Thomas → マッジ，トーマス
Meis, Reinhard → マイス，ラインハルド
Mémoire sur le spiral réglant des chronomètres et des montres" by Édouard Phillips　152
Metelinvar　151
molto presto　180
Nivarox　151
noises of a watch　179
N（ニュートン）　166
Paul M Chamberlain　6
Phillips, Édouard → フィリップス，エドゥワール
Phillipsの条件　95
Roy, Pierre Le → ロワ，ピエール・ル
Q　163, 172, 173
Quality　163
Q値　53, 54
rad（ラジアン）　166
Smith, Roger → スミス，ロジャー
Straumann R. → シュトラウマン
Schiffer Publishing Ltd.　80
Sinclair Harding　211
SiO_2　152
SuperInvar　150

Thuret, Isaac → チュレ, イザック
Tompion, Thomas → トンピオン, トーマス
VARIO 形式　198
vivace　180
Watch Expert　181, 195
Witschi　57
WOSTEP　1, 77
W（ワット）　166
$\varDelta E$　174, 175
$\varDelta E$ 効果　235
$\varDelta F$　137

小牧昭一郎（こまき・しょういちろう）

日本時計研究会・技術顧問．
1934年生まれ．東京大学工学部応用物理学科計測工学専修卒業．1958年第二精工舎入社，主として時計の設計，研究に従事．機械時計の研究領域ではスイス天文台コンクールへのコンクール時計の提出を担当，クオーツの開発では研究開発・設計部長などを歴任．2010年日本時計学会より，当該年度に提出した論文「ひげぜんまい重心移動の理論と実際──内端カーブの効果の最適化」で青木賞を受賞した．

機械式時計講座

2014年8月25日　初　版
2022年7月15日　第9刷

［検印廃止］

著　者　小牧昭一郎
発行所　一般財団法人 東京大学出版会
代表者　吉見　俊哉
153-0041 東京都目黒区駒場4-5-29
電話 03-6407-1069　Fax 03-6407-1991
振替 00160-6-59964
印刷所　株式会社三秀舎
製本所　牧製本印刷株式会社

© 2014 Shoichiro Komaki
ISBN 978-4-13-068800-0　Printed in Japan

JCOPY〈出版者著作権管理機構　委託出版物〉
本書の無断複写は著作権法上での例外を除き禁じられています．複写される場合は，そのつど事前に，出版者著作権管理機構（電話 03-5244-5088, FAX 03-5244-5089, info@jcopy.or.jp）の許諾を得てください．

中島尚正
東京大学機械工学 3
機械設計　基本原理からマイクロマシンまで
　　　　　　　　　　　　　　　　　　　　3,200 円/A5 判/240 頁

名倉　徹
LSI 設計常識講座
　　　　　　　　　　　　　　　　　　　　3,200 円/A5 判/244 頁

青木史郎
インダストリアルデザイン講義
　　　　　　　　　　　　　　　　　　　　4,600 円/A5 判/400 頁

浅井治彦・益田文和 編
エコデザイン
　　　　　　　　　　　　　　　　　　　　2,600 円/菊判/136 頁

山際康之
分解デザイン工学　バラバラにすることで価値を生む
　　　　　　　　　　　　　　　　　　　　2,800 円/A5 判/192 頁

田浦俊春
創造デザイン工学
　　　　　　　　　　　　　　　　　　　　3,000 円/A5 判/192 頁

青木信仰
新装版 時と暦
　　　　　　　　　　　　　　　　　　　　2,900 円/四六判/328 頁

ここに表示された価格は本体価格です．ご購入の際には消費税が加算されますのでご了承ください．